SEP 2002

Leeds Grammar School
Lawson Library

Le Guide Vert

This book is to be returned on or before
the last date stamped below.

Discarded

CLASS   848 MIC

No   228934

AUTHOR   SUBJECT   DATE

2000

8.99 /

D0238616

Cet ouvrage tient compte des conditions
de tourisme connues au moment de sa
rédaction. Certains renseignements
peuvent perdre de leur actualité en raison
de l'évolution incessante des
aménagements et des variations du coût
de la vie. Nos lecteurs sauront
le comprendre.

A.L.V. 1

Éditions du Voyage

46, avenue de Breteuil – 75324 Paris Cedex 07
Tél. 01 45 66 12 34

•

www.michelin-travel.com

MANUFACTURE FRANÇAISE DES PNEUMATIQUES MICHELIN

Société en commandite par actions au capital de 2 000 000 000 de francs

Place des Carmes Déchaux – 63000 Clermont-Ferrand – R. C. S. Clermont-Fd 855 200 507

© Michelin et Cie, Propriétaires Éditeurs, 2000

Dépôt légal mars 2000 – ISBN 2-06-037207-0 – ISSN 0293-9436

Toute reproduction, même partielle et quel qu'en soit le support,
est interdite sans autorisation préalable de l'éditeur

Printed in the EU 01-2000/1

Compograveur : APS/Chromostyle - Impression et brochage : Casterman à Tournai
Conception graphique : Christiane Beylier à Paris 12ᵉ
Maquette de couverture extérieure : Agence Carré Noir à Paris 17ᵉ

LE GUIDE VERT,
l'esprit de découverte !

Avec cette nouvelle collection LE GUIDE VERT, nous avons l'ambition de faire de vos vacances des moments passionnants et mémorables, d'accompagner votre découverte de nouveaux horizons, bref... de vous faire partager notre passion du voyage.

Voyager avec LE GUIDE VERT, c'est être acteur de ses vacances, profiter pleinement de ce temps privilégié pour découvrir, s'enrichir, apprendre au contact direct du patrimoine culturel et de la nature.

Le temps des vacances avec LE GUIDE VERT, c'est aussi la détente, se faire plaisir, apprécier une bonne adresse pour se restaurer, dormir, ou se divertir.

Explorez notre sélection !

Une mise en pages claire, attrayante, illustrée d'une nouvelle iconographie, des cartes et plans redessinés, outils indispensables pour bâtir vos propres itinéraires de découverte, une nouvelle couverture parachevant l'ensemble...

LE GUIDE VERT change.

Alors plongez vite dans LE GUIDE VERT à la découverte de votre prochaine destination de voyage. Partagez avec nous cette ouverture sur le monde qui donne au temps des vacances son sens, sa substance et en définitive son véritable esprit.

L'esprit de découverte.

Jean-Michel DULIN
Rédacteur en Chef

Sommaire

Une enseigne traditionnelle à Mulhouse.

Le trésor des vignobles alsaciens.

Villes et sites

Confiture de groseilles de Bar-le-Duc.

Prêts pour une cure à Contrexéville ?

Cartographie

Les cartes routières qu'il vous faut

Tout automobiliste prévoyant doit se munir d'une bonne cartographie. Les produits Michelin sont complémentaires : chaque site présenté dans ce guide est accompagné de ses références cartographiques sur les différentes gammes de cartes que nous proposons. L'assemblage de nos cartes est présenté ci-dessous avec délimitations de leur couverture géographique.

Pour circuler sur place vous avez le choix entre :

• les **cartes régionales** au 1/200 000 nᵒˢ 241, 242 et 243 qui couvrent le réseau routier principal, secondaire et de nombreuses indications touristiques. Elles seront favorisées dans le cas d'un voyage qui couvre largement un secteur. Elles permettent d'apprécier chaque site d'un simple coup d'œil. Elles signalent, outre les caractéristiques des routes, les châteaux, les grottes, les édifices religieux, les emplacements de baignade en rivière ou en étang, des piscines, des golfs, des hippodromes, des terrains de vol à voile, des aérodromes...

• les **cartes détaillées**, dont le fonds est équivalent aux cartes régionales mais dont le format est réduit à une demi-région pour plus de facilité de manipulation. Celles-ci sont mieux adaptées aux personnes qui envisagent un séjour davantage sédentaire sans déplacement éloigné. Consulter les cartes nᵒˢ 56, 57, 62, 66 et 87.

• les **cartes départementales** (au 1/150 000, agrandissement du 1/200 000). Ces cartes de proximité, très lisibles, permettent de circuler au cœur des départements. Dans la région, vous pouvez utiliser les cartes 4054 (Meurthe-et-Moselle) et 4057 (Moselle). Elles disposent d'un index complet des localités et le plan de la préfecture.

Et n'oubliez pas, la **carte de France nᵒ 989** vous offre la vue d'ensemble de la région Alsace-Lorraine, ses grandes voies d'accès d'où que vous veniez. Le pays est ainsi cartographié au 1/1 000 000 et fait apparaître le réseau routier principal.

Enfin sachez qu'en complément de ces cartes, un serveur minitel **3615 Michelin** permet le calcul d'itinéraires détaillés avec leur temps de parcours, et bien d'autres services. Les **3617** et **3623 Michelin** vous permettent d'obtenir ces informations reproduites sur fax ou imprimante. Les internautes pourront bénéficier des mêmes renseignements en surfant sur le site **www.michelin-travel.com**.

L'ensemble de ce guide est par ailleurs riche en cartes et plans, dont voici la liste :

Légende

Monuments et sites

Itinéraire décrit, départ de la visite

Église

Temple

Synagogue - Mosquée

Bâtiment

Statue, petit bâtiment

Calvaire

Fontaine

Rempart - Tour - Porte

Château

Ruine

Barrage

Usine

Fort

Grotte

Monument mégalithique

Table d'orientation

Vue

Autre lieu d'intérêt

Sports et loisirs

Hippodrome

Patinoire

Piscine : de plein air, couverte

Port de plaisance, centre de voile

Refuge

Téléphérique, télécabine

Funiculaire, voie à crémaillère

Chemin de fer touristique

Base de loisirs

Parc d'attractions

Parc animalier, zoo

Parc floral, arborétum

Parc ornithologique, réserve d'oiseaux

Promenade à pied

Intéressant pour les enfants

Abréviations

A	Chambre d'agriculture
C	Chambre de commerce
H	Hôtel de ville
J	Palais de justice
M	Musée
P	Préfecture, sous-préfecture
POL.	Police
	Gendarmerie
T	Théâtre
U	Université, grande école

	site	station balnéaire	station de sports d'hiver	station thermale
vaut le voyage	★★★	♨♨♨	❄❄❄	♀♀♀
mérite un détour	★★	♨♨	❄❄	♀♀
intéressant	★	♨	❄	♀

Autres symboles

⒵ Information touristique

═══   ═══ Autoroute ou assimilée

➊   **➊** Échangeur : complet ou partiel

⊨═══ ═══ Rue piétonne

ɪ ═ ═ ═ ═ ɪ Rue impraticable, réglementée

⊡⊡⊡   - - - - Escalier - Sentier

🚂   🚃 Gare - Gare auto-train

🚌   🚌 Gare routière

—•—•— Tramway

◉ Métro

P **R** Parking-relais

♿ Facilité d'accès pour les handicapés

✉ Poste restante

☎ Téléphone

✉ Marché couvert

•✕• Caserne

△ Pont mobile

ひ Carrière

✗ Mine

B   **F** Bac passant voitures et passagers

⛴ Transport des voitures et des passagers

⛴ Transport des passagers

③ Sortie de ville identique sur les plans et les cartes Michelin

Bert (R.)... Rue commerçante

AZ B Localisation sur le plan

⬛ Hébergement

⬛ Lieu de restauration

Carnet d'adresses

20 ch : Nombre de chambres :
250/375F prix de la chambre une personne/chambre double. *(Chambre d'hôte : petit-déjeuner compris)*

⊏⊐ *45F* Prix du petit-déjeuner

jusq. 5 pers. : Capacité du gîte rural :
sem 1500F, prix pour la semaine,
w.- end 1000F pour le week-end

100 appart. Nombre d'appartements
2/4 pers. : et capacité,
sem. prix minimum/maximum par
2000/3500F semaine *(résidence ou village vacances)*

100 lits : 50F Nombre de lits et prix par personne *(auberge de jeunesse)*

120 empl. : Nombre d'emplacements
80F de camping et prix pour 2 personnes avec voiture

110/250F Restaurant : prix mini/maxi des menus servis midi et soir ou à la carte

rest. Repas dans un lieu
110/250F d'hébergement : prix mini/maxi des menus servis midi et soir ou à la carte

restauration Petite restauration proposée

repas 85F Repas type « Table d'hôte »

réserv. Réservation recommandée

⊘ Cartes bancaires non acceptées

P Parking réservé à la clientèle de l'hôtel

Les prix sont indiqués pour la haute saison

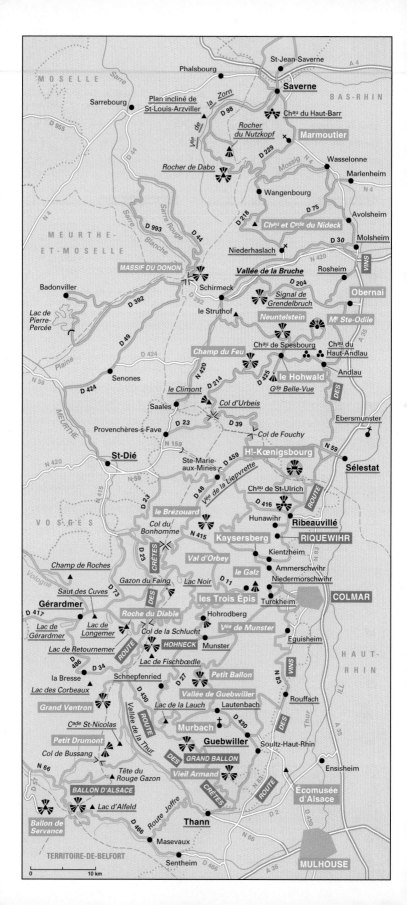

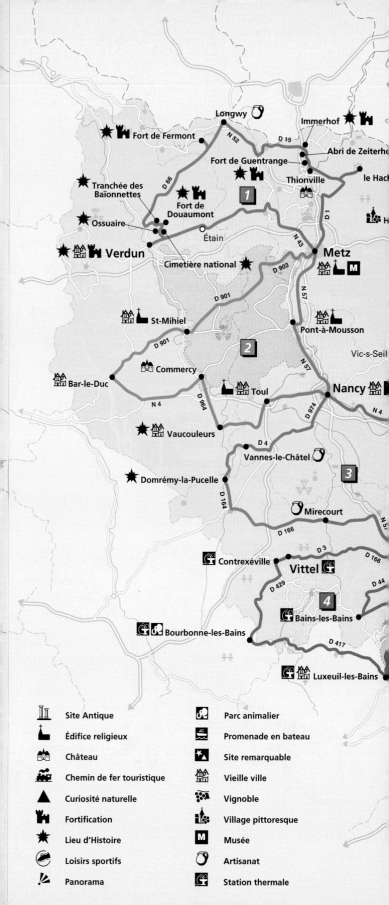

Longwy

Fort de Fermont

Immerhof

Abri de Zeiterho

Fort de Guentrange

le Hach

Thionville

N 52

D 15

D 66

Tranchée des
Baïonnettes

1

Fort de
Douaumont

Ossuaire

Étain

D 1

H

Verdun

Cimetière national

N 43

Metz

M

D 903

St-Mihiel

D 901

Pont-à-Mousson

D 901

Vic-s-Seil

2

N 57

Commercy

Bar-le-Duc

Toul

Nancy

N 4

D 964

N 4

D 974

Vaucouleurs

Vannes-le-Châtel

D 4

3

Domrémy-la-Pucelle

Mirecourt

N 5

D 164

D 166

Contrexéville

D 3

Vittel

D 166

D 429

4

D 44

Bains-les-Bains

Bourbonne-les-Bains

D 417

Luxeuil-les-Bains

	Site Antique		Parc animalier
	Édifice religieux		Promenade en bateau
	Château		Site remarquable
	Chemin de fer touristique		Vieille ville
	Curiosité naturelle		Vignoble
	Fortification		Village pittoresque
	Lieu d'Histoire	M	Musée
	Loisirs sportifs		Artisanat
	Panorama		Station thermale

Circuits de découverte

Pour de plus amples explications, consulter
la rubrique "Itinéraires à thèmes"

0   40 km

Sarreguemines

Simserhof

Rombourg-Haut

N 3

St-Avold

N 62

Bitche

Rohrbach-lès-Bitche

D 36

Ch^au de Falkenstein

St-Louis-lès-Bitche

Niederbronn-les-B.

D 28

N 74

la Petite-Pierre

8

D 6

Haguenau

Marsal

D 955

Bouxwiller

Saverne

D 263

N 4

Strasbourg

M

Lunéville

St-Clément

Baccarat

D 49

D 424

D 35

7

Rhin

Vallée du Rhin

D 468

St-Dié

D 46

N 415

Épinal

N 415

Neuf-Brisach

Freiburg-im-B.

Colmar

M

N 83

5

Plombières-les-Bains

D 486

D 431

Schauinsland

Belchen

Todtnau

Badenweiler

6

Ch^au de Bürgeln

Mulhouse

M

D 66

Basel

M

1	Souvenirs de guerre	**5**	La forêt vosgienne
2	Entre Meuse et Moselle	**6**	Pays rhénans du Sud
3	Arts décoratifs	**7**	Route des vins d'Alsace
4	Stations thermales des Vosges	**8**	"En passant par la Lorraine..."

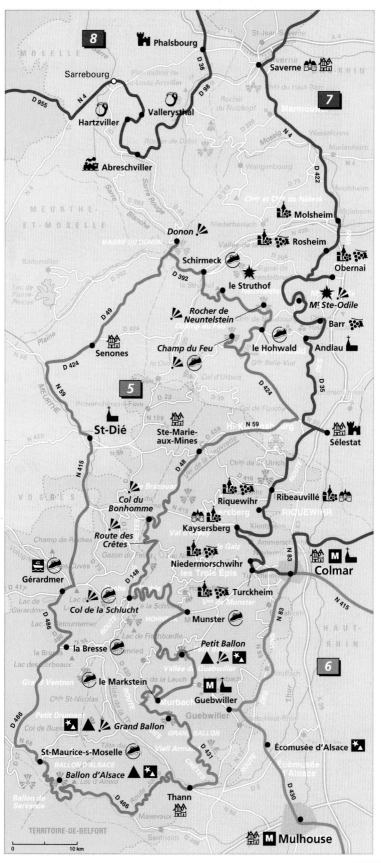

8

Phalsbourg

Sarrebourg

Vallerysthal

Hartzviller

Abreschviller

Saverne

7

Molsheim

Rosheim

Donon

Schirmeck

le Struthof

Obernai

Rocher de
Neuntelstein

Mt Ste-Odile

Barr

Senones

Champ du Feu

le Hohwald

Andlau

St-Dié

Ste-Marie-
aux-Mines

5

Sélestat

Col du
Bonhomme

Riquewihr

Ribeauvillé

RIQUEWIHR

Route des
Crêtes

Kaysersberg

Gérardmer

Niedermorschwihr
les Trois Epis

Colmar

Turckheim

Col de la Schlucht

Munster

la Bresse

Petit Ballon

le Markstein

Guebwiller

Murbach

Grand Ballon

6

Écomusée d'Alsace

St-Maurice-s-Moselle

Ballon d'Alsace

Thann

TERRITOIRE-DE-BELFORT

Mulhouse

0   10 km

Un des plaisirs de l'Alsace : les marchés de Noël, ici à Strasbourg.

Informations
pratiques

Avant le départ

adresses utiles

Ceux qui aiment préparer leur voyage dans le détail peuvent rassembler la documentation utile auprès des professionnels du tourisme de la région. Outre les adresses indiquées ci-dessous, sachez que les coordonnées des offices de tourisme ou syndicats d'initiative des villes et sites décrits dans le corps du guide sont données systématiquement au début de chaque chapitre (paragraphe « la situation »).

COMITÉS RÉGIONAUX DE TOURISME (CRT)

Alsace — 6 av. de la Marseillaise, BP 219, 67005 Strasbourg cedex, ☎ 03 88 25 01 66.
Minitel 3615 alsace. Site internet www.tourisme-alsace.com.

Lorraine — 1 pl. Gabriel-Hocquard, BP 81004, 57036 Metz cedex 1, ☎ 03 87 37 02 16. Site internet www.cr-lorraine.fr.

COMITÉS DÉPARTEMENTAUX DE TOURISME (CDT)

Meurthe-et-Moselle — 48 r. du Sergent-Blandan, BP 65, 54062 Nancy cedex, ☎ 03 83 94 51 90.

Meuse — Hôtel du département, 55012 Bar-le-Duc cedex, ☎ 03 29 45 78 40.

Moselle — Hôtel du département, 1 r. du Pont-Moreau, BP 11096, 57036 Metz cedex 1, ☎ 03 87 37 57 80. Site internet www.moselle-france.com.

Bas-Rhin — Agence de développement touristique, 9 r. du Dôme, BP 53, 67061 Strasbourg cedex, ☎ 03 88 15 45 80.

Haut-Rhin — Maison du tourisme de Haute-Alsace, 1 r. Schlumberger, BP 337, 68006 Colmar cedex, ☎ 03 89 20 10 68. Site Internet, www.tourisme68.asso.fr.

Vue du col de la Charbonnière

Vosges — 7 r. Gilbert, BP 332, 88008 Épinal cedex, ☎ 03 29 82 49 93.

MAISONS DE PAYS

Maison de l'Alsace — 39 av. des Champs-Élysées, 75008 Paris, ☎ 01 53 83 10 10. Elle regroupe la documentation sur le Bas-Rhin, le Haut-Rhin et les Vosges et propose la découverte du patrimoine, des circuits, des séjours... ainsi que des produits artisanaux et gastronomiques à sa boutique située au 10 r. du Colisée, ☎ 01 45 59 04 84.

Maison de la Lorraine — 2 r. de l'Échelle, 75001 Paris, ☎ 01 44 58 94 00.

météo

QUEL TEMPS POUR DEMAIN ?

Eh non, il ne fait pas toujours beau, même l'été où l'on se méfiera des orages, souvent aussi violents que soudains ! Aussi ceux qui ne se contenteraient pas des informations le plus souvent optimistes de la presse locale, pourront en savoir plus, avant de partir en randonnée, en composant les numéros suivants mis en place par Météo-France :

Prévisions régionales — ☎ 08 36 68 01 01.

Prévisions départementales — ☎ 08 36 68 02 suivi du numéro du département (☎ 08 36 68 02 88 pour les Vosges par exemple).

Massifs montagneux — ☎ 08 36 68 10 20 : enneigement et risques d'avalanche.

Toutes ces informations sont également disponibles sur Minitel 3615 météo (rubriques Météorologie générale).

CLIMAT

Le climat lorrain est nettement continental : hiver long et rude, été souvent très chaud. Les précipitations sont nombreuses, pluies d'orage en été, neiges abondantes en hiver. En Alsace apparaissent des conditions climatiques particulières aux dépressions très abritées.

L'**été**, il faut s'attendre à de grosses chaleurs et à de forts orages dans la plaine. La brume noie les vallées et masque souvent les lointains. Mais en allant vers les hauteurs des massifs voisins, on retrouve la fraîcheur et un air léger.

L'**automne** offre le chatoiement des vignobles dorés, des forêts aux teintes de feu contrastant avec la verdure des sapinières. Des nappes de brouillard très épais sont à craindre.

En **hiver**, l'air froid envahit parfois les vallées alors obscurcies de nuages, cependant que les sommets sont baignés de soleil. Sur les Vosges, les chutes de neige prolongées rendent impraticables un certain nombre de routes. Mais elles font le bonheur des esthètes et des amateurs de sports d'hiver muant les stations estivales en centres de ski.

Quant au **printemps** alsacien, il est lumineux, léger et serein dès le mois d'avril. La blancheur attardée des hauts ballons domine les teintes délicates, tendres ou vives, des prés et des collines, des hêtres, des acacias et des châtaigniers.

Place du marché à Obernai

transports

PAR LA ROUTE

Située au cœur de l'Europe, la région Alsace-Lorraine bénéficie d'une bonne liaison avec les réseaux routiers et autoroutiers nationaux et internationaux.

Tourisme-Informations sur Minitel — Consultez le **3615 Michelin** : ce serveur vous aide à préparer ou décider du meilleur itinéraire à emprunter en vous communiquant d'utiles informations routières. Les 3617 et 3623 Michelin vous permettent d'obtenir ces informations sur fax ou imprimante.

Information autoroutière — Du lundi au vendredi : Centre des renseignements autoroutes, 3 r. Edmond-Valentin, 75007 Paris, ☎ 01 47 05 90 01, ou sur Minitel 3615 autoroute. Informations sur les conditions de circulation sur les autoroutes : ☎ 08 36 68 10 77, ☎ 08 36 68 10 77, sur Minitel 3615 autoroute et sur Internet www.autoroutes.fr. Consultez la carte Michelin n° 989 (au 1/1 000 000) et l'Atlas autoroutier Michelin n° 914. Fréquence radio sur autoroute : 107,7 FM.

L'autoroute de l'Est A 4 Paris-Strasbourg dessert Verdun, Metz et Saverne avant de poursuivre par la A 352 jusqu'à Obernai ; l'autoroute A 31 Luxembourg-Dijon dessert Thionville, Metz, Pont-à-Mousson, Nancy, Toul, Vittel et les Vosges et poursuit par l'A 6 vers Lyon ; l'autoroute A 35 relie Obernai, Colmar, Mulhouse et Bâle ; l'autoroute A 36 relie Besançon à Mulhouse et remonte jusqu'à Karlsruhe.

EN TRAIN

Les grandes villes de Lorraine (Nancy, Metz) sont à 2h30-3h de Paris. Celles d'Alsace (Strasbourg, Colmar) sont à 4h-5h. Nombreux départs quotidiens. Grandes lignes : Paris/Bar-le-Duc/Nancy/Strasbourg ; Paris/Nancy/Épinal/Remiremont ; Paris/Nancy/Lunéville/St-Dié ; Paris/Metz/Sarrebruck ; Luxembourg/Metz/Nancy.

La formule train-auto permet de retrouver sa voiture à la gare d'arrivée.

La SNCF propose diverses formules de tarifs réduits. Les gares commercialisent également des formules de voyage (3615 frantour).

La SNCF commercialise le fascicule Réseau Nord-Est dans les boutiques La Vie du rail. Un guide TER (Transport Express Régional) répertorie les horaires et les gares.

Renseignements et réservation — Informations générales, Minitel 3615 ou 3616 SNCF ; informations sur le réseau régional, 3615 ou 3616 TER ; informations, réservation, vente, ☎ 08 36 35 35 35 ; informations sur répondeur, ☎ 08 36 67 68 69.

EN AVION

Trois grands aéroports offrent des liaisons régulières directes avec d'autres villes de la métropole.

Aéroport Strasbourg International — Il est relié à Paris, Lille, Lyon, Marseille, Montpellier, Nice et de nombreuses villes européennes. Service accueil-information, ☎ 03 88 64 67 67. Une navette bus assure la liaison avec le centre-ville toutes les 1/2h du lundi au vendredi ; le week-end en fonction des départs et arrivées des vols. Durée du trajet : 30 mn. Information navette-bus, ☎ 03 88 64 67 67.

	Bar-le-Duc	Épinal	Metz	Mulhouse	Nancy	Strasbourg
Paris	253 km 3 h	384 km 4 h 10	333 km 3 h 15	465 km 5 h 15	307 km 4 h 05	490 km 4 h 35

Aéroport de Bâle-Mulhouse (EuroAirport) — Il est relié à Paris, Lille, Lyon, Nice, Rennes et de nombreuses villes européennes. Informations, ☎ 03 89 69 00 00. Une navette assure la liaison avec la gare de Mulhouse en correspondance avec les vols. Durée du trajet : 30 mn. Informations : Voyages Chopin, 7 r. des Machines, 68200 Mulhouse, ☎ 03 89 42 17 04.

Aéroport de Metz-Nancy-Lorraine — Situé entre Metz et Nancy, près de Cherisey, à la hauteur de Pont-à-Mousson, il propose des vols quotidiens à destination de Paris, Lyon, Marseille, Toulouse, Nice (5 vols hebdomadaires), Lille et quelques lignes régulières internationales. Service accueil et informations, ☎ 03 87 56 70 00. Les navettes Aérolor assurent la liaison avec les gares SNCF de Metz (durée : 30 mn) et de Nancy (durée : 40 mn). Renseignements : Les Courriers mosellans, ☎ 03 87 34 60 00 ; Groupe Piot, ☎ 03 83 65 15 15.

Compagnies aériennes — **Air France**, ☎ 0 802 802 802 ou Minitel 3615 AF. **Air Liberté**, ☎ 0 803 805 805 ou Minitel 3615 air liberté. **AOM**, ☎ 0 803 001 234 ou Minitel 3615 AOM.

tourisme et handicapés

Un certain nombre de curiosités décrites dans ce guide sont accessibles aux handicapés. Elles sont signalées par le symbole &. Pour de plus amples renseignements au sujet de l'accessibilité des musées aux personnes atteintes de handicaps moteurs ou sensoriels, contacter la Direction des musées de France, service Accueil des publics spécifiques, 6 r. des Pyramides, 75041 Paris Cedex 1, ☎ 01 40 15 35 88.

Guides Michelin Hôtels-Restaurants et Camping Caravaning France — Révisés chaque année, ils indiquent respectivement les chambres accessibles aux handicapés physiques et les installations sanitaires aménagées.

3614 Handitel — Ce serveur Minitel est proposé par le **Comité national français de liaison pour la réadaptation des handicapés**, 236 bis r. de Tolbiac, 75013 Paris, ☎ 01 53 80 66 66. Ce service télématique assure un programme d'information au sujet des transports et des vacances. Site Internet, www.handitel.org.

Guide Rousseau H... comme Handicaps — En relation avec l'association France handicaps (9 r. Luce-de-Lancival, 77340 Pontault-Combault, ☎ 01 60 28 50 12), il donne de précieux renseignements sur la pratique du tourisme et des loisirs.

Hébergement, restauration

En Alsace, on trouve deux types d'établissements traditionnels : les winstubs et les brasseries. Liées au commerce du vin sur la rivière l'Ill, les winstubs ont été créées par les viticulteurs strasbourgeois pour promouvoir leurs vins. Dans ces restaurants, à l'ambiance chaleureuse, on s'attardera devant un pichet de vin d'Alsace en dégustant une choucroute, du cervelas en salade, du coq au riesling, une tourte vigneronne, un presskopf (hure de porc en gelée), une flammekueche, des tartes aux fruits... Dans les brasseries, les amateurs de bière ne manqueront pas de déguster une bière fabriquée sur place accompagnée d'un plat régional. Tradition des Hautes Vosges, les fermes-auberges de Lorraine se sont constituées en association. Étapes de choix pour les randonneurs, mais souvent accessibles aux automobilistes, elles proposent des produits de la ferme et parfois même l'hébergement (gîte ou chambre d'hôte). Certaines fermes proposent un repas « marcaire » qui comprend en général une tourte de la vallée, de la viande de porc fumée garnie de *roïgabrageldi*, pommes de terre aux oignons et lardons, du munster et une tarte aux myrtilles.

les adresses du guide

C'est une des nouveautés de la collection LE GUIDE VERT : partout où vous irez, vous trouverez notre sélection de bonnes adresses. Nous avons sillonné la France pour repérer

Le lac de Sewen

des chambres d'hôte et des hôtels, des restaurants et des fermes-auberges, des campings et des gîtes ruraux... En privilégiant des étapes agréables, au cœur des villes ou sur nos circuits touristiques, en pleine campagne ou les pieds dans l'eau ; des maisons de pays, des tables régionales, des lieux de charme et des adresses plus simples... Pour découvrir la France autrement : à travers ses traditions, ses produits du terroir, ses recettes et ses modes de vie.

Le confort, la tranquillité et la qualité de la cuisine sont bien sûr des critères essentiels ! Toutes les maisons ont été visitées et choisies avec le plus grand soin, toutefois il peut arriver que des modifications aient eu lieu depuis notre dernier passage : faites-le nous savoir, vos remarques et suggestions seront toujours les bienvenues !

Les prix que nous indiquons sont ceux pratiqués en haute saison ; hors saison, de nombreux établissements proposent des tarifs plus avantageux, renseignez-vous...

MODE D'EMPLOI

Au fil des pages, vous découvrirez nos carnets d'adresses : toujours rattachés à des villes ou à des sites touristiques remarquables du guide, ils proposent une sélection d'adresses à proximité. Si nécessaire, l'accès est donné à partir du site le plus proche ou sur des schémas régionaux.

Dans chaque carnet, les maisons sont classées en trois catégories de prix pour répondre à toutes les attentes : Vous partez avec un petit budget ? Choisissez vos adresses parmi celles de la catégorie « **À bon compte** » : vous trouverez là des campings, des chambres d'hôtes simples et conviviales, des hôtels à moins de 250F et des tables souvent gourmandes, toujours honnêtes, à moins de 100F.

Votre budget est un peu plus large, piochez vos étapes dans les « **Valeurs sûres** » : de meilleur confort, les adresses sont aussi plus agréablement situées et aménagées. Dans cette catégorie, vous trouverez beaucoup de maisons de charme, animées par des passionnés, ravis de vous faire découvrir leur demeure et leur table. Là encore, chambres et tables d'hôte sont au rendez-vous, avec des hôtels et des restaurants plus traditionnels, bien sûr.

Vous souhaitez vous faire plaisir, le temps d'un repas ou d'une nuit, vous aimez voyager dans des conditions très confortables ? La catégorie « **Une petite folie !** » est pour vous... La vie de château dans de luxueuses chambres d'hôte — pas si chères que ça — ou la vie de pacha dans les palaces et les grands hôtels : à vous de choisir ! Vous pouvez aussi profiter des décors de rêve des palaces mythiques à moindres frais, le temps d'un brunch ou d'une tasse de thé... À moins que vous ne préfériez casser votre tirelire pour un repas gastronomique dans un restaurant étoilé, par exemple. Sans oublier que la traditionnelle formule « tenue correcte exigée » est toujours d'actualité dans ces lieux élégants !

L'HÉBERGEMENT

LES HÔTELS

Nous vous proposons un choix très large en terme de confort. La location se fait à la nuit et le petit-déjeuner est facturé en supplément. Certains établissements assurent un service de restauration également accessible à la clientèle extérieure.

LES CHAMBRES D'HÔTE

Vous êtes reçu directement par les habitants qui vous ouvrent leur demeure. L'atmosphère est plus conviviale qu'à l'hôtel, et l'envie de communiquer doit être réciproque : misanthrope, s'abstenir ! Les prix, mentionnés à la nuit, incluent le petit-déjeuner. Certains propriétaires proposent aussi une table d'hôte, en général le soir, et toujours réservée aux résidents de la maison. Il est très vivement conseillé de réserver votre étape, en raison du grand succès de ce type d'hébergement.

LES RÉSIDENCES HÔTELIÈRES

Adaptées à une clientèle de vacanciers, la location s'y pratique à la semaine, mais certaines résidences peuvent, suivant les périodes, vous accueillir à la nuitée. Chaque studio ou appartement est généralement équipé d'une cuisine ou d'une kitchenette.

LES GÎTES RURAUX

Les locations s'effectuent à la semaine ou éventuellement pour un week-end. Totalement autonome, vous pourrez découvrir la région à partir de votre lieu de résidence. Il est indispensable de réserver, longtemps à l'avance, surtout en haute saison.

LES CAMPINGS

Les prix s'entendent par nuit, pour deux personnes et un emplacement de tente. Certains campings disposent de bungalows ou de mobile homes d'un confort moins spartiate : renseignez-vous sur les tarifs directement auprès des campings. NB : certains établissements ne peuvent pas recevoir vos compagnons à quatre pattes ou les accueillent moyennant un supplément, pensez à demander lors de votre réservation.

Un menu bien sympathique

La Restauration

Pour répondre à toutes les envies, nous avons sélectionné des restaurants régionaux bien sûr, mais aussi classiques, exotiques ou à thème... Et des lieux plus simples, où vous pourrez grignoter une salade composée, une tarte salée, une pâtisserie ou déguster des produits régionaux sur le pouce.
Quelques fermes-auberges vous permettront de découvrir les saveurs de la France profonde. Vous y goûterez des produits authentiques provenant de l'exploitation agricole, préparés dans la tradition et généralement servis en menu unique. Le service et l'ambiance sont bon enfant. Réservation obligatoire ! Enfin, n'oubliez pas que les restaurants d'hôtels peuvent vous accueillir.

et aussi...

Si d'aventure vous n'avez pu trouver votre bonheur parmi toutes nos adresses, vous pouvez consulter les guides Michelin d'hébergement ou, en dernier recours, vous rendre dans un hôtel de chaîne.

Le Guide Rouge Hôtels et Restaurants France

Pour un choix plus étoffé et actualisé, LE GUIDE ROUGE recommande hôtels et restaurants sur toute la France. Pour chaque établissement, le niveau de confort et de prix est indiqué, en plus de nombreux renseignements pratiques. Les bonnes tables, étoilées pour la qualité de leur cuisine, sont très prisées par les gastronomes. Le symbole (Bib gourmand) sélectionne les tables qui proposent une cuisine soignée à moins de 130F.

Le Guide Camping France

Le Guide Camping propose tous les ans une sélection de terrains visités régulièrement par nos inspecteurs. Renseignements pratiques, niveau de confort, prix, agrément, location de bungalows, de mobile homes ou de chalets y sont mentionnés.

Les chaînes hôtelières

L'hôtellerie dite « économique » peut éventuellement vous rendre service. Sachez que vous y trouverez un équipement complet (sanitaire privé et télévision), mais un confort très simple. Souvent à proximité de grands axes routiers, ces établissements n'assurent pas de restauration. Toutefois, leurs tarifs restent difficiles à concurrencer (moins de 200F la chambre double). En dépannage, voici donc les centrales de réservation de quelques chaînes :
— Akena, ☎ 01 69 84 85 17
— B&B, ☎ 0 803 00 29 29
— Etap Hôtel, ☎ 08 36 68 89 00 (2,23F la minute)
— Mister Bed, ☎ 01 46 14 38 00
— Villages Hôtel, ☎ 03 80 60 92 70

Enfin, les hôtels suivants, un peu plus chers (à partir de 300F la chambre), offrent un meilleur confort et quelques services complémentaires :
— Campanile, ☎ 01 64 62 46 46
— Climat de France, ☎ 01 64 62 48 88
— Ibis, ☎ 0 803 88 22 22

Locations, villages de vacances, hôtels...

SERVICES DE RÉSERVATION LOISIRS-ACCUEIL

Ils proposent des circuits et des forfaits originaux dans une gamme étendue : gîtes ruraux, gîtes d'enfants, chambres d'hôte, meublés, campings, hôtels de séjour.
Fédération nationale — 280 bd St-Germain, 75007 Paris, ☎ 01 44 11 10 44. Elle édite un annuaire regroupant les coordonnées des

Une invitation haute en couleur

58 SRLA et, pour certains départements, une brochure détaillée. Sur Minitel 3615 resinfrance.
Pour une réservation rapide, s'adresser directement au « Loisirs-Accueil » du département concerné : **Moselle**, ☎ 03 87 37 57 63 ; **Bas-Rhin**, ☎ 03 88 15 45 85 ; **Haut-Rhin**, ☎ 03 89 20 10 62. Les adresses sont les mêmes que celles des Comités départementaux de tourisme.

HÉBERGEMENT RURAL

GÎTES DE FRANCE

59 r. St-Lazare, 75439 Paris Cedex 09, ☎ 01 49 70 75 75. Cet organisme donne les adresses des relais départementaux et publie des guides sur les différentes possibilités d'hébergement en milieu rural (gîte rural, chambre et table d'hôte, gîte d'étape, chambre d'hôte et gîte de prestige, gîte de neige, gîte et logis de pêche, gîtes équestres).
Renseignements sur serveur Minitel 3615 Gîtes de France. Site internet www.alsace-gites-de-france.com.
Les Gîtes de France proposent également des vacances à la ferme avec trois formules : ferme de séjour (hébergement, restauration et loisirs), camping à la ferme et ferme équestre (hébergement et activités équestres).
Renseignements et réservation dans les Relais départementaux : **Bas-Rhin** : 7 pl. des Meuniers, 67000 Strasbourg, ☎ 03 88 75 56 50, fax : 03 88 23 00 97 ; **Haut-Rhin** : BP 371, 68007 Colmar Cedex, ☎ 03 89 20 10 60, fax : 03 89 23 33 91 ; **Vosges** : 13 r. Aristide-Briand, BP 405, 88010 Épinal cedex, ☎ 03 29 35 68 11.

STATIONS VERTES

Hôtel du département de la Côte-d'Or, BP 598, 21016 Dijon Cedex, ☎ 03 80 43 49 47. Cet organisme édite annuellement un répertoire de localités rurales sélectionnées pour leur tranquillité et les distractions de plein air qu'elles proposent. Renseignements sur les 553 stations

vertes de vacances et les 29 villages de neige disponibles auprès de la Fédération.

FERMES-AUBERGES

Guide des fermes-auberges pour les Hautes Vosges et le Sundgau, édité par l'Association des fermes-auberges du Haut-Rhin et départements limitrophes, BP 371, 68007 Colmar cedex, ☎ 03 89 20 10 68.
Fermes-auberges, les saveurs du terroir lorrain : s'adresser au Comité régional du tourisme de Lorraine.

HÉBERGEMENT POUR RANDONNEURS

Les randonneurs peuvent consulter le guide *Gîtes d'étapes, refuges* par A. et S. Mouraret (Éditions La Cadole, 74 r. Albert-Perdreaux, 78140 Vélizy, ☎ 01 34 65 10 40, Minitel 3615 cadole). Cet ouvrage est principalement destiné aux amateurs de randonnées, d'alpinisme, d'escalade, de ski, de cyclotourisme et de canoë-kayak.

AUBERGES DE JEUNESSE

Ligue française pour les auberges de jeunesse, 67 r. Vergniaud, 75013 Paris, ☎ 01 44 16 78 78 ou par Minitel, 3615 auberge de jeunesse. La carte LFAJ est délivrée contre une cotisation annuelle de 70 F pour les moins de 26 ans et de 100 F au-delà de cet âge.

sites remarquables du goût

Quelques sites de la région (lieux de production, routes gastronomiques, foires ou manifestations), dont la richesse gastronomique s'appuie sur des produits de qualité liés à un environnement culturel et touristique intéressant, ont reçu le label « site remarquable du goût ». Il s'agit pour la bière d'Alsace de la brasserie Kronenbourg, de la brasserie Schutzenberger et de la brasserie Météor ; de la fête du sucre au pays

Bretzel et bière, un duo de saveurs alsaciennes

d'Erstein (dernier week-end d'août) ; de la route de la carpe frite dans le Sundgau (dépliant) ; de la route des vins d'Alsace (dépliant) ; de la fête du Kougelhopf à Ribeauvillé (1re quinzaine de juin) ; de Cornimont pour ses fromages (Munster, Géromé, Bargkass) ; de la foire aux andouilles du val d'Ajol (3e lundi de février).

choisir son lieu de séjour

Faire un tel choix, c'est déjà connaître le type de voyage que vous envisagez. La carte que nous vous proposons ci-contre fait apparaître des **villes-étapes**, localités de quelque importance possédant de bonnes capacités d'hébergement, et qu'il faut visiter. Les **lieux de séjour traditionnels** sont sélectionnés pour leurs possibilités d'accueil et l'agrément de leur site. Enfin les villes de Strasbourg, Nancy, Colmar et Mulhouse méritent d'être classées parmi les **destinations de week-end**. Les offices de tourisme et syndicats d'initiative renseignent sur les possibilités d'hébergement (meublés, gîtes ruraux, chambres d'hôte) autres que les hôtels et terrains de camping décrits dans les publications Michelin, et sur les activités locales de plein air, les manifestations culturelles ou sportives de la région.

Propositions de séjours

idées de week-ends

METZ

Pour une petite immersion en Lorraine, rien de tel que deux jours à Metz. Question d'en profiter un peu plus, vous pouvez y arriver dès le vendredi soir... certains hôtels de la ville participent à l'opération « Bon week-end à Metz » et vous offrent la deuxième nuit (renseignement à l'Office de tourisme). Après avoir pris vos quartiers, partez à la découverte de cette ville commerçante qui fut surnommée « La Riche » au Moyen Âge. Amateurs d'église ou non, faites un tour à la cathédrale St-Étienne qui possède de superbes vitraux de Chagall. Vous pouvez agrémenter votre journée de visite par une petite croisière sur le Val de Lorraine et la dégustation d'une pâtisserie locale (et il y en a !) dans un salon de thé. Pour le soir, vous avez le choix : brasserie et bar à bière, concert ou théâtre, Metz en offre pour tous les âges et tous les goûts. Le dimanche, faites plaisir à vos enfants en les emmenant au parc Walibi Schtroumpf : montagnes russes, manèges d'eau et spectacles au programme. Vous pouvez aussi flâner dans les rues animées le matin et visiter les musées de la Cour d'Or l'après-midi.

STRASBOURG

Tout à Strasbourg est fait pour que vous vous y sentiez bien le temps d'un week-end sans soucis. De Gutenberg à la Communauté européenne, en passant par la Marseillaise (et oui, elle est alsacienne), vous êtes ici au centre de l'histoire. Pour vous en imprégner : musées (Arts décoratifs, Art moderne et contemporain, Beaux-Arts...), églises et Palais de l'Europe. À la fin de l'année, Strasbourg, blotti dans le froid, s'illumine comme un conte de fées pour le marché de Noël... à ne pas manquer, mais ne rentrez pas les mains vides. Bien sûr, il y a aussi le bon goût. Pour cela, faites confiance aux winstubs : vins et plats régionaux vous y attendent (choucroute, flammekueche...). Pour digérer : des promenades sur l'Ill vous font découvrir la ville autrement. Pour finir ces deux jours au rythme des promenades, la cité ancienne vous fait passer de ponts en places pour finir à la Petite France, autrefois quartier des pêcheurs et des tanneurs, avec ses airs de village de poupées.

MULHOUSE

Vous entrez tout à la fois dans une ancienne république indépendante, un centre industriel et une ville de musées. Avec ça, si vous ne pouvez pas occuper votre week-end... Pour vous y retrouver, les « sentiers » pédestres vous emmènent dans le

Noël à Strasbourg, la fête au cœur de l'hiver.

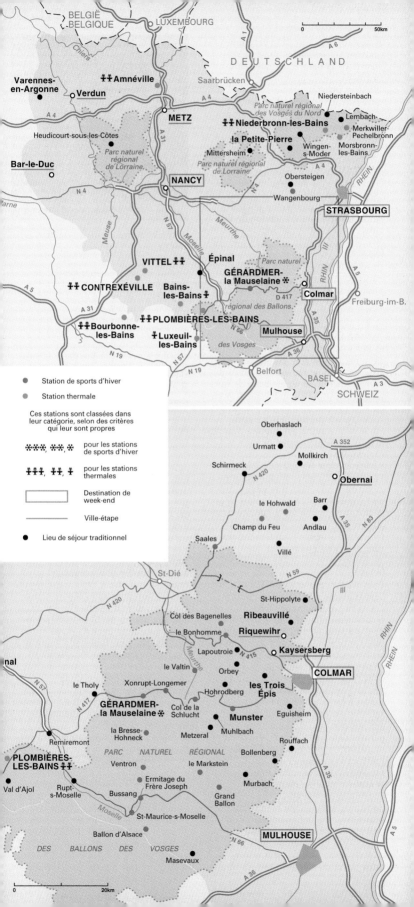

vieux Mulhouse ou dans le Nouveau Quartier. Promenades également, mais dans la nature, avec les parcs et jardins qui ponctuent la ville. Pour allier les plaisirs, certains musées vous permettent des haltes dans leurs restaurants traditionnels. Le soir, les lieux de nuit de cette ville étudiante vous laissent le choix des armes : cuisine locale, bars à bière et à whiskies, salles de concerts ou discothèques. Pour terminer votre visite de la ville aux cent cheminées et aux douze musées, vous pouvez vous amuser à y chercher les murs peints qui évoquent l'histoire de la ville.

COLMAR

Une vrai plongée dans l'Alsace traditionnelle avec maisons à colombage et vignobles environnants. Vous pouvez commencer par une visite de la ville, question de vous mettre dans l'ambiance (samedi vers 10h... renseignez-vous à l'Office de tourisme). Les vieux quartiers sont aussi bien curiosités historiques avec anciennes douanes, maison natale de Bartholdi (le papa de la statue de la Liberté) et églises, que balades... juste pour le plaisir. De mai à septembre, vous pouvez profiter des groupes folkloriques qui se produisent, tous les mardis, en soirée, place de l'Ancienne-Douane. Après cela, vins locaux et plats régionaux peaufineront l'ambiance. Gardez un petit bijou pour la fin du week-end... une promenade en barque dans la Petite Venise. À la belle saison, les fleurs lui donnent des allures de décor de contes de fées. À faire donc à deux ou en famille, pour finir ce séjour en douceur.

NANCY

Pour passer un week-end à Nancy, pas besoin de chercher bien longtemps des occupations. Prenez d'abord possession de la ville en déambulant dans les rues et sur l'incontournable place Stanislas... c'est un plaisir tant les bâtiments respirent l'équilibre et l'harmonie (urbanisme du 18e s. oblige) ou la profusion du début du siècle. Vous pouvez vous balader à pied, en train touristique ou en calèche. En juillet et en août, profitez des terrasses qui fleurissent un peu partout dans la ville, avec groupes musicaux en prime, le soir. Vous préférez la musique classique ? Pas de problème, des concerts gratuits sont organisés régulièrement à la cathédrale ou à l'église des Cordeliers. Culture et balade c'est bien beau, mais cela ne doit pas vous empêcher de profiter des plaisirs terrestres... bergamotes et macarons vous attendent dans un des très beaux cafés début du siècle de la ville. Il

La fontaine de Neptune sur la place Stanislas à Nancy

vous reste un jour pour profiter des alentours de Nancy : vous avez le choix entre le musée de l'Aéronautique ou le parc de loisirs de la forêt de Haye, parfait pour un pique-nique en famille, jeux ou randonnées.

idées de séjours de 3 à 4 jours

AUTOUR DE GÉRARDMER

Séjour balade pour ce coin de Lorraine où les Vosges vous font profiter de leurs vallées, lacs et forêts. Prévoyez une paire de chaussures de marche, au cas où vous seriez tenté par un petit tour à pied. Gérardmer est coincé entre son lac et des montagnes couvertes de sapins ; rien que cela devrait vous donner envie.... Tout est prévu pour vous loger durant votre passage dans la région : l'Office de tourisme (le plus ancien de France) vous aide à vous organiser au mieux. Sans soucis, vous partez alors avec sac sur le dos, casse-croûte et bouteille d'eau. Au fil de ces quelques jours, vous avez le choix de plusieurs circuits que vous faites en voiture et à pied. Les vues sur les Vosges sont superbes. Au passage, visitez la collection de minéraux de la Moineaudière, partez à la recherche de morceaux de glace à la Glacière de Straiture ou découvrez l'étonnant champ de roches de Granges-sur-Vologne. Nature et oxygène... vous voilà régénéré pour un bon moment.

VITTEL ET CONTREXÉVILLE

Dans les villes d'eau, chaque moment rime avec « prendre son temps ». Réservez-vous donc un week-end prolongé pour vous mettre à l'heure de la cure, sans pour autant aller y soigner vos vieux maux. Vittel a ce charme un peu désuet du début du siècle, alors ne vous gênez pas, profitez des façades de ses hôtels célèbres, des parcs fleuris et du complexe thermal et sportif. Et puis, en saison, il y a les concerts autour du kiosque à musique, les courses et le golf. En soirée, il ne vous reste plus qu'à vous habiller un peu pour aller au casino Art déco. Un dimanche de marche ne saurait que compléter ce début de programme aux senteurs d'oisiveté. Une grande balade dans la forêt de Darney ou bien une randonnée pédestre à la Croix de mission de Norroy vous feront profiter de la vue sur les sommets des Vosges. Votre remise en forme sera complète si vous allez « récupérer » à Contrexéville (séjours minceur ou détente sur un week-end). Que vous faut-il de plus pour vous laisser convaincre ?

LES VOSGES DU NORD

Entre nature et villages typiques, cette région vous donne parfois l'impression que vous allez croiser un preux chevalier ou une jolie damoiselle au détour d'un sentier. L'Association pour le développement des Vosges du Nord vous permet d'organiser des petites vacances comme vous les aimez... tranquilles : brochure « Séjour découverte », « Faune et flore locales », bons plans de randonnées. Une fois le « matériel » trouvé... à vous les Vosges ! Vous avez le choix. Par la montagne, ce sera le pays des Trois Frontières avec châteaux en ruine et vallées boisées. Par la plaine, souvenirs de 1870 et villages du cru. Dans le pays de Hanau, ambiance souvenirs médiévaux et maisons troglodytiques. En tout état de cause, le Parc naturel régional des Vosges du Nord vous permet de changer chaque jour de direction pour traverser plus de 100 communes, vous remémorer vos récits de chevalerie dans les ruines de forteresses ou vous faire découvrir l'artisanat et les traditions populaires. Et toujours la forêt en image de fond.

Le Grand Ballon, point culminant des Vosges.

idées de séjours d'une semaine

LA MOSELLE CANALISÉE

Faire halte au gré des caves et des spécialités locales... vos papilles sont déjà en effervescence pour cette semaine à venir. Arrivez calmement à Nancy qui vous donne déjà l'occasion de deux ou trois brasseries aussi bonnes que belles. Première leçon, le plaisir de la bouche n'est pas complet sans celui des yeux : la vieille ville et les musées sont faits pour vous. Il vous reste bien assez de temps pour prendre la route. Au fil des journées, vous passez à Champigneulles, berceau des Brasseries Kanterbrau, Pont-à-Mousson, Jouy-aux-Arches et Metz avec histoire et visites de monuments au programme. Un jour de détente (quand même) à la très thermale et très sportive Amnéville. Visites encore à Thionville, Guentrange, Sierck-les-Bains ou Manderen. Rythmer votre séjour à votre allure, avec petites étapes restauration, dégustation des crus des côtes de Moselle et petits hôtels. Et si la voiture ne vous dit plus rien, louez donc une péniche pour découvrir la Moselle sur l'eau.

LES BALLONS DES VOSGES

Ambiance nature pour cette semaine au vert. Le Parc naturel régional des Ballons des Vosges laisse libre court à votre amour des paysages vierges (ou presque). Certaines fins de journée peuvent être l'occasion d'une étape dans un village avec quelques trouvailles (saviez-vous par exemple que les amish de Pennsylvannie venaient de Ste-Marie-aux-Mines ?) et une soirée dans une auberge pour apprécier les spécialités locales. Plusieurs itinéraires sont possibles pour découvrir les Ballons, sommets arrondis du Sud du massif des Vosges. Au fil des saisons, les couleurs des arbres donnent aux lacs des reflets qui ne vous donnent envie que d'une seule chose : vous asseoir dans l'herbe et regarder en silence. L'automne prendrait presque des allures d'été indien. Marche à pied, vélo, escalade, ski... chaque saison vous permet de partir à la découverte du coin. Faites votre plan de route en début de séjour et que rien ne vous retienne !

AUTOUR DE VERDUN

Comment ne pas évoquer la « Der des Der » lorsque l'on traverse cette région ? Et pourquoi ne pas en faire le thème de cette semaine de vacances ? Prenez Verdun comme port d'attache. La ville est l'occasion de visites de beaux bâtiments du 14e au 18e s. et de la découverte de la dragée de Verdun (vous savez, celle des communions et des baptêmes). De là, vous pouvez faire le tour des champs de bataille de la Grande Guerre et de la Ligne Maginot dont de nombreux sites ont été aménagés pour la visite. Vous découvrez non seulement la dureté des combats, mais également les trésors de technicité qui ont été déployés pour ce conflit... et le suivant. Les cimetières militaires vous rappellent que bien des hommes des deux camps ont péri au cours de ces quatre années... alors faites un tour au centre mondial de la Paix de Verdun pour vous convaincre, s'il le fallait encore, qu'il fait bon vivre sous des auspices pacifiques.

Itinéraires à thème

routes historiques

Pour découvrir le patrimoine architectural local, la Caisse nationale des monuments historiques et des sites a élaboré des itinéraires à thème. Tracés et dépliants sont disponibles auprès des offices de tourisme. Sur le terrain, chaque route historique est signalée par des panneaux nominatifs tout au long du parcours emprunté. La région couverte par ce guide est parcourue par deux routes historiques : la **Route historique romane d'Alsace** et la **Route historique des Marches de Lorraine.**

routes touristiques

Outre les parcours de découverte suggérés dans le guide aux environs de telle ville ou de tel site particulier sous la forme de circuits bouclés et d'itinéraires, nous vous proposons de partir à la découverte de la région en suivant des routes touristiques, dont la formule repose sur un thème spécifique.

Pour les routes à thème citées, se reporter au dépliant *Tourisme Alsace, itinéraires touristiques* comportant l'adresse des offices de tourisme et syndicats d'initiative ou s'adresser au Comité régional du tourisme de Lorraine : **route du Rhin**, de Lauterbourg à St-Louis ; **circuit des Vosges du Nord**, à travers les Vosges moyennes ; **route des Potiers** avec les ateliers de Soufflenheim et de Betschdorf ; **route de l'Amitié**, de Paris à Munich, elle fait connaître la Lorraine, les deux versants des Vosges, Strasbourg, la Forêt-Noire... ; **route Verte**, route franco-allemande reliant Domrémy en Lorraine à Donaueschingen au Sud de la Forêt-Noire ; **route du Cristal** en Lorraine avec la visite des principales cristalleries ; **route de Stanislas** en Lorraine.

routes gastronomiques

Route des Vins d'Alsace *(voir p. 384)* ; **route du Vin et de la Mirabelle** *(s'adresser à l'Office du tourisme de Toul)* ; **route de la Bière d'Alsace** ; **route lorraine de la Bière** *(s'adresser au Comité régional du tourisme de Lorraine)* ; **route de la Choucroute** ; **route gourmande de la vallée de la Sauer** ; **route de la Matelote** ; **route de la Truite** ; **route de la Carpe frite** ; **route du Fromage**.

La choucroute, une véritable institution.

routes musicales

Route de la Musique en Lorraine ; route des Orgues en Moselle, avec près de 600 orgues, la Moselle est le 2e département français en terme de richesse instrumentale. Une série de concerts est organisée à travers le département.

circuits de découverte

Pour visualiser l'ensemble des circuits proposés, reportez-vous à la carte p. 13 du guide.

1 SOUVENIRS DE GUERRE

Circuit de 272 km au départ de Verdun — Pas besoin d'être ancien combattant pour faire ce circuit qui vous fait découvrir, que vous soyez jeune ou adulte, un des moments les plus noirs de l'histoire de France et rappelle l'absurdité de la guerre. Partez de Verdun, ville aux multiples combats, dont les fortifications font parfois oublier la vieille ville... pacifique. Après avoir visité le cimetière national où reposent les sept soldats inconnus (eh oui, il n'y a pas que celui de l'Arc de Triomphe !), c'est à l'ossuaire de Douaumont que vous rendrez hommage aux soldats des deux camps. Le fort de Douaumont et la tranchée des Baïonnettes vous montrent la violence des combats durant la « Der des Der ». Autrefois sujet d'orgueil, la Ligne Maginot et ses ouvrages : le fort de Fermont et son musée de Matériel militaire, le petit ouvrage de l'Immerhof, l'abri de Zeiterholz ou le fort de Guentrange et son immense casernement. Faites une pause par Longwy et ses émaux, puis le château de la Grange à Thionville. Votre visite des sites militaires ne sera pas complète sans l'impressionnant gros ouvrage de Hackenberg. Vous goûterez ensuite au calme de Metz où vous profiterez de la cathédrale et des vieilles rues (ça change des champs de bataille). Finissez votre périple en passant par Briey où Le Corbusier éleva une de ses « cités radieuses » et Étain, entièrement reconstruite après la guerre de 14..., avant de revenir à Verdun.

2 ENTRE MEUSE ET MOSELLE

Circuit de 261 km au départ de Metz — Coincés entre les deux cours d'eau, vous passez d'une rivière à l'autre sans pour autant devoir mettre les pieds dans l'eau... au rythme des époques, comme une véritable leçon d'histoire en direct. Tout d'abord Metz, à la fois guerrière, culturelle et religieuse, c'est avant tout une ville à apprécier avec les yeux. À Pont-à-Mousson, l'ancienne abbaye des Prémontrés est du 18e s. et la vieille ville fut traversée par l'infanterie américaine en 1944, chacun son combat. En passant à Nancy, vous êtes dans l'ancienne capitale des ducs de Lorraine ; riche en monuments, c'est aussi un centre intellectuel et artistique. L'histoire se poursuit à Toul, autrefois puissant évêché, et à

Vaucouleurs, d'où partit notre pucelle nationale. Petite étape gourmande pour une madeleine de Commercy... avant la visite du château Stanislas. Vieille ville à Bar-le-Duc et église du 17e s. à St-Mihiel et vous voici de retour à Metz.

3 ARTS DÉCORATIFS

Circuit de 245 km au départ de Nancy — Comme par contraste avec les destructions guerrières, la région se distingue depuis des siècles par son savoir-faire industriel et artistique. Que ce soit le verre, la faïence ou l'image cartonnée, vous découvrez la beauté de l'objet et de la matière. Du 18e s. à l'aube du 20e s., Nancy est un trésor d'architecture qui lui valu son « style » très 1900. C'est la faïence de table qui est à l'honneur à Lunéville, ancienne manufacture royale. Après St-Clément, étape à Baccarat dont seul le nom évoque la prestigieuse cristallerie. Point de décor de cinéma pour une balade dans Épinal... même si c'est la ville de la célèbre image. Autre style, autre savoir-faire, Mirecourt se distingue par son art de la lutherie, au point d'y avoir une école nationale : amateurs de musique, appréciez. Petit interlude historique, car vous ne pouvez manquer la maison où naquit notre Jeanne à Domrémy-la-Pucelle. Tradition artisanale encore à Vannes-le-Châtel qui accueille le Centre européen de recherche et de formation aux arts verriers. Après toutes ces visites, à votre retour à Nancy, vous aurez peut-être envie de vous mettre aux arts plastiques...

4 STATIONS THERMALES DES VOSGES

Circuit de 219 km au départ de Vittel — Que d'eaux, que d'eaux... Mais attention, pas le temps de profiter de leurs vertus réparatrices, à moins que vous n'ayez deux mois devant vous. Ce petit périple « thérapeutique » commence à Vittel, qui, plus que sa bouteille, allie sa réputation de traitement des maladies métaboliques

Luthier au travail à Mirecourt

à une région très agréable. Pour continuer dans les eaux minérales, « Buvez, éliminez » n'est pas la devise de Contrexéville dont le centre thermal vaut le détour pour son architecture. Rhumatismes et voies respiratoire au programme de Bourbonne-les-Bains... ou le parc animalier de la Bannie, c'est comme vous voulez. Luxeuil-les-Bains est thermale, mais aussi culturelle : hôtels particuliers du 16ᵉ s., tennis ou casino, vous avez le choix de vos loisirs. Lors de votre passage à Plombières-les-Bains, ne résistez pas à la glace locale... la cure est toujours possible, au cas où. Le thermalisme se décline aussi au rythme des randonnées pédestres et du vélo, comme à Bains-les-Bains. Petite étape autour de l'artisanat régional, pour être sage comme une image (d'Épinal). Et au bout de la route, revoilà Vittel.

5 ## LA FORÊT VOSGIENNE

Circuit de 377 km au départ de St-Dié — Chaussez-vous pour parcourir les bois et les col des Vosges. C'est un enchantement tout autant pour le corps que pour les yeux... et toute la famille peut en profiter. Tout d'abord St-Dié, patrie de Jules Ferry, pour la mise en bouche (cathédrale et cloître à voir). Pour poursuivre, vous découvrez la vieille ville de Senones, coincée au milieu de montagnes boisées. Vous entrez ensuite dans le massif du Donon qui fait la limite entre Alsace et Lorraine et vous donne de superbes vues sur les Vosges. Vous pouvez profiter des excursions pédestres autour de Schirmeck, avant de faire un détour par l'ancien camp de concentration du Struthof, pour la mémoire. Retour dans la nature, pour une vue du rocher de Neuntelstein, une balade autour du Hohwald ou une descente de ski sur les pistes du Champ du Feu. Un peu de repos à Ste-Marie-aux-Mines, berceau des amish de Pennsylvanie, où vous pourrez vous intéresser aux minéraux ou aux patchworks, selon vos goûts. Et c'est de nouveau les routes de montagne pour aller au col du Bonhomme, puis la route des Crêtes créée durant la Première Guerre mondiale, et le col de la Schlucht, où il fait bon skier. Sans en faire un fromage, vous auriez tort de ne pas vous arrêter à Munster, siège du Parc naturel régional des Ballons. De là, partez pour le Petit Ballon et la station de ski du Markstein, puis le Grand Ballon qui vaut une petite marche pour mieux apprécier le panorama. Redescendez sur Thann pour une promenade dans la vieille ville, avant de faire l'ascension du Ballon

d'Alsace, point culminant du massif. Plusieurs stations de sports d'hiver vous attendent autour de St-Maurice-sur-Moselle, à moins que vous ne préféreriez celles près de La Bresse. Ski nocturne ou balades en pédalos, c'est le programme de Gérardmer. De la marche, du ski, de la nage... il est temps de rentrer à St-Dié.

6 ## PAYS RHÉNANS DU SUD

Circuit de 258 km au départ de Mulhouse — Histoire, loisirs ou nature, c'est la variété qui fait le charme de cette escapade sur trois pays. Quittant Mulhouse, autrefois république indépendante et porteuse d'une forte tradition industrielle, c'est en Suisse que vous rendez d'abord pour faire halte à Bâle où la vieille ville et les musées ne manqueront pas de vous séduire un certain temps. C'est ensuite la frontière allemande que vous traversez pour visiter le château de Bürgeln, vous plonger dans l'ambiance thermale de Badenweiler ou profiter de la vue en passant à Belchen. Rien ne vous empêche ensuite de chausser vos skis pour quelques descentes à Todnau. Sur le chemin vers la France, profitez du panorama du Schauinsland et de la vieille ville de Freiburg-im-Breisgau. Une fois passée la douane (aujourd'hui virtuelle), vous pouvez parcourir les remparts de Neuf-Brisach, ancienne place forte de Vauban, dont les rues à angle droit lui donnent un aspect très sobre. C'est ensuite un trésor de ville qui vous attend à Colmar, où il fait bon flâner dans les rues aussi bien que sur les canaux... avant de déguster un bon verre de vin d'Alsace. Passage ensuite à Guebwiller, petite ville riche en architecture et berceau de Théodore Deck et de son bleu, avant de vous initier au patrimoine rural et industriel local à l'écomusée d'Alsace. De retour à Mulhouse, vous aurez tout le temps de visiter le musée de l'Automobile ou de vous promener dans les rues de la « ville aux cent cheminées ».

7 ## ROUTE DES VINS D'ALSACE

Circuit de 277 km au départ de Strasbourg — Ce tour des vins commence dans la capitale européenne. Strasbourg est tout à la fois métropole intellectuelle et économique, religieuse et culturelle. Elle vaut bien que vous y arrêtiez un peu. Même ambiance lors de votre passage par Haguenau qui a su garder les traces de son passé fortifié. Bouxwiller, ancienne cité princière, semble blottie au pied du Batsberg, repaire de sorcières bien connu. Puis c'est Saverne qui vous invite à

Féerie des couleurs à Eguisheim

découvrir son château et son port de plaisance. Les premiers effluves de vins vous attendent à Molsheim, dont les coteaux avoisinants produisent le riesling. Après la visite d'Obernai et de ses maisons anciennes aux teintes dorées, rien ne vous empêche de vous promener dans les vignobles environnants et sur le mont Ste-Odile dont la visite du couvent rivalise avec la vue sur la Forêt Noire et le Mur païen. Même si vous y arrivez en dehors de la Foire aux vins, la ville de Barr vous délecte de ses spécialités : le sylvaner et le gewurztraminer. En poursuivant la route des vignobles, vous pouvez vous arrêter aux ruines de l'abbaye d'Andlau gardée par une ourse de pierre. Fortifications à Sélestat, nids de cigognes et château à Ribeauvillé sont au programme de la suite de votre périple qui vous mène invariablement à la perle du vignoble : Riquewihr, terre du riesling. Vous en conviendrez, le vin ne s'apprécie que si sa région d'origine vaut le coup ; il fallait donc bien un château et un village médiéval pour agrémenter les vignes entourant Kaysersberg, des vieilles maisons à balcons de bois à Niedermorschwihr et des tours massives pour protéger Turckheim. Du pur alsacien pour Colmar, capitale du vignoble dont ni la visite de la vieille ville, ni la Petite Venise ne sauraient vous laisser indifférent. Le

retour vers Strasbourg se fait par la vallée du Rhin, fleuve aux crues autrefois terribles, dont les eaux vous ramènent aujourd'hui doucement de cette « ivresse » touristique.

8 « EN PASSANT PAR LA LORRAINE... »

Circuit de 297 km au départ de Sarreguemines — Inutile (et peu pratique) de prendre vos sabots pour ce circuit qui vous fait découvrir une région souvent délaissée au profit de sa grande sœur alsacienne. Histoire et tradition pour commencer la visite de la Lorraine, car Sarreguemines a su mettre en valeur son passé gallo-romain et entretenir son savoir-faire faïencier. La Lorraine c'est aussi de petits villages blottis au milieu des collines boisées comme Hombourg-Haut. Marque du passé également à St-Avold où l'ancienne église abbatiale côtoie le château-mairie de Henriette de Lorraine et le cimetière américain. À Vic-sur-Seille, Georges de La Tour vit le jour ; à Marsal, Vauban fortifia la ville ; à Sarrebourg, Chagall peignit un gigantesque vitrail... à chaque ville son nom prestigieux. Peut-être moins évocatrices que leur cousine Baccarat, les cristalleries de Vallerysthal et d'Hartzviller vous permettent d'admirer des trésors d'artisanat industriel. Si vous avez envie de prendre un peu l'air, un petit train, au départ d'Abreschviller, vous conduit à Grand Soldat, à moins que vous ne préfériez les fortifications de Phalsbourg. Et pour contenter tout le monde, arrêtez-vous à La Petite-Pierre fortifiée par Vauban d'où partent de nombreux sentiers balisés. Le travail du verre vous a plu... alors n'hésitez pas à passer par la maison du Verre et du Cristal de Meisenthal, avant de tout savoir du cristal de St-Louis à... St-Louis-lès-Bitche. D'une Bitche à l'autre, il n'y a qu'une fortification avec cette nouvelle citadelle de Vauban qui fait face au gros ouvrage de Simserhof fortifié pour une guerre plus récente. Encore des fortifications de la dernière guerre en passant à Rohrbach-lès-Bitche avant de repartir sur Sarreguemines.

Découvrir autrement la région

sur terre

EN TRAIN

Il est possible de parcourir la région à bord d'un des nombreux trains touristiques, qui, loin des routes et près de la nature, révèlent le cachet de sites autrement inaccessibles. Des trains à vapeur ou Diesel permettent une approche insolite du pays. Exemples : la vallée de la Doller de Cernay à Sentheim ; le chemin de fer forestier d'Abreschviller au Grand Soldat ; le long du Rhin entre le port rhénan de Neuf-Brisach et Baltzenheim, circuit ferré combiné avec une promenade en bateau. Se reporter à l'index pour retrouver ces noms.

Et aussi :
Petit train du plan incliné St-Louis-Arzviller (7 km, durée : 1h30), ☎ 03 87 25 30 69.
Autrefois moyen de locomotion utilisé par les ouvriers pour entretenir et surveiller les voies de chemin de fer, la **draisine** est devenue aujourd'hui un moyen de parcourir la vallée de la Mortagne en pédalant sur une ancienne voie de chemin de fer de 13 km, à partir de Magnières. Location à l'heure ou à la demi-journée 9h-19h ; information et réservation, Val de Mortagne, ancienne gare SNCF, 54129 Magnières, ☎ 03 83 72 34 73.
En famille ou entre amis, partez à la découverte de la vallée de la Canner sur un **vélorail**. Parcours de 11 km de Vigy à Budange qui traverse en partie la forêt de St-Hubert. De début avr. à déb. oct. : lun., merc. et jeu. 9h-19h, mar. et ven. uniquement

sur réservation, sam. 14h30-19h, dim. et j. fériés 9h-13h. 50F l'h. (pour quatre personnes adultes), 200F pour 5h et 300F la journée. ☎ 03 87 58 75 68.

sur l'eau

Il existe sept grands axes : canal de l'Est, boucles de la Moselle, canal des Houillères de la Sarre, canal de la Marne au Rhin, la Moselle canalisée, le Rhin et le Grand Canal d'Alsace de Bâle à Lauterbourg, et enfin le canal du Rhône au Rhin (versant Nord).

LOCATION DE BATEAUX HABITABLES

La location de « maisons habitables » *(house-boats)* aménagées en général pour six à huit personnes permet une approche insolite des sites parcourus sur les canaux. Diverses formules existent : à la journée, au week-end ou à la semaine. Des bases de location de bateaux sans permis sont installées à Dun-sur-Meuse, Toul, Lagarde, Hesse, Lutzelbourg, Saverne, Schiltigheim, Mittersheim, Strasbourg. Voici les coordonnées des loueurs de bateaux présents sur les axes fluviaux :

Locaboat Plaisance — Port-Amont, chemin de Halage, BP 11, 57820 Lutzelbourg, ☎ 03 87 25 70 15. Centrale de réservation, ☎ 03 86 91 72 72 ou Minitel 3615 penichette. Au départ de Lutzelbourg, vous pouvez naviguer sur la Moselle, le canal de la Marne au Rhin ou le canal des Houillères de la Sarre.

Nicols — 11 r. de l'Orangerie, 67700 Saverne, ☎ 03 88 91 34 80. Centrale de réservation : rte du Puy-St-Bonnet, 49300 Cholet, ☎ 02 41 56 46 56, Minitel 3615 nicols. Au départ de Saverne, il est possible de naviguer sur le canal de la Marne au Rhin.

Un péage est perçu sur les rivières et canaux gérés par Voies navigables de France en fonction de la surface du bateau et de la durée d'utilisation. Quatre formules sont possibles : forfait journée, forfait vacances, valable 16 jours consécutifs ; forfait loisirs, valable 30 jours non consécutifs ; forfait annuel. **Voies navigables de France**

Sur les rails, en famille, avec la draisine.

(siège VNF), 175 r. Ludovic-Boutleux, 62400 Béthune, ☎ 03 21 63 24 54.
Direction régionale de VNF : 28 bd Albert-Ier, 54000 Nancy,
☎ 03 83 95 30 01 et 25 r. de la Nuée-Bleue, 68000 Strasbourg,
☎ 03 88 21 74 74.

Avant de partir, il est conseillé de se procurer les cartes nautiques et cartes-guides : Éditions Grafocarte-Navicarte, 125 r. Jean-Jacques-Rousseau, BP 40, 92132 Issy-les-Moulineaux Cedex,
☎ 01 41 09 19 00. Éditions du Plaisancier, 100 av. du Gén.-Leclerc, BP 27, 69641 Caluire Cedex,
☎ 04 78 23 31 14.

La montgolfière, idéale pour profiter des superbes paysages.

CROISIÈRES ORGANISÉES

Des compagnies fluviales proposent des promenades à l'heure, à la demi-journée ou à la journée. Pour tout renseignement, se procurer la brochure *Lorraine au fil de l'eau* au Comité régional du tourisme de Lorraine.

Alsace-CroisiEurope-Alsace Croisières — 12 r. de la Div.-Leclerc, 67000 Strasbourg, ☎ 03 88 76 44 44 et 147 bd du Montparnasse, 75006 Paris, ☎ 01 44 32 06 60. Croisières de 1 à 13 jours organisées au départ de Strasbourg, sur le Rhin, la Moselle, la Sarre, le Neckar, le Main, le Danube.

Canaltour — BP 8, 67026 Strasbourg cedex, ☎ 03 88 62 54 98. Circuit (avec repas) de 3h environ, au départ de Lutzelbourg avec passage du plan incliné d'Arzviller.

Bateaux touristiques strasbourgeois — 15 bis r. de Nantes, 67100 Strasbourg, ☎ 03 88 84 10 01. Visites de Strasbourg en bateau sur l'Ill, avec déjeuner ou dîner, de mars à déc. (durée 2h30), embarcadère quai Finkwiller.

KD (Köln-Düsseldorfer) — Croisirhin, 11 r. Richepance, 75008 Paris, ☎ 01 42 61 30 20, ou dans les agences de voyages locales. Croisières sur le Rhin, d'une durée de 3 à 8 jours, d'avr. à oct., soit au départ de Strasbourg, soit en y faisant escale.

multiples forfaits alliant tour en l'air, restauration, visite de sites et gatronomie locale.

Aéro-club d'Alsace — Terrain du Polygone, 67100 Strasbourg, ☎ 03 88 34 00 98. Abords de Strasbourg, survol du château du Haut-Kœnigsbourg, de la plaine du Rhin. Week-end escapade aérienne à Wissembourg avec survol de la région, visite de châteaux, dégustation de vins et plats régionaux. Compter 900F par personne.

Aéroclub du Sud meusien — Thierry Schell, BP 184, 55005 Bar-le-Duc, ☎ 03 29 77 12 14. Vols en avion, baptêmes de l'air.

Aérovision — 4 r. de Hohrod, 68140 Munster, ☎ 03 89 77 22 81. Vols en montgolfière. Des montgolfiades, organisées par les « Ballons d'Alsace », ont lieu chaque année dans la région.

Pilâtre de Rozier — 6 pl. du Temple, 57530 Courcelles-Chaussy, ☎ 03 87 64 08 08. Vols en montgolfière. Site Internet, www.pilastre-de-rozier.com.

Proteus Hélicoptères — Aéroport de Strasbourg-Entzheim, ☎ 03 88 64 69 30 ; aéroport de Nancy-Essey, ☎ 03 83 29 80 60. Pour survoler en hélicoptère les abords de Strasbourg ou la ville de Nancy.

vue du ciel

Les amateurs de tourisme aérien ont l'embarras du choix pour survoler le pays par le moyen qu'ils préfèrent : avion, hélicoptère ou montgolfière. La région Alsace-Lorraine ne manque pas de clubs aéronautiques et les offices de tourisme se feront un plaisir de vous guider tant dans le choix d'un club que dans celui de

avec les enfants

Voici à leur intention le royaume des jeux, du sable dans les yeux, des plongées dans l'eau, des glissades en toboggans, des crèmes glacées, des manèges et des bêtes à poils, à plumes, à antennes et à écailles. Nombreux enclos à cigognes,

notamment à Damvillers, Eguisheim, Ensisheim, Kaysersberg, Molsheim, Rouffach, Soultz, Turckheim, Ungersheim, La Wantzenau...
Pour des visites plus « culturelles », nous avons sélectionné pour vous un certain nombre de sites qui intéresseront particulièrement votre progéniture. Il s'agit par exemple d'aquariums, de parcs animaliers ou de musées bien adaptés à ce type de public. Vous les repérerez dans la partie « Villes et sites » grâce au pictogramme ⬛.

dans les vignobles

L'Alsace compte 7 cépages à appellation d'origine contrôlée. Ils sont tous blancs sauf le pinot noir, rosé ou rouge. Les grands crus d'Alsace, au nombre de 50, sont issus de terroirs privilégiés. La route des Vins d'Alsace est balisée de Marlenheim à Thann ; elle relie bourgades et petites villes aux noms prestigieux *(voir également p. 384)*. Jalonnés de panneaux d'information à partir de certaines petites villes, les sentiers viticoles serpentent au cœur des vignes et font découvrir le travail du vigneron et les distinctions entre les cépages. Ils existent à Soultzmatt, Westhalten, Pfaffenheim, Eguisheim, Turckheim, Kientzheim, Bennwihr-Mittelwihr-Beblenheim-Zellenber-Riquewihr-Hunawihr (sentier intercommunal de grands crus), Bergheim, Scherwiller, Dambach-la-Ville, Epfig, Mittelbergheim, Barr, Obernai, Dorlisheim, Molsheim, Traenheim, Dahlenheim, Marlenheim.
De nombreux producteurs proposent la visite de leurs caves suivie, souvent, d'une dégustation.
Voici quelques adresses, parmi tant d'autres :

CIVA — Maison des vins d'Alsace, 12 av. de la Foire-aux-Vins,

Le vin mérite toute l'attention du vigneron

BP 1217, 68012 Colmar Cedex, ☎ 03 89 20 16 20. Le Conseil interprofessionnel des vins d'Alsace donne de nombreuses informations et édite plusieurs brochures sur les vins d'Alsace, dont un guide-annuaire du vignoble alsacien signalant les localités et les noms des différentes caves vinicoles ouvertes à la visite.

Château de Kientzheim — Siège de la confrérie St-Étienne qui délivre un « sigille » de qualité aux meilleurs vins d'Alsace. Le château abrite également le musée du Vignoble et des Vins d'Alsace.

Espace Alsace Coopération — 68980 Beblenheim, ☎ 03 89 47 91 33. Sur la route des Vins, il regroupe les 18 caves coopératives d'Alsace. Il propose toute une sélection de vins d'Alsace et offre un aperçu des produits du terroir. Il permet également de se restaurer par la dégustation de produits régionaux et de vins.

Centre de formation, lycée viticole — 8 Aux-Remparts, 68250 Rouffach, ☎ 03 89 78 73 00. Stages d'initiation à la dégustation des vins d'Alsace et à la connaissance des terroirs.

dans les brasseries

Heineken — 4 r. St-Charles, 67300 Schiltigheim, ☎ 03 88 19 59 53.
Kronenbourg — 2 r. Gabriel-Bour, 54250 Champigneulles, ☎ 03 83 39 51 06.
Kronenbourg — 68 rte d'Oberhausbergen, 67000 Strasbourg, ☎ 03 88 27 41 59.
Météor — R. du Gén.-Lebocq, 67270 Hochfelden, ☎ 03 88 02 22 22.
Schutzenberger — 8 r. de la Patrie, BP 182, 67304 Schiltigheim cedex, ☎ 03 88 18 61 00.

par sa gastronomie

Séjours et cours de cuisine

Des séjours avec cours de cuisine sont organisés principalement en hiver par certains restaurateurs :
Hôtellerie du Pape — 10, Grand'Rue, 68420 Eguisheim, ☎ 03 89 41 41 21 ;
Hôtel-restaurant Alsace Villages — 49 r. Principale, 67510 Obersteinbach, ☎ 03 88 09 50 59 ;
Hôtel-restaurant Aux Deux Clefs —50, Grand'Rue, 68600 Bisheim, ☎ 03 89 72 51 20 ;
Table d'hôte, Mme Fuchs —22 r. de l'École, 67670 Waltenheim-sur-Zorn, ☎ 03 88 51 64 57.

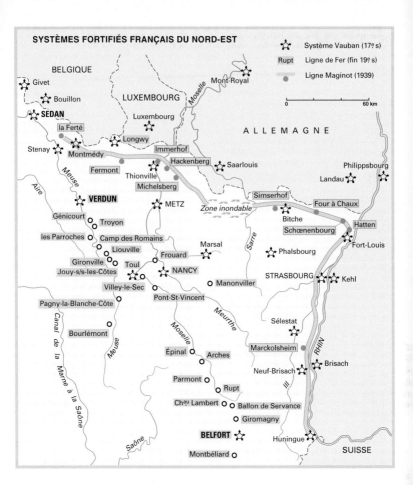

SYSTÈMES FORTIFIÉS FRANÇAIS DU NORD-EST

☆ Système Vauban (17e s)
Rupt Ligne de Fer (fin 19e s)
● Ligne Maginot (1939)

0   60 km

BELGIQUE
Givet
Bouillon
LUXEMBOURG
Mont-Royal
SEDAN
la Ferté
Luxembourg
ALLEMAGNE
Longwy
Immerhof
Stenay
Montmédy
Hackenberg
Saarlouis
Philippsbourg
Fermont
Thionville
Landau
Michelsberg
Simserhof
Four à Chaux
VERDUN
METZ
Zone inondable
Bitche
Hatten
Génicourt
Troyon
Schœnenbourg
Fort-Louis
les Parroches
Camp des Romains
Marsal
Phalsbourg
Liouville
Frouard
Gironville
Toul
NANCY
STRASBOURG
Kehl
Jouy-s/s-les-Côtes
Villey-le-Sec
Manonviller
Pont-St-Vincent
Pagny-la-Blanche-Côte
Meurthe
Sélestat
Bourlémont
Marckolsheim
Épinal
Arches
Neuf-Brisach
Brisach
Parmont
Rupt
Chau Lambert
Ballon de Servance
Giromagny
BELFORT
Huningue
SUISSE
Montbéliard

à travers le patrimoine militaire

Terres de passage, mais aussi territoires stratégiques, l'Alsace et la Lorraine furent souvent ravagées par les guerres et les invasions, qui ont laissé de nombreuses empreintes.
La région garde les vestiges d'anciennes forteresses, enceintes, tours, portes construites au Moyen Âge : Châtel-sur-Moselle, Eguisheim, Riquewihr, Ribeauvillé, le Haut-Kœnigsbourg (reconstitué), Verdun.
Citadelles, villes fortifiées, champs de bataille, casemates, abris, ouvrages évoquent le souvenir d'innombrables combats qui eurent lieu dans le Nord-Est de la France. On peut encore voir aujourd'hui quelques places fortifiées au 17e s. par Vauban (Neuf-Brisach, Longwy) ou remaniées par le célèbre architecte (Metz, Toul) et visiter les citadelles de Bitche, de Montmédy et de Verdun.

La guerre de 14-18 a laissé de nombreuses traces de combats comme en témoignent les Éparges, Bois d'Ailly, Le Linge, Le Vieil-Armand, et surtout Verdun qui fut l'enjeu d'une bataille héroïque sur les deux rives de la Meuse. Les nécropoles, les cimetières militaires et les mémoriaux américains sont autant de témoignages émouvants de la Grande Guerre : Romagne-sous-Montfaucon, Épinal, Montfaucon, butte de Montsec, St-Avold, St-Mihiel, Thiaucourt et l'ancien camp de concentration et nécropole de Struthof.
Construite à partir de 1930, afin de protéger la frontière Nord-Est de toute nouvelle invasion, la Ligne Maginot, malgré son ampleur, n'a pas résisté à l'assaut. De nombreux musées consacrent une ou plusieurs salles aux souvenirs des différentes guerres : Cernay, Freyming-Merlebach, Gravelotte, St-Amarin, St-Dié, Thann, Wissembourg, Woerth...

Escapade à l'étranger

L'Alsace a pour voisines la Forêt-Noire et la Suisse, tandis que la Lorraine est bordée au Nord par la Belgique, le Luxembourg et l'Allemagne. Il serait dommage de ne pas profiter de votre visite dans l'une des régions décrites dans ce guide pour une excursion hors frontière qui pourrait constituer un intéressant prolongement de votre voyage.

Si vous êtes en Alsace, faites un détour de l'autre côté du Rhin en utilisant LE GUIDE VERT Michelin « Forêt Noire, Alsace, Vallée du Rhin » (Alsace, Palatinat du Sud, Forêt-Noire, Bâle et sa région).

Pour obtenir les renseignements hôteliers, consulter LE GUIDE ROUGE Benelux, LE GUIDE ROUGE Deutschland et LE GUIDE ROUGE Suisse de l'année. Quant aux renseignements touristiques, vous les trouverez dans les guides de la collection LE GUIDE VERT Michelin Allemagne, Suisse et Belgique, Grand-Duché de Luxembourg.

ADRESSES UTILES

Allemagne — Office national allemand du tourisme, 9 bd de la Madeleine, 75001 Paris, ☎ 01 40 20 01 88, fax 01 40 20 17 00 ; Minitel 3615 allemagne.

Belgique — Office belge de tourisme, 21 bd des Capucines, 75002 Paris, ☎ 01 47 42 41 18.

Luxembourg — Office national du tourisme luxembourgeois, 21 bd des Capucines, 75002 Paris, ☎ 01 47 42 90 56.

Suisse — Suisse tourisme, 11 bis r. Scribe, 75009 Paris, ☎ 01 44 51 65 51, fax 01 47 42 43 88, Minitel 3615 suisse.

Forêt-Noire — Schwarzwald Tourismusverband e.V., Bertoldstraße 45, D-79098 Freiburg, ☎ 07 61/3 13 17, fax 07 61/3 60 21.

Paysage de Forêt-Noire

FORMALITÉS D'ENTRÉE

Pièces d'identité — La carte nationale d'identité en cours de validité ou le passeport (même périmé depuis moins de 5 ans) sont valables pour les ressortissants des pays de l'Union européenne, d'Andorre, du Liechtenstein, de Monaco, de Suisse. Les mineurs voyageant seuls ont besoin d'un passeport en cours de validité. S'ils n'ont que la carte d'identité, il est demandé une autorisation parentale sous forme d'attestation délivrée par la mairie ou le commissariat de police.

Véhicules — Pour le conducteur : permis de conduire à trois volets ou permis international. Outre les papiers du véhicule, il est nécessaire de posséder la carte verte d'assurance. Normalement cette dernière vous aura fourni les marches à suivre depuis l'étranger en cas de nécessité. Vérifiez également que votre assurance est valable dans le pays étranger que vous vous proposez de traverser. Si nécessaire, demandez une extension de garantie à votre assureur. Si vous louez une voiture à l'étranger, vérifiez que la garantie dommage est comprise dans le contrat de location.

Animaux domestiques — Pour les chats et les chiens, un certificat de vaccination antirabique de moins d'un an et un certificat de bonne santé sont exigés.

Assurance maladie et accident — **Allemagne, Belgique, Luxembourg** : pour les voyageurs venant de France, se munir de la feuille « maladie » (formulaire E 111), établie par les caisses primaires d'assurance maladie. Conserver l'ordonnance et les factures.

Comme l'assurance maladie n'est pas obligatoire en Suisse, le voyageur suisse qui se déplace en France ou en Allemagne doit régler lui-même ses frais de maladie et d'accident. Les personnes ayant souscrit une assurance privée peuvent présenter la facture à leur assurance maladie. Les dépenses sont remboursées conformément aux dispositions en vigueur.

Suisse : les frais de consultation et les médicaments doivent être réglés sur place, en Suisse. Il est recommandé de souscrire une assurance maladie et accident de voyage.

DEVISES

Allemagne — La monnaie légale en Allemagne est le Deutsche Mark. Il existe des pièces de 1, 2, 5, 10 et 50

Pfennig (100 Pfennig = 1DM), ainsi que des pièces de 1, 2 et 5 DM. Il existe des billets de 5, 10, 20, 50, 100, 200, 500 et 1000DM. Taux de change : 1FF = 0,30DM.

Belgique et Luxembourg — L'unité monétaire est le franc belge et le franc luxembourgeois. Il existe des pièces de 0,5, 1, 5, 20 et 50F et des billets de 100, 200, 500, 1 000, 2 000 et 10 000 F. Taux de change : 1FF = 6,15BEF = 6,15LUF.

Suisse — Parmi les billets suisses on trouve : 10, 20, 50, 100, 500 et 1000FS. Il est en outre possible d'utiliser les pièces suivantes pour les règlements : 5, 10, 20 et 50 centimes (Rappen), ainsi que 1, 2 et 5FS (100 centimes = 1FS). taux de change : 1FF = 0,25FS.

Euro — L'Euro est introduit depuis le 1er janvier 1999, mais il n'existe pas encore sous forme d'espèces. Ce n'est qu'à partir du 1er janvier 2002 que les pièces et les billets de la monnaie européenne seront mis en circulation (100 Cents = 1 Euro). 100BEF et 100LUF = 2,48 euros ; 100FF = 15,24 euros ; 100DM = 51,13 euros ; 100FS = 62,20 euros.

Change — Il est possible de changer de l'argent dans les banques, les bureaux de poste, les aéroports, certaines grandes gares et dans des grands magasins, ainsi que dans certains hôtels.

Cartes de crédit — Les cartes de crédit les plus connues, telles qu'American Express, Diners Club, Eurocard-Mastercard, Visa et Japan Card Bank sont acceptées dans la plupart des magasins, hôtels, restaurants et stations-service.

CONDUITE AUTOMOBILE

Vitesse maximale — La vitesse maximale autorisée dans les agglomérations des quatre pays est de 50 km/h, sauf indication spéciale. Sur route, elle est de 80 km/h en Suisse, 90 km/h en Belgique et Luxembourg, et 100 km/h en Allemagne. La vitesse sur autoroute est limitée à 120 km/h en Suisse, Belgique et Luxembourg ; les autoroutes allemandes étant très chargées, il est recommandé de ne pas dépasser les 130 km/h.

« Coupez votre moteur ! » — En Suisse, à certains carrefours, lorsque l'attente au feu rouge est relativement longue, un panneau « Coupez votre moteur » (Motor abstellen) invite l'automobiliste à lutter contre la pollution.

La vallée de la Moselle luxembourgeoise

Autoroutes — Gratuites en Allemagne, Belgique et Luxembourg. En Suisse, une vignette autoroutière annuelle (valable 14 mois à compter du 1er décembre) est obligatoire : 40FS, dans les bureaux de douane et de poste.

Carburant — En Suisse, se munir de billets de 10FS et 20FS pour s'approvisionner la nuit aux pompes automatiques, la plupart des stations étant alors fermées.

HORAIRES

Commerces — **Allemagne** : 9h30-20h, sam. 9h-16h ; dans les petites villes et les régions rurales, certains magasins sont fermés le mercredi après-midi. **Suisse** : lun.-ven. 8h30-12h, 14h-18h30, sam. fermeture vers 16h ou 17h. **Belgique** : 9h-18h. **Luxembourg** : 9h-12h, 14h-18h ; dans les grandes villes, fermeture le lun. matin.

Banques — **Allemagne** : lun.-ven. 8h30-12h30, 14h30-16h (18h jeu.). **Suisse** : lun.-ven. 8h30-16h. **Belgique** : lun.-ven. 9h-12h30, 14h-15h30 (16h ven.). **Luxembourg** : lun.-ven. 8h30-12h30, 13h30-16h30.

Bureaux de poste — **Allemagne** : 8h30-17h30, sam. jusqu'à 12h ; certains bureaux de poste sont fermés entre 12h-14h30. **Suisse** : 8h30-12h, 13h30-18h30, sam. 7h30-11h. **Belgique** : lun.-ven. 9h-12h, 14h30-17h.

TÉLÉPHONE

Indicatifs de la France vers l'Allemagne : 00 49 ; vers la Suisse : 00 41 ; vers la Belgique : 00 32 ; vers le Luxembourg : 00 352. Des pays étrangers vers la France : 00 33.

Sports et loisirs

cyclotourisme

Vélorraine — Service Loisirs Accueil de la Moselle, ☎ 03 87 37 57 63. Nombreux circuits traversant de pittoresques villages.

Vélogis — Service Logis de France, ☎ 03 29 45 77 55. Découverte du Nord meusien à vélo pendant une semaine.

Le guide *L'Alsace à bicyclette*, d'Alain Morley, aux éditions La Nuée Bleue (guide-poche DNA), propose une cinquantaine de circuits pour tous niveaux.

Les listes des loueurs de cycles sont généralement fournies par les offices de tourisme et les syndicats d'initiative.

Des itinéraires réservés aux VTT, adaptés au rythme de chacun, ont été mis en place pour parcourir la Meuse, la Moselle, la Meurthe-et-Moselle ou les Vosges. Pour se procurer les circuits sur ces 4 départements, s'adresser aux comités départementaux du tourisme.

La Ligue d'Alsace de cyclotourisme propose un calendrier répertoriant les sorties organisées de mars à octobre. M. Arribet, 65 r. du Gén.-Leclerc, 67540 Oswald, ☎ 03 88 30 43 76.

Le Parc naturel régional des Ballons des Vosges propose une soixantaine d'itinéraires. Il édite une brochure *Échappées en VTT* présentant 12 circuits.

Fédération française de cyclotourisme — 8 r. Jean-Marie-Jégo, 75013 Paris, ☎ 01 44 16 88 88 ou Minitel 3615 FFCT. Fiches-itinéraires couvrant une grande partie de la France, avec kilométrages, difficultés et curiosités touristiques.

golf

Les passionnés de golf ou les amateurs qui veulent s'initier le temps d'une journée pourront s'adonner à ce sport de détente.

GOLFS LORRAINS

Golf d'Amnéville, Centre thermal et touristique, 57360 Amnéville. Golf de Bitche, r. des Prés, 57230 Bitche. Golf du château de Cherisey, 57420 Cherisey. Golf de Combles, 14 r. Basse, 55000 Combles-en-Barrois. Golf d'Épinal, r. du Merle-Blanc, 88000 Épinal. Golf de Faulquemont-Pontpierre, r. du Golf, 57380 Faulquemont. Golf de la Grange-aux-Ormes, r. de la Grange-aux-Ormes, 57157 Marly. Golf de Madine, 55210 Nonsard. Golf de Metz-Technopole, 3 r. Félix-Savart, 57070 Metz. Golf de Nancy-Pulnoy, 10 r. du Golf, 54425 Pulnoy. Golf de Vittel, BP 43, 88805 Vittel cedex.

Golf Pass Lorraine — 4 parcours de golf 18 trous à travers la Lorraine (Combles-en-Barrois, Faulquemont-Pontpierre, La Grange-aux-Ormes, Nancy-Pulnoy). Renseignements à la Ligue lorraine de golf de Champagne-Ardenne, 2 chemin des Vignottes, 54690 Lay-St-Christophe, ☎ 03 83 22 91 15.

GOLFS ALSACIENS

Golf de l'île du Rhin, 68490 Chalampé. Golf de la Largue, chemin du Largweg, 68580 Mooslargue. Golf d'Ammerschwihr-Trois-Épis, rte des Trois-Épis, 68770 Ammerschwihr. Golf du Kempferhof, 351 r. du Moulin, 67115 Plobsheim.

Plans d'eau	Superficie en ha	Base nautique	Promenade sur le lac	Pêche
Alfed	10	–	–	🐟
Blanc	29	–	–	🐟
Blanchemer	5,82	–	–	🐟
Corbeaux	10	–	–	🐟
Folie	10	🚣	oui	🐟
Gérardmer	115	🚣	oui	🐟
Gondrexange	700	🚣	oui	🐟
Hanau	18	🚣	oui	🐟
Lauch	11	–	–	🐟
Longemer	76	🚣	oui	🐟
Madine	1 100	🚣	oui	🐟
Lac Vert	225	–	–	–
Noir	14	–	–	–
Pierre Percée	280	🚣	oui	🐟
Retournemer	5,50	–	–	–

Le lac de Longemer

pêche

La région, riche en étangs, lacs, rivières et canaux, attire de nombreux pêcheurs. Quel que soit l'endroit choisi, il convient d'observer la réglementation nationale et locale, de s'affilier pour l'année en cours dans le département de son choix à une association de pêche et de pisciculture agréée, d'acquitter les taxes afférentes au mode de pêche pratiqué ou éventuellement d'acheter une carte journalière.

La carte-dépliant commentée Pêche en France est en vente au **Conseil supérieur de la pêche**, 134 av. de Malakoff, 75116 Paris, ☎ 01 45 02 20 20.

Les fédérations départementales de pêche peuvent vous renseigner sur la pratique de la pêche et tiennent à votre disposition un dépliant et une carte piscicole.

randonnées équestres

CENTRES ÉQUESTRES

Les centres équestres sont nombreux : ils proposent des stages, des séjours, des promenades, des randonnées en forêt...

Vous pouvez vous adresser à l'**Association nationale de tourisme équestre**, 9 bd Mac-Donald, 75019 Paris, ☎ 01 53 26 15 50. Chaque comité départemental peut fournir la liste des centres de son département avec les différentes activités, les gîtes et relais, les randonnées de 2 à 8 jours.

Délégation au tourisme équestre, région Alsace — 6 rte d'Ingersheim, 68000 Colmar, ☎ 03 89 24 43 18. Lun.-ven. 14h-18h. Brochure sur demande.

Comité départemental du tourisme équestre du Haut-Rhin — Maison des associations, 6 rte d'Ingersheim, 68000 Colmar, ☎ 03 89 24 43 18.

Comité départemental du tourisme équestre du Bas-Rhin — 4 r. des Violettes, 67201 Eckbolsheim, ☎ 03 88 77 39 64.

Comité départemental de tourisme équestre des Vosges — 13 r. Principale, 88240 Montmotier.

Association régionale pour le tourisme équestre et l'équitation de loisirs (ARTEL) **en Lorraine** — M. Yvon Hermann, 8 Grande-Rue, 54114 Jeandelaincourt, ☎ 03 83 31 40 58.

IDÉES DE RANDONNÉES

Transvosgienne — Un itinéraire de randonnée équestre permet à tout cavalier ayant un minimum de connaissances hippiques de parcourir environ 800 km à travers la montagne et la plaine. Pour toute information, s'adresser au Comité départemental de tourisme équestre des Vosges.

Le Sundgau et le Jura alsacien — Randonnée en chariot bâché des pionniers de l'Ouest. Hébergement en gîte ou hôtel de qualité 7 jours. Relais de la Largue, 3 r. Ste-Barbe, 68210 Altenach, ☎ 03 89 25 12 92.

Une semaine entre l'Alsace et la Lorraine, dans les Vosges du Nord — Relais équestre 67710 Engenthal, ☎ 03 88 87 33 31. Dégustation de vins d'Alsace et visite de caves. Une semaine en chambre double.

Jura alsacien ; vallons du Sundgau ; Pays des étangs — Promenades en chariot 6 à 8 places. Ferme équestre Zum Blaue, 68480 Kiffis, ☎ 03 89 40 35 25.

Chevauchées populaires — Rassemblement convivial d'une journée et promenade de 4-5h sur circuit fléché sans obligation d'allure, avec halte bucolique à midi et retour à 16h. Ranch des Cerisiers, 2 chemin des Prés, 68210 Guevenatten, ☎ 03 89 25 00 72.

Itinérance — 2A r. du Gén.-de-Gaulle, 67150 Gerstheim, ☎ 03 88 98 38 27. Sorties accompagnées tous les dimanches : découverte du Ried en calèche. Toute l'année.

randonnées pédestres

La marche est une vieille tradition dans le massif vosgien. La diversité du relief permet d'admirer de beaux paysages, d'offrir une grande variété en matière de flore, de faune et de découvrir le patrimoine architectural.

Le Club vosgien — 16 r. Ste-Hélène, 67000 Strasbourg, ☎ 03 88 32 57 96. Fondé en 1872, c'est la plus ancienne association de randonneurs pédestres en France. C'est aussi la plus importante puisqu'elle regroupe 106 associations et compte plus de 34 000

Le fléchage, fil d'Ariane des randonneurs.

adhérents. Le Club vosgien a pour but de sauvegarder les sites naturels ou historiques, d'assurer l'entretien et le balisage de près de 16 500 km de sentiers de randonnée. Il édite une revue trimestrielle, *Les Vosges,* et publie des cartes et des guides détaillés où sont indiqués les itinéraires pédestres balisés par le club, du plateau lorrain à la plaine d'Alsace. Ce club organise en saison des sorties dont on peut se procurer le programme dans les syndicats d'initiative. Son emblème est la feuille de houx.

Les sentiers de Grande Randonnée — Nous signalons ci-dessous les différents sentiers de Grande Randonnée qui parcourent la région décrite dans ce guide. Certains de ces sentiers sont balisés par le Club vosgien (rectangle de couleur) tout en portant le balisage GR aux intersections.
Le GR 5, de la frontière du Luxembourg au Ballon d'Alsace, traverse le Parc naturel régional de Lorraine. Le GR 53, de Wissembourg au col du Donon, traverse le Parc naturel des Vosges du Nord. Le GR 7 parcourt les Vosges du Ballon d'Alsace à Bourbonne-les-Bains et poursuit son itinéraire en Bourgogne. Le GR 714 va de Bar-le-Duc à Vittel, et relie le GR 14 au GR 7. Le GR 533 va de Sarrebourg au Ballon d'Alsace. Le PR Meurthe et Moselle propose 39 promenades et randonnées pour découvrir l'histoire et la géographie du département.
Des topoguides édités par la fédération française de randonnée pédestre (14 r. Riquet 755019 Paris, ☎ 01 44 89 93 90, Minitel 3615 rando) en donnent le tracé détaillé et procurent d'indispensables conseils aux randonneurs.
Le Parc naturel régional des Vosges du Nord, le Parc naturel régional des Ballons des Vosges et le Parc naturel régional de Lorraine éditent également un ensemble de plaquettes renfermant des dépliants de randonnées pédestres.

ski

Le massif vosgien est le « massif du ski en douceur » dans un environnement de sapins, de paysages sereins s'étageant de 600 m à 1 400 m d'altitude : ski alpin, ski de fond, nouvelles glisses, biathlon, saut à skis, raquettes, balades à traîneau à chiens, luge ou tout simplement promenade à pied, autant de façons de découvrir la montagne vosgienne en hiver.
Le ski alpin se pratique sur de nombreux sites totalisant 170 remontées mécaniques, de nombreuses installations d'enneigement et d'éclairage pour la pratique du ski nocturne, notamment dans les stations de Gérardmer, de la Bresse, du Markstein et du lac Blanc. Le Schnepfenried offre par temps clair une vue panoramique sur la grande crête des Vosges. Pour les amateurs de ski de fond, plus de 1 000 km de pistes sont balisées et régulièrement entretenues.
Le guide *Skier dans les Vosges*, d'Alain Morley, éditions La Nuée Bleue (guide-poche DNA), donne de nombreuses informations pratiques : pistes de ski alpin et de ski de fond, remontées mécaniques, accès, transports.
L'association Ski France réunit les informations sur une centaine de stations hivernales françaises. Il décerne un label relatif à la qualité des équipements et des services proposés. On peut obtenir son Guide pratique de la montagne en téléphonant au 01 47 42 23 32.

Les joies du ski de fond

Forme et santé

Sur la carte p. 25 sont localisés les stations thermales et les centres de thalassothérapie de la région couverte par ce guide. Par ailleurs, LE GUIDE ROUGE signale les dates officielles d'ouverture et de clôture de la saison thermale.

Le versant lorrain des Vosges et la Lorraine tout entière sont particulièrement riches en stations thermales. à l'exception des eaux sulfureuses, toutes les catégories d'eaux minérales définies par les classifications en usage y sont représentées. Sur l'autre versant des Vosges, l'Alsace apporte sa contribution au thermalisme français.

sources minérales et thermales

On sait comment naissent les sources ordinaires : les eaux d'infiltration, traversant les terrains perméables, finissent par rencontrer une couche imperméable dont elles suivent la pente. Elles sortent là où cette couche affleure à l'air libre.

L'appellation de « source minérale » désigne, dans la pratique, soit des sources d'eaux infiltrées, soit des sources issues des profondeurs de l'écorce terrestre, dont les eaux se sont chargées, au cours de leur trajet souterrain, de substances ou de gaz présentant des propriétés thérapeutiques. Le qualificatif « thermal » s'applique plus particulièrement aux eaux dont la température est d'au moins 35° à leur sortie du sol.

Les sources thermales sont situées soit sur des failles du plateau lorrain, soit au voisinage des massifs ou des pointements cristallins.

Les eaux minérales et thermales sont pour la plupart très instables et s'altèrent sitôt sorties de terre. Il est donc indispensable pour en tirer un profit thérapeutique maximum d'en user sur place. C'est la principale raison de l'existence des stations thermales.

Les deux zones géographiques des Vosges, la « plaine » à l'Ouest, la « montagne » à l'Est et au Sud-Est, possèdent chacune leurs eaux bien caractéristiques.

Sources froides — La « plaine » des Vosges est le domaine des sources froides, eaux d'infiltration qui resurgissent en surface, chargées après leur parcours souterrain de calcium et de magnésium et, pour quelques-unes, de lithium et de sodium. La capitale thermale en est

incontestablement Vittel dont les eaux, connues des Romains, puis oubliées, ont été retrouvées seulement en 1845 et exploitées à partir de 1854 sous l'impulsion de la famille Bouloumié. **Vittel**, avec sa voisine **Contrexéville** mise en vogue par le roi Stanislas, soigne particulièrement les affections des reins et du foie.

Leurs sources froides ont donné naissance à une importante industrie d'embouteillage, et de nombreux touristes visitent chaque année les usines de Vittel et de Contrexéville (les plus importantes du monde avec celle d'Évian).

Griffon dans le pavillon des sources à Contrexéville

Sources chaudes — À l'opposé de la plaine vosgienne, la « montagne » possède des sources d'origine volcanique caractérisées moins par leur minéralisation que par leur thermalité et leur teneur en principes radioactifs. Connues également des Romains, grands amateurs de sources chaudes, et même des Celtes et des Gaulois, ces sources ont un long et riche passé. **Plombières**, avec ses 27 sources chaudes dont quelques-unes atteignent une température de 80°, convient particulièrement aux rhumatisants et aux malades atteints d'entérite. **Bains-les-Bains** est la station de certaines affections du cœur et des artères. **Luxeuil-les-Bains** est spécialisée dans le traitement des maladies gynécologiques.

Dernière-née des stations lorraines, **Amnéville** soigne les rhumatismes et les voies respiratoires grâce à l'eau de la source St-Éloy jaillissant à 41°.

Bourbonne-les-Bains, que se disputent la Lorraine et la Champagne, a des eaux chaudes radioactives et légèrement chlorurées dont Louis XV avait déjà reconnu les mérites en créant un hôpital militaire thermal, qui existe toujours, pour ses soldats atteints d'arquebusade. Bourbonne est la station de « l'eau qui guérit les os ».

En Alsace, **Niederbronn-les-Bains** convient aux affections digestives et rénales et à l'artériosclérose ; **Morsbronn-les-Bains** est une petite station spécialisée dans la rhumatologie.

thermalisme et tourisme

Les vertus des eaux thermales ont été redécouvertes aux 18e et 19e s. À cette époque, « aller aux eaux » était l'apanage d'une clientèle riche et oisive. Aujourd'hui de nombreuses cures thermales sont reconnues comme un traitement médical à part entière et peuvent être prises en charge par les différents organismes de sécurité sociale. Les soins n'occupant qu'une partie de la journée, les stations thermales offrent à leurs visiteurs des activités diverses : sports, spectacles... qui en font souvent des lieux de séjour très agréables, attirant autant les touristes que les malades. La beauté des sites qui les environnent et la possibilité de faire alentour de nombreuses excursions en font des lieux privilégiés pour une reprise de contact avec la nature.

Outre les cures traditionnelles, certaines stations proposent : remise en forme, forfait colonne vertébrale, cure anti-tabac, cure d'amincissement, cure anti-stress, relaxation...

L'Association des stations thermales vosgiennes a créé une brochure *Vosges thermales* concernant Bains-les-Bains, Contrexéville, Plombières et Vittel (BP 332, 88008 Épinal).

Fédération thermale et climatique française — 16 r. de l'Estrapade, 75005 Paris, ☎ 01 43 25 11 85.

les stations et leurs spécialités

Amnéville – Rhumatologie, séquelles de traumatismes, voies respiratoires, centre de remise de santé Thermapolis. Saison : fév.-déc.

Bains-les-Bains — Maladies cardio-artérielles, rhumatologie, séquelles de traumatismes. Saison : avr.-oct.

Bourbonne-les-Bains — Rhumatologie, voies respiratoires. Saison : mars-nov.

Contrexéville — Surcharge pondérale, affections rhénales et urinaires, séjour forfait ligne et remise en forme. Saison : avr.-oct.

Luxeuil-les-Bains — Phlébologie, gynécologie. Saison : mars-nov.

Morsbronn-les-Bains — Rhumatologie, séquelles de traumatismes. Saison : tte l'année.

Niederbronn-les-Bains — Rhumatologie, séquelles de traumatismes, rééducation fonctionnelle. Saison : avr.-déc.

Plombières-les-Bains — Affections de l'appareil digestif et troubles de la nutrition, affections rhumatologiques et séquelles de traumatisme ostéo-articulaires, centre de remise en santé Calodaé. Saison : avr-oct.

Vittel — Affections des reins et du foie, rhumatologie, séquelles de traumatismes, troubles de la nutrition, remise en forme. Saison : tte l'année sf janv.

Souvenirs

pour les gourmands

ALCOOLS

Vins — Ceux d'Alsace bien sûr (riesling, gewurztraminer, sylvaner, pinot blanc et pinot noir) mais aussi ceux de Lorraine (côtes-de-meuse, moselle, côtes-de-toul). On les trouve dans toutes les caves de villages vignerons comme dans les boutiques spécialisées des grandes villes.

Eaux-de-vie — Comment repartir de Lorraine sans avoir acheté une bouteille d'eau-de-vie de quetsche, mirabelle, cerise, framboise ? À consommer (avec modération) au coin du feu quand dehors il fait froid.

DOUCEURS

Grave erreur si vous ne revenez pas d'Alsace ou de Lorraine le coffre rempli de douceurs du cru : vous aurez en effet l'embarras du choix entre les madeleines de Commercy, les bergamotes et macarons de Nancy, les dragées de Verdun, les bonbons et le miel des Vosges, les fruits au sirop (mirabelles, questches, cerises, poires de Lorraine)...

Tarte à la mirabelle, quiches, terrines, les spécialités lorraines sont irrésistibles

PRODUITS FERMIERS

N'oubliez pas que l'Alsace est une des régions réputées pour la fabrication du foie gras que vous pourrez acheter en bocaux. Pour le fromage, ne traînez pas en route, il supporte mal le transport (vous-même aurez sans doute du mal à supporter l'odeur du munster parfumant votre coffre...) ; un petit « truc » cependant si vous tenez absolument à rapporter du munster : emportez dans vos bagages une boîte en plastique hermétique, les odeurs les plus tenaces ne s'échapperont pas.

pour la maison

CRISTAL

Vous êtes en Lorraine, alors pensez aux cristalleries : un bon moyen de renouveler votre service en cristal. Outre les grandes marques comme Daum, Baccarat ou St-Louis, il existe des petits artisans produisant des œuvres tout aussi jolies, et que vous ne retrouverez pas sur la table de votre cousine ou de votre voisine. Dans ces cristalleries, vous trouverez également des lustres, des bibelots. Cristalleries, entre autres, à Baccarat, Hartzviller, St-Louis-lès-Bitche, Vallerysthal et Vannes-le-Châtel.

POTERIE

Un kougelhopf confectionné dans un véritable moule en terre vernissée, c'est tout de même meilleur ! Faites le plein de plats, moules à gâteau, cruches, pots et autres jarres dans les villages potiers que sont Betschdorf et Soufflenheim. Ils sont tellement beaux avec leur couleurs vives et leurs décors naïfs !

FAÏENCE

Autre technique pour des productions tout aussi belles. On trouvera des faïences (plats, vases, cache-pots, objets) à Longwy (ville à retenir également pour ses émaux), Sarrguemines, St-Clément et Lunéville.

LINGE DE MAISON

On ne taira pas l'extrême qualité et robustesse des toiles des Vosges : torchons en lin et drap en coton vous dureront longtemps. Les nappes damassées ou jacquard de Gérardmer sont tout simplement irrésistibles.

pour les enfants

JOUETS EN BOIS

L'Alsace a gardé de l'Allemagne la tradition des jouets en bois, qui vous rappelleront les jouets de vos parents ou grands-parents ; le bois a tellement plus de charme que le plastique ! On en trouve en particulier à Ingwiller et Éloyes, dans les Vosges du Nord.

DÉCORATIONS DE NOËL

Si vous venez dans la région en décembre, profitez-en pour repenser toute votre décoration de Noël. Faites les marchés de Noël et achetez — vos enfants adoreront vous accompagner — boules, petits sujets en bois, guirlandes, couronnes de l'Avent, décoration de table, bougies, etc. Pour un sapin rouge et vert, bleu et blanc, ou or, argent, ou encore multicolore...

Les traditionnelles poteries de Betschdorf

Kiosque

ouvrages généraux, tourisme

L'Alsace et les Vosges, Éd. Minerva.

Guide de l'Alsace ; Guide des Vosges du Nord, Éd. La Manufacture.

Alsace ; Lorraine, coll. Encyclopédies régionales, Éd. Bonneton.

À la découverte des châteaux forts d'Alsace ; Villes et villages fortifiés d'Alsace, M. Greder, Éd. Salvator, Mulhouse.

Le guide de Mulhouse. Éd. La Manufacture.

Strasbourg, Épinal, coll. Encyclopédie des villes, Éd. Bonneton.

Connaître Strasbourg, Recht, Klein, Foessel, Éd. Alsatia, Colmar.

histoire, ethnographie

Histoire de l'Alsace, Ph. Dollinger, Éd. Privat, Toulouse.

Histoire de la Lorraine, M. Parisse, Éd. Privat, Toulouse.

Histoire de la Lorraine, R. Bastien, Éd. Serpenoise, Metz.

Histoire des Alsaciens ; Histoire des Lorrains, coll. Dossiers de l'Histoire, Éd. Nathan.

Les Grandes Heures de la Lorraine, M. Caffier, Éd. Perrin.

Guide de la Ligne Maginot, A. Hohnadel, A. Truttman, Éd. Heimdal, Bayeux.

Arts et traditions populaires d'Alsace, G. Klein, Éd. Alsatia, Colmar.

Trésors du patrimoine traditionnel d'Alsace, G. Klein, Éd. Gyss, Barembach.

La Maison traditionnelle d'Alsace, M. Buch, Éd. Gyss, Barembach.

Maison Preiss-Zimmer à Riquewihr

La Route de la céramique, coll. Circuits culturels et touristiques en Lorraine, Éd. Serpenoise, Metz.

St-Louis, quatre siècles de cristallerie au pays de Bitche, M. Girault, Éd. Renaissance du Livre, 1998.

Au pays du charbon, coll. Circuits culturels et touristiques en Lorraine, Éd. Serpenoise, Metz.

Hansi : 1895-1951, à travers ses cartes postales, Éd. J. Do Bentzinger, Colmar.

Alsace romane ; Lorraine romane, coll. La Nuit des temps, Éd. Zodiaque pour Desclée De Brouwer.

gastronomie

Promenades gourmandes et art de vivre en Moselle, Francis Kochert, Éd. Casterman et Serpenoise, 1996.

Les Meilleures Recettes lorraines, Éd. SAEP, Ingersheim.

La Cuisine lorraine, J.-M. Cuny, Éd. JMC.

La Bière en Lorraine, J.-C. Colin, Éd. Coprur.

La Bière en Alsace, J.-C. Colin, J.-D. Potel, Jehl, Éd. Coprur.

La Route de la mirabelle, coll. Circuits culturels et touristiques en Lorraine, Éd. Serpenoise, Metz.

Gastronomie alsacienne (3 vol.) ; Gastronomie lorraine, coll. Delta 2000, Éd. SAEP, Ingersheim.

La Cuisine alsacienne traditionnelle, Éd. SAEP, Ingersheim.

littérature

Les Demoiselles Bertram ; Le Beau Jardin, P. Acker.

La Colline inspirée, Maurice Barrès, Éd. du Rocher.

La Lorraine dévastée, Maurice Barrès, coll. Rediviva, Éd. Lacour.

Les Oberlé ; Les Nouveaux Oberlé, René Bazin.

Pays-Haut ; Marie-Romaine, Anna-Marie Blanc, Éd. Serpenoise, Metz.

La Mémoire du perroquet, Michel Caffier, Éd. Grasset.

Le Hameau des mirabelliers, Michel Caffier, Éd. Albin Michel.

Les Roses de Verdun, Bernard Clavel, Éd. Albin Michel.

L'Ami Fritz ; L'Invasion, Erckmann-Chatrian, Éd. J. Do Bentzinger, Colmar.

Jetzà ! l'oiseau royal, Bernard Fischbach, Éd. Marie-Noëlle, Orchamps.

Vacances du lundi, Théophile Gautier, coll. Dix-neuvième, Éd. Champ Vallon.

Le Rhin, Victor Hugo, Éd. La Nuée Bleue, Strasbourg.

Les Bourgeois de Witzheim, André Maurois.

Terres lorraines, Émile Moselly, Éd. Presses universitaires de Nancy.

Le Serment des quatre rivières, Violaine Vanoyeke, coll. Jeannine Balland. Éd. Presses de la Cité.

Le Passage du Climont, Jean-Yves Vincent, Éd. Pierron, Sarreguemines (série comprenant 2 autres titres : *Manfred Wilderhof* ; *Les Serres de l'aigle*).

pour les enfants et adolescents

Alsace, mon guide, Éd. Casterman.

L'Histoire de la Lorraine racontée aux enfants, R. Bastien, Éd. Serpenoise, Metz.

La Lorraine de dans le temps, J. Morette, Éd. Serpenoise, Metz.

BD

Le Mystère Gutenberg, R. Oberlé, G. Foesser, Y. Lenoble, Éd. Serengeti.

Noël à Kaysersberg ; *Le Testament d'Erasmus*, F. Keller, J.-M. Thiébaut, M. Lohrer, Éd. Roser.

La Guerre des rustauds, Éd. La Nuée bleue.

La Cathédrale (Xan), J. Martin.

L'Affaire Bugatti (Michel Vaillant), Jean Graton (l'histoire a pour cadre le musée de l'Automobile à Mulhouse).

vidéo

Le Vignoble d'Alsace, La Route des Vins, coll. Visages d'Alsace, Mitria Production.

Raconte-moi l'Alsace, éd. Zorn, Production internationale.

L'Alsace romane ; *Le Bas-Rhin*, Mitria Production.

Sundgau, Mémoires d'une terre magique, coll. Terres magiques.

L'Alsace gourmande, Itinéraires des saveurs et traditions culinaires, coll. Visages d'Alsace, Mitria Production.

médias

QUOTIDIENS
L'Est républicain, *Le Républicain lorrain*.

REVUE
L'Alsace, Découverte et passions (Éd. Freeway).

RADIOS
Radio France Alsace — Altkirch, Colmar, Guebwiller, Kaysersberg, Mulhouse, Sélestat, Soultz, Thann-Cernay (102.6) ; Hagueneau, Ingwiller, Molsheim, Obernai, Saverne, Schirmeck, Strasbourg (101.4) ; Masevaux (92.2) ; Niederbronn-les-Bains (99.8) ; Orbey (101.5) ; Ste-Marie-aux-Mines (106.6) ; Wissembourg (94.6).

Radio France Nancy-Lorraine — Baccarat, Lunéville, Nancy, Raon-l'Étape, Toul (100.5) ; Épinal (100.0) ; Gérardmer (91.2) ; La Bresse (96.7) ; Remiremont (90.2) ; St-Dié (92.1) ; Vittel (102.6).

FIP — Forbach, St-Avold (98.8) ; Metz (98.5) ; Molsheim, Strasbourg (92.3).

Cinéma, télévision

De nombreux films ont été tournés dans la région. Parmi les plus marquants, citons :

L'Ami Fritz (1933) de Jacques de Baroncelli, avec Lucien Duboscq, Simone Bourday (Wissembourg), d'après le roman d'Erckmann-Chatrian.

La Grande Illusion (1937) de Jean Renoir, avec Jean Gabin, Pierre Fresnay (château du Haut-Kœnigsbourg).

La Grande Illusion *de Renoir*

Les Grandes Gueules (1965) de Robert Enrico, avec Bourvil, Lino Ventura (dans les Vosges).

La Décade prodigieuse (1971) de Claude Chabrol, avec Orson Welles, Marlène Jobert (Strasbourg).

L'Héritier (1972) de Philippe Labro, avec Jean-Paul Belmondo, Jean Rochefort (dans la région de Thionville).

Tess (1978) de Roman Polanski, avec Nastassja Kinski, Peter Firth (région de Verdun).

Champ d'honneur (1986) de Jean-Pierre Denis, avec Chris Campion, Pascale Rocard (Rott, Climbach, Froeschwiller).

Agent trouble (1987) de Jean-Pierre Mocky, avec Catherine Deneuve, Richard Borhinger (au bord du lac Blanc et du lac Noir).

Une femme française (1995) de Régis Wargnier, avec Emmanuelle Béart, Daniel Auteuil (région de Nancy).

Calendrier festif

festivals

Janvier
Fantastic'Arts : festival du film fantastique.   **Gérardmer**

Mars-mai
Festival de musique classique.   **Épinal**

Mai
Musique Action : festival de musique contemporaine, ☎ 03 83 57 52 24.   **Vandœuvre-lès-Nancy**
Festival international de chant choral (5 000 choristes) tous les 2 ans.   **Nancy**
Festival international de musique.   **Sarrebourg**

Fin mai-début juin
Festival international de sculpture sur bois.   **La Bresse**

1ʳᵉ quinzaine de juin
Festival international de l'image.   **Épinal**

Juin
Festival de musique.   **Strasbourg**
Festival international de musique et d'art lyrique.   **Fénétrange**
Festival des orgues de Meuse.   **Bar-le-Duc, Verdun, Bouchon-sur-Saulx**

Festival des cordes (classique).   **Mirecourt**

Juillet
Festival international de musique, ☎ 03 89 20 68 94.   **Colmar**
Festival Erckmann-Chatrian.   **Phalsbourg**

1ʳᵉ quinzaine de septembre
Rencontres musicales, ☎ 03 82 44 97 66.   **Cons-la-Grandville**

Fin septembre-début octobre
Musica : festival international de musique d'aujourd'hui, ☎ 03 88 21 02 02.   **Strasbourg**

Octobre
Festival international de géographie.   **St-Dié-des-Vosges**

Mi-octobre
Nancy Jazz Pulsations, ☎ 03 83 37 83 79.   **Nancy**

fêtes traditionnelles

Mardi gras
Carnaval   **Strasbourg**

L'originalité des costumes contribue au succès du carnaval de Strasbourg.

Mercredi avant Pâques

Fête des Champs Golots : les enfants traînent des bateaux illuminés sur le bassin près de l'hôtel de ville.

Épinal

Avril

Fête des jonquilles : dans la ville décorée de jonquilles, corso fleuri.

Gérardmer

Mai

Fête des vieux métiers.

Azannes-et-Soumazannes

Pentecôte

Ouverture de la foire-kermesse. Cortège folklorique, danses, courses hippiques.

Wissembourg

Juin-septembre

Spectacle son et lumière au Dolder.

Riquewihr

3e dimanche de juin

Concours international des roses nouvelles.

Saverne

30 juin

Crémation des Trois Sapins devant la collégiale.

Thann

Juillet

Événement-spectacle de Verdun.

Verdun

Biennale mondiale de l'aérostation : un des plus grands rassemblements mondiaux de montgolfières.

Chambley

Grande fresque historique sur la Première Guerre mondiale.

Haudainville

Mi-juillet-fin août, les week-ends

Représentations au théâtre du Peuple : pièces interprétées par une troupe mixte d'amateurs et de professionnels.

Bussang

2e dimanche d'août

Corso fleuri.

Sélestat

14 août

Féerie lumineuse sur le lac et feu d'artifice géant.

Gérardmer

15 août

Fête du mariage de l'Ami Fritz. Costumes régionaux.

Marlenheim

Dernier week-end d'août

Fête du houblon, Festival du folklore mondial.

Haguenau

1er dimanche de septembre

Fête des ménétriers ou Pfifferdaj : grand cortège historique, dégustation gratuite à la fontaine du vin.

Ribeauvillé

Décembre

Fête de la St-Nicolas
Marchés de Noël

En Alsace et Lorraine

Musique et costumes traditionnels sont à l'honneur pour la fête des Ménétriers à Ribeauvillé.

pèlerinages

2ᵉ dimanche de mai
Fête de Jeanne d'Arc, ☎ 03 29 06 95 86.   **Domrémy**

16 juillet
Pèlerinage à Notre-Dame d'Avioth.   **Avioth**

15 août
Pèlerinage à la Vierge. Procession aux flambeaux la   **N.-D.-de-Thieren-**
veille.   **bach**

15 août et 8 septembre
Pèlerinage à N.-D.-du-Bon-Secours.   **Oderen**

Samedi le plus proche du 6 décembre
Pèlerinage à St-Nicolas dans la basilique, ☎ 03 83 46   **St-Nicolas-de-Port**
81 50.

13 décembre
Fête de sainte Odile : grand pèlerinage alsacien le plus   **Ste-Odile**
fréquenté de toute l'Alsace.

fêtes gastronomiques

Autour de l'Ascension
Fête du cochon.   **Ungersheim**

1ʳᵉ quinzaine de juin
Fête du kougelhopf.   **Ribeauvillé**

Juillet
Fête de la truite et de la glace.   **Plombières-les-Bains**

Juillet et août
Fête des produits du terroir.   **Pierre-Percée**

1ʳᵉ quinzaine d'août
Fête de la carpe frite.   **Munchhouse**

Autour du 15 août
Eurovin (rencontre internationale de producteurs).   **Dambach-la-Ville**

Fin août, début septembre
Fête de la mirabelle avec corso fleuri, défilé de chars,   **Metz**
feu d'artifice, élection de la reine de la Mirabelle.
Journées de la choucroute.   **Colmar**

Courant septembre
Fêtes de la choucroute.   **Geispolsheim**
Fête du pâté lorrain.   **Baccarat**

La vigne, partout présente en Alsace et en Lorraine.

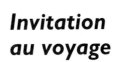

*Invitation
au voyage*

L'Alsace

« Quel beau jardin ! » se serait exclamé le roi de France Louis XIV. Il découvrait pour la première fois l'Alsace qu'il se proposait d'annexer tout entière à son royaume. Cette réflexion du Roi-Soleil, tout visiteur venu de l'extérieur peut la faire sienne aujourd'hui quand, en descendant les Vosges et ses versants couverts de forêts, il découvre le vaste paysage qui s'ouvre soudain devant lui.

Plaines et collines

Une grande luminosité, un climat plus sec, la diversité des couleurs des champs et l'aspect riant des villages fleuris semblent comme la promesse d'un pays de bonne chère où la vie est agréable et l'humeur joyeuse. La plaine d'Alsace est une petite région à échelle humaine insérée par la géographie et par l'histoire au cœur de l'espace rhénan que se partagent la France, la Suisse et l'Allemagne. Adossée aux Vosges dont les collines aux pentes escarpées portent le célèbre vignoble alsacien, elle s'étend sur seulement 30 km de large, jusqu'au Rhin à l'Est. Mais 170 km séparent la frontière allemande au Nord, de Bâle et du Jura au Sud. Un simple coup d'œil sur une carte fait comprendre qu'avec sa forme étroite et allongée, elle fait partie du Fossé rhénan, cette partie affaissée de la croûte terrestre qui court entre Vosges et Forêt-Noire.
On passe ainsi en de courtes distances de la montagne à la plaine, de la forêt à une mosaïque de parcelles cultivées aux couleurs changeantes au fil des saisons. La plaine, loin d'être monotone, présente des facettes étonnamment variées. La multitude et l'ancienneté de ses villages et de ses petites villes indiquent assez la présence ancienne des hommes dans l'une des régions les plus peuplées de France. Depuis toujours, ceux-ci ont tenu compte de la variété des sols et ont ainsi créé des paysages que la vie moderne n'a modifiés que dans le détail. En lisière des Vosges d'abord, c'est la longue file continue des collines dites sous-vosgiennes sur lesquelles s'étale l'un des vignobles les plus célèbres de France. De romantiques ruines médiévales les surplombent, parfois restaurées comme le château du Haut-Kœnigsbourg ou encore le couvent de Ste-Odile, la patronne de l'Alsace, placé comme en vigie au sommet de sa montagne. Tout au Sud s'étendent, un peu à part, les collines doucement ondulées du Sundgau qui s'adossent aux premières crêtes du Jura.

Activités d'hier et d'aujourd'hui

Dans la plaine proprement dite, on sera étonné de passer, sur quelques dizaines de km, de régions très agricoles à d'immenses forêts que la densité de population ne menace pas. C'est que les sols ne sont pas les mêmes. Partout les sédiments marneux et argileux apportés par des mers intérieures ou des lacs aujourd'hui disparus ont comblé le Fossé rhénan au fur et à mesure de son enfoncement. On en trouve jusqu'à 1 500 m d'épaisseur, recelant au Nord un peu de pétrole et au Sud les mines de potasse entre Mulhouse et Guebwiller. Les cours d'eau qui se sont mis en place au cours du dernier million d'années, comme le Rhin et l'Ill, ont déposé de grosses masses de cailloutis et d'alluvions peu fertiles. Plus récemment, lors des dernières glaciations, à l'époque des chasseurs de rennes, le vent a apporté par endroits une couche épaisse et fertile de lœss, fine poussière issue des régions désertiques proches des glaciers. C'est devenu l'« Alsace bénie », qui commence au Nord de Sélestat et qui

Le houblon, une des cultures de
l'Alsace destinée aux brasseries.

*Le vignoble au-dessus
de Riquewihr.*

s'épanouit dans le Kochersberg, l'arrière-pays de Strasbourg.
C'est l'« ackerland », la riche campagne cultivée, avec ses
champs de maïs, de colza ou de tournesols. On y fait aussi pousser le fameux chou à choucroute, les asperges et le houblon.

Au contraire, sur les cailloutis, les graviers et les sables, ont pu
subsister de vastes forêts comme la Hardt, près de Mulhouse, au
sol sec ou celle de Haguenau, tout au Nord, au sol plus humide.

Mais la partie la plus étonnante, la plus exotique sans doute
de la plaine alsacienne, celle qui a malheureusement le plus
reculé, c'est le « Ried » marécageux qui s'étend sur les bords du Rhin,
dans la partie de la plaine que ses crues inondaient avant qu'il ne soit
canalisé. On peut y découvrir encore les derniers lambeaux, désormais
protégés, de l'extraordinaire forêt rhénane avec sa végétation de lianes, de
lierres et de clématites, qui évoque la forêt tropicale. L'Ill possède aussi son ried,
entre Colmar et Benfeld, menacé par les drainages qui ont permis l'extension des
cultures. Prairies humides, marais, roselières et bras de rivières nés des « trous de
tonnerre », ces grosses résurgences infiltrées dans les graviers, ont une flore et une
faune particulièrement riches. On peut y croiser des chevreuils, mais aussi la seule
harde de daims sauvages en France. Les castors y ont été réintroduits dès 1973 ;
les canards et autres oiseaux d'eau y prospèrent.

*Autre facette de
l'Alsace : le transport
fluvial (ici à Strasbourg).*

Habitat traditionnel

Petites villes et villages

Le charme de l'Alsace, ce sont d'abord ses petites villes et villages qu'on découvre au creux d'un vallon en musardant le long des petites routes. Ils invitent à la flânerie dans un cadre enchanteur qui fait penser aux contes d'autrefois avec leurs maisons à colombage sagement groupées autour de leur église. C'est une région où les fermes isolées sont rares. Ce qui frappe enfin le visiteur, c'est le soin avec lequel l'habitat traditionnel est préservé et entretenu.

En se promenant au gré des rues, on est frappé par l'harmonie qui se dégage de ces maisons qui respectent le style régional. Si l'œil ne s'en lasse pas, c'est qu'en réalité aucune d'entre elles n'est exactement semblable. Rarement accolées à leurs voisines, elles gardent souvent leur propre orientation de telle sorte qu'elles animent le tracé imprévu et sinueux de la rue.

Ferme-cour du Kochersberg.

Leurs couleurs joyeuses ressortent gaiement sur le colombage en bois sombre. Le crépi blanc ou gris d'autrefois se fait de nos jours bleu, vert, rouge ou ocre. Toute la maison en fait égaye la rue. C'est le jeu des toits à forte pente, avec leurs tuiles plates au bout arrondi en « queue de castor » ou « Biwerschwang ». Parfois un immense nid de cigogne est juché par-dessus. Les petits auvents qui protègent les murs des intempéries, les volets peints en vert, les fenêtres et les galeries en bois sculpté, partout fleuries de géraniums, donnent un air de fête aux façades. D'infinis détails individualisent chaque maison : les tuiles colorées dessinent des losanges, que répètent les poutres du colombage. Celles-ci reproduisent souvent d'autres symboles porte-bonheur ou de protection comme les croix de St-André ou les « arbres de vie », fréquents dans le Sundgau. Les sculptures des poteaux d'angle comme les panneaux peints des murs reproduisent des emblèmes religieux ou professionnels ayant un rapport avec le propriétaire de la maison. L'intérieur traditionnel comprend le grand poêle en faïence de la stube (pièce à vivre), qui s'allume du côté de la cuisine. Les assiettes décorées de couleurs vives se détachent sur de beaux meubles en bois massif et luisant.

Maison de pêcheur du Ried.

Diversité de l'habitat

À l'écomusée d'Ungersheim, on apprend cependant à distinguer les styles qui dépendaient des traditions locales et du mode de vie des habitants. Il existe d'abord trois grands types de fermes : la maison-bloc qui, modeste, rassemble tout sous le même toit (logement, étable et grange), la grosse ferme à cour fermée dans laquelle, au contraire, chaque bâtiment est séparé et disposé autour d'une cour, enfin la petite maison de vigneron. Chaque petit pays peut se reconnaître à son habitat.

Tout au Nord, isolée par la forêt de Haguenau, l'Outre-Forêt a bien préservé ses traditions. Ses « maisons-blocs » ont des poutres peintes en noir qui tranchent sur le crépi blanc des murs en torchis. Des auvents protègent le mur-pignon au

Maison de potier de l'Outre-Forêt.

toit élancé. Tout au Sud, la ferme du Sundgau reste modeste, elle aussi, avec son colombage couleur-bois et un crépi plus varié, bleu vert ou gris souligné de traits blancs. Le toit, qui annonce le Jura proche, est déjà plus massif, avec sa croupe en triangle du côté du pignon.

Dans les régions à lœss, comme le Kochersberg, on trouve des fermes beaucoup plus imposantes. C'est autour d'une vaste cour carrée que sont disposées l'habitation à plusieurs étages, avec en face l'écurie et l'étable et au fond l'immense grange. Cet espace est fermé du côté de la rue par un porche double dont le grès rose des Vosges souligne l'arcade. Un balcon en bois agrémente souvent l'habitation au dernier étage. Un peu plus au Nord, dans le prospère pays de Hanau, la symétrie recherchée du poutrage, la multiplication des losanges et des moulures et les doubles balcons à balustrade sur le mur-pignon sont la marque des Schini, célèbre dynastie de charpentiers.

Dans le piémont vosgien, les contraintes du vignoble ont imposé la maison de vigneron dont seul l'étage, où se trouve l'habitation, est à colombage. On y accède par un escalier en bois qui part de la cour étroite qui donne sur la rue. Le rez-de-chaussée abrite le pressoir et la cave. Parfois à demi enterré, il est maçonné ou en pierre. Le décor souvent

Maison du vignoble sous-vosgien.

très travaillé multiplie les symboles et les maximes liés au monde du vin.

Dans le Ried subsiste la rare maison de pêcheur traditionnelle, très archaïque avec son toit en chaume et ses murs de remplissage en lits de galets disposés entre des poteaux et recouverts d'argile crue entassée entre des piquets verticaux.

Maison-bloc du Sundgau.

Enfin, les fermes de l'Alsace « bossue » annoncent la Lorraine avec leur toit moins pentu. Plus sobres, elles se signalent surtout par le grès rose qui encadre portes et fenêtres, tandis que les moellons de pierre et la maçonnerie remplacent le colombage. Un hangar en bois, le « schop », s'avance en saillie en avant de l'étable.

Les Vosges

Pour qui vient de Lorraine, les Vosges ne se livrent pas tout de suite aux regards. Elles s'annoncent d'abord par la forêt qui occupe brusquement tout le paysage. Du côté alsacien, quelle différence ! D'immenses sommets arrondis dominent des pentes abruptes qui retombent, comme soigneusement ordonnées, sur la lumineuse plaine d'Alsace.

Le Lac Blanc, au cœur des Vosges.

Hauts sommets et lacs

Les Vosges ne sont qu'un petit fragment de l'immense chaîne hercynienne qui couvrait une grande partie de l'Europe il y a 300 millions d'années et dont les granits aux couleurs claires qui culminent à 1 424 m au Grand Ballon, portent la trace. Détruite par l'érosion, elle fut peu à peu recouverte par la mer et ensevelie sous d'épaisses couches de sédiments à l'origine des célèbres grès rouges ou roses qui donnent leur couleur si frappante aux monuments alsaciens. Au moment de la formation des Alpes, il y a 30 millions d'années environ, un « rift », le futur fossé rhénan, s'est formé à la suite d'un lent affaissement de la croûte terrestre, tandis que ses bords se soulevaient symétriquement à près de 3 000 m d'altitude, formant les Vosges et la Forêt-Noire, sœurs jumelles issues du même socle granitique. Voilà pourquoi la montagne surplombe d'un seul coup la plaine d'Alsace alors qu'elle s'abaisse presque insensiblement du côté lorrain. Les collines dites « sous-vosgiennes » sont en fait d'énormes blocs faillés qui descendent en gradins jusqu'au fond du fossé.

À cause de leur différence d'altitude, les Hautes-Vosges cristallines se séparent nettement des Basses-Vosges gréseuses. Sur les premières, nettement plus élevées, l'érosion a mis à découvert cette fameuse surface hercynienne arasée que suit la célèbre route des crêtes en reliant entre elles les croupes larges et plates des « **ballons** ». La rareté des cols en a fait une grande ligne de partage régionale, tandis que s'y épanouissent les Hautes Chaumes sans arbres, mais couvertes de fleurs en été quand les troupeaux montent aux pâtures.

L'impression d'être en haute montagne est renforcée par la puissante empreinte des glaciers de la préhistoire. C'est ainsi qu'à l'époque des chasseurs de rennes, ces glaciers ont raboté les sommets, élargi les vallées et accru la raideur des versants.

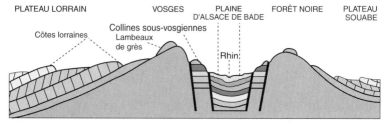

| PLATEAU LORRAIN | VOSGES | PLAINE D'ALSACE DE BADE | FORÊT NOIRE | PLATEAU SOUABE |

Côtes lorraines — Collines sous-vosgiennes — Lambeaux de grès — Rhin

Terrains sédimentaires d'époque tertiaire (1re et 2e phase)

Argile et craie d'époque crétacée

Calcaire et marne d'époque jurassique

Grès (grains de sable fortement cimentés)

Socle primitif

Sapin

Pin sylvestre

Épicéa

Tout en haut, de petits lacs aux eaux froides et profondes, comme le lac Blanc ou le lac Noir, occupent d'anciens cirques glaciaires aux rives escarpées. Vers l'aval, ce sont les moraines, énormes blocs de terres et de caillasses abandonnés par la fonte des glaces, qui ont formé des barrages naturels à l'origine de ces lacs aux eaux très bleues qui, comme celui de Gérardmer, occupent les fonds de vallées.

La forêt

Vue des crêtes, la forêt vosgienne forme un magnifique tapis d'un vert très dense qui s'estompe dans le moutonnement bleuté des lointains. Si la rudesse des hivers comme d'anciens défrichements ont découronné les plus hauts sommets, l'humidité très forte du climat a couvert d'un manteau quasi continu les pentes escarpées des vallées comme l'ensemble des Petites Vosges ou Vosges gréseuses qui s'étendent au Nord jusqu'à la frontière allemande. Le hêtre au tronc lisse, gris clair et au feuillage vert tendre y est omniprésent. À partir de 400 m du côté lorrain et 600 m du côté alsacien, il se mêle au feuillage vert-clair du **sapin** pectiné (aux aiguilles en forme de peigne), le roi de cette forêt. Son écorce grise comme ses cônes dressés le distinguent de son cousin, l'**épicéa**, aux branches tombantes, au vert plus sombre et au tronc brun-rougeâtre qui s'écaille avec l'âge. C'est notre arbre de Noël qui aime particulièrement les expositions froides. À partir de 1 000 m, pratiquement seuls des hêtres ou des alisiers aux formes torturées résistent au vent et au froid, avant de laisser leur place aux chaumes et aux tourbières. Le **pin sylvestre**, au tronc très crevassé, préfère les endroits secs et ensoleillés. Mais ces différentes essences sont heureusement souvent mêlées. Elles résistent alors mieux aux agressions, comme celles des pluies dites « acides », en fait un ensemble de facteurs complexes dont la forêt s'est largement remise ces dernières années. D'infinies nuances de vert composent autant de tableaux harmonieux et apaisants, plus contrastés à l'automne quand, au milieu d'une tonalité plutôt sombre, rougeoie le feuillage des hêtres. C'est en randonnée qu'on découvre la richesse de cette forêt silencieuse, aux odeurs vivifiantes de résine, où la faune, très abondante, reste discrète à l'exception du brame des cerfs en automne. Les frondaisons évoquent les rêves de l'enfance quand, dans une vallée étroite, elle dissimule des châteaux tout roses nichés sur leurs buttes escarpées au milieu de roches géantes aux formes étranges, tour en ruine, arche ou « champignon » de conte de fées.

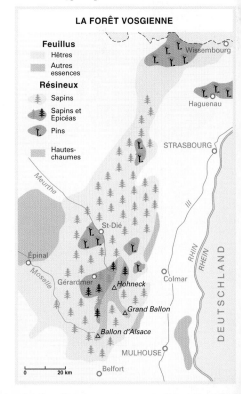

LA FORÊT VOSGIENNE

Feuillus
Hêtres
Autres essences

Résineux
Sapins
Sapins et Épicéas
Pins

Hautes-chaumes

Wissembourg

Haguenau

STRASBOURG

Meurthe

St-Dié

Épinal

Moselle

Gérardmer

Hohneck

Grand Ballon

Ballon d'Alsace

Colmar

RHIN · RHEIN

Ill

DEUTSCHLAND

MULHOUSE

Belfort

0   20 km

Métiers traditionnels

Grâce à leurs ressources, les vallées vosgiennes ont, depuis le Moyen Âge, connu une intense activité artisanale. Forges, fonderies, verreries et cristalleries trouvaient dans le bois un combustible abondant que transformaient les charbonniers au cœur de la forêt. C'était aussi une matière première essentielle pour les charpentiers comme pour les ébénistes et, de façon très spécialisée, pour les luthiers de Mirecourt qui utilisent toujours l'érable sycomore et l'épicéa produits localement. Les images d'Épinal, dont la renommée fut extraordinaire, s'expliquent par la présence de papeteries alimentées sur place. Les torrents fournissaient de leur côté, une énergie inépuisable qui, captée par les moulins à eau, servait à actionner soufflets, marteaux et scies comme à actionner des pompes. Enfin, le sous-sol livrait des minerais qui, avant de s'épuiser, ont fait la prospérité de Ste-Marie-aux-Mines. On y venait, à la Renaissance, de toute l'Europe centrale pour y extraire l'argent, le plomb ou le cuivre. Au 18e s. enfin, l'industrie textile, attirée par la force et par la pureté des cours d'eau, s'est mise à remonter les vallées à partir du versant alsacien. Portées par les capitaux mulhousiens, les cotonnades ont ainsi fait la célébrité de la toile des Vosges. Filatures, tissages et teintureries se sont développées pour passer bientôt de l'autre côté et redescendre les vallées lorraines, tandis que le tissage du lin s'implantait à Gérardmer.

Aujourd'hui encore la forêt fournit, avec ses sapins et ses épicéas, un important marché de bois de sciage et de papeterie. Le hêtre, autrefois de faible valeur, est maintenant très utilisé en bois de placage grâce aux techniques de déroulage. Si la descente des troncs coupés a perdu de son pittoresque depuis qu'elle ne s'effectue plus par schlittage, procédé qui consistait à faire glisser un traîneau, la schlitte, sur des rondins disposés comme les barreaux d'une échelle le long d'une forte pente, on utilise encore les chevaux sur les terrains inaccessibles aux machines. Scieries et papeteries se sont modernisées et concentrées, de même que l'industrie textile qui, après une série de crises très graves, a réussi à se maintenir par la production d'articles de haute qualité en linge de maison et dans l'habillement.

Un métier traditionnel, celui des schlitters qui descendent le bois abattu dans les montagnes.

Le lin des Vosges, résistant et très décoratif.

Le renouveau du tourisme

À la fois terre d'accueil et terre sauvage, les Vosges ont beaucoup d'atouts pour satisfaire le goût de plus en plus grand du public pour les randonnées et les promenades, ainsi que pour des sports d'hiver et d'été de moyenne montagne. Elles ont même joué un rôle précurseur puisque le Club vosgien, fondé en 1872, eut, l'un des tout premiers, l'idée de baliser des sentiers de grande randonnée à l'origine de nos modernes « GR » créés après la Seconde Guerre mondiale. Les fermes d'estive ou marcairies ont, dès la fin du 19e s., pris l'habitude d'accueillir les promeneurs en leur proposant un repas simple de paysan fondé sur l'exceptionnelle qualité de leurs produits. Aujourd'hui, les plaisirs se sont multipliés avec le cheval et le vélo, les activités des bases nautiques au bord des lacs ou, plus récemment les sports aériens, parapente, deltaplane ou montgolfière. Grâce à l'humidité du climat, une neige souvent abondante a, très tôt, permis le développement des sports d'hiver, par la pratique, vite devenue courante, du ski de fond. Avec plus de 1 000 km de pistes reliées entre elles, les Vosges s'en sont fait une spécialité. Le ski alpin y a aussi sa place dans des stations à taille humaine qui, très complètes, proposent tous les autres plaisirs de la neige.

Une activité toute trouvée dans les Vosges : le ski de fond.

Pour développer l'économie locale tout en préservant les paysages et les activités traditionnelles, on a créé deux parcs naturels régionaux très étendus, celui des Ballons des Vosges et celui des Vosges du Nord. On y découvre des sites exceptionnels comme les immenses panoramas des grands ballons d'où la vue porte jusqu'au Mont Blanc. Aux mois de juin et de juillet s'épanouissent, dans les prairies et les sous-bois, la digitale, l'arnica et l'orchidée ou, plus haut, la gentiane jaune et le lys martagon. C'est par les sentiers de randonnée qu'on peut le mieux découvrir cette nature resplendissante, à la flore et à la faune si abondantes. Ils nous font ainsi connaître tous les milieux naturels de la montagne, hautes chaumes, forêts, lacs et tourbières où l'on peut même, en se levant tôt, avoir la chance d'observer, outre de très nombreux oiseaux, de grands animaux en liberté comme le cerf, le chevreuil ou le chamois.

La Lorraine

Passées les Vosges, la Lorraine présente des paysages amples et verdoyants. Côtes, collines, plateaux et plaines se succèdent jusqu'aux confins de la Champagne, tandis que la forêt partout présente se mêle aux champs, aux prairies humides et aux étangs.

Au pied d'une côte.

Le pays des Côtes

Un vaste plateau doucement vallonné s'étend d'abord à l'Est, à peine interrompu par quelques lignes de côtes qui se font encore discrètes : c'est le **plateau lorrain** constellé d'étangs et de forêts. Champs et prairies se succèdent selon les possibilités du sol, argileux ou, parfois, recouvert de lœss. Aux portes de Metz et de Nancy commence véritablement la **Lorraine des Côtes.** L'horizon est barré par un imposant talus couronné de forêts, qui relie un vaste plateau aux vallées encaissées, à la plaine humide et mollement ondulée le long de laquelle coule la Moselle. Des collines aux courbes majestueuses se dressent au-dessus de la plaine. Ce paysage se répète plus loin avec les côtes de Meuse qui surplombent la plaine de la Woëvre, et enfin avec les côtes des Bars et les hauteurs sévères de l'Argonne, vieille frontière entre la Lorraine et la Champagne. Une certaine grandeur émane de ces horizons qui se font immenses et majestueux, comme ceux qui s'étendent au pied de la colline de Sion-Vaudémont, l'un des hauts lieux de mémoire de la France.

Ce relief original appartient au vaste ensemble géologique du Bassin parisien. Il trouve son origine dans les épaisses couches de sédiments qui se sont déposées au fond des mers au cours des temps géologiques. Les grandes côtes lorraines appartiennent ainsi à des terrains qu'on retrouve en Normandie ou en Souabe (Sud de l'Allemagne). Ils se sont formés au milieu de l'ère secondaire, il y a 205 à 135 millions d'années, pendant la période jurassique avec une alternance de roches calcaires

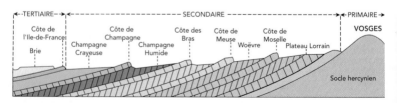

Évolution de la partie orientale du Bassin parisien, depuis le tertiaire.

Paysage de la Meuse,
aux alentours de Vacherauville.

dures et d'argiles, plus tendres. Le Bassin parisien s'est lentement affaissé sous leur poids, formant une cuvette aux couches empilées en « assiettes » donc inclinées vers son centre. Le soulèvement des Vosges a accentué cette tendance. L'érosion a ensuite déblayé l'argile plus tendre, mettant en relief la couche de calcaire dure. Celle-ci, attaquée à son tour, recule, comme en témoignent ces collines qui, formées des mêmes roches, sont, en avant du front de côte, les bien-nommées « buttes-témoins ».

L'habitat

Signalés au loin par la flèche ou le bulbe de leur clocher, les villages lorrains se nichent au creux d'un vallon ou accompagnent, de loin en loin, les méandres d'une rivière qui s'écoule paresseusement d'un bord à l'autre de sa large vallée. Rares sur les plateaux, ils se pressent au pied d'une côte pour bénéficier ainsi des avantages des différents terroirs : en bas, les étangs et les prairies humides de la plaine, au-dessus le versant ensoleillé du talus que les vergers et parfois la vigne recouvrent, en haut les forêts du rebord abrupt, puis les champs du plateau. Enfin, certains se sont perchés sur une butte ou au flanc d'une vallée escarpée. Avec leur toit à faible pente et leurs tuiles rondes à la romaine, ils ont un curieux air méridional.

En Lorraine comme en Alsace, c'est l'habitat groupé qui règne, héritage des vieilles pratiques collectives. Les maisons sont, le plus souvent, accolées les unes aux autres et forment le village-tas ou le village-rue. Le premier, comme son nom l'indique, n'a pas de plan régulier mais regroupe un enchevêtrement de petites rues. Le second est plus typiquement lorrain. De chaque côté de l'unique rue se déploient deux rangées de maisons mitoyennes. La rue paraît large car un vaste espace libre, souvent fleuri

Village-rue typique de Lorraine (Hannonville).

aujourd'hui, s'étend entre la chaussée et la rangée des maisons. C'était autrefois l'usoir. On y déposait son bois et son tas de fumier ; on y garait sa charrue, puis plus récemment son tracteur. Sauf dans la région de Bar-le-Duc qui possède une belle pierre de taille de couleur ocre, les maisons ont une apparence plutôt grise, leurs murs étant le plus souvent recouverts d'un banal crépi. Mais on les reconnaît facilement car leur apparence est originale. De la rue, leur façade n'est pas très large. On remarque surtout la grande porte charretière de la grange, beaucoup plus imposante que la porte d'entrée. En fait, ces fermes s'étendent en profondeur jusqu'au jardin où l'écurie et l'étable font suite à la grange. Dans, l'enfilade des pièces du logement, la cuisine, souvent sans fenêtre, est traditionnellement placée entre les deux chambres, l'une sur rue et l'autre sur jardin, pour mieux les réchauffer. Enfin, une imposante charpente soutient le toit d'une maison beaucoup plus vaste qu'elle n'en a l'air.

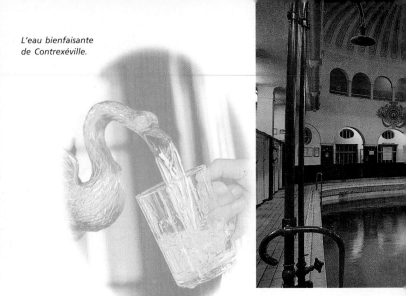

L'eau bienfaisante
de Contrexéville.

Un pays marqué par l'industrie

C'est à la fin du 19e s. que l'aventure de la grande industrie commence. L'exploitation du fer et du charbon a donné naissance à la plus puissante industrie de l'acier que la France ait connue. Pour comprendre à quel point cette activité s'est imposée au cœur des Lorrains, il faut aller voir, par exemple, le musée des Mines de fer de Lorraine, au cœur de l'ancien « pays du fer », entre Longwy et Thionville. Un paysage de métal et de cheminées géantes est né, chaotique, avec ses gares de marchandises, ses usines et ses cités ouvrières dispersées au long des vallées qui s'enfoncent à l'intérieur de la côte de Moselle. Elle a fait oublier la Lorraine des calmes villages et des petites villes qui se dépeuplaient doucement. Les puissants hauts fourneaux des vallées de la Chiers et de la Fensch, qui rougeoyaient dans la nuit, se sont tus désormais. Les dernières mines, trop peu rentables, ont toutes cessé leur activité, sauf une : le charbon de la région de Carling-Merlebach, à la frontière de la Sarre, est toujours exploité, mais jusqu'en 2005 seulement. Des ruines spectaculaires et rouillées hantent les « friches » industrielles qui n'ont pas encore été occupées par de nouvelles activités. Non sans douleur, la Lorraine a su tourner la page.

Pourtant, des usines géantes se dressent toujours dans le paysage lorrain car la grande industrie n'a pas disparu, mais générant désormais très peu d'emplois. À côté de la fonderie, qui fournit des produits très haut de gamme, se maintient une puissante industrie chimique. Elle s'est développée grâce au charbon que le pétrole importé remplace de plus en plus, mais aussi grâce au sel, la troisième grande ressource minière de la région. Exploité dès l'Antiquité dans le Saulnois près de Nancy, il n'est plus extrait que dans quelques mines automatisées pour fabriquer surtout de la soude.

Désormais, ce sont surtout les villes de Metz et Nancy qui, par leur dynamisme, leurs universités et leurs centres de recherche, accueillent des activités nouvelles. Elles forment une sorte de métropole très allongée axée sur la Moselle qui se prolonge vers Longwy et le Luxembourg. Avec le développement du tourisme et les pôles de conversion des anciens bassins miniers, elles sont en train de rapidement changer la physionomie de la Lorraine.

Mines de
charbon de
Lorraine
(La Houve).

Stations thermales des Vosges : un plongeon dans le bien-être.

Détente en Lorraine

Quand on connaît la Lorraine, on se rend vite compte que la grande industrie est toujours restée concentrée sur une étendue assez limitée. On découvre finalement, en parcourant cette région, que l'agriculture et la forêt occupent d'immenses espaces, que des villes comme Metz et Nancy ont de nombreuses activités culturelles et de loisirs, que de petits centres ont su maintenir des productions traditionnelles de qualité parfois mondialement reconnues et susceptibles d'intéresser les visiteurs. C'est le cas, par exemple, de la cristallerie à Baccarat ou de la lutherie de Mirecourt, ainsi que des faïenceries réputées de Longwy, Lunéville ou Sarreguemines. Avec des ressources et des traditions beaucoup plus variées qu'on ne le pense, c'est une région qui a des atouts et qui, à côté d'un tourisme traditionnellement plus culturel, développe désormais un tourisme de détente tourné vers les loisirs de plein air.

On peut, par exemple, aller séjourner au calme dans l'une des nombreuses stations thermales situées au Sud-Ouest de la région, aux confins de la Champagne et de la Franche-Comté et non loin du massif des Vosges. Pourtant, la réputation des eaux minérales de Vittel et de Contrexéville a largement dépassé les frontières. Les curistes ont un large choix de stations dont les eaux aux vertus variées étaient déjà exploitées par les Romains. Après avoir, comme Bains-les-Bains ou Plombières, connu leur période de splendeur au 19e s. et au tournant du 20e s., elles ont toutes été rénovées pour proposer des activités très variées de relaxation et de détente dans un cadre très reposant.

Rivière canalisée : pour des promenades au fil de l'eau.

La Lorraine possède également, au cœur de son parc naturel régional, le plus vaste plan d'eau de l'Est de la France, le lac de Madine qui s'étend dans un beau paysage boisé au pied de la côte de Meuse. Plus à l'Est, le parc délimite une contrée un peu étrange, le pays du sel et des étangs, avec ses mares salées à la végétation insolite où s'arrêtent de nombreux oiseaux migrateurs. Les idées de promenades et de randonnées ne manquent donc pas. C'est ainsi que s'est développé le tourisme fluvial, façon très séduisante de découvrir une région tout en glissant silencieusement sur les eaux dans le seul bruissement des feuillages. Rivières et canaux sont nombreux et leurs parcours variés. Reliés entre eux, comme le canal de la Marne au Rhin, ils traversent la région, à l'écart de l'agitation de la vie moderne.

Le vignoble

L'Alsace possède l'un des plus célèbres vignobles de France. La route des Vins en donne une impression saisissante quand, au pied du rebord des Vosges, on ne roule plus qu'au milieu des vignes, entre les villages fleuris qui se succèdent comme les îles d'un archipel.

Puzzle des vignes
sur les coteaux de l'Alsace.

Une mer de ceps

De Thann aux abords de Wissembourg, c'est une vraie civilisation de la vigne qui, implantée là dès l'époque romaine, s'étire sur près d'une centaine de km. Une mer de ceps, tout en courbes ondoyantes, dévale jusque dans la plaine les pentes ensoleillées des collines sous-vosgiennes. Cette forêt de piquets sagement alignés s'habille d'un vert intense au printemps, avant de prendre une flamboyante livrée or au moment des vendanges. Soleil, tonneaux, grappes de raisin et pressoir, partout les emblèmes arborés par les maisons à colombage, comme les enseignes des auberges, rappellent qu'ici le vin est roi. Une recherche constante de la qualité a pour résultat qu'aujourd'hui, les trois quarts des vins blancs que la France élève, viennent d'Alsace. Cette région offre ainsi l'occasion unique de s'initier, dans une joyeuse ambiance, à des vins réputés qui portent traditionnellement le nom de leur cépage, c'est-à-dire de l'une des innombrables variétés de la vigne dont ils sont faits. Leur extraordinaire diversité est aussi due à la variété des qualités de sol, l'exposition au soleil et le micro-climat propre à l'Alsace. Ils sont ainsi le résultat d'une alchimie complexe où entrent en compte outre le cépage et les terroirs, le millésime, c'est-à-dire l'année et, bien sûr, le savoir-faire des vignerons. Il faut aller voir, au château de Kientzheim, le musée du Vignoble et des Vins d'Alsace que la confrérie St-Étienne a créé.

Le vin d'Alsace, idéal pour
l'apéritif.

Les cépages

À l'exception de l'**edelzwicker** qui désigne l'assemblage de plusieurs cépages « edel » (c'est-à-dire nobles), les vins d'Alsace proviennent en général d'un seul cépage. Principalement sept se partagent le vignoble. Le plus prestigieux est le **riesling** qui est l'un des plus grands raisins blancs du monde. Son bouquet est subtil et d'une exceptionnelle finesse. D'une grande élégance, le **gewurztraminer** est un traminer, dit « épicé » *(gewurz)* à cause de son goût riche, aromatique et puissant. Le **sylvaner**, sec et léger, désaltère très agréablement.

La winstub : l'endroit à fréquenter pour qui veut profiter des vins et de l'ambiance alsacienne.

Prêt pour les vendanges ?

Quant au **pinot blanc**, il est sec, lui aussi, mais plus corsé. Plus fruité, le **muscat d'Alsace** a un goût de raisin frais. À ne pas confondre avec les vins de Hongrie avec lesquels il n'a pas de rapport, le **tokay d'Alsace** désigne le **pinot gris**, bien charpenté, rond et corsé. Enfin le célèbre **pinot noir** originaire de Bourgogne donne des rouges ou rosés dont le fruité évoque la cerise.

Quand l'étiquette porte l'appellation « alsace grand cru » avec, outre le cépage, l'année et le nom du terroir d'origine, il s'agit de vins particulièrement remarquables. La mention « vendanges tardives » désigne une deuxième récolte très avancée dans la saison, si l'automne suffisamment ensoleillé le permet. Elle n'a donc lieu que certaines années. Elle donne alors une qualité de raisin tout à fait exceptionnelle. Enfin, le **crémant d'Alsace** est un mousseux de bonne qualité.

L'art de la dégustation

Ce sont tous des AOC, vins à Appellation d'Origine Contrôlée. On peut les goûter au verre dans une winstub, spécialement les « vendanges tardives », seuls ou avec du foie gras et certains desserts. On peut aussi les suivre tout au long d'un repas. Le crémant et le muscat servis en apéritif laisseront alors place à un sylvaner frais et léger pour les hors-d'œuvre, fruits de mer ou charcuterie fine. Le riesling et les pinots accompagnent avec noblesse le plat principal, choucroute, rôti, volaille ou poisson, tandis que le capiteux gewurztraminer

Enseigne de caveau à Eguisheim.

s'associe aussi bien aux plats exotiques qu'aux fromages forts et à la pâtisserie, pain d'épice ou traditionnel kougelhopf.

Et la Lorraine ?

La Lorraine possède enfin un vignoble qui s'étend sur les versants bien exposés des côtes de Meuse et de Moselle. Son histoire est, elle aussi, très ancienne, mais elle a failli prendre fin au début du siècle. Depuis, bien qu'encore modeste, la vigne progresse à nouveau. Un effort croissant sur la qualité a promu récemment les **côtes de Toul** en classement AOC avec un choix de vins gris et rouges issus de gamay et pinot noir et quelques blancs en auxerrois. Classés en VDQS (Vins De Qualité Supérieure), les **vins de Moselle** sont surtout des blancs produits près de Metz à partir d'auxerrois ou de muller-thurgau avec quelques gris et rouges issus de pinot noir. Les **côtes de Meuse**, près d'Hattonchâtel, donnent enfin de charmants petits vins de pays, rouges, blancs ou gris.

La gastronomie

L'Alsace et la Lorraine possèdent des plats caractéristiques qui sont les témoins d'une tradition de festins et de banquets. La choucroute et la quiche sont les messagères, pour chacune de ces deux vieilles provinces, d'une gastronomie très variée et chaleureusement conviviale.

Du salé...

La qualité des produits tirés du sol, l'utilisation de fonds de cuisine telles la graisse d'oie ou celle de porc, le saindoux, donnent un goût onctueux aux plats lentement mijotés dont les origines sont souvent authentiquement paysannes.

Une bonne choucroute garnie, ça vous dit ?

Côté Alsace

La charcuterie, qui entre dans la composition de nombreux plats, a une réputation méritée. Les saucisses de Strasbourg sont connues, les jambons et pâtés innombrables. Le presskopf est un fromage de tête de porc. Mais c'est le foie gras qui est le grand seigneur de la gastronomie alsacienne. Le cuisinier Clause l'a porté à la perfection par l'invention de son pâté de foie au 18ᵉ s.

Les volailles élevées en plein air, l'abondance du gibier et des poissons n'ont pu que stimuler la variété et la richesse des plats proposés. On n'a que l'embarras du choix entre le coq au riesling et la poularde aux morilles et à la crème, entre la truite des Vosges au bleu, à la crème ou au riesling et la célèbre carpe frite du Sundgau. La matelote d'anguille, le saumon ou le brochet se trouvent aussi sur les bonnes tables comme, en automne ou en hiver, le civet de marcassin ou de cerf à la confiture d'airelle.

La choucroute reste cependant le plat le plus typiquement alsacien. Autrefois, c'était une façon de conserver un plat de légume qu'on pouvait ainsi consommer l'hiver. Son nom, contrairement à l'idée qu'on s'en fait, ne désigne pas directement le chou, mais dérive de l'alsacien *sürkrut* où *sür* veut dire « aigre » et *krut* prononcé « croute » une herbe comestible comme le chou, très populaire dans tous les pays d'Europe centrale. Sa fermentation au sel vient d'Allemagne et remonte à la fin du Moyen Âge. L'avantage est qu'on peut la cuisiner avec beaucoup d'autres choses qui suffisent à en faire un repas complet avec lequel on peut boire aussi bien de la bière que du vin. On la prépare le plus souvent avec de la charcuterie, lard salé, tranches de jambon fumé, saucisses, ainsi qu'avec des côtes de porc accompagnées de pommes de terre bouillies. On y ajoute parfois des « surprises » raffinées, pièces de perdreaux, écrevisses ou truffes par exemple. La choucroute de Strasbourg, préparée au riesling, est la plus réputée.

Symbole de l'Alsace, le baeckoffe est l'autre grand plat mijoté. C'est une potée dont le nom signifie littéralement « four du boulanger », c'est-à-dire l'endroit où les femmes, qui l'avaient préparée la veille, allaient la porter le lundi matin. Elles avaient ainsi le temps d'aller faire leur lessive au lavoir pendant la cuisson qui durait plusieurs

Quelques-uns des ingrédients entrant dans la composition de la quiche : crème fraîche, œufs et lait.

*Le kougelhopf,
une institution
en Alsace.*

heures. C'est un mélange de viandes différentes, bœuf, porc, agneau ou cuisse d'oie qui marinent ensemble 24 h dans un vin blanc sec, sylvaner ou riesling, accompagné d'oignon, d'ail et de bouquet garni. Le lendemain, on dispose les morceaux dans une cocotte en terre cuite, entre deux couches de pommes de terre et d'oignons coupés en rondelles. On mouille avec la marinade, puis on ferme avec un couvercle scellé par un colombin de pâte de farine et d'eau. La cuisson dure 2 h 30.

Côté Lorraine

La **potée**, en Lorraine, était, elle aussi, le plat des paysans par excellence. C'est un pot-au-feu de lard fumé et de saucisses, accompagnés de chou blanc et de légumes de saison. La cuisine lorraine sait aussi associer avec subtilité le lard, le beurre et la crème. La quiche, dont le nom vient du germanique *kuchen* qui veut dire « tarte » ou « gâteau », en est l'exemple le plus connu. Des lardons sont frits au beurre, puis mélangés à des œufs battus, de la crème et du lait : c'est la « migaine », préparation qu'on répartit ensuite sur un fond de pâte feuilletée ou brisée. La flammekueche alsacienne, tarte flambée, en est assez proche. À base de pâte à pain, de crème, d'oignons et de lardons, c'était encore un repas complet qu'on cuisait le matin avec les premières flammes du four à pain.

... au sucré

Pour terminer le repas, on n'a que l'embarras du choix entre les nombreuses tartes aux pommes, aux quetsches ou aux myrtilles qui ont fait la réputation de la pâtisserie alsacienne. En Lorraine, c'est la mirabelle qu'on décline en tartes ou en délicieuse mousse glacée à l'eau-de-vie du même fruit. Le kougelhopf est la traditionnelle brioche alsacienne aux raisins secs et aux amandes qu'on prend plutôt au petit-déjeuner ou au goûter, comme les fameux pains d'épice au miel, à la tradition encore plus ancienne. La cannelle, le gingembre, l'anis et la noix de muscade assaisonnent le goût de ces gâteaux aux formes variées.

*... truite, les Alsaciens la mangent
à toutes les sauces.*

Les marcairies

Les Hautes Vosges connaissent, dès la belle saison, le déplacement des troupeaux vers les pâturages d'altitude. Le marcaire, qui tire son nom du *melker*, le « trayeur de vache » en dialecte, monte avec ses bêtes sur les hautes chaumes de la St-Urbain à la St-Michel (25 mai-29 septembre). C'est là-haut qu'il va préparer le fromage, dans sa modeste ferme d'altitude ou marcairie. Ce chalet ne comprenait autrefois que deux pièces, l'une pour le fromage, l'autre, très petite et presque sans mobilier, pour dormir. On lui a souvent adjoint par la suite une étable. Dès la fin du 19ᵉ s., les randonneurs ont pris l'habitude de s'y arrêter pour se restaurer. Depuis, ayant pris le nom de fermes-auberges, elles proposent en été, le repas marcaire que les amoureux de la montagne viennent savourer au milieu des senteurs de foins,

Deux demis ! Aussitôt commandés, aussitôt servis !

de résines et de fleurs. Le menu propose toujours les spécialités que la ferme fait elle-même. On débute par un potage suivi d'une tourte de la vallée qui est un pâté chaud de viande de veau ou de porc. Le plat principal, solide et généreux, comprend une viande de porc fumée accompagnée de pommes de terre coupées en tranches qui ont cuit pendant plusieurs heures dans du beurre avec des oignons et du lard : ce sont les fameuses *roïgabrageldi* qui nourrissent les paysans des Vosges depuis des générations. Un délicieux munster affiné sur place prélude au dessert. Celui-ci comprend les tartes aux fruits de saison, ainsi que le *siesskas* qu'il faut absolument essayer : moulé le matin même, c'est un fromage blanc du jour très frais, servi avec du kirsch et du sucre, et que le gewurztraminer accompagne divinement.

Alignements de munsters dans leur cave d'affinage.

La ville alsacienne de Munster a donné son nom au fromage que la montagne vosgienne fabrique depuis plusieurs siècles. Le **munster** qui a obtenu l'Appellation d'Origine Contrôlée en 1978, a ainsi sauvé une vache rustique, la Vosgienne, dont le lait riche et aromatique lui est essentiel. Après un lent déclin, on la voit reprendre, clochette au cou, sa place naturelle sur les Hautes Chaumes. On la reconnaît à ses jolis flancs noir moucheté et à la large bande toute blanche qui court le long de son échine. Fabriqué au lait cru, le munster est un fromage à pâte molle et à croûte lavée qu'on affine pendant trois à quatre semaines. On lui ajoute parfois du cumin. Le **géromé** a la même croûte fauve et l'intérieur crémeux, mais son lait n'est pas réchauffé et son affinage dure plus longtemps, jusqu'à quatre mois. On lui ajoute de même des graines d'anis, de fenouil ou de cumin. Depuis quelques années, pour se diversifier, les fermes proposent aussi des fromages « de garde », à pâte cuite, qui se conservent plus longtemps. C'est le cas du « bargkas », littéralement « fromage de montagne », et le saint-grégoire, tous deux proches des tommes et des gruyères.

La bière

En Alsace, vin et bière ne sont assurément pas incompatibles. La route des Vins n'est pas si loin des brasseries de Strasbourg où l'on peut goûter à la bière fabriquée sur place, ce qui est une rareté en France. Les bierstubs (brasseries), pendant des winstubs, ont une ambiance chaleureuse et intime, avec leurs fenêtres à petits carreaux, leurs boiseries aux murs et leurs banquettes. On aperçoit souvent un imposant poêle en faïence qui trône dans un coin.

La fabrication de la bière nécessite essentiellement de l'eau et des céréales. Céréale de base, l'orge est trempée, puis se met à germer et devient malt. Concassé et mélangé avec de l'eau, le malt est chauffé dans une chaudière. Le moût obtenu est additionné de houblon pour lui donner l'amertume et l'arôme. Après avoir été ensemencé de levure, le moût fermente dans des cuves réfrigérées. Enfin, la bière mûrit dans des cuves de garde avant d'être soutirée et mise en fûts et en bouteilles. Avec plus de la moitié de la production française, la brasserie alsacienne est devenue, depuis de nombreuses années, une grosse affaire. Ce succès impressionnant se traduit par l'existence de marques aujourd'hui très connues, qui s'exportent dans le monde entier. C'est au Nord de Strasbourg, à Schiltigheim, capitale de la grande brasserie industrielle, que sont implantées les plus grandes usines.

Les eaux-de-vie

Les fruits des vergers et ceux qu'on ramasse dans la montagne ont stimulé la sagacité des habitants qui, depuis longtemps, ont appris à les distiller de toutes sortes de façon. L'Alsace et la Lorraine offrent ainsi un choix très riche et souvent inventif d'eaux-de-vie et de liqueurs qui peuvent terminer un repas. Le kirsch dont le nom évoque la cerise en alsacien est le plus connu. Il parfume d'innombrables recettes gourmandes bien au-delà de sa région d'origine. Très répandues, la mirabelle et la quetsche donnent, avec des alcools plus secs mais toujours très fruités, d'excellents digestifs. Mais c'est la framboise, qu'on boit dans de très grands verres afin de mieux sentir la subtilité de son arôme, qui est la reine des eaux-de-vie blanches.

Publicité « début de siècle » pour la bière de Vézelise.

SPÉCIALITÉS ET VIGNOBLES

| | Vins d'Alsace | | Vins de Lorraine | **Kessler** Grand cru d'Alsace |

GASTRONOMIE

Bar-le-Duc	Confitures de groseilles
Colmar	Choucroute
Commercy	Pâtisserie (madeleines)
Gérardmer	Fromage de vache (Gérômé)
Krautergersheim	Choucroute
Munster	Fromage de vache, Tourte
Nancy	Confiseries (bergamotes, macarons)
	Pâtisserie (baba au rhum)
Plombières-les-Bains	Pâtisserie (pain d'épice)
Remiremont	Pâtisserie (nonettes)
Ried	Matelote de poissons
Saint-Mihiel	Confiserie (croquets)
Strasbourg	Choucroute, Foie gras, Saucisses
Le Tholy	Fromage (Récollet)
Verdun	Confiserie (dragées)
Vosges	Miel
La Wantzenau	Poulet

BRASSERIES

Champigneulles	Kronenbourg
Hochfelden	Météor
Obernai	Kronenbourg
Saverne	Saverne
Schiltigheim	Adelshoffen, Fischer, Heineken, Schutzenberger
Strasbourg	Kronenbourg

ARTISANAT

Baccarat	Cristal
Betschdorf	Poteries
Épinal	Images
Hartzviller	Cristal
Longwy	Émaux, Faïences
Lunéville	Faïences
Mirecourt	Dentelles, Lutherie
Saint-Clément	Faïences
St-Louis-lès-Bitche	Cristal
Sarreguemines	Faïences
Soufflenheim	Poteries
Vallerysthal	Cristal
Vannes-le-Châtel	Cristal

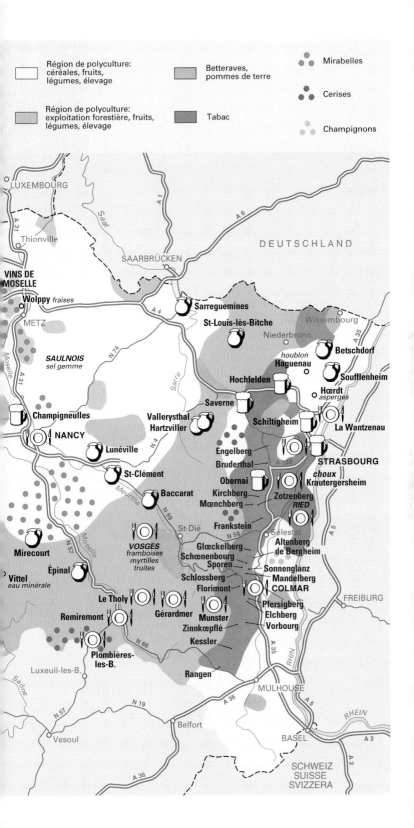

Région de polyculture: céréales, fruits, légumes, élevage

Région de polyculture: exploitation forestière, fruits, légumes, élevage

Betteraves, pommes de terre

Tabac

Mirabelles

Cerises

Champignons

LUXEMBOURG

Thionville

Saar

A 1

A 6

DEUTSCHLAND

SAARBRÜCKEN

VINS DE MOSELLE

Wolppy *fraises*

METZ

Moselle

A 31

SAULNOIS sel gemme

N 74

Sarre

Wissembourg

Sarreguemines

St-Louis-lès-Bitche

Niederbronn

houblon

Betschdorf

Haguenau

Hochfelden

Soufflenheim

Hœrdt *asperges*

Champigneulles

NANCY

Lunéville

St-Clément

Baccarat

Meurthe

N 4

Vallerysthal Hartzviller

Saverne

Schiltigheim

La Wantzenau

Engelberg

Bruderthal

STRASBOURG

choux

Obernai

Krautergersheim

Kirchberg

Mœnchberg

Zotzenberg

RIED

Frankstein

St-Dié

N 59

Sélestat

A 5

Mirecourt

VOSGES *framboises myrtilles truites*

Glœckelberg

Schœnenbourg

Sporen

Altenberg de Bergheim

Épinal

Vittel *eau minérale*

Moselle

A 57

Schlossberg

Florimont

Sonnenglanz

Mandelberg

COLMAR

FREIBURG

Le Tholy

Gérardmer

Munster

Zinnkœpflé

Kessler

Pfersigberg

Elchberg

Vorbourg

RHEIN

Remiremont

N 66

Plombières-les-B.

Luxeuil-les-B.

Saône

N 57

Rangen

A 35

A 36

MULHOUSE

A 5

N 19

Belfort

RHEIN

BASEL

A 3

Vesoul

A 36

SCHWEIZ SUISSE SVIZZERA

A 2

Traditions
et folklore

L'Alsace est l'une des régions de France qui compte le plus grand nombre de sociétés d'histoire et de publications sur la vie locale. C'est ainsi qu'elle cherche à préserver ses particularismes, ses symboles, de la cigogne au dialecte, et ses traditions, du pèlerinage aux fêtes de Noël.

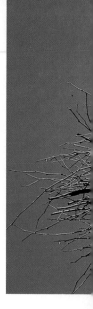

Les cigognes

Considérées depuis des siècles comme gage de prospérité et de bonheur pour les maisons sur lesquelles elles revenaient bâtir leur nid à chaque printemps, les cigognes font partie de l'identité régionale. C'est pourquoi leur déclin, à partir des années 1960, a provoqué un véritable désarroi. On a incriminé la vie moderne qui a perturbé leur environnement avec ses lignes électriques et l'assèchement des zones humides. On a accusé la chasse et les dangers de plus en plus nombreux que les cigognes rencontrent sur leur route, lors de leur long périple vers l'Afrique de l'Ouest. Après trois décennies de gros efforts de protection et de réimplantation, grâce aussi à l'élevage de jeunes oiseaux en enclos, les cigognes traversent à nouveau aujourd'hui le ciel alsacien. On a compté 200 couples ces dernières années dont certains, il est vrai, sont encouragés à rester sur place en hiver. Au printemps, le mâle revient au nid en premier et commence aussitôt à le rafistoler avec des branchages et des sarments de vigne consolidés avec de la terre. C'est une construction impressionnante de 1,5 à 2 m de diamètre sur une hauteur de 60 cm à 1 m, son poids pouvant dépasser les 500 kg. La femelle pond de trois à six œufs qui sont couvés pendant trente-cinq jours. Une fois éclos, les cigogneaux doivent être sans cesse nourris pour grandir rapidement. Leurs parents ne cessent de leur apporter tout ce qu'ils peuvent trouver, insectes, larves, lézards, grenouilles, souris, taupes ou serpents, en un ballet incessant. Au bout de quatre semaines, ils commencent à se mettre debout et à voleter autour du nid. À deux mois, ils sont prêts à prendre leur envol. Juchés sur le grand nid avec leurs parents, ils forment alors, avec leur bec rouge vif et leur queue noire sur lequel ressort leur grand corps blanc, un magnifique spectacle qui fait partie des couleurs de l'Alsace.

Manifestation de la ferveur de tout un peuple pour sa région.

Le dialecte

Aire linguistique – L'Alsace appartient, comme un bout de la Moselle, à l'aire linguistique germanique qui est divisée en plusieurs grandes familles de dialectes. C'est ainsi que l'alémanique, qui coïncide avec les territoires des anciens Alamans du début du Moyen Âge, s'étend sur la Suisse, le Sud-Ouest de l'Allemagne et la plus grande partie de l'Alsace. En revanche, les façons de parler de la région de Wissembourg et de Moselle correspondent au francique issu des Francs qui s'étaient installés dans la région du Rhin. Mais rien n'est simple, car la division politique de ces régions, qui a duré jusqu'à l'annexion par les rois de France, a favorisé les particularismes et les façons locales de s'exprimer. D'autre

*L'emblème de l'Alsace :
la cigogne.*

part, la frontière linguistique qui s'est fixée un peu avant l'an mille n'a jamais correspondu aux frontières provinciales. Une partie des hautes vallées vosgiennes a toujours parlé un dialecte roman rattaché aux parlers lorrains et que leurs voisins appelaient le « welche ». Ce terme désignait tous ceux qui ne faisaient pas partie de l'aire des parlers germaniques. Les événements politiques sont venus ensuite compliquer les choses. Le français et l'allemand sont entrés en concurrence à cause de la succession des annexions et des rattachements. Ces deux langues ont d'ailleurs joué chacune un rôle très différent au cours des trois derniers siècles. Le français a fourni un vocabulaire abondant prononcé « à l'alsacienne » et qui s'est intégré au dialecte.

Entrée en résistance – L'allemand correspondait davantage à l'expression écrite de la population qui le comprenait naturellement. Il a eu cependant très peu d'influence sur le dialecte et la façon dont il fut imposé après 1871 n'a pu que créer un sentiment de rejet. Cette résistance fut symbolisée par Hansi, qui a laissé une image pittoresque de l'Alsace de cette époque, ainsi que par les sœurs de la Divine Providence, qui ont fait de leurs écoles des foyers de culture et d'esprit français. En revanche, après 1918, des mesures très maladroites de francisation brutale ont nourri un mouvement régionaliste. Après la Seconde Guerre mondiale et la terrible occupation nazie, le bilinguisme français-alsacien est entré rapidement dans les faits. Il faut reconnaître cependant que le dialecte est aujourd'hui en recul face au français favorisé par l'école et la télévision. En revanche, l'enseignement de l'allemand, qui reste bien compris d'une partie de la population, se développe dans les classes bilingues franco-allemandes encouragées par le rapprochement des deux pays.

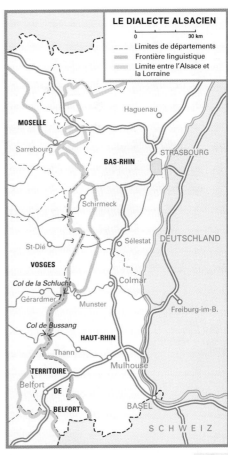

LE DIALECTE ALSACIEN

0   30 km

---- Limites de départements
▦ Frontière linguistique
▦ Limite entre l'Alsace et la Lorraine

MOSELLE

Haguenau

Sarrebourg

BAS-RHIN

STRASBOURG

Schirmeck

St-Dié

Sélestat

DEUTSCHLAND

VOSGES

Col de la Schlucht

Colmar

Gérardmer

Munster

Freiburg-im-B.

Col de Bussang

HAUT-RHIN

Thann

TERRITOIRE

Mulhouse

Belfort

DE

BELFORT

BASEL

SCHWEIZ

Pour ne pas oublier que le véritable sapin de Noël vient des Vosges.

Mon beau sapin

L'ambiance exceptionnelle des fêtes de fin d'année vaut le déplacement. C'est en Alsace que, dès le 17ᵉ s., est mentionné pour la première fois l'arbre de Noël, sous la forme d'un sapin des Vosges décoré. À cette époque, c'était encore à la St-Nicolas, au début du mois de décembre, qu'on offrait des jouets et des friandises aux enfants. Une vieille légende disait que ce saint avait ressuscité trois enfants qu'un boucher avait découpés et mis au saloir. La Lorraine, qui organise de nombreuses processions ce jour-là, a gardé cette coutume, comme une grande partie de l'Europe du Nord. En Alsace, en revanche, la fête des enfants s'est très tôt décalée vers Noël à cause de l'influence de Luther qui préférait qu'elle soit placée plus justement sous le parrainage de l'Enfant Jésus. Le marché de St-Nicolas ou « Nikolausmarkt », est alors devenu le marché « de l'Enfant Jésus », « Christkindelmarkt » ou encore marché de Noël. Mais ayant gardé l'habitude de commencer dès la fin du mois de novembre pour se terminer au 31 décembre, il prolonge sur plusieurs semaines une ambiance euphorique au milieu des spectacles les plus variés, danses, concerts, crèches vivantes et expositions. Les plus connus, comme celui de Strasbourg, attirent de plus en plus de monde. Le choix des décorations et des accessoires que proposent les étals au scintillement féerique est presque infini. On y trouve aussi tout l'artisanat local, les grands produits du terroir, les jouets et les gâteaux traditionnels, les « bredele », qu'on offre aux enfants et aux amis.

Pèlerinages et fêtes

Les fêtes alsaciennes, joyeuses et colorées, anciennes et récentes, sont un trait marquant de cette sociabilité qui fait partie du caractère régional. Elles sont aussi l'occasion de ressortir les costumes traditionnels, comme la célèbre coiffe à rubans de la petite alsacienne. Autrefois, c'était surtout les pèlerinages, les processions et les fêtes patronales qui rythmaient la vie des habitants. Le pèlerinage de Ste-Odile, la patronne de l'Alsace, reste encore très fréquenté. D'autres fêtes d'origine médiévale rappellent un miracle légendaire à l'origine de la fondation d'une ville. À Thann, le 30 juin, on commémore le prodige des trois sapins. À Ribeauvillé, le « Pfifferdaj » ou Fête des ménétriers, est prétexte à de belles reconstitutions historiques. Les fêtes patronales appelées « Kilbe » dans le Haut-Rhin et « Messti » dans le Bas-Rhin sont tou-

La coiffe alsacienne, reconnaissable entre toutes.

Saint Nicolas, le patron des écoliers.

jours très vivantes. Traditionnellement, on célèbre le Carnaval avec une abondance de beignets et à Pâques, le lièvre vient pondre dans les jardins des œufs de toutes les couleurs. À la fête du village, aux mariages, sur le faîte des constructions neuves, mais aussi aux jours d'élection, on plante un Mai enrubanné. À cela se sont ajoutées par la suite les fêtes gastronomiques et les manifestations de toutes sortes comme, parmi tant d'autres, la Fête de la choucroute à Colmar ou la foire-kermesse de Wissembourg.

Tradition de Noël : des pains d'épice de toutes les formes et de toutes les couleurs.

Histoire

Longtemps provinces partagées entre influences rivales, aux frontières avec l'Allemagne, la Suisse, la Belgique et le Luxembourg, la Lorraine et l'Alsace ont de tout temps été de grands axes d'échanges d'idées, de marchandises et des hommes en Europe, parfois au cœur des plus terribles conflits.

La Lorraine

Des Romains aux Francs

Si l'occupation humaine a laissé de nombreuses traces en Lorraine pendant la préhistoire, il faut attendre Jules César pour que nous en apprenions les premiers événements historiques. Deux peuples celtes l'occupaient alors : les Leuques au Sud vers Toul et les Médiomatriques au Nord, autour de Metz. Deux cités distinctes ont ainsi été créées après la conquête romaine, dont Verdun s'est, plus tard, détachée. C'est l'origine des trois évêchés qui se constituent au moment de la christianisation à la veille des invasions barbares. Quand meurt l'Empire romain au **5ᵉ s.**, un nouveau peuple venu de Germanie, les Francs rhénans, colonise la vallée de la Moselle jusqu'au Nord de Metz. Une frontière linguistique va ainsi se fixer et séparer à cet endroit les parlers romans issus du latin des parlers germaniques. Toute la région, comme d'ailleurs le reste de la Gaule, passe alors sous la domination du roi franc Clovis et de ses successeurs, les Mérovingiens. Mais ce sont les Carolingiens, famille originaire des pays d'entre Meuse et Rhin qui sont à l'origine de la création de la Lorraine. Celle-ci se trouve alors au cœur de l'empire de Charlemagne. Quand, à la suite du traité de Verdun en **843**, les petits-fils de ce dernier se sont partagé son héritage, l'aîné, Lothaire, en a reçu la partie centrale. C'est le royaume de son fils, Lothaire II, qu'on va prendre l'habitude d'appeler **Lotharingie**. S'étendant jusqu'à la mer du Nord, elle a été ensuite partagée en deux duchés, la Basse Lorraine au Nord et la Haute Lorraine qui, plus au Sud, est seule restée fidèle à ce nom. Otton Iᵉʳ l'incorpore par la suite au Saint Empire romain germanique fondé en **962**.

Du Moyen Âge à la Renaissance

Au cours des siècles suivants, le déclin de la puissance impériale va provoquer un éparpillement durable des pouvoirs. Ceux-ci se

Héroïne lorraine avant d'être française, Jeanne d'Arc (peinture de John Gilbery, Londres, Royal Society of painters in watercolour).

Le Duc de Lorraine François III (tableau de François Eisen, 1757, Musée historique lorrain, Nancy).

Couronnement de Lothaire II (Vincent de Beauvais, Le Miroir historial, 15ᵉ s., musée Condé de Chantilly).

répartissent finalement entre le duc de Lorraine dont la dynastie fondée en **1048** par Gérard d'Alsace va régner jusqu'en 1736, les puissants comtes de Bar à l'Ouest et les trois évêques dont les villes, Metz surtout, finissent par s'émanciper et former de vraies petites républiques. L'imbrication des possessions des uns et des autres conduit à des conflits sans fin qui favorisent l'influence du roi de France. Philippe le Bel réussit ainsi, **au début du 14ᵉ s.**, à faire passer le Barrois dit « mouvant » sous son influence. Cela explique que, pendant la guerre de Cent Ans, **Jeanne d'Arc**, « la bonne Lorraine », originaire de Domrémy, aux confins de la province, se soit sentie déjà française.

En **1477**, le duc de Bourgogne, Charles le Téméraire, qui avait tenté de rassembler sous son autorité l'ancienne Lotharingie, est tué par le duc René II devant Nancy qu'il tentait d'assiéger. Cet échec va perpétuer les divisions dans la province, ce qui ne l'empêche pas de participer activement au mouvement intellectuel et artistique de son temps comme le montre l'activité du « Gymnase » de St-Dié.

Réunion de la Lorraine à la France

En **1552**, le roi de France Henri II profite des conflits entre les « duchois » et les « évêchois » pour se poser en protecteur de ces derniers et occuper Metz, Toul et Verdun. Désormais, la Lorraine ne fait plus officiellement partie du Saint-Empire. La guerre de Trente Ans **(1618-1648)**, qui embrase ce dernier, est une catastrophe pour toute l'Europe centrale : près de la moitié de la population lorraine disparaît. À la suite de ce terrible conflit, le traité de Munster reconnaît la souveraineté française sur les Trois-Évêchés. Puis Louis XIV, au traité de Ryswick en **1697**, établit une sorte de protectorat sur les terres ducales qu'il occupe

Robert Schuman, un des pères de l'Europe.

pendant de longues années. C'est ainsi que la vieille dynastie ducale s'en détourne définitivement. La Lorraine devient entièrement française en **1766** à la mort de son dernier duc, le beau-père de Louis XV, Stanislas Leszczynski.

Temps modernes

La Lorraine participe activement aux événements révolutionnaires et aux guerres napoléoniennes. Placée sur la route des invasions, elle a toujours montré un ardent patriotisme. C'est pourquoi l'annexion de la Moselle par l'Allemagne en **1871** a été si douloureusement ressentie comme l'écrit Maurice Barrès dans *La Colline inspirée*.

C'est sous la présidence du Lorrain Raymond Poincaré que la France mène la Première Guerre mondiale qui a durement éprouvé la province. C'est également avec un autre Lorrain, **Robert Schuman**, que la construction européenne a débuté au lendemain de la Seconde Guerre mondiale, gage d'un avenir plus pacifique et plus ouvert.

L'Alsace

Celtes, Romains et Barbares

En refoulant de l'autre côté du Rhin, en **58 avant J-C**, le Germain Arioviste, Jules César a fixé pour cinq siècles la frontière sur le grand fleuve : d'un côté la romanité, de l'autre le monde barbare, le long d'un *limes* fortifié. L'Alsace était alors partagée entre des peuples celtes, les Rauraques au Sud et les Triboques au centre, tandis qu'autour du camp de légion d'Argentorate naissait une ville à l'origine de Strasbourg. À partir du **3ᵉ s.**, les incursions des Francs et des Alamans se multiplient. Ces derniers colonisent une partie de l'Alsace au **5ᵉ s.**, quand l'Empire romain disparaît. Battus à Tolbiac par Clovis, ils se soumettent au roi franc et à ses successeurs, les Mérovingiens.

Des ducs aux empereurs

C'est au **7ᵉ s.** que le nom d'Alsace apparaît avec le duc Étichon, le père de sainte Odile. Après lui, la coupure entre le Nord et le Sud, déjà visible entre les diocèses de Strasbourg et de Bâle fondés à

Ces courages brutaux dans les hostéleries,
Du beau nom de butin couurent leurs volerie ;
Ils querelent expres ennemis du repos,
Pour ne payer leur hôte, et prennent usqu'aux pots ,
Ainsi du bien d'autruy leur humeur s'accommode
Quand on les a foulee, et seruit a leur mode .

La guerre de Trente Ans vue par Jacques Callot (Les Misères et les malheurs de la guerre : la maraude, 1633 – Musée historique lorrain, Nancy).

l'époque romaine, se retrouve dans la division en deux comtés, le Nordgau et le Sundgau, lointaine préfiguration des départements actuels. C'est à Strasbourg en **842** qu'a eu lieu le célèbre serment qu'ont prêté les soldats des petits-fils de Charlemagne, Charles le Chauve et Louis le Germanique. Écrit en langue romane et germanique, c'est l'un des plus anciens témoignages connus du français et de l'allemand.

À la suite des différents partages carolingiens qui ont suivi, l'Alsace s'est finalement retrouvée intégrée dans le royaume de Germanie, puis au Saint Empire romain germanique. Au **12ᵉ s.**, les Hohenstaufen, représentés notamment par l'empereur **Frédéric Barberousse**, aiment venir résider à Haguenau, en Alsace, où ils ont de nombreuses possessions.

Émancipation des villes

Le déclin du pouvoir impérial conduit à un éparpillement progressif des pouvoirs. À partir du **14ᵉ s.**, seules les possessions des Habsbourg, au Sud, émergent du puzzle des petites seigneuries indépendantes, ainsi que celles du puissant prince-évêque de Strasbourg qui réside à Saverne. Les villes, à commencer par Strasbourg, ont réussi à obtenir leur autonomie et forment autant de petites républiques prospères. Dix d'entre elles se sont même alliées dans la **Décapole** pour pouvoir se défendre contre les princes.

La fin du Moyen Âge et le début de la Renaissance sont une sorte d'âge d'or pour elles. Après les périodes sombres de la peste noire et de la guerre de Cent Ans, elles profitent pleinement du renouveau des échanges dans un monde rhé-

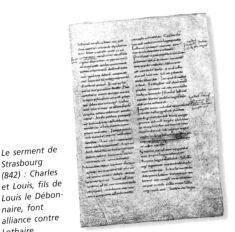

Le serment de Strasbourg (842) : Charles et Louis, fils de Louis le Débonnaire, font alliance contre Lothaire.

Epistell all und Evangeli, incunable imprimé par Martin Schott à Strasbourg en 1481 (Bibliothèque humaniste, Sélestat).

nan ouvert sur le monde. Strasbourg, où séjournent Gutenberg, puis Érasme, est alors l'un des centres du mouvement artistique et intellectuel incarné par l'humanisme et que diffuse l'imprimerie.

Des guerres successives

Mais les graves événements du **16e s.** annoncent une période plus difficile. C'est d'abord, en **1525**, la guerre des Paysans qui s'étend sur une partie de l'Europe centrale, mais qui prend un caractère particulièrement tragique en Alsace où elle est noyée dans le sang. C'est ensuite la **Réforme protestante**, luthérienne ou calviniste, qui s'impose surtout dans les villes. Cette division religieuse, alors que l'intolérance règne partout, conduit à des tensions entre princes catholiques et protestants. C'est l'une des causes de la **guerre de Trente Ans** qui a ravagé l'Alsace et lui a fait perdre la moitié de sa population. Bien que catholique, la France de Richelieu, puis de Mazarin s'est alliée aux princes protestants pour affaiblir les Habsbourg. Cela lui permet de s'introduire dans les affaires de l'Alsace.

Un destin entre France et Allemagne

En **1648**, le Traité de Westphalie reconnaît à la France la possession d'une partie de cette province que Louis XIV annexe ensuite par étapes jusqu'à la prise de Strasbourg en **1681**. Seules Saarwerden et Mulhouse ne rejoindront la France qu'à la Révolution, qui jouera un rôle décisif dans l'intégration des Alsaciens à la nation française. C'est chez le maire de Strasbourg que Rouget de Lisle compose la future *Marseillaise*, son *Chant de guerre pour l'armée du Rhin*. Le patriotisme alsacien ne s'est, depuis, jamais démenti. L'annexion allemande de **1871** introduit une rupture brutale dans cette histoire. Refusée par la majorité de la population, elle finit par s'imposer grâce à sa durée et à la prospérité de la fin du 19e s., ne suscitant plus qu'une revendication d'autonomie. Le retour à la France, en **1918**, n'est pas aussi facile qu'on l'avait cru à cause des maladresses de Paris, notamment à propos du Concordat que les Alsaciens ont réussi à garder.

Après les terribles souffrances physiques et morales de l'occupation nazie, l'Alsace a retrouvé, avec Strasbourg, sa vocation naturelle de carrefour et d'échanges dans une Europe aux frontières ouvertes.

Rouget de Lisle chante la Marseillaise chez le maire de Strasbourg Dietrich, en 1792 (étude d'Isidore Pils).

D'une guerre
à l'autre

Trois terribles guerres entre la France et l'Allemagne ont placé l'Alsace et la Lorraine au centre d'une tourmente exacerbée par le sentiment national. C'est l'annexion forcée de 1871 qui a provoqué une hostilité durable entre les deux pays.

1870

L'affrontement fatal de 1870-71 résulte de la maladresse de Napoléon III, alors empereur des Français, et de la volonté du chancelier Bismarck. Celui-ci voulait, par cette guerre, réaliser l'unification de l'Allemagne en obligeant les princes allemands à se placer sous l'autorité du roi de Prusse. L'armée française, mal préparée, est bousculée dès les premiers jours du conflit, au début du mois d'août 1870. Le général Mac-Mahon est battu à Wissembourg, au Nord de l'Alsace, malgré la charge restée célèbre et héroïque de ses cuirassiers. En Lorraine, l'armée de Bazaine doit se replier sur Metz qui, comme Strasbourg, avait été fortifiée autrefois par Vauban. Après plusieurs semaines de siège, ces deux villes capitulent, tandis que Paris est assiégé. La France finit par demander l'armistice en février 1871, tandis que l'empire allemand est solennellement proclamé par le roi de Prusse et empereur Guillaume Ier dans la galerie des Glaces du château de Versailles. La Moselle et toute l'Alsace, sauf Belfort qui, défendue par Denfert-Rochereau, avait tenu bon pendant toute la guerre, sont annexées. L'Allemagne refusait brutalement de reconnaître le patriotisme profond des deux provinces qui avaient donné le plus grand nombre de généraux à la France depuis la Révolution et les guerres napoléoniennes.

La défaite de son neveu, Napoléon III, fait prisonnier à Sedan dès le début de la guerre, a eu pour conséquence l'instauration de la IIIe République qui va durer beaucoup plus longtemps que prévu et dont l'œuvre démocratique va être considérable. Mais l'amputation du territoire national reste comme une blessure inguérissable, constamment rappelée au cours des décennies suivantes par les journaux, l'école et les grands auteurs nationalistes comme le Lorrain Maurice Barrès. La ligne bleue des Vosges devient un but de pèlerinage patriotique. Sur un plan plus strictement militaire, la France fortifie sa nouvelle frontière, dégarnie de ses forteresses alsaciennes construites par Vauban. Pour fermer cette « trouée de Lorraine » à toute invasion, le directeur du génie militaire, le polytechnicien Séré de Rivières, organise alors sur les Hauts-de-Meuse, entre Toul et Verdun, un système de forts à demi enterrés tels ceux bientôt célèbres de Vaux et de Douaumont. Dès la fin du 19e s., pour faire face au progrès de la puissance de feu, il faut les renforcer par d'énormes épaisseurs de béton et de spectaculaires cuirassements en acier, sombre présage pour les guerres à venir.

La guerre de 1914-1918 vue par O'Galop

Tranchée de Verdun en 1916.

GNE

Compositions de O'GALOP
PELLERIN & Cie, Img.-édit.
IMAGERIE D'ÉPINAL. N° 97
PEAU

DANS
LA
TRANCHÉE

Masque
contre
Gaz asphyxiants

Pétard monté
sur raquette

(Imagerie d'Épinal).

Cimetière national de Douaumont.

1914-1918

La guerre qui, croyait-on, devait finir par arriver, éclate comme un coup de tonnerre au beau milieu de l'été 1914. Presque toute l'Europe s'y engouffre. Deux systèmes d'alliance hostiles s'affrontent. D'un côté, la France, la Grande-Bretagne et la Russie encerclent les puissances centrales, l'Allemagne et l'Autriche-Hongrie. Peu à peu, d'autres pays vont venir s'agréger à chaque camp, tandis que les colonies sont mises à contribution. Les États-Unis se décident à intervenir à partir de 1917 aux côtés de la France sur le sol de laquelle se joue le sort de cette Première Guerre mondiale. En effet, le plan de guerre allemand, le plan Schlieffen, avait eu pour but de vaincre d'abord la France pour se retourner ensuite vers la Russie, plus lente à mobiliser ses troupes. Pour cela, le plan avait choisi la surprise en envahissant la Belgique, qui était neutre, pour traverser, en un immense mouvement tournant, les plaines du Nord, en direction de Paris. Pendant ce temps, l'armée française, qui pensait que les combats devaient se dérouler à l'Est, s'était avancée en Alsace en libérant Mulhouse. Ce succès fut sans lendemain car les Français durent précipitamment transférer leurs forces vers Paris. Le centre de la guerre se déplace alors vers la Champagne et la Picardie. La bataille de la Marne ayant mis en échec le plan allemand, les deux armées s'enterrent dans des tranchées le long d'une ligne de front qui se déploie, telle une cicatrice, des côtes de la mer du Nord à la frontière suisse. Cette guerre dite « de position » allait durer quatre ans et engendrer de terribles souffrances. Les grandes offensives tentées de part et d'autre, à chaque fois très meurtrières, sont à chaque fois vouées à l'échec. À partir du mois de février 1916, c'est à Verdun, en Lorraine, devenu un lieu de mémoire, que se déroule l'une des batailles les plus longues et les plus sanglantes de l'Histoire. 600 000 hommes y sont morts, couchés dans la boue. Le paysage en est encore terriblement marqué : c'est sans conteste à cet endroit qu'on peut le mieux imaginer ce que fut ce terrible conflit.

Le sommeil des sapeurs, le 22 mai 1916 : pour préparer l'attaque de Douaumont, ils ont travaillé toute la nuit à creuser cette tranchée.

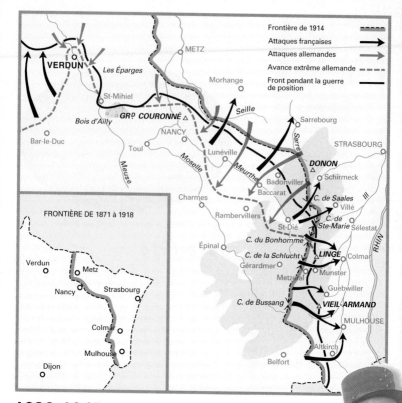

Légende de la carte :
- Frontière de 1914
- Attaques françaises
- Attaques allemandes
- Avance extrême allemande
- Front pendant la guerre de position

FRONTIÈRE DE 1871 à 1918

1939-1945

La « drôle de guerre »

Dès le jour de l'Armistice du 11 novembre 1918, l'Alsace et la Moselle redeviennent françaises dans l'enthousiasme général de la victoire, mais également dans le soulagement de la fin du conflit le plus meurtrier que la France ait connu. Pour empêcher toute possibilité d'invasion, le gouvernement français décide de construire, à partir de 1930, une ligne souterraine de défense qui a pris le nom du ministre de la Guerre : Maginot. Très moderne pour l'époque, elle longe le Rhin, puis la frontière jusqu'à la Belgique, un dispositif étant prévu en cas d'attaque contre ce pays.

Le premier septembre 1939, la guerre éclate à nouveau, cette fois-ci délibérément provoquée par le régime politique nazi qui règne d'une poigne de fer sur l'Allemagne. Du côté français, c'est la « drôle de guerre ». On attend l'attaque ennemie sur la meilleure ligne de défense du monde après avoir évacué les populations frontalières. En mai 1940, l'Allemagne attaque la Belgique de façon foudroyante et imprévue du côté des Ardennes et selon la tactique de la « guerre éclair » fondée sur les chars et l'aviation. L'invasion du Nord de la France rend inutile la Ligne Maginot prise à revers. La victoire allemande,

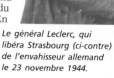

Le général Leclerc, qui libéra Strasbourg (ci-contre) de l'envahisseur allemand le 23 novembre 1944.

totale en apparence, laisse alors la France comme effondrée. L'Allemagne réannexe de fait l'Alsace et la Moselle qu'elle entreprend de « germaniser » définitivement. Le recrutement forcé des « malgré nous » dans la Wehrmacht ou dans la SS, comme le camp de concentration du Struthof dans les Vosges, provoque l'effet exactement inverse. Le 2 mars 1941, à Koufra, obscure oasis du Sahara central, mais première victoire de la France libre, le futur général Leclerc fait le serment, avec ceux qui feront un peu plus tard partie de la 2e division blindée, de « ne déposer les armes que lorsque nos couleurs, nos belles couleurs, flotteront à nouveau sur la cathédrale de Strasbourg ». C'est le point de départ d'un parcours qui allait devenir légendaire.

La libération

En 1944, la guerre reprend enfin sur le sol français avec les débarquements alliés américains et anglais en Normandie, le 6 juin, puis en Provence le 15 août. Après Paris à la fin du mois d'août, la Lorraine est libérée dès le mois de septembre excepté Metz où les Allemands tiennent jusqu'au 22 novembre.

En s'approchant des frontières, l'avance alliée doit marquer un temps d'arrêt devant la détermination encore farouche de l'armée ennemie. La libération de l'Alsace comme l'entrée sur le sol allemand vont se révéler très difficiles.

Le rôle joué par la 1re armée française, commandée par le général de Lattre de Tassigny, va être décisif. Du 14 au 28 novembre, les Allemands sont encerclés en Haute-Alsace et Mulhouse est libérée. Au Nord, dès le 22 novembre, Leclerc contrôle avec la 2e DB le col de Saverne. Il décide de foncer sur Strasbourg qu'il atteint dès le lendemain matin. La libération si rapide de la capitale alsacienne, encore très menacée, a une portée symbolique extraordinaire. Mais la meurtrière contre-offensive allemande dans les Ardennes à partir du 16 décembre montre que l'Allemagne nazie garde encore des ressources terribles de destruction. En Alsace, les Allemands tiennent la « poche » de Colmar qui empêche les Alliés de faire la jonction entre le Nord et le Sud. Pire encore, ils reprennent du terrain tout au Nord, dans la région de Haguenau. Les Américains veulent alors se replier sur les Vosges. Abandonner Strasbourg, il n'en est pas question pour le gouvernement français. Le général de Gaulle doit intervenir en personne auprès du commandant en chef des forces alliées, le général Eisenhower. Celui-ci, très réticent, accepte de revenir sur cette décision, à condition que la défense de la ville dépende entièrement de la 1re armée française. Jusqu'au 22 janvier, les Allemands progressent et arrivent à une dizaine de kilomètres des flèches de la cathédrale. Ils n'iront pas plus loin devant la résistance inébranlable des Français.

De toute façon, l'échec de l'offensive des Ardennes a désormais placé l'armée allemande sur la défensive. Il faut pourtant à de Lattre de Tassigny deux attaques acharnées et en tenaille pour, en quinze jours, réduire la « poche » de Colmar. Le 2 février 1945, Colmar est enfin libérée. Le 9 février, les Allemands finissent de repasser le Rhin par le seul pont encore sous leur contrôle, à Chalampé. Mais il faut attendre le 19 mars pour qu'avec Wissembourg, en ruine, tout le territoire français soit délivré du joug nazi dont la fin est désormais très proche.

L'Europe

Après 1945, les dirigeants de l'Europe de l'Ouest ont pris conscience de la nécessité de construire une Europe unie, débarrassée des haines du passé. Un demi-siècle plus tard, ce projet commence à se réaliser et à changer le destin de l'Alsace et de la Lorraine.

Le Parlement européen, à Strasbourg.

L'Alsace, berceau de l'Europe

Fondé par une dizaine de pays en 1949, le Conseil de l'Europe est la plus ancienne des grandes institutions européennes d'après-guerre. Ce n'était au départ qu'un organisme consultatif qui devait inciter ses membres à harmoniser leur législation dans divers domaines. Le choix de son siège s'est porté sans difficulté sur Strasbourg. La capitale de l'Alsace, par sa position de ville-frontière, par son histoire et sa culture, était toute désignée pour jouer un rôle européen dans le cadre de la réconciliation franco-allemande. C'était aussi le cas de l'ensemble de ces régions rhénanes dont l'Europe va peu à peu révéler que ce qui les rapproche est beaucoup plus important que ce qui a pu les séparer. Ce n'est pas tout à fait un hasard si deux des « pères fondateurs » de l'Europe, Robert Schuman, ministre français des Affaires étrangères, et Konrad Adenauer, premier chancelier de l'Allemagne d'après-guerre, étaient l'un mosellan et l'autre rhénan.

La monnaie unique de l'Europe en quelques billets.

Les institutions à Strasbourg

Le Conseil de l'Europe est, dès sa création, composé d'un Secrétariat général, d'un Conseil des ministres nommé par les gouvernements et d'une Assemblée parlementaire élue par les parlements de chaque pays-membre. Mais c'est surtout par la **Convention européenne des droits de l'homme** qu'il a pris une importance considérable. Ce traité élaboré en 1950 a fini par entrer réellement dans le droit des pays signataires quand ceux-ci ont accepté d'être poursuivis, y compris par un simple citoyen, pour non-respect de la Convention. Deux institutions jouent pour cela un rôle fondamental : la **Commission européenne des droits de l'homme** qui prépare le travail de la **Cour européenne**. C'est un tribunal qui peut condamner un État et l'obliger à changer de législation. Le Conseil de l'Europe a acquis un tel prestige qu'il comprend aujourd'hui plus de quarante pays. Né au lendemain de la barbarie nazie, il a su répondre aux besoins de repères moraux et juridiques des peuples et des pays qui sortent de la dictature, comme ceux de l'Europe de l'Est, dans les années 1990. L'imposant **Palais de l'Europe**, comme le plus récent Palais des droits de l'homme, sont parmi les lieux les plus marquants du nouveau « quartier européen » de Strasbourg.

Beaucoup d'autres institutions sont venues par la suite s'installer dans la capitale alsacienne, comme la Fondation européenne de la science ou la chaîne de télévision franco-allemande **ARTE**. Mais Strasbourg accueille surtout le **Parlement européen** dont le nouveau siège est flambant neuf. Élu au suffrage universel depuis 1979, il représente les peuples des pays membres de l'Union européenne, qu'il ne faut pas confondre avec le Conseil de l'Europe. Celle-ci,

La salle
où siègent les
députés européens.

par le traité de Maastricht signé en 1992, a pris la suite de la Communauté européenne créée en 1957 par le traité de Rome. Elle a pour but de réaliser l'intégration économique de ses pays membres, aujourd'hui au nombre de quinze, et son union monétaire avec la création de l'euro. À plus longue échéance, elle devrait réaliser une intégration politique qui reste encore très problématique. Ses principaux organes sont à Bruxelles avec la Commission européenne et à Luxembourg avec la Cour de justice. Le choix de Strasbourg comme siège du Parlement européen était surtout symbolique car il n'avait au départ qu'un rôle consultatif. Il a commencé à acquérir un vrai pouvoir de contrôle quand les progrès de l'intégration ont commencé à faire sentir leurs effets dans la vie quotidienne des citoyens. C'est en effet la seule institution européenne directement élue par le peuple, où l'on peut débattre publiquement de toutes les questions qui concernent l'Europe. Il a ainsi obtenu le droit de voter le budget, puis plus récemment, d'accepter ou de refuser la nomination des membres de la Commission.

L'Europe à échelle régionale

À l'échelle régionale, la construction européenne commence à révéler l'existence d'un espace rhénan que les affrontements passés avaient fait oublier. Situées au cœur de l'Europe, des régions voisines commencent à renouer des liens économiques et culturels très naturels sans que cela remette en cause leur appartenance nationale. C'est à Bâle, en Suisse, qu'est née dans les années 1960 l'idée de « Regio », ou région transfrontalière correspondant à son influence économique et aux besoins de son développement. Elle a trouvé une réponse positive auprès des chambres de commerce de Mulhouse, de Colmar et enfin de Fribourg en Allemagne. Il en est résulté par exemple la construction de l'aéroport de Bâle-Mulhouse situé entre les deux villes, ainsi que des recherches communes en biotechnologie. Devant le succès de cette expérience, une commission intergouvernementale est créée entre les trois pays en 1975, puis, en 1998, un **Conseil rhénan** composé des élus locaux d'Alsace, du canton de Bâle et des deux *länder* de Bade-Wurtemberg et de Rhénanie-Palatinat.

La Lorraine, la Sarre et le Luxembourg ont créé, de leur côté, l'association Saarlorlux dans le cadre d'un pôle européen de développement. Une telle coopération est devenue nécessaire à l'heure où l'importance des travailleurs frontaliers montre que l'aire d'influence de métropoles telles que Sarrebrück ou Bâle traverse les frontières.

ABC d'architecture

Architecture religieuse

ST-DIÉ – Plan de l'église N-D-de-Galilée (12ᵉ s.)

Plan basilical : chœur à trois absides et absence de transept.

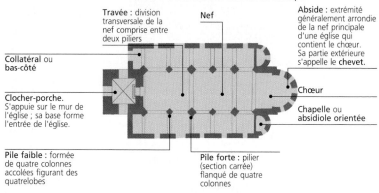

Travée : division transversale de la nef comprise entre deux piliers

Nef

Abside : extrémité généralement arrondie de la nef principale d'une église qui contient le chœur. Sa partie extérieure s'appelle le **chevet**.

Collatéral ou bas-côté

Clocher-porche. S'appuie sur le mur de l'église ; sa base forme l'entrée de l'église.

Chœur

Chapelle ou absidiole orientée

Pile faible : formée de quatre colonnes accolées figurant des quatrelobes

Pile forte : pilier (section carrée) flanqué de quatre colonnes

STRASBOURG – Coupe transversale de la cathédrale Notre-Dame (12ᵉ-15ᵉ s.)

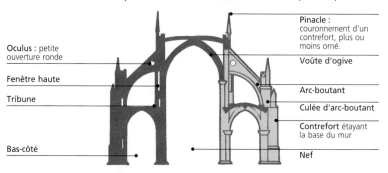

Oculus : petite ouverture ronde

Fenêtre haute

Tribune

Bas-côté

Pinacle : couronnement d'un contrefort, plus ou moins orné.

Voûte d'ogive

Arc-boutant

Culée d'arc-boutant

Contrefort étayant la base du mur

Nef

ST-NICOLAS-DE-PORT – Voûtes de la basilique (fin 15ᵉ- début 16ᵉ s.)

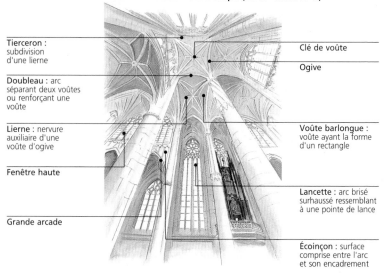

Tierceron : subdivision d'une lierne

Doubleau : arc séparant deux voûtes ou renforçant une voûte

Lierne : nervure auxiliaire d'une voûte d'ogive

Fenêtre haute

Grande arcade

Clé de voûte

Ogive

Voûte barlongue : voûte ayant la forme d'un rectangle

Lancette : arc brisé surhaussé ressemblant à une pointe de lance

Écoinçon : surface comprise entre l'arc et son encadrement

STRASBOURG – Façade du portail central de la cathédrale Notre-Dame (12ᵉ-15ᵉ s.)

Toute la richesse du gothique rayonnant se concentre dans le portail central richement sculpté et couronné de gâbles ajourés.

Gâble : pignon décoratif surmontant certains portails et fenêtres, ici ajouré.

Grande rose ou **rosace** à remplage, formée de seize pétales géminés.

Voussures : arcs concentriques couvrant l'embrasure d'une baie

Pinacle

Archivolte : ensemble des voussures

Piédroits ou **jambages** : montants verticaux sur lesquels retombent les voussures

Vantaux en bronze

Tympan formé de quatre registres historiés

Trumeau

Registre : bande d'ornement sculptée

MARMOUTIER – Façade romane de l'église St-Étienne (vers 1140)

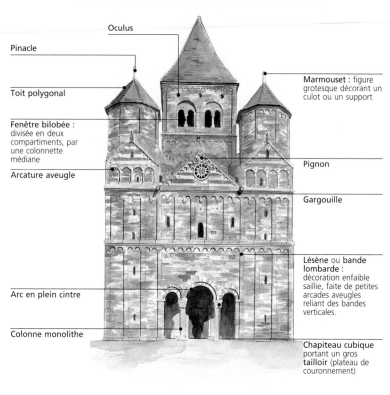

Oculus

Pinacle

Toit polygonal

Fenêtre bilobée : divisée en deux compartiments, par une colonnette médiane

Arcature aveugle

Arc en plein cintre

Colonne monolithe

Marmouset : figure grotesque décorant un culot ou un support

Pignon

Gargouille

Lésène ou bande lombarde : décoration enfaible saillie, faite de petites arcades aveugles reliant des bandes verticales.

Chapiteau cubique portant un gros tailloir (plateau de couronnement)

METZ – Cathédrale St-Étienne (13e-16e s.)

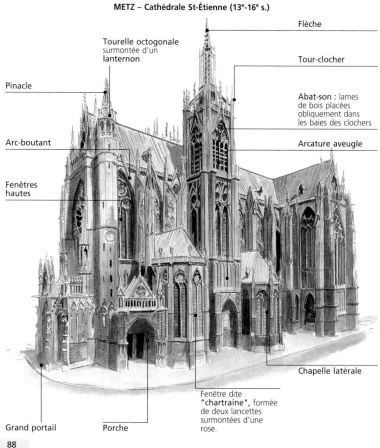

Tourelle octogonale surmontée d'un lanternon

Pinacle

Arc-boutant

Fenêtres hautes

Flèche

Tour-clocher

Abat-son : lames de bois placées obliquement dans les baies des clochers

Arcature aveugle

Chapelle latérale

Grand portail

Porche

Fenêtre dite "chartraine", formée de deux lancettes surmontées d'une rose.

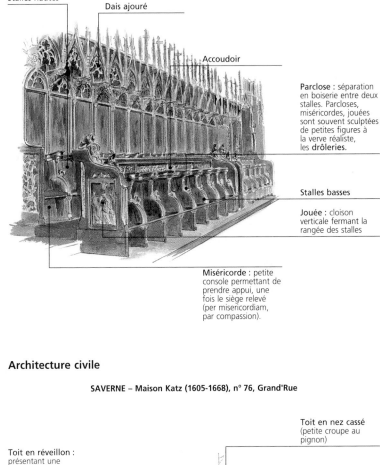

Stalles hautes

Dais ajouré

Accoudoir

Parclose : séparation en boiserie entre deux stalles. Parcloses, miséricordes, jouées sont souvent sculptées de petites figures à la verve réaliste, les **drôleries**.

Stalles basses

Jouée : cloison verticale fermant la rangée des stalles

Miséricorde : petite console permettant de prendre appui, une fois le siège relevé (per misericordiam, par compassion).

Architecture civile

SAVERNE – Maison Katz (1605-1668), n° 76, Grand'Rue

Toit en nez cassé (petite croupe au pignon)

Toit en réveillon : présentant une rupture de pente dans sa partie inférieure

Entrait : pièce de charpente horizontale

Colombage en forme de chaise curule ou de croix

Hourdis : matériau de remplissage, le plus ancien étant le torchis constitué d'un mélange d'argile, de paille et de poil animal.

Sablière : longue poutre horizontale de façade servant d'assise à d'autres pièces

Oriel à double étage de plan triangulaire

Cives : petites pièces de verre rondes servant de carreaux-vitres au Moyen Âge

Fenêtre à meneaux sculptés

Arc en anse de panier

LUNÉVILLE – Château (18ᵉ s.)

Surnommé le « Petit Versailles », ce château a été conçu par l'architecte Germain Boffrand.

Entablement : ensemble constitué par l'architrave, la frise et la corniche.

Plate-forme avec garde-corps ajouré

Haut comble à pans coupés

Attique : petit étage supplémentaire couronnant une construction

Comble

Fronton triangulaire

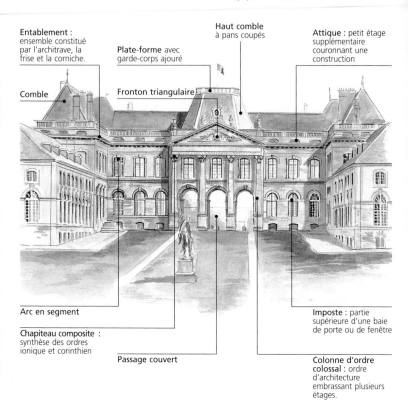

Arc en segment

Chapiteau composite : synthèse des ordres ionique et corinthien

Passage couvert

Imposte : partie supérieure d'une baie de porte ou de fenêtre

Colonne d'ordre colossal : ordre d'architecture embrassant plusieurs étages.

Architecture thermale

CONTREXÉVILLE – galerie et pavillon des sources (1909)

Expression d'un goût prononcé pour l'éclectisme architectural, typique des villes thermales. Prépondérance du style néo-byzantin.

Coupole à charpente métallique percée d'un oculus permettant l'éclairage zénithal

Tambour habillé de briques dessinant des motifs géométriques

Chapiteaux doriques

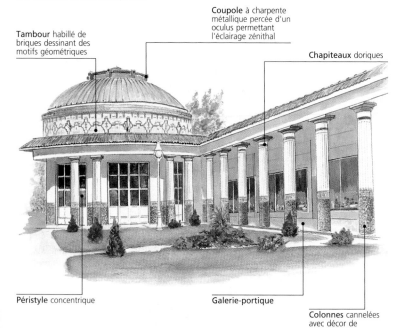

Péristyle concentrique

Galerie-portique

Colonnes cannelées avec décor de mosaïques

Architecture militaire

HAUT-KOENIGSBOURG – Château féodal reconstitué au début du 20e s.

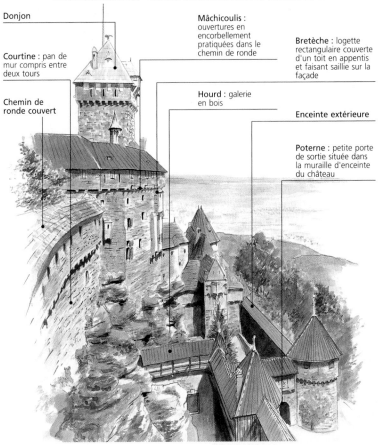

Donjon

Courtine : pan de mur compris entre deux tours

Chemin de ronde couvert

Mâchicoulis : ouvertures en encorbellement pratiquées dans le chemin de ronde

Hourd : galerie en bois

Bretèche : logette rectangulaire couverte d'un toit en appentis et faisant saillie sur la façade

Enceinte extérieure

Poterne : petite porte de sortie située dans la muraille d'enceinte du château

NEUF-BRISACH – Place forte (1698-1703)

Le système bastionné polygonal naît au 16e s. avec les progrès de l'artillerie : le canon d'un ouvrage supprime l'angle mort de l'ouvrage voisin.

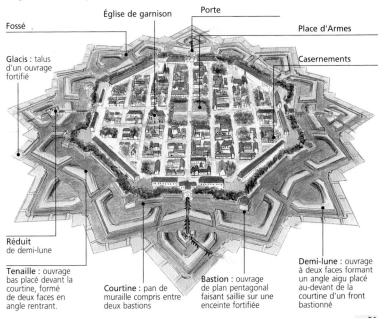

Fossé

Église de garnison

Porte

Place d'Armes

Glacis : talus d'un ouvrage fortifié

Casernements

Réduit de demi-lune

Tenaille : ouvrage bas placé devant la courtine, formé de deux faces en angle rentrant.

Courtine : pan de muraille compris entre deux bastions

Bastion : ouvrage de plan pentagonal faisant saillie sur une enceinte fortifiée

Demi-lune : ouvrage à deux faces formant un angle aigu placé au-devant de la courtine d'un front bastionné

L'architecture religieuse

L'art religieux de la Lorraine et de l'Alsace témoigne d'influences multiples venues selon les époques, d'Allemagne, de France ou d'Italie.

L'art roman

L'art roman trouve ses origines dans l'**art carolingien** qui, malheureusement, n'a laissé que très peu de traces. On sait seulement qu'il a correspondu à une période faste pour ces territoires situés au cœur de l'empire. La capitale de Charlemagne, Aix-la-Chapelle, n'est pas très loin et Metz, dont l'évêque était souvent choisi dans la famille impériale, fut particulièrement choyée, comptant une soixantaine d'églises à la fin du 9ᵉ s. Les abbayes fondées à cette époque sont aussi très nombreuses. On sait que cet art a exercé une forte influence sur l'art rhénan. C'est ainsi que la cathédrale de Verdun comprend, comme dans les églises carolingiennes, un deuxième chœur et un deuxième transept à l'Ouest, symétriques de ceux orientés à l'Est. De même, la forme octogonale de la chapelle impériale d'Aix a été reprise dans l'église alsacienne d'Ottmarsheim au 11ᵉ s.

Le roman rhénan s'est imposé alors, avant que les influences champenoises et bourguignonnes ne l'emportent, au moins en Lorraine, dès la fin du 11ᵉ s. De façon générale, les églises romanes de ces régions se caractérisent par une grande simplicité de forme et de décors. En Alsace, elles adoptent le plan en croix latine, la nef allongée représentant le grand bras de la croix, tandis que le transept, qui forme le petit bras, est peu saillant. En Lorraine, il disparaît même dans le plan de type basilical qui est le plus fréquent, comme, par exemple, à St-Dié. Un chœur peu profond, sans déambulatoire ni chapelles rayonnantes, se termine par un chevet en abside semi-circulaire ou, plus rarement, par un chevet plat d'une sobriété saisissante comme à Murbach. Une tour-lanterne ronde ou carrée se

Chevet roman de l'église Ste-Foy à Sélestat.

dresse souvent à la croisée du transept avec, parfois, des clochers sur les côtés ou sur la façade occidentale, comme à Marmoutier. Les murs ont très peu d'ouverture mais leur solennelle nudité est agrémentée, comme souvent dans les pays rhénans, de bandes lombardes originaires d'Italie du Nord.

L'intérieur est lui aussi d'une grande simplicité avec des colonnes à chapiteaux cubiques très élémentaires. La sculpture se concentre sur le portail mais seul celui de l'église d'Andlau est remarquable. L'art roman s'est prolongé tard dans le 12ᵉ s. C'est à cette époque seulement qu'on a pris l'habitude de remplacer le plafond en charpente par la voûte sur croisée d'ogives.

Sculptures du grand portail gothique de la cathédrale de Metz.

L'art gothique

Au 12e s. l'Île-de-France a déjà élaboré les nouvelles solutions architecturales qui ont fait les grandes cathédrales gothiques. En Lorraine, les cathédrales de Metz et de Toul en sont de remarquables exemples. Jusqu'en plein 16e s. encore, on continuera à lui être fidèle, comme en témoigne la magnifique église de St-Nicolas-du-Port qui se présente comme un immense reliquaire construit en style gothique flamboyant.

Mais c'est en Alsace que le gothique connaît un vif succès au point de s'affirmer comme un art régional, doué de sa propre personnalité. À partir de 1230 environ, on greffe une nef gothique sur le chœur roman de la nouvelle cathédrale de Strasbourg, de style rayonnant, alors en plein essor en France. À la fin du 13e s., Erwin de Steinbach conçoit une nouvelle façade sous la forme d'un mur plein doublé d'une dentelle de pierre. La célèbre flèche ajourée, ajoutée au 15e s. fera, elle aussi, école. Par ailleurs, les franciscains et les dominicains, très présents dans ces régions, diffusent le modèle de la grande église-halle adaptée à la prédication. Le gothique flamboyant s'y épanouit à la fin du Moyen Âge.

Le portail flamboyant de la basilique d'Avioth, un des chefs-d'œuvre lorrains.

Renaissance et classicisme

Le gothique tardif s'est poursuivi jusqu'au début du 17e s. À cette époque, c'est surtout la peinture et la sculpture qui expriment le mieux la sensibilité religieuse. La guerre de Trente Ans a ruiné l'Alsace comme une partie de la Lorraine et il faut attendre le 18e s. pour qu'elles retrouvent une certaine prospérité. Le classicisme venu de France s'impose alors aux élites avec de belles réalisations comme l'église Notre-Dame de Guebwiller. Mais les goûts provinciaux se portent plus naturellement vers l'art baroque comme en témoigne le décor somptueux de l'abbatiale d'Ebersmunster ou, en Lorraine, la façade de l'église St-Sébastien à Nancy.

Détail d'un chapiteau roman sur le porche de l'église de Lautenbach.

L'architecture civile

L'Alsace a conservé dans ses villes d'innombrables exemples d'architecture civile, publique et privée, de la Renaissance à l'âge classique. De cette dernière époque, on peut découvrir en Lorraine de splendides résidences princières, ainsi que quelques réalisations urbaines exceptionnelles comme la place Stanislas à Nancy.

La Renaissance

Contrairement à la Lorraine qui a laissé très peu de constructions de style Renaissance, l'Alsace connaît, comme l'ensemble des pays rhénans à cette époque, un véritable épanouissement architectural lié au développement des villes marchandes. Celles-ci avaient, dès la fin du Moyen Âge, acquis leur autonomie dans le cadre du Saint Empire romain germanique. Elles formaient alors de petites républiques prospères dirigées par les familles les plus riches. Cet esprit d'indépendance s'est alors exprimé par la construction de nombreux hôtels de ville fastueusement décorés. Aujourd'hui encore éléments de prestige, ils marquent fortement l'identité d'une ville. C'est le cas, par exemple, à Mulhouse qui est d'ailleurs restée indépendante jusqu'à la Révolution. Beaucoup de petites villes possèdent encore le leur. Les plus intéressants sont à Obernai, Rouffach, Molsheim, Kaysersberg ou Guebwiller.

La maison des Têt

Les riches maisons bourgeoises qui les entourent ont très souvent conservé leur style Renaissance comme à Colmar, Strasbourg ou Riquewihr. Elles se caractérisent par leur toit pointu en partie caché par des pignons très travaillés, en gradins ou en volutes entremêlées de clochetons comme sur la maison des Têtes à Colmar. Le style Renaissance aime multiplier les détails attachants et poétiques qui animent les façades. L'oriel, sorte de logette en saillie à l'étage, permettait de mieux observer le spectacle de la rue. Il permettait aussi un meilleur éclairage des pièces, toujours trop sombres dans ces villes aux ruelles étroites. Les sculptures, les enseignes en fer forgé, les pans de bois sculptés ou peints, les tourelles en encorbellement entourées d'une galerie en bois ajoutent leur charme à cet ensemble. Élément de prestige urbain, de nombreuses fontaines datent de cette époque. Elles sont souvent ornées d'une colonne en grès rouge qui porte un blason, un saint patron ou un héros légendaire lié à la ville.

Majesté classique au château de Lunéville.

Colmar, typiquement Renaissance.

L'âge classique

À cause de la guerre de Trente Ans qui voit l'affrontement sanglant des princes catholiques et protestants, le 17ᵉ s. fut une période sombre pour l'Alsace et la Lorraine, comme pour l'ensemble des pays relevant du Saint-Empire. Les rois de France, tirant leur épingle du jeu, ont commencé à attirer ces deux provinces dans le royaume grâce à leur morcellement politique. De l'occupation des Trois-Évêchés en 1552, à celle de Strasbourg en 1681, ils ont peu à peu réussi à atteindre le Rhin. Certes la complexité des divisions politiques fait qu'il faudra attendre 1766 pour que tout le duché de Lorraine soit français, tandis que de petites parties de l'Alsace sont restées théoriquement hors du royaume jusqu'à la Révolution. Mais en fait, depuis Louis XIV, le roi est le seul maître de la situation. Si une certaine influence culturelle française n'était pas nouvelle, puisqu'elle avait commencé à s'exercer dès le 13ᵉ s. avec l'art gothique, elle va désormais l'emporter sans obstacle sur les élites les plus huppées en étroit contact avec la Cour de Versailles. C'est ainsi que le classicisme avec ses lignes droites et ses perspectives s'est imposé dans des régions dont le goût penchait plus spontanément vers l'art baroque. Au début du 18ᵉ s., le duc de Lorraine, Léopold, fait appel à un élève de Jules-Hardouin Mansart, Germain Boffrand, pour bâtir le château de Lunéville, bientôt surnommé le « Versailles lorrain ». Le dernier duc de Lorraine, l'ancien roi de Pologne Stanislas Leszczynski, installé à Nancy grâce à son gendre Louis XV, décide d'embellir sa capitale. Aidé de l'architecte Emmanuel Héré, élève de Boffrand, il lance un vaste programme d'urbanisme qui aboutit à la création de la place Stanislas. Conciliant remarquablement équilibre, grandeur et harmonie des proportions, cette place représente l'esprit même du classicisme que rehaussent encore les grilles en fer forgé d'or de Jean Lamour. Un arc de triomphe et la place de la Carrière complètent cet ensemble.

En Alsace, le classicisme est fastueusement représenté par les palais des Rohan, à Saverne et à Strasbourg. Il en arrive ainsi à influencer le style régional issu de la Renaissance. Il servira de référence à l'architecture officielle au 19ᵉ s. L'annexion allemande prônera, sous Guillaume II, un style plus « germanique » avant la rupture radicale que représente l'architecture contemporaine.

Classicisme un brin baroque pour les grilles de la place Stanislas à Nancy.

Châteaux et places fortes

Il est étonnant de constater à quel point le passé mouvementé de l'Alsace et de la Lorraine nous permet de parcourir toute la gamme des fortifications que les hommes ont imaginées pour se défendre. Des ruines d'un monde légendaire et romantique, on passe sans transition, à celui, technique et froid mais terriblement évocateur, des derniers conflits mondiaux.

Châteaux forts

Si les archéologues ont retrouvé les traces des sites fortifiés ou *oppida* dans lesquels se rassemblaient les peuples celtes, si la ville de Strasbourg a pour origine un camp de légion qui défendait le *limes* romain qui suivit le Rhin face au monde barbare, il faut bien admettre qu'il n'en reste presque rien. En revanche, on peut s'étonner du nombre de châteaux médiévaux qui surplombent la plaine d'Alsace et semblent veiller sur elle comme des sentinelles figées pour l'éternité. D'autres, dressés sur leur piton de grès rouge dans les Vosges du Nord, ne se laissent découvrir qu'au fond d'une épaisse forêt. C'est l'émiettement des pouvoirs, dans le Saint Empire romain germanique, qui a permis l'édification de ces orgueilleuses constructions destinées à signaler la puissance de leur propriétaire sur le voisinage. La concurrence était rude, entre les chevaliers-brigands, les villes, les princes et l'empereur. C'était la même chose en Lorraine mais, contrairement à sa voisine, elle n'a conservé que très peu de vestiges, à cause des destructions du 17ᵉ s. On n'en trouvera d'importants qu'à Prény, Sierck ou Châtel-sur-Moselle. En Alsace, on n'a que l'embarras du choix. On découvrira, dans le silence d'une promenade en montagne, les ruines d'une simple tour qui, fière encore, s'élance vers le ciel, simplement entourée de quelques pans de murs démantelés que les mousses ont envahis. Ou bien on préférera le spectacle de la superbe, quoique controversée, reconstitution du **Haut-Kœnigsbourg**. Bâti au cours du 12ᵉ s. par les Hohenstaufen et notamment par l'empereur Frédéric Barberousse, qui aimait beaucoup ce coin d'Alsace, ce véritable monument fut restauré par la volonté de Guillaume II au début du 20ᵉ s. Mais beaucoup d'autres valent une visite détaillée, comme le surprenant **Fleckenstein** qui, en partie troglodytique, porte la couleur éclatante du grès rouge vosgien, la roche sur laquelle il est bâti. Tous, quels qu'ils soient, sont bien faits pour porter l'imagination à rêver aux anciennes légendes qui racontent des histoires de dames blanches, de trésors, de preux chevaliers et de dragons.

La tour des Sorcières à Rouffac défendait autrefois la ville des envahisseurs.

*Château fort du Moyen Âge :
St-Ulrich.*

Cités fortifiées

Les villes alsaciennes n'ont, en général, conservé que de rares vestiges de leurs remparts du Moyen Âge. Dès le 16ᵉ s. naît un nouvel art des fortifications contraint, par l'usage de l'artillerie, à développer d'immenses ouvrages bastionnés en forme de polygone. Au siècle suivant, **Vauban**, pour empêcher l'invasion du royaume, les a systématisés aux « frontières », mot d'origine militaire qui apparaît justement à ce moment-là. L'Alsace et la Lorraine, qui viennent de passer sous la domination de Louis XIV, se retrouvent aux avant-postes du royaume du côté de l'Est. Alors qu'à l'intérieur du pays on démantèle châteaux et murailles, des villes comme Metz et Strasbourg sont corsetées de défenses impressionnantes dont il ne reste aujourd'hui que des traces. Certaines ont été presque intégralement préservées comme à Neuf-Brisach, chef-d'œuvre de Vauban.

*La citadelle de Montmédy a été
transformée par Vauban.*

Ouvrages de défense fortifiés

Les différentes frontières entre la France et l'Allemagne vont prendre une importance démesurée à partir de l'annexion de 1871. Avec la perte des villes fortifiées par Vauban en Alsace, la France décide de fermer ce qu'on appelle alors la « Trouée de Lorraine » à toute invasion. Entre Toul et Verdun, le directeur du Génie militaire, Séré de Rivières, organise la **« ligne de fer »**, un système de forts à demi enterrés, assez proches les uns des autres pour former un « rideau » de feu. Parmi eux, ceux de Vaux et de Douaumont restent des témoins indispensables et poignants pour comprendre la bataille de Verdun.
Après la Première Guerre mondiale, on entreprend de construire la Ligne Maginot.

Les installations accessibles à la visite, comme celles, colossales, du Hackenberg près de Thionville, donnent la mesure de l'effort paradoxal qui fut entrepris car, jamais prises, elles n'ont servi à rien. Mais ces couloirs souterrains immenses et désertés, d'où n'émergent que les cloches de tir et d'observation, laissent un souvenir qu'on n'oubliera pas de sitôt.

L'ouvrage de Fermont, sur la Ligne Maginot.

Les arts plastiques

Située au croisement de plusieurs influences, la création artistique, en Alsace comme en Lorraine, a connu des moments exceptionnels dans le passé. Elle reste toujours importante aujourd'hui.

Sculpture

Après l'époque gallo-romaine qui atteste une active production locale, la première partie du Moyen Âge s'est surtout consacrée au travail de l'ivoire et à l'orfèvrerie. Les ateliers des grands monastères carolingiens, à Metz notamment, ont laissé des œuvres remarquables. Il faut cependant attendre plusieurs siècles avant de voir renaître la statuaire proprement dite. Encore rare et maladroite à l'époque romane, à l'exception du portail de l'église d'Andlau, elle s'épanouit à l'ère des grandes constructions gothiques.

Georges de La Tour : La Femme à[...] historique lorrain, à Nancy.

C'est à Strasbourg, au musée de l'Œuvre-Notre-Dame, qu'on peut voir les originaux des très grands chefs-d'œuvre de la cathédrale. Les statues allégoriques de l'Église et de la Synagogue, le bas-relief de la Mort de la Vierge ou le Pilier des Anges expriment remarquablement l'esprit du 13ᵉ s., profondément religieux et humain à la fois. Au 14ᵉ s., les vierges folles et les vierges sages révèlent un art qui recherche davantage le charme, la grâce et la souplesse. Au portail de l'église de Thann, c'est le gothique flamboyant qui est bien représenté par le foisonnement des personnages.

À la fin du Moyen Âge et à la Renaissance, Strasbourg connaît un âge d'or intellectuel et artistique qui, fortement marquées par l'humanisme, rayonne sur l'ensemble des pays rhénans. Gutenberg y séjourne et, très tôt, l'imprimerie y diffuse les livres et le savoir. Les plus grands artistes ont acquis leur talent dans ces ateliers de sculpture sur bois, tel Nicolas de Haguenau, auteur des statues du **retable d'Issenheim**. De très nombreux retables de cette époque nous ont laissé de véritables mises en scène peintes et sculptées des grands épisodes de la vie du Christ et des saints.

Détail du Sépulcre de l'église de St-Mihiel, par Ligier Richier.

À partir du 16ᵉ s., la sculpture s'épanouit dans l'art des mausolées. Le *Transi* de **Ligier Richier** qui orne le tombeau de René de Châlon, à Bar-le-Duc, est d'une expression saisissante. Les tombeaux de Stanislas Leszczynski et de son épouse à Nancy, comme celui du maréchal de Saxe par **Pigalle** à Strasbourg, comptent parmi les grands chefs-d'œuvre du 18ᵉ s. Par ailleurs le décor baroque et rococo des églises fait un large appel aux sculpteurs sur bois comme sur pierre.

Plus près de nous enfin, quelques grands artistes ont marqué leur époque, tels le Colmarien Bartholdi, auteur d'œuvres monumentales dont la statue de la Liberté à New-York ou **Hans Arp**, l'un des fondateurs du mouvement dada et du surréalisme.

puce, *un des tableaux du Musée*

Le retable d'Issenheim, sans doute exécuté par Grünewald, et conservé à Colmar.

Peinture

À l'exception des miniatures des grands manuscrits carolingiens et des chefs-d'œuvre que sont les vitraux des cathédrales de Metz et de Strasbourg, il faut attendre le 15ᵉ s. pour que se multiplient les premières grandes œuvres picturales, comme la Vierge au buisson de roses de Martin **Schongauer**. La force d'expression du **retable d'Issenheim** peint par Mathias **Grünewald** défie les siècles par son intensité dramatique empreinte de mysticisme. Avec beaucoup d'autres, ces œuvres sont exposées au musée Unterlinden à Colmar. Schongauer a aussi pratiqué l'art de la gravure qui a inspiré Albrecht Dürer, de même que son élève, le peintre strasbourgeois Hans Baldung Grien.

Les 17ᵉ et 18ᵉ s. voient le triomphe de la peinture baroque en Alsace. En Lorraine, l'art est davantage tourné vers la France avec **Georges de La Tour**, le maître du clair-obscur, et **Claude Gellée dit Le Lorrain**, l'un des grands paysagistes français. Les poignantes gravures de **Jacques Callot** exposées à Nancy sont un témoignage unique sur les malheurs de la guerre de Trente Ans.

Paysagistes et portraitistes comme Jean-Jacques **Henner** ont laissé une œuvre intéressante au 19ᵉ s. Le peintre et graveur **Gustave Doré** a fait sa carrière à Paris mais est resté, toute sa vie, marqué par son Alsace natale. C'est au très riche musée d'Art moderne et contemporain de Strasbourg qu'on peut avoir une idée de l'importance de la création contemporaine.

Poterie traditionnelle de Soufflenheim.

Arts décoratifs

C'est une longue tradition qui a vu naître diverses productions, en particulier en Lorraine : faïences de Lunéville et de Sarreguemines, émaux de Longwy, cristalleries de Baccarat et St-Louis, « images » d'Épinal. En Alsace, les arts décoratifs sont surtout représentés par les poteries de Betschdorf et Soufflenheim, mais également par la céramique « Vieux Strasbourg » inventée par les Hannong et enfin, durant la 2ᵉ moitié du 19ᵉ s., par les céramiques du Guebwillois Théodore Deck.

Le Pépin géant de Jean Arp (1937, musée national d'Art moderne, Paris).

L'école de Nancy

La création du « modern style » ou Art nouveau à la fin du 19ᵉ s. est en grande partie due à l'influence de l'école de Nancy. Ce style si caractéristique a eu un tel succès qu'il a dominé, pendant plus de vingt ans, les arts décoratifs au point de faire partie de la vie quotidienne de la Belle Époque par ses objets innombrables, ses architectures, ses affiches et ses cafés.

Le précurseur

Maître verrier à la technique éblouissante, mais aussi chef d'entreprise dynamique, le Nancéien Émile Gallé (1846-1904) est l'un des maîtres de l'Art nouveau. Ce mouvement, qui a d'abord touché les arts décoratifs, puis l'architecture, est né à partir des années 1880 de façon convergente dans plusieurs pays où il porte des noms différents : « Liberty » en Angleterre, « Jugendstil » en Autriche et en Allemagne, « Tiffany » aux États-Unis. Influencé à l'origine par le style néogothique et surtout japonais en réaction contre l'austérité classique dominante, il a voulu rompre, par des créations originales, avec la répétition perpétuelle et ennuyeuse des styles dits « historiques ». En France, les premières œuvres apparaissent à Nancy avec Émile Gallé qui fabrique des verres à décor inspiré de la nature. Grâce à son amour des fleurs, il parvient à donner le souffle de la vie végétale à une matière à priori rigide. Il enrobe des feuilles, des fleurs ou d'autres motifs dans une pâte aux formes colorées et sinueuses extraordinaires. Une connaissance profonde de la chimie du verre et une imagination très poétique s'expriment dans les nuances pleines de profondeur de ses bleus, de ses verts et de ses bruns, tandis que courbes et rondeurs imitent les formes végétales.

Céramiste et ébéniste de grand talent, Émile Gallé fait passer ce souffle créateur dans des faïences et des meubles marquetés et sculptés. Très vite, il obtient une audience internationale en remportant de grands succès lors des différentes Expositions universelles à Paris en 1878, 1889 et 1900.

L'école

C'est autour d'Émile Gallé que se regroupent peu à peu des verriers, des ébénistes, des céramistes, des graveurs, des sculpteurs et des architectes qui vont faire de Nancy une des capitales européennes de l'Art

Salle à manger de Masson (musée de l'École de Nancy).

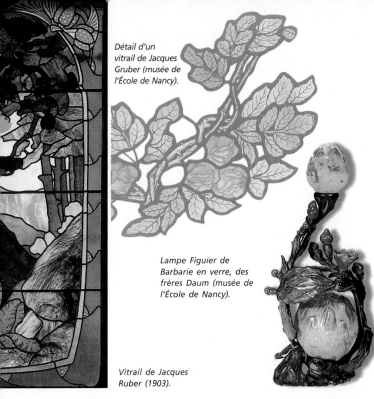

Détail d'un vitrail de Jacques Gruber (musée de l'École de Nancy).

Lampe Figuier de Barbarie en verre, des frères Daum (musée de l'École de Nancy).

Vitrail de Jacques Ruber (1903).

nouveau au même titre que Paris, Vienne, Bruxelles ou Prague. Ces artistes constituent en 1900 une association, l'Alliance provinciale des industries d'art qu'on appelle, dès l'année suivante, l'« école de Nancy ». Leurs œuvres revendiquent d'abord un enracinement, à l'écoute de « la douce langue de la forêt lorraine ». La nature est bien là, dans cette production originale où tous les matériaux, verre, fer, pierre ou bois abandonnent leur apparence rigide pour la douceur de la ligne courbe dans une profusion d'ornements inspirés par l'étude des animaux et des végétaux.

Ses fondateurs avaient également l'immense ambition, en unissant leurs efforts, de changer le décor de la vie quotidienne, de lui donner une esthétique raffinée tout en le rendant accessible à tous. Ils voulaient, pour cela, créer un « art social » grâce à un rapprochement entre art et industrie. En 1900, lors d'une exposition de meubles qu'il avait conçus et décorés, Gallé exprimait ce souci : « La trouvaille à faire, ce serait des formules plastiques très simples et d'une exécution rapide. » Outre la création, l'école se proposait d'encourager la formation des ouvriers et des artisans aux techniques de fabrication les plus modernes. Elle préfigure ainsi les conceptions qui ont triomphé au cours du 20e s.

Vase Fourcaud en verre, par Émile Gallé (musée de l'École de Nancy).

Les artistes

Les membres les plus marquants de cette école sont les frères **Daum**, verriers venus d'Alsace, ainsi que Jacques **Gruber**, dont les vitraux aux couleurs chaudes s'ornent de motifs végétaux. En ébénisterie, Louis **Majorelle**, né à Toul en 1859, a conçu des meubles aux contours élancés, sculptés de nénuphars ou d'orchidées et des décors en ferronnerie. Eugène **Vallin** a réalisé, dans un style semblable, des pièces entières d'appartement, salles à manger ou chambres à coucher. L'élégance des plafonds peints et des cuirs muraux s'ajoute au bois pour donner une ambiance unique à ces espaces. Le cuir à la texture puissante et chaleureuse a été un matériau de choix dans le mobilier comme dans la reliure, art illustré par René Wiener. Il faut enfin citer les objets, les affiches et les dessins de Prouvé pour avoir une idée de la richesse de ce mouvement dont le musée de l'école de Nancy est la plus belle vitrine. Il faut compléter sa visite par la collection Daum au musée des Beaux-Arts et par un tour en ville pour admirer les façades et parfois l'intérieur de ses plus belles réalisations architecturales, bâtiments commerciaux, villas et cafés qui, comme la brasserie Excelsior, sont soigneusement entretenus.

Grilles de la place Stanislas, à Nancy.

Villes
et sites

Altkirch

Altkirch est célèbre pour ses tuiles, pas des malheurs qui ont pu frapper la ville, mais bel et bien de celles de la tuilerie Gilardoni, inventeur de la tuile mécanique. Mais Altkirch occupe une position clé au-dessus de la vallée de l'Ill, dans le Sundgau, région bien particulière avec son mobilier et ses costumes à part. Enfin, la situation d'Altkirch est idéale pour un plongeon au cœur d'une nature faite pour les promenades à cheval et les parties de pêche.

La situation
Cartes Michelin n°s 87 pli 19 ou 242 pli 39 — Haut-Rhin (68). Depuis Mulhouse, emprunter la D 432 sur 20 km vers le Sud. Cette route suit notamment la rive droite du canal du Rhône au Rhin. Venant de Bâle, quitter la ville helvétique par l'Ouest et prendre la D 419.
🛈 *Pl. Xavier-Jourdain, 68130 Altkirch, ☎ 03 89 40 02 90.*

Le nom
Altkirch vient de l'allemand *alt* (vieille) et *kirch* (église). Le nom évoque apparemment l'antique église St-Christophe construite sur les bords de l'Ill aux premiers temps du christianisme.

Les gens
5 090 Altkirchois. Au 19e s., Altkirch foisonnait d'artisans. Certains cumulaient plusieurs activités comme potier et paysan. Aujourd'hui ce sont davantage les activités liées à la cimenterie qui font vivre les habitants d'Altkirch.

> **INFLUENCE D'ÉPINAL ?**
> Sutter, imprimeur du 19e s., était installé à Rixheim et à Altkirch. De jolies images populaires distribuées en masse, les « souhaits de baptême » ont fait sa renommée à travers toute la Haute-Alsace.

se promener

Église Notre-Dame
Possibilité de visite guidée sur demande auprès de l'Office de tourisme.
Construite en 1886, dans le style néoroman, elle présente, à l'intérieur, dans le transept gauche, les remarquables statues en pierre polychrome du Mont des Oliviers (14e s.), ainsi qu'une copie par Henner du *Christ* de Prud'hon. Dans le transept droit, un tableau d'Oster de Strasbourg rappelle la vie de saint Morand, reçu par le comte de Ferrette, tandis que son sarcophage est exposé dans la nef.

La rue du Château conduit à la place principale d'Altkirch.

carnet d'adresses

OÙ DORMIR
● *À bon compte*
Camping municipal Les Lupins – *68580 Seppois-le-Bas - 13 km au SO d'Altkirch par D 432, D 17, puis D 17II -* ☎ *03 89 25 65 37 - ouv. avr. à oct. - réserv. conseillée juil.-août - 158 empl. : 66F.* Installé sur le terrain de l'ancienne gare, ce camping est tenu par un couple sympathique. Les emplacements sont bien ombragés et, détail amusant, la pièce télé est installée dans le hall de la gare... Piscine et mini-golf.

OÙ SE RESTAURER
● *À bon compte*
Wach – *Près de l'hôtel de ville - 68210 Dannemarie - 10 km à l'O d'Altkirch par D 419 -* ☎ *03 89 25 00 01 - fermé 16 au 28 août, 24 déc. au 11 janv., le soir et lun. - 60/180F.* Ce sont l'accueil et la cuisine qui valent le détour ici : le décor qui date des années 1950 n'est pas inoubliable, mais la maison est fort bien tenue... Quant aux menus, simples et alléchants, ils pianotent sur des saveurs régionales ou classiques, à prix tout doux.

Place de la République
Face à l'hôtel de ville, une fontaine octogonale abrite une statue de la Vierge, seul vestige de l'ancienne église transformée en manufacture de rubans de soie après la Révolution.

Hôtel de ville
Bâtiment du 18e s. orné d'un balcon en fer forgé, cette demeure était celle du bailli d'Altkirch.

visiter

Musée sundgauvien
Dim. et j. fériés 14h30-17h30 (juil.-août : tlj sf lun.). Fermé Pâques, 1er et 8 mai, Pentecôte, Noël. 15F. ☎ 03 89 40 00 04.
Installé dans un immeuble Renaissance adossé à ▶ l'hôtel de ville, il rassemble des collections régionales variées, des peintures d'artistes locaux (Henner, Lehmann) et des objets de fouilles archéologiques.

alentours

Luemschwiller
7 km au Nord-Est en direction de Mulhouse, puis une petite route à droite. L'**église** possède un beau **retable** du 15e s., provenant probablement de St-Alban de Bâle, avec, à l'intérieur, les statues de la Vierge à l'Enfant, de sainte Barbe et sainte Catherine. Les peintures de la vie de Marie sont attribuées à Hans Baldung Grien. *(S'adresser à la mairie. ☎ 03 89 25 42 55.)*
Le cimetière israélite rappelle que ce village comprenait une importante communauté juive au 19e s.

Le Sundgau★ *(voir ce nom)*

> **VOCABULAIRE**
> Les « Kunst », de quoi s'agit-il ? Ce sont de magnifiques poêles de faïence alsaciens autour desquels la famille se réunit, dans la douce chaleur de la Stube (salle de séjour).

Amnéville ♨ ♨

Reconversion parfaitement réussie pour cet ancien foyer industriel, passé de la sidérurgie déclinante aux Schtroumpfs triomphants. Au cœur d'une forêt de 500 ha, Amnéville a développé un important centre de loisirs, de tourisme et de thermalisme autour des eaux ferrugineuses et très fortement minéralisées de la source St-Éloi, qui jaillissent toutes rouges, à 41°. Et pour ceux qui ne se seraient pas suffisamment amusés, le parc Walibi-Schtroumpf n'est qu'à quelques kilomètres.

La situation
Cartes Michelin n°s 57 pli 3, 241 pli 20, 242 plis 5 et 9 — Moselle (57). Amnéville se trouve à environ 5 km de l'A 4, sortie 35 (Sémécourt-Amnéville), par la D 953. La ville se situe aussi entre Thionville à 10 mn et Metz à 15 mn, accès par l'A 31, sortie 37 (Mondelange).
🚩 *Bois de Coulange, 57360 Amnéville, ☎ 03 87 70 10 40.*

Le nom
Amnéville, Amnéville-les-Bains, Amnéville-les-Thermes ? ▶ Depuis que la commune s'est dotée d'un centre thermal, on ne sait plus trop comment l'appeler.

> **THERMAPOLIS**
> Un programme complet est proposé dans ce centre de remise en forme : courants d'eau thermale, espace fitness, marbres chauds, hammams et jacuzzis. Les larges baies vitrées ouvrent sur la forêt environnante, mais la température intérieure est constante à 32° ! Les tropiques en Moselle ?

carnet pratique

Où dormir

• *À bon compte*

Hôtel Orion – *Au parc de loisirs du Bois de Coulange - 2,5 km au S d'Amnéville - ☎ 03 87 70 20 20 - fermé 21 au 29 déc., ven. et sam. de nov. à avr. - 44 ch. : 244/288F - ☕ 45F - restaurant 90/140F.* Au cœur de la station thermale, cet hôtel propose des chambres simples, toutes identiques, aux murs crépis et meubles de rotin. Une petite adresse pratique et pas chère dans un immeuble de la fin des années 1980.

Où se restaurer

• *Valeur sûre*

La Forêt – *Au parc de loisirs du Bois de Coulange - 2,5 km au S d'Amnéville - ☎ 03 87 70 34 34 - fermé 23 déc. au 7 janv., dim. soir et lun. - 120/250F.* Dans le centre de loisirs du Bois de Coulange, ce restaurant entouré d'arbres marche fort : il faut dire que sa terrasse et sa salle, meublée de chaises en bambou et décorée de plantes vertes, sont agréables. Quant à sa cuisine plutôt bien tournée, elle a ses adeptes...

Prendre un verre

La bière d'Amnéville est brassée de manière artisanale, sur place à **La Taverne du Brasseur**, près de la galerie des Thermes, *57360 Amnéville-les-Thermes - ☎ 03 87 70 11 77.*

Thermalisme

L'eau thermale d'Amnéville, désignée ainsi puisqu'elle jaillit à plus de 35°, a été utilisée par le passé à des fins strictement médicales. La **source St-Éloy,** pour sa part, est fortement minéralisée et sort naturellement à 41°. On la prescrit en rhumatologie, pour des séquelles de traumatismes ou pour améliorer les voies respiratoires. Afin de s'ouvrir au grand public, **Thermapolis**, permet de retrouver vitalité et bien-être. Ce centre de balnéothérapie est situé dans un espace de 500 ha de verdure.

Centre thermal St-Éloy – *BP 83, 57360 Amnéville - ☎ 03 87 70 19 09.*

Distractions

Le **centre de loisirs** est aménagé dans le bois de Coulange. Il comprend une piscine et une patinoire olympiques, un golf 18 trous, un casino, un espace de spectacle modulable de 500 à 12 000 places, des luges-monorail sur 290 m de dénivelé et un parc zoologique très attrayant.

Les gens

8 926 Amnévillois. Non comptabilisés, trois sous-espèces de tigres rarissimes au zoo d'Amnéville : les tigres royaux originaires du Bengale, les tigres blancs de Sibérie, et ceux très rares de Sumatra. Ces derniers ne comptent plus dans leur environnement naturel que 150 individus.

séjourner

Parc zoologique du bois de Coulange★

Avr.-sept. : 9h30-19h30, dim. et j. fériés 9h30-20h ; oct.-mars : 10h à la tombée de la nuit. 70F (enf. : 50F). ☎ 03 87 70 25 60.

Environ 600 animaux (près de 110 espèces), tous nés en captivité puisque le zoo n'opère aucun prélèvement en milieu naturel, évoluent dans de vastes enclos. Parmi les grands fauves : tigres rares, lions, jaguars, léopards, panthères noires, lynx, servals ; un espace destiné aux grues

Sauvegarde

Dans ce parc zoologique, les espèces menacées (programmes internationaux d'élevage d'animaux rares) sont particulièrement présentes et certaines ont même été recréées scientifiquement : les aurochs, grands taureaux sauvages des temps glaciaires, sont de retour parmi nous.

Hôte royal du parc zoologique de Coulange, le lion surveille son territoire.

et aux perroquets constitue un agréable jardin exotique. Ne montrez pas trop votre attachement aux émeus en liberté, ces derniers sont particulièrement collants.

Poissons de rivière, des fleuves australiens ou d'Amazonie nagent en eau claire dans l'**aquarium Impérator**, à quelques pas du parc zoologique. Le grand aquarium récifal permet de voir évoluer des poissons bigarrés habitués des lagons, et le bac aux requins héberge diverses espèces qui cohabitent ici sans problème, du moins on l'espère.

Au parc Walibi-Schtroumpf, rencontre amicale avec des petits hommes bleus et un kangourou orange.

Parc d'attraction Walibi-Schtroumpf★

3 km au Sud d'Amnéville. ⌖ De mi-avril à fin sept. : 10h-18h (juil.-août : 10h-19h). Se renseigner au préalable pour j. de fermeture. 120F (3-11 ans : 100F). ☎ 03 87 51 90 52.

Ce vaste parc de loisirs de 42 ha invite petits et grands à essayer diverses attractions adaptées à l'âge de chacun. On y vit une journée terriblement « schtroumpfante » en compagnie du sympathique kangourou Walibi.

Les amateurs de sensations fortes s'en donneront à cœur joie. Le Réaktor, grande roue avec loopings, l'**Odisséa**, bouée ballottée au milieu des rapides, le Waligator qui fait franchir une chute de 12 m dans une immense gerbe d'eau ou l'Aquachute, le toboggan aquatique géant seront autant de surprises. Pour les plus audacieux, le **Comet Space** ou le **Sismic Panic** seront certainement des attractions séduisantes. Restera encore à découvrir la **vengeance de Gargamel**, une tour fantastique qui vous projettera en 2 secondes et demie à 55 m du sol !

> **PRATIQUE**
> Vous trouverez de nombreuses boutiques et points de restauration sur place et pourrez aussi assister à l'un des spectacles ou animations proposés tout au long de la journée. Les enfants peuvent souffler les bougies de leur gâteau d'anniversaire en compagnie de vrais Schtroumpfs.

Andlau★

Andlau, c'est d'abord deux clochers, celui de la célèbre abbatiale St-Pierre-et-St-Paul, et celui de l'église St-André, qui émergent au-dessus des toits et des forêts environnantes. C'est ensuite trois grands crus de riesling, le wiebelsberg, le moenchberg et le kastelberg, sur la route des Vins. Résumé : à Andlau, des fleurs, des vieilles maisons, une belle fontaine Renaissance, un gros château avec deux tours... et des vignerons très attentifs à leurs vignes.

La situation

Cartes Michelin nᵒˢ 87 pli 16 ou 242 pli 27 — Schéma p. 387 — Bas-Rhin (67). Le bourg est au pied du Champ du Feu, en suivant la D 425 ou à 4 km au Sud de Barr par la route des Vins.

🚏 *5 r. du Gén.-de-Gaulle, 67140 Andlau, ☎ 03 88 08 22 57.*

> **CAVEAUX DE DÉGUSTATION**
> André Durrmann - *11 r. des Vignerons* - ☎ 03 88 08 26 42.
> Marcel Schlosser - *5/7 r. des Forgerons* - ☎ 03 88 08 03 26.
> Gérard Wohleber - *14 r. du Mar.-Foch* - ☎ 03 88 08 93 36.

Le nom

Un seul nom, Andlau, pour la ville, la rivière qui court et dévale en cascade les sommets vosgiens, et même la vallée qui abrite chevreuils et sangliers sous ses futaies.

Les gens

1 632 Andlaviens. Les vignerons d'Andlau sont particulièrement ingénieux. Pour protéger leurs trois grands crus de riesling contre les parasites, ils utilisent des guêpes microscopiques qui dévorent les œufs des vers.

POUR Y CROIRE

Une cavité dans le dallage de la crypte de l'église St-Pierre-et-St-Paul, serait l'endroit signalé par l'ourse pour y construire l'église. La preuve : elle est gardée par une ourse... en pierre.

HISTOIRE D'OURSE

L'abbaye d'Andlau est fondée en 880 par l'impératrice Richarde, épouse de Charles le Gros. Richarde a, un beau jour, une vision dans laquelle il lui est ordonné de construire son église là où elle rencontrerait une ourse préparant une tanière pour ses petits. Elle aperçoit alors, dans la forêt, la bête annoncée. Elle passe la nuit en prières et fait construire un monastère à cet endroit très précis. D'autres variantes de la légende évoquent le lieu de l'enterrement par la maman ourse de son bébé mort... Une autre légende raconte aussi qu'un ours vivant était élevé dans la cour de l'abbaye et que la cité se chargeait de subvenir aux besoins des montreurs d'ours qui passaient par Andlau. Bref, Andlau et les ours, c'est une vieille histoire d'amour...

Andlau et son vignoble, étapes réputées sur la route des Vins d'Alsace.

visiter

Église St-Pierre-et-St-Paul★

Un incendie a détruit le premier édifice en 1045. Reconstruit au 12ᵉ s., seules certaines parties subsistent à présent : le portail, la crypte et une frise historiée qui court en façade et sur le côté gauche.

Sous le porche massif (clocher du 17ᵉ s.), le **portail★★** offre les plus remarquables sculptures romanes d'Alsace. C'est bien simple, toutes les surfaces disponibles sont couvertes de bas-reliefs. Dans les arcatures se superposent des couples représentant vraisemblablement les bienfaiteurs de l'abbaye. Sur le linteau, vous verrez des scènes de la Création et du Paradis terrestre.

À l'intérieur, le chœur, élevé au-dessus de la **crypte★** double et voûtée d'arêtes, est décoré de belles stalles du 15ᵉ s. Vous y verrez aussi le tombeau de Richarde.

Détail du portail de l'église : scène du paradis perdu.

alentours

Epfig

6 km au Sud-Est par les D 253 et D 335. Traverser le village pour prendre la D 603 vers Kogelheim. Située à la sortie est du village au milieu du cimetière, la **chapelle Ste-Marguerite** aurait servi de lieu de culte à des nonnes au 12ᵉ s. Ossuaire dont l'origine reste inconnue. *(Possibilité de visite guidée sur demande auprès des « Amis de la chapelle ». ☎ 03 88 85 59 39.)*

L'Argonne ★

Le passé s'est parfois acharné à marquer certains endroits de son empreinte douloureuse. L'Argonne en fait tristement partie. Difficile ici d'oublier le cauchemar de la Première Guerre mondiale. Et pourtant aujourd'hui, avec ses belles forêts, ses paysages vallonnés, ses villages aux saveurs authentiques, cette région est réellement un havre de paix.

La situation

Cartes Michelin n°s 56 plis 19, 20 ou 241 plis 18, 22, 23 — L'Argonne est partagée en 3 départements : Ardennes (08), Marne (51) et Meuse (55). Ce massif, dont la plus grande largeur entre Clermont et Ste-Menehould ne dépasse pas 12 km, atteint 308 m d'altitude au Sud de Clermontil. Il représentait jadis un obstacle sérieux à la circulation.

Le nom

Étymologiquement, Argonne est *Argonna*, de l'*Argoat* breton qui signifie le « pays des bois ».

Les gens

En 1792, Dumouriez arrêta les troupes prussiennes à la sortie des défilés de l'Argonne. Durant la guerre de 1914-1918, le front s'installa pendant 4 ans sur la ligne Four-de-Paris, Haute-Chevauchée, Vauquois, Avocourt, coupant l'Argonne en deux. Le souvenir demeure donc, celui des milliers de soldats tombés sur le champ de bataille lors de différents affrontements.

AVIS DE PASSAGE

Les vallonnements de l'Argonne constituent les voies de passage qui ont servi de couloirs d'invasion : défilés des Islettes, de Lachalade, de Grandpré, baptisés les « Thermopyles de France ».

circuit

77 km — une journée

Clermont-en-Argonne

Sur le flanc d'une colline boisée dont le sommet (308 m) est l'un des points culminants de l'Argonne, Clermont affiche un certain cachet au-dessus de la vallée de l'Aire. Ancienne capitale du comté du Clermontois, la ville était dominée par un château fort entouré de remparts. Elle fit successivement partie de l'empire germanique, de l'évêché de Verdun, du comté de Bar, du duché de Lorraine, avant de passer à la France en 1632. Louis XIV l'attribua au Grand Condé. Le château fut rasé après la Fronde.

Du 16e s., l'**église St-Didier** possède deux portails Renaissance. De la terrasse, derrière l'église, vue sur l'Argonne et la forêt de Hesse. *(Visite sur demande préalable. ☎ 03 29 87 41 20.)*

La **chapelle Ste-Anne** abrite une Mise au tombeau du 16e s., composée de six statues dont le groupe des trois Marie, de pierre peinte. *Accès par le chemin qui passe à droite de l'église. (S'adresser à l'Office de tourisme. ☎ 03 29 88 42 22.)*

Quitter Clermont-en-Argonne par la D 998, en direction de Neuvilly-en-Argonne. À Neuvilly, prendre la D 946. Sur la droite, à Boureuilles, la D 212 conduit à Vauquois. À l'entrée de Vauquois, prendre à gauche le chemin goudronné d'accès à la butte. Laisser la voiture et gravir le sentier qui conduit au sommet de la butte.

Les voûtes du transept et du chœur de l'église St-Didier, de style gothique flamboyant, sont particulièrement ouvragées. Remarquez également les vitraux modernes et un « miroir de la Mort », bas-relief du 15e s.

VUE

Suivre une allée conduisant à l'extrémité du promontoire : vue sur la forêt d'Argonne et la vallée de l'Aire *(table d'orientation).*

Butte de Vauquois

Les belligérants de la Première Guerre mondiale se disputèrent cette butte. Pour en témoigner, un monument marque l'emplacement de l'ancien village détruit. Un petit chemin, suivant la ligne de crêtes d'où vous verrez la forêt de Hesse, la butte de Montfaucon et la vallée de l'Aire, domine plusieurs cratères de mine profonds de 30 m. Le terrain est bouleversé aux alentours et l'on peut encore y voir les restes de barbelés et de chevaux de frise.

Rejoindre la D 38 qui mène à Varennes-en-Argonne.

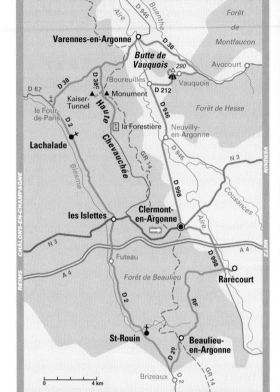

RENDEZ-VOUS
Chaque année, vers la mi-(septembre, un important pèlerinage est organisé à l'ermitage de St-Rouin.

Varennes-en-Argonne

Louis XVI et sa famille connurent l'humiliation de leur vie, en s'y faisant arrêter lors de leur fuite à l'étranger. Aucun doute, cet événement historique rendit célèbre cette petite ville qui, le reste du temps, respire tranquillement sur les bords de l'Aire.

Musée d'Argonne — Dans un bâtiment moderne, le musée comprend, sur deux niveaux, une exposition Louis XVI présentant des documents relatifs au roi et à son arrestation, une galerie consacrée aux arts et traditions de l'Argonne (céramique sigillée de l'Argonne, faïences des Islette et de Waly), une salle groupant des souvenirs de la guerre de 1914-1918 (combats souterrains de l'Argonne et intervention américaine). *Juil.-août : 10h30-12h, 14h30-18h ; mai-juin : 15h-18h ; avr. et de sept. à mi-oct. : w.-end et j. fériés 15h-18h. Fermé mi-oct. à Pâques. 21F.* ☎ *03 29 80 71 01 ou* ☎ *03 29 80 71 14.*

Mémorial de Pennsylvanie — Grandiose monument aux morts américains commémorant les combats de 1918. Jolie vue sur l'Aire et sa campagne, au Nord.

Poursuivre par la D 38, puis tourner à gauche dans la route de la Haute-Chevauchée.

Haute-Chevauchée

C'est un des hauts lieux de la guerre 1914-1918. De violents combats s'y déroulèrent. Aujourd'hui, agréable promenade dans la forêt, cette route mène au « **Kaisertunnel** » et au cimetière militaire de la Forestière. Dans les sous-bois, de part et d'autre de la route, des tranchées et des boyaux sont encore visibles. *De juil. à fin août : visite guidée (3/4h) w.-end et j. fériés 15h-18h. 20F.)*

Revenir à la D 38, poursuivre jusqu'à Four-de-Paris, puis prendre la D 2 vers Lachalade.

Lachalade

Le village est dominé par l'imposante silhouette d'une ancienne abbaye cistercienne. L'**église** du 14ᵉ s. ne comporte plus que deux travées, d'où ses curieuses proportions ; les trois premières ont été détruites lors d'un incendie au début du 17ᵉ s.

Continuer vers les Islettes.

> **OUVREZ LES YEUX**
> Sur la façade Ouest, la rose flamboyante provient de l'abbaye Ste-Vanne de Verdun.

Les Islettes

Ce fut un bourg très actif connu pour ses tuileries, verreries et surtout faïenceries.

La D 2 traverse Futeau et entre dans la forêt de Beaulieu.

Ermitage de St-Rouin

Saint Roding (ou Rouin) était un moine irlandais du 7ᵉ s. Retiré en Argonne, il fonda un monastère auquel succéda l'abbaye de Beaulieu. Dans un beau site forestier a été aménagée une « cathédrale de verdure ». Un bâtiment solitaire, l'abri des pèlerins, accueille le visiteur, puis, sous la voûte des arbres apparaît une chapelle moderne en béton conçue par le R.-P. Rayssiguier, disciple dominicain de Le Corbusier. Les vitraux multicolores ont été créés par une jeune artiste japonaise.

L'ermitage de St-Rouin, perdu au milieu de ce beau site forestier, fait l'objet d'un pèlerinage vers la mi-septembre.

Poursuivre sur la D 2, puis tourner à gauche vers Beaulieu-en-Argonne.

Beaulieu-en-Argonne

Ancien siège d'une importante abbaye bénédictine, ce village très fleuri s'allonge sur une butte d'où vous aurez de belles vues sur le massif forestier. De l'ancienne abbaye subsistent quelques murs et surtout un **pressoir**★ du 13ᵉ s. tout en chêne (la vis est en charme) dans lequel les moines pouvaient presser 3 000 kg de raisin donnant 1 600 l de jus. *De mars à fin nov. : 9h-18h.*

De Beaulieu-en-Argonne prendre la route forestière qui longe le bâtiment du pressoir (sur la gauche), poursuivre jusqu'au carrefour des 3-Pins ; continuer tout droit, puis prendre à droite la direction de Rarécourt.

Rarécourt

Sur la route à droite après le pont sur l'Aire. Dans une maison forte du 17ᵉ s., le **musée de la Faïence** présente plus de 800 pièces de faïences et terres cuites régionales (Islettes, Lavoye, Waly, Rarécourt...) des 18ᵉ et 19ᵉ s. ♿ *De fin juin à fin août : 10h30-12h, 14h-18h30. 25F.*

Rejoindre Clermont-en-Argonne par la D 998.

Basilique d'**Avioth** ★★

Il faut vraiment faire le détour. Apparition insolite et tout à fait inattendue, dans un tout petit village, près de la frontière belge, d'une magnifique basilique gothique. Un monument unique l'accompagne, destiné à recevoir les offrandes des pèlerins, la Recevresse.

La situation

Cartes Michelin n°s 57, pli 1 ou 241 pli 15 — Meuse (55).
À l'écart des grands axes de circulation, le village est à 3 km par la D 110, de la N 43 qui relie Montmédy (5 km au Sud) à Sedan (35 km au nord). Tourné historiquement vers le duché du Luxembourg, Avioth se trouve aussi à 5 km de la frontière et à 30 km d'Arlon en Belgique.

L'emblème

La basilique est placée sous le signe du don. Les offrandes de jadis étaient déposées dans le curieux édicule de la Recevresse. C'était une « église de Répit » où l'on venait prier pour les enfants mort-nés, espérant un miracle.

Les gens

Deux anges auraient sculpté en une nuit la statue de la Vierge à l'origine de la basilique. Des bergers l'auraient trouvée, mais ce sont les très nombreux pèlerins qui affluèrent bientôt, qui ont contribué à la notoriété du lieu.

visiter

Dentelles de pierre à la Recevresse, dans le plus pur style gothique flamboyant.

RESTITUTION
Des travaux ont fait apparaître sur la clôture et les voûtes du chœur des peintures et des fresques des 14e et 15e s.

C'est la découverte de la statue d'une Vierge miraculeuse, objet d'un pèlerinage dès le début du 12e s., qui a entraîné la construction de la basilique en pierre dorée à partir de la 2e moitié du 13e s. Elle s'est poursuivie jusqu'au début du 15e s. dans le style gothique flamboyant.

L'extérieur — Le **portail Ouest** a de belles proportions avec ses voussures ornées de 70 figures. Au-dessus du portail, près du gâble, une scène du Jugement dernier : parmi les statues placées dans les contreforts, des anges sonnent les trompettes. Le **portail Sud** est consacré à la Vierge et à l'enfance du Christ. On reconnaît le style champenois dans les soubassements ornés de draperies sculptées. La **Recevresse★**, élégant petit édifice flamboyant, est à gauche du portail Sud, attenant à la porte du cimetière.

L'intérieur — Très lumineux, il suit la disposition champenoise. Il comporte une coursière (très exceptionnelle dans la région) et un déambulatoire sur lequel donnent des chapelles peu profondes établies entre les contreforts.

La basilique a conservé plusieurs œuvres d'art d'une veine populaire savoureuse. Dans le **chœur**, maître-autel décoré des symboles des quatre évangélistes. À gauche de l'autel, posée sur un trône de pierre du 15e s. et tout de blanc vêtue, **N.-D. d'Avioth**, sculptée dans du tilleul vers 1100. Tout autour, 14 statues polychromes adossées en hauteur aux piliers du sanctuaire forment une curieuse cour silencieuse à la Vierge miraculeuse. À droite de l'autel, le tabernacle gothique du 15e s. possède un pinacle qui touche presque le sommet de l'arcade dans laquelle il s'inscrit. La gracieuse chaire de 1538, en pierre finement sculptée d'un décor Renaissance, porte aussi des traces de polychromie ; son panneau central représente le Couronnement de la Vierge. Tout à côté, l'Ecce Homo est flanqué d'un Pilate en costume de cour du St-Empire.

Baccarat

Le nom est connu dans le monde entier, c'est même presque devenu un nom commun, on dit avoir un « baccarat » chez soi. Mais qu'est-ce qui distingue le cristal éclatant, du verre commun ? Au départ, pas grand-chose si ce n'est l'adjonction d'oxyde de plomb, qui donne un poids parfois inattendu aux pièces. Puis, tout est confié aux mains expertes des maîtres verriers et des maîtres tailleurs, qui garantissent la qualité de cette industrie de luxe.

La situation
Cartes Michelin n°s 62 pli 7 ou 242 pli 22 — Meurthe-et-Moselle (54). Bâtie de part et d'autre de la Meurthe, la ville se situe à mi-chemin (60 km) entre Nancy et Gérardmer, sur la N 59. Les installations de la cristallerie couvrent plus de 10 ha, sur l'une des rives de la rivière. Deneuvre domine la ville au Sud, depuis un éperon rocheux.

🖥 *Pl. du Gén.-Leclerc, 54120 Baccarat,* ☎ *03 83 75 13 37.*

Le nom
Le nom de Baccarat est apparu en 1292, pour désigner la ville, mais il désigne maintenant cette luxueuse matière, d'une grande pureté qui s'est imposée sur les tables les plus prestigieuses.

Les gens
5 015 Bachamois. 38 tailleurs ou graveurs hautement qualifiés de la cristallerie de Baccarat, ont été reconnus « meilleurs ouvriers de France ».

> **PIÈCES MONUMENTALES**
> Baccarat est la seule cristallerie au monde capable de fabriquer des pièces de taille exceptionnelle. Elle a fourni autrefois au tsar Nicolas II un candélabre de 3,85 m de hauteur et a produit des meubles de cristal qui sont autant d'objets de collection.

LA CRISTALLERIE
Louis XV autorisa en 1764, Mgr de Montmorency-Laval, évêque de Metz, à créer la verrerie Ste-Anne à Baccarat. Transformée en cristallerie en 1817, elle servit les Grands de ce monde au 19ᵉ s. et s'assura ainsi une grande prospérité. La cité ouvrière, quant à elle, comprenait plusieurs bâtiments tout près de la cristallerie, pour que les verriers accourent dans la « halle » dès que la cloche sonnait pour annoncer la fusion du cristal. La cristallerie est aujourd'hui à la pointe de la technique (four à bassin qui affine le mélange en fusion continue).

visiter

Musée du Cristal
Avr.-oct. : 9h30-12h30, 14h-18h30 ; nov.-mars : 10h-12h, 14h-18h. Fermé 1ᵉʳ janv. et 25 déc. 15F. ☎ *03 83 76 61 37.*

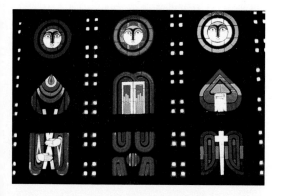

À Baccarat, même les vitraux de l'église se doivent d'être en cristal.

carnet pratique

Où se restaurer

• À bon compte

Le Wagon du Pré Fleury – *54129 Magnières - 15 km à l'O de Baccarat, dir. Bayon par D 22 - ☎ 03 83 72 32 58 - fermé 10 janv. au 7 fév., dim. soir et lun. - 85/170F. Cadre insolite pour ce restaurant installé dans... un ancien wagon SNCF et sa gare ! Tenu par un ancien dessinateur industriel et bourrelier, il est agréablement aménagé dans un style un peu rétro. Cuisine régionale. Autour : pêche, balades en draisines (vélos sur rails)...*

L'Écurie – *54120 Bertrichamps - 5 km à l'E de Baccarat, dir. Raon-l'Étape, puis rte secondaire - ☎ 03 83 71 43 14 - fermé fév., dim. soir et lun. - 95/235F. Un petit coin de verdure pour s'attabler simplement : au bout d'une impasse, dans une zone pavillonnaire, ce restaurant au décor campagnard installe ses tables dehors aux beaux jours... Au menu, charcuteries maison et cuisine régionale.*

Cristal... et verre

Cristal de Baccarat – Chaque article fabriqué à Baccarat reçoit une marque spécifique qui n'est disponible que chez certains dépositaires. Magasins de vente au détail et galeries d'exposition : *2 r. des Cristalleries, ☎ 03 83 76 60 01 ; 30 r. de Paradis, 75010 Paris, ☎ 01 47 70 64 30.*

Mosaïque de verre – *96 rte du Gén-Leclerc, 54122 Azerailles - ☎ 03 83 75 32 52 - mar.-dim. 10h-19h. Gratuit. Atelier d'art de tableaux et verrières.*

Distractions

Draisine – Pour parcourir la vallée de la Mortagne tout en pédalant sur une ancienne voie de chemin de fer, à partir de Magnières (13 km à l'Ouest de Baccarat). *Départ de l'ancienne gare SNCF, ☎ 03 83 72 34 73.*

Fraispertuis City – *Fraispertuis, 88700 Jeanménil - 20 km au S. de Baccarat par D 935, D 435 et D 32, ☎ 03 29 65 27 06. Juin : tlj 10h-18h ; juil.-août : tlj 10h-18h30 ; avr. : ouv. pdt les vacances scolaires ; mai et sept. : dim. et jours fériés.* Parc de loisirs sur le thème du Far West où une vingtaine d'attractions (train de la mine d'or, la rivière d'aventure, Buffalo tir...) font la joie des petits et des grands... Surtout des petits, il faut le reconnaître. Restauration sur place.

Cette aiguière rappelle la visite en 1828 de Charles X en Lorraine et marque le début d'un grand engouement pour le cristal de Baccarat.

Ce musée présente des pièces anciennes et contemporaines, dans le petit château qui était autrefois la demeure du fondateur de la « verrerie Ste-Anne ». Collection importante de presse-papiers (sulfures millefiori). La dernière salle montre les différentes techniques de fabrication : outillage, travail à chaud, taille, gravure, dorure.

Église St-Remy

Cette église moderne (1957) surprend par son clocher dressé en pyramide à 55 m de haut. Immense bas-relief en béton brut de décoffrage éclairé de **vitraux★** ayant pour thème « la création du monde ». Le tabernacle et les fonts baptismaux symétriques par rapport au chœur sont éclairés de verrières représentant les douze apôtres.

alentours

Deneuvre

Village ancien où subsiste une église du 18e s. qui abrite un orgue remarquable de 1704. Des fouilles effectuées de 1974 à 1986 ont mis à jour un sanctuaire gallo-romain du milieu du 2e s., dédié à Hercule et restitué aujourd'hui dans un musée.

Les sources d'Hercule —   ⟫ *Mai-oct. : 10h-12h, 14h-18h ; nov.-avr. : w.-end et vac. scol. 14h-17h. Fermé 1er janv. et 25 déc. 20F. ☎ 03 83 75 22 82.*
◄ Toutes les informations sur le mythe d'Hercule, les états antérieurs du sanctuaire et la découverte du site, enfin, des cartes, plans et maquettes pour expliquer l'histoire de Deneuvre sont ici rassemblées. Reconstitution du lieu d'ablution.

Fontenoy-la-Joute

6 km à l'Ouest. Dans ce village lorrain tout en longueur, des anciennes fermes ont été transformées pour former le village du livre. On y trouve ainsi une quinzaine de bouquinistes, un relieur d'art et une maison de l'Imprimerie et du papier. Un grand marché a lieu chaque dernier dimanche du mois, d'avril à septembre.

Le miracle d'Hercule

Trois bassins permettaient aux fidèles de puiser l'eau pour des ablutions. Les dévots ayant obtenu ce qu'ils souhaitaient, offraient un ex-voto, le plus souvent des stèles ou des autels qui formèrent au cours des siècles un cercle autour des sources. La représentation d'Hercule y figure souvent.

Bains-les-Bains ⚲

Station thermale spécialiste de l'anti-stress où forêts, verdure et air pur contribuent au bien-être des curistes venus soigner leur hypertension artérielle et autres maladies cardiovasculaires. Ce sont, bien sûr, les Romains qui ont découvert, comme toutes les autres sources de la région, ces eaux miraculeuses. Les chanoinesses de Remiremont ont ensuite mis la main sur l'exploitation avant que les révolutionnaires ne confisquent les thermes pour les revendre quelques années plus tard.

La situation

Cartes Michelin n°s 62 pli 15 ou 242 pli 34 — Vosges (88). Au croisement des D 434 et D 164, à 38 km au Sud-Est de Contrexéville. Le grand parc thermal se prolonge graduellement par la forêt vosgienne. Depuis la construction de la déviation automobile contournant la ville, le promeneur y trouve une grande quiétude.

🖪 *Pl. du Bain-Romain, 88240 Bains-les-Bains,* ☎ *03 29 36 31 75.*

Le nom

Dans l'Antiquité, l'endroit s'appelait *Balneum*, on voit bien pourquoi... Une stèle romaine placée aujourd'hui à la buvette du Bain de la Promenade représente un buste de femme qui tient un récipient.

Les gens

1 466 Balnéens. En 1864, Napoléon III déclare les eaux de Bains d'intérêt public. Mlles Ivroy de Plombières, qui fournissaient l'impératrice Eugénie en broderies au tambour, ouvrent une succursale à Bains-les-Bains. La fortune de la station était assurée.

séjourner

Les eaux débitées par onze sources, à une température variant de 25 à 51°, sont indiquées dans le traitement des affections rhumatismales, des maladies cardio-artérielles, et des séquelles de traumatismes ostéo-articulaires. Elles alimentent deux établissements.

carnet pratique

OÙ DORMIR

● *À bon compte*

Chambre d'hôte Les Grands Prés – *88240 La Chapelle-aux-Bois - 3,5 km au SE de Bains-les-Bains, dir. St-Loup et rte secondaire -* ☎ *03 29 36 31 00 -* 🖃 *- 3 ch. : 170/230F - repas 80F.* En pleine campagne, cette grosse maison du 19e s. est tenue par un ancien agriculteur qui voulait changer de vie... C'est chose faite, puisqu'il reçoit maintenant des hôtes dans ses chambres ou ses gîtes et à sa table, autour des légumes du jardin et parfois de ses volailles...

THERMALISME

Thermes de Bains-les-Bains – *1 av. du Dr-Mathieu -* ☎ *03 29 36 32 04.*

ACHATS, VISITE TECHNIQUE

Fabrique de couverts-CAD – *7 r.des Rochottes, 88260 Darney -* ☎ *03 29 09 30 02 - lun.-ven. 9h.-12h, 13h30-17h ; sam. 14h-18h.* Cet orfèvre est installé à Darney depuis 1862. Spécialisé dans les couverts de table, il produit des articles de qualité avec une finition proche de l'artisanat d'art. Si vous n'êtes pas né avec une petite cuillère en argent dans la bouche, jetez donc un œil au magasin d'usine.

Sylvie Girardet – *56 r. de la République, 88260 Darney -* ☎ *03 29 09 41 16 - lun.-ven. à partir de 9h.* Créatrice de lingerie fine, Sylvie Girardet perpétue depuis sept ans une industrie régionale disparue. Du déshabillé au caraco, en soie, lin ou dentelle de Calais, cet artisan réalise les collections des plus grands couturiers... et vend aussi sur place.

Confiserie Delisvosges – *20 r. des Fabriques, 88260 Darney -* ☎ *03 29 09 82 40 - mar.-sam. 10h-12h, 14h-18h ; visite fabrication : 14h30-17h30.* Après avoir pris connaissance de l'histoire du sucre et de ses transformations, vous pourrez assister à la fabrication artisanale des bonbons des Vosges et surtout achever votre visite par une dégustation.

Le bain romain

Reconstruit en 1845, il occupe l'emplacement des sources captées par les Romains. Situé au cœur de la ville piétonnière, il est éclairé à l'intérieur par une verrière. Trois piscines en pierre sont entourées de deux niveaux de colonnades superposés.

Le bain de la Promenade

Il a été complété en 1880 par un hôtel et son casino, puis a connu de profondes transformations en 1928 qui en font un bel édifice Arts déco. Il accueille la buvette des Thermes et se trouve doté aujourd'hui d'installations ultra-confortables.

Un décor à l'antique où sacrifier au rite bienfaisant de l'immersion dans les piscines du bain romain.

circuit

FORÊT DE DARNEY

74 km — 3h. Le massif forestier de Darney totalise environ 15 000 ha dont la moitié pour la seule forêt domaniale de Darney. Bien que le hêtre soit aujourd'hui devenu dominant dans les peuplements, ce massif prestigieux continue à fournir des chênes de fortes dimensions d'une exceptionnelle qualité.

◀ *Quitter Bains-les-Bains par la D 164. De Vioménil par la D 40^D, rejoindre la D 460 que l'on suit à droite, passer le carrefour de la D 3 et continuer à suivre la D 460 jusqu'au virage précédant le Void-d'Escles. Dans ce coude, prendre à droite un chemin forestier suivant la vallée du Madon qui, au bout de 2 km, passe à proximité du vallon Druidique où se trouve le Cuveau des Fées.*

HAUTS FAITS
Face au village de Grandrupt-de-Bains *(sur la D 40 vers Vioménil),* un monument, en bordure de la route, rappelle le sacrifice de 117 maquisards morts en déportation.

Cuveau des Fées

🚶 *1h1/2 à pied AR. Laisser la voiture au départ du sentier grimpant, en 100 m, à la nouvelle chapelle St-Martin et à la grotte voisine du même nom, dont la visite est dangereuse.*
De là, un autre sentier, escaladant sous bois le versant gauche du vallon, aboutit au Cuveau des Fées, extraordinaire roche plate creusée de main d'homme en forme de bassin octogonal de plus de 2 m de diamètre.

FRISSON
Malgré son nom, le socle central du Cuveau des fées, aujourd'hui arasé, aurait servi de pierre à sacrifice aux anciens druides.

Darney

La particularité de ce village est d'avoir été le siège, le 30 juin 1918, de la proclamation par le président Poincaré de l'indépendance de la Tchécoslovaquie, au nom des Alliés. Un petit **Musée tchécoslovaque** est installé dans l'ancien hôtel de ville, surnommé le château. *Juil.-août : tlj sf dim. et mar. 10h-12h, 14h-18h ; sept.-juin : visite guidée (3/4h) sur demande préalable (3 j. av.). Fermé j. fériés. Gratuit. Mairie.* ☎ 03 29 09 33 45.
Poursuivre par la D 164 et prendre à droite la D 5.

La route traverse Attigny, puis serpente dans la vallée boisée de la Saône. Le parcours est très agréable.

À Claudon, tourner à gauche dans la D 5 E qui mène à Droiteval.

Droiteval

Il y avait là, en 1128, une abbaye de cisterciennes dont subsiste encore l'église.

Dans Droiteval, prendre à droite, à hauteur d'une belle propriété fleurie, admirablement située à l'extrémité d'un petit étang encadré par la forêt. Continuer par une petite route étroite et pittoresque, qui longe l'Ourche. Après la maison forestière de Senenne, le chemin tourne à gauche, puis à droite, et continue sur La Hutte et Thiétry pour atteindre Hennezel.

Hennezel

Petite localité au milieu de la forêt, où l'on dénombrait autrefois 19 verreries fondées au 15e s. par des verriers de Bohême et aujourd'hui disparues.

À 1,5 km au sud d'Hennezel, juste avant le hameau de Clairey, le petit **musée de la Résidence** rassemble divers souvenirs sur les anciens métiers de la forêt et les réseaux de résistance locale. *(De mai à fin sept. : 14h30-18h30. 15F. ☎ 03 29 07 00 80.)*

Revenir à Bains-les-Bains par la D 164.

Ballon d'Alsace ★★★

Le massif du Ballon d'Alsace constitue l'extrémité Sud de la chaîne des Vosges. On y rencontre de belles forêts de sapins et d'épicéas, de charmants sous-bois, des fonds de ravins très frais et, sur les hauteurs, de grands pâturages, émaillés de fleurs alpestres. Du point culminant (1 250 m), le panorama est superbe ; par temps favorable, les Alpes sont visibles.

La situation

Cartes Michelin n°s 66 ou 242 plis 35, 39 — Territoire de Belfort (90). Attention, le brouillard est fréquent et peut limiter l'intérêt du coup d'œil.

Le nom

Le terme « ballon » qui désigne les sommets si caractéristiques des Vosges du Sud, serait dérivé du nom du dieu Bel auquel les Celtes vouaient un culte.

Les gens

Les contrebandiers qui fréquentaient jadis les lieux ont laissé la place aux randonneurs qui viennent profiter des magnifiques paysages.

carnet pratique

OÙ DORMIR

● *À bon compte*

Grand Hôtel du Sommet – *Au sommet du Ballon d'Alsace - 90200 Lepuix-Gy -* ☎ *03 84 29 30 60 -* 🅿 *- 25 ch. : 240F -* 🛏 *30F - restaurant 85/130F.* Se réveiller sur les hauteurs... au grand air, entouré de prairies et de vaches, avec vue sur la vallée de Belfort voire, par beau temps, sur les Alpes suisses. Repos assuré dans ces chambres simples mais confortables. Restauration classique.

● *Valeur sûre*

Chambre d'hôte Le Lodge de Monthury – *70440 Servance - 4,5 km de Servance par D 263 -* ☎ *03 84 20 48 55 - fermé Noël et j. de l'An - 6 ch. : 305/340F - repas 110F.* Face au Ballon de Servance, cette ferme du 18e s., isolée dans la forêt au-dessus de la vallée de l'Ognon, permet une immersion totale dans la nature. Chambres au confort simple. Repas avec produits du terroir. Parcours de pêche sur 7 ha d'étangs privés.

OÙ SKIER

Le Ballon d'Alsace offre, pendant l'hiver, une gamme de sports de glisse tout à fait respectable. Fier de ses 15 pistes de descente, il reste avant tout un site de ski de fond : 6 pistes, 40 km. Se renseigner à l'**école de ski**, *chalet de l'ESF à la Gentiane -* ☎ *03 84 29 06 65.*

Le Ballon d'Alsace (1 250 m) est le sommet important le plus méridional des Vosges. Il domine les derniers contreforts de la chaîne.

itinéraire

À SAVOIR
La route du col du Ballon d'Alsace, la plus ancienne du massif, a été construite sous le règne de Louis XV.

1 LE MASSIF★★

◄ *Au départ de St-Maurice-sur-Moselle — 38 km — environ 2h — Schéma p. 122*

St-Maurice-sur-Moselle

À proximité des stations de ski du Rouge Gazon et du Ballon d'Alsace, c'est le point de départ pour des excursions au Ballon de Servance et dans la vallée des Charbonniers.

Au cours de la montée au col du Ballon, la D 465 offre de jolies vues sur la vallée de la Moselle, puis pénètre dans une superbe forêt de sapins et de hêtres.

Plain du Canon

🚶 *1/4h à pied par un sentier qui part de la D 465, en direction de la maison forestière. Descendre directement devant la maison, puis prendre le sentier qui monte en lacet à gauche.* Le nom de ce lieu-dit est dû à un petit canon dont se servait le garde-forestier pour provoquer un écho. Jolie vue sur le vallon boisé de la Presles, dominé par le Ballon d'Alsace. On reconnaît aussi le Ballon de Servance. Après le lieu dit **La Jumenterie** qui perpétue le souvenir d'un établissement fondé en 1619 par les ducs de Lorraine pour l'élevage des chevaux, très belle vue à droite sur la vallée de la Moselle et sur le Ballon de Servance.

On atteint la région des hauts pâturages.

Monument à la mémoire des démineurs

Élevé en mémoire du dévouement et souvent du sacrifice de ceux qui ont accompli cette tâche éminemment périlleuse.

Col du Ballon

À l'extrémité du parking, un monument rappelle l'exploit sportif du coureur cycliste René Pottier. Belle vue sur le sommet du Ballon d'Alsace, et plus à droite, sur la trouée de Belfort, où brillent des étangs, et le Jura du Nord.

Ballon d'Alsace★★★

🚶 *1/2h à pied AR.* Le sentier d'accès s'amorce sur la D 465, devant la ferme-restaurant du Ballon d'Alsace. Il se dirige à travers les pâturages, vers la statue de la Vierge : avant le retour de l'Alsace à la France, cette statue se trouvait exactement sur la frontière. Du balcon d'orientation, le **panorama**★★ s'étend au Nord jusqu'au Donon, à l'Est sur la plaine d'Alsace et la Forêt-Noire, au Sud jusqu'au Mont Blanc.

La descente vers le lac d'Alfeld est très belle. Elle permet de découvrir en avant le Grand Ballon, point culminant des Vosges (1424 m), puis la **vallée de la Doller**, le Jura et les Alpes. Après un parcours en forêt, le lac apparaît au fond d'un cirque d'origine glaciaire.

La Doller, rivière du massif vosgien, baigne les abords de Lauw et de son campanile.

Lac d'Alfeld★

Ce beau lac de 10 ha et d'une profondeur de 22 m, est un très joli plan d'eau réservé à la pêche, et entouré de hauteurs boisées où perce parfois la roche. Le barrage, un ouvrage de 337 m qui retient ses eaux, s'appuie sur une moraine laissée par les anciens glaciers.

Lac de Sewen

Petit lac peu à peu envahi par la tourbe. On trouve sur ses bords des plantes alpestres et nordiques.

En aval, la D 466 longe la Doller qui coule entre de hautes pentes de prairies très vertes, coupées de bois de sapins et de hêtres.

La vallée est dominée par l'église romane de **Kirchberg** perchée sur une moraine, et à l'entrée de **Niederbruck**, à gauche, par une statue de la Vierge à l'Enfant due au sculpteur Antoine Bourdelle.

Masevaux *(voir p. 359)*

Sentheim

En face de l'église, la **maison de la Géologie** présente une belle collection de roches, de fossiles et de minéraux. &. *de mars à fin déc. : tlj sf ven. et sam. 9h-13h, 14h-18h, dim. 14h-18h (juil.-août : tlj 9h-13h, 14h-18h, dim. 14h-18h). 10F.* ☎ *03 89 82 55 55.*

Cette plongée dans la géologie peut être complétée par le **sentier géologique de Wolfloch** *(sur la D 466 en direction du Ballon d'Alsace, tourner à droite après l'église.* 🚶 *5 km, 12 sites balisés — environ 2h. Rejoindre le départ du sentier en suivant le fléchage. Partir ensuite à gauche du panneau de présentation et suivre le balisage représentant un fossile).* Le sentier longe les champs et franchit ensuite la « grande faille vosgienne ». Il permet de survoler ainsi, la géologie des Vosges depuis l'ère primaire jusqu'à nos jours.

> **PRATIQUE**
> Pour suivre le sentier géologique, une brochure est disponible à la maison de la Géologie.

Parc naturel régional des
Ballons des Vosges★★

Montagnes douces, air pur et horizon bleuté, c'est la diversité des paysages, qui fait la renommée du Parc naturel régional des Ballons des Vosges : pâturages d'altitude (hautes chaumes sur les Ballons), plateau des Mille-Étangs, tourbières, cirques glaciaires, lacs, rivières et collines couvertes de résineux, tout contribue à l'appellation « ligne bleue des Vosges ». Ici vivent des chamois, des lynx, des écrevisses, des truites, des tritons, et poussent des lys martagon, des gentianes jaunes, des myrtilles... Vous l'aurez compris, les possibilités de découvertes et de plaisir y sont infinies.

La situation

Cartes Michelin n°s 62 plis 17 et 18, 66 plis 7, 8 et 9 ou 242 plis 27, 31, 34, 35, 38 et 39 — Haut-Rhin (68), Vosges (88), Haute-Saône (70) et Territoire de Belfort (90). Toutes les informations sur le Parc et ses activités sont disponibles au siège du Parc ou dans les offices de tourisme des villes situées sur le territoire du Parc.

Le projet

Créé en 1989, le Parc naturel régional des Ballons des Vosges s'est donné trois objectifs : protéger et valoriser son patrimoine naturel, favoriser un développement économique compatible avec l'environnement et assurer la promotion du territoire.

Une succession de ballons formant une belle ligne de crête : c'est ce qu'on trouve sur le logo du Parc, mais aussi sur place.

carnet pratique

LE PARC

Siège du Parc – *1 cour de l'Abbaye, 68140 Munster -* ☎ *03 89 77 90 20.* Incontournable, il propose plus de 600 m² d'expositions permanentes ou temporaires destinées au grand public et aux enfants, tout en restant bien sûr un service d'accueil et d'information.

Maisons du Parc – Elles existent à Colmar, ☎ 03 89 20 68 92, Remiremont, ☎ 03 29 62 23 70, St-Dié, ☎ 03 29 56 17 62 et Lure, ☎ 03 84 62 80 52.

HÉBERGEMENT

La Fédération des parcs a sélectionné quelques gîtes de France, localisés de manière exceptionnelle dans de belles fermes, chalets, etc. Labellisés de nouveau sous le terme de « gîtes Panda », leur nom rappelle la participation de la WWF France au choix de ces lieux d'hébergement.

RANDONNÉES

Un calendrier intitulé *D'une saison à l'autre* est édité par le Parc. Il regroupe toutes les visites thématiques ou randonnées organisées par les diverses associations locales. Si vous préférez rester entre amis ou en famille, suivez les sentiers de découverte ou l'un des 10 circuits historiques balisés. Un petit guide payant (Maison du Parc) donne plus d'informations pour certains d'entre eux.

FENDRE L'AIR

Les plus téméraires pourront pratiquer le parapente ou l'escalade, mais on peut aussi faire du VTT. Une consigne cependant : ne pas oublier que la nature est fragile.
Une vingtaine de stations programment les sports de glisse : ski alpin, ski de fond, balades en raquettes ou luge. Certaines sont également équipées pour le ski nocturne.

Les gens

240 000 personnes habitent la zone du Parc. Après la défaite de 1871, la crête des Vosges était devenue la frontière entre la France et l'empire. Le trafic y était intense : les contrebandiers de tabac, alcool et allumettes avaient pris le contrôle de la montagne, pourchassés par les douaniers allemands et français.

circuit

④ LE VAL D'ARGENT

Circuit au départ de Ste-Marie-aux-Mines — 65 km — environ 1h1/2. Quitter Ste-Marie à l'Ouest par la N 59.

Argent, cuivre et autres métaux des Vosges ont été exploités depuis le Moyen Âge. À leur apogée aux 16e et 17e s., les mines déclinèrent au milieu du 19e s. Depuis, plusieurs sites sont protégés et réaménagés, pour un public curieux de patrimoine minier.

L'ARGENT DE LA GALÈNE
Sur le site du Chipal, des mineurs extrayaient autrefois le sulfure de plomb argentifère, communément appelé galène, pour en retirer l'argent.

Col de Ste-Marie
Alt. 772 m. Du col, belle vue d'un côté sur le vallon de la Cude, de l'autre, sur le bassin de la Liepvrette, la plaine d'Alsace et le château du Haut-Kœnigsbourg.

Roc du Haut de Faite
🚶 *1/2h à pied à partir du col de Ste-Marie. Prendre au Nord, un sentier à droite d'une pierre tombale.* Du sommet, **beau panorama** sur la crête des Vosges et les versants alsacien et lorrain.

Revenir sur la N 59. En direction de St-Dié, à 2 km de Germaingoutte, tourner à gauche et prendre la D 23.

Circuit minier de la Croix-aux-Mines
🚶 *Au lieu dit Le Chipal. 5,6 km — environ 2h3/4.* Au niveau de la chapelle du Chipal, suivez ce chemin balisé par des panneaux, cercle noir sur fond jaune avec l'emblème du sentier : un marteau et... une faucille ? non, un pic.

Poursuivre sur la D 23 et à Fraize, prendre à gauche la N 415.

Col du Bonhomme *(voir p. 265)*
Au col, prendre la D 148 à gauche.

Le Bonhomme *(voir p. 265)*

Le Brézouard★★
🚶 *3/4h à pied AR. Laissez votre véhicule sur l'aire de stationnement près du refuge des Amis de la nature.* La plus grande partie de l'excursion du Brézouard peut être effectuée

HISTOIRE
Le Brézouard et la région environnante furent de hauts lieux de la guerre 1914-1918 (tranchées et abris).

en voiture depuis le **col des Bagenelles** (4 km), d'où la vue est très belle sur la vallée de la Liepvrette. Au sommet du Brézouard, le **panorama**★★ est très étendu. Au Nord, on découvre le Champ du Feu, le Climont et au loin le Donon. Au Nord-Est, Strasbourg est visible. Au Sud, vous verrez le Hohneck et le Grand Ballon. De plus, par temps clair, le Mont Blanc se révèle dans le lointain.

Revenir vers Ste-Marie-aux-Mines par la D 48. Après quelques kilomètres dans la forêt, la route sinueuse rejoint la vallée de la Liepvrette où les vergers succèdent aux pâturages d'altitude.

Sentier patrimoine de Neuenberg
🚶 *À Échery, deux circuits sont possibles : court (2h1/2) ou long (4h).* Au cours de la promenade, on aperçoit notamment la tour des Mineurs et la maison du Receveur des dîmes caractéristique de la Renaissance avec sa tourelle, ainsi qu'une galerie de recherche de la mine Énigme.

Dans Échery, prendre à droite.

St-Pierre-sur-l'Hâte
Ce hameau joliment situé dans un espace boisé accueillait jadis un prieuré bénédictin. Il possède encore une **église** œcuménique dite « des mineurs ».

Revenir à Ste-Marie-aux-Mines par la D 48.

itinéraires

1 BALLON D'ALSACE★★ *(voir ce nom)*

2 BALLON DE SERVANCE★★
Itinéraire au départ de Servance. 20 km — environ 1h.
Situé quelques kilomètres à l'Ouest du Ballon d'Alsace, le Ballon de Servance culmine à 1 216 m et donne naissance à l'Ognon dont le cours prend un départ tumultueux

Servance
Autrefois on exploitait les carrières de syénite (belle roche rouge) dans lesquelles on tailla les colonnes de l'Opéra de Paris.
🚶 À la sortie du bourg, à droite, un sentier *(1/4h AR)* mène au **saut de l'Ognon**, cascade pittoresque, s'échappant d'une étroite gorge rocheuse.

Col des Croix
Alt. 679 m. Dominé par le fort de Château-Lambert, il marque la frontière entre Lorraine et Franche-Comté, ainsi que la limite de partage des eaux entre mer du Nord et Méditerranée.

▶ **COMMENT RECONNAÎTRE LES BALLONS ?**
Le Ballon d'Alsace est surmonté d'une Vierge et le Ballon de Servance, d'un fort militaire.

Sauvage et impétueux, l'Ognon prend son élan sur les pentes du Ballon de Servance avant un long parcours dans la plaine saônoise.

PARC NATUREL RÉGIONAL DES BALLONS DES VOSGES

ⓘ	Centre d'information	🧗	Site d'escalade
M	Musée ou exposition	🚲	Circuit VTT
◖	Circuit historique	🎿	Ski alpin
◪	Centre d'initiation à l'environnement	⛷	Ski de fond
🚶	Sentier de découverte		

0 ———— 5 km

Château-Lambert

1 km après le col des Croix, on découvre ce charmant village qui accueille le **musée de la Montagne** où il est possible de voir la maison du paysan mineur, un moulin, une forge, un pressoir du 17ᵉ s., une scierie, différents métiers de la forêt, une ancienne salle de classe... *tlj sf mar. 9h-12h, 14h-17h, dim. et j. fériés 14h-17h (avr.-sept. : fermeture à 18h). Fermé 1ᵉʳ janv., 1ᵉʳ nov., 25 déc. 20F.* ☎ *03 84 20 43 09).*

Revenir au col des Croix. Prendre à gauche la D 16, ancienne route stratégique, qui s'élève en corniche, offrant de jolies vues sur la vallée de l'Ognon avant de sinuer en forêt.

ILS SONT DE RETOUR

Le chamois a été réintroduit avec succès en 1956 et des castors sont revenus dans la vallée de la Doller. Quant au grand tétras et au faucon pèlerin, ces rapaces sont désormais protégés.

Panorama du Ballon de Servance★★

🚶 *Laisser la voiture au départ de la route militaire (interdite) du fort de Servance et prendre, à droite, le sentier jalonné qui conduit (1/4h à pied AR) au sommet du Ballon (alt. 1 216 m).* On découvre un magnifique panorama : à l'Ouest, sur la vallée de l'Ognon, le plateau glaciaire d'Esmoulières, semé d'étangs, et le plateau de Langres ; au Nord-Ouest, les monts Faucilles ; plus à droite, la vallée de la Moselle ; au Nord-Est, du Hohneck au Gresson en passant par le Grand Ballon, très lointain, se silhouette la chaîne des Vosges ; à l'Est s'arrondit la croupe, toute proche, du Ballon d'Alsace ; au Sud-Est et au Sud, vue sur les contreforts vosgiens.

③ VALLÉE DES CHARBONNIERS

Itinéraire de 12 km au départ de St-Maurice-sur-Moselle — environ 1/2h.

St-Maurice-sur-Moselle *(voir p. 118)*

À l'Est de St-Maurice-sur-Moselle, prendre la route qui longe le ruisseau des Charbonniers.

Les habitants de cette vallée descendraient d'une colonie suédoise et allemande embauchée au 18ᵉ s. par les ducs de Lorraine pour l'exploitation de la forêt et le charbonnage.

Au village des Charbonniers, tourner à gauche vers la tête du Rouge Gazon. Vues en direction du Ballon de Servance.

Bar-le-Duc ★

Alfred Hitchcock exigeait de la confiture de Bar-le-Duc pour chacun des ses petits-déjeuners. Pourquoi ? Parce que ici, chaque groseille est épépinée à la plume d'oie. C'est la première bonne raison de visiter Bar-le-Duc. La ville haute, sur son promontoire, est tout en pierre blonde. Les façades du quartier aristocratique décorées de statues, de colonnes, de trophées, de gargouilles (16ᵉ-18ᵉ s.) en sont une autre. Les quelques chefs-d'œuvre de l'église St-Étienne, dont le fameux Transi de Ligier Richier, méritent, eux aussi, votre attention.

La situation

Cartes Michelin nᵒˢ 62 pli 1 ou 241 pli 31 — Meuse (55).
Bar-le-Duc est situé à mi-chemin entre Paris et Strasbourg, sortie 30 (Verdun) de l'A 4. Prendre ensuite la N 35. La ville se trouve à 40 km vers le Sud.
🛈 *5 r. Jeanne-d'Arc, 55000 Bar-le-Duc,* ☎ *03 29 79 11 13.*

Le nom

D'origine mérovingienne, Bar a été, dès 954, la capitale d'un comté qui a failli prendre l'avantage sur le duché de Lorraine. En 1354, ses comtes doivent reconnaître la suzeraineté française. Ils prennent le titre de duc et font de leur ville la capitale du Barrois. Maintenant on dit, « Bar ».

La rue des Ducs-de-Bar au cachet historique, entre la tour de l'Horloge et l'église St-Étienne.

carnet pratique

GOURMANDISE
Ets Dutriez **« À la Lorraine »** – *35 r. de l'Étoile* - ☎ *03 29 79 06 81.* La confiture de groseilles épépinées à la plume d'oie est considérée comme un produit de grand luxe depuis 1344. Introduite à la cour de Versailles avec le plus grand succès, Victor Hugo et Alfred Hitchcock apprécièrent aussi cette douceur.

TOURISME INDUSTRIEL
Bergère de France – *55020 Bar-le-Duc Cedex* - ☎ *03 29 79 01 01.* Visite de la filature.

Les gens

17 545 Barisiens. Parmi eux, des gens qui s'adonnent à un travail extrêmement minutieux : l'épépinage des groseilles, petits fruits qui serviront à la fabrication des fameuses confitures de Bar-le-Duc.

se promener

LA VILLE HAUTE

Ce bel ensemble architectural des 16e, 17e et 18e s. était le quartier aristocratique de Bar. Derrière les façades ornées des hôtels, les demeures se prolongent souvent en logis seigneurial, cour et autre bâtiment pour les serviteurs.

> **ILS SONT NÉS ICI**
> Maréchal Oudinot (1767-1845), 18 r. Oudinot ; Maréchal Exelmans (1775-1852), 39 r. Bar-la-Ville ; Raymond Poincaré (1860-1934), 35 r. du Dr-Nève. Cet ancien président de la République repose au cimetière voisin de Nubécourt.

Le cours de l'Ornain où se reflète le vieux quartier de la ville mérovingienne.

Place St-Pierre

Jolie place dominée par l'élégante façade de l'église St-Étienne et bordée de maisons de différentes époques. Au **n° 25**, une maison médiévale, à colombage, avec son étage en encorbellement. Au **n° 21**, l'hôtel de Florainville, l'actuel palais de justice avec une façade Renaissance de style alsacien (la ferronnerie est du 18e s.). Enfin au **n° 29**, la façade du début du 17e s. est ornée d'un décor très classique : colonnes, fenêtres et frontons à volutes.

Église St-Étienne

Juil.-août : visite guidée 10h-19h, dim. 14h-19h ; mai-juin et sept. : 10h-12h, 14h-18h ; oct.-avr. : sur demande auprès de l'Office de tourisme.
C'est une ancienne collégiale gothique de la fin du 14e s. dont la façade est en partie Renaissance. Elle renferme, dans le croisillon droit, la fameuse sculpture de Ligier Richier, le **Transi** ★★.
Autre œuvre du sculpteur, le **Calvaire** représentant le Christ et les deux larrons se dresse derrière le maître-autel. Dans le transept gauche, la **statue de N.-D.-du-Guet** (14e s.) est vénérée par les Barisiens. En face, tableau anonyme montrant une **crucifixion** où Jérusalem est remplacée par la ville haute de Bar (vue de l'ancien château) au 17e s.

> **LÉGENDE DU GUET**
> On raconte que lors du siège de 1440, les ennemis du siège entendirent crier la statue de la Vierge située sur l'une des portes de la ville : « Au guet, au guet, la ville est prise. » Un soldat furieux jeta une pierre sur la statue qui l'attrapa, tandis que le soldat tombait raide mort.

Place de la Halle

À travers la porte cochère du **n° 3** (façade de style baroque malheureusement endommagée), on aperçoit les vestiges des arcades murées des anciennes halles construites au 13ᵉ s. et incendiées en 1788.

Continuer tout droite par la rue Chavée, puis tourner à droite.

Belvédère des Grangettes

Vue splendide sur la ville basse, depuis les quartiers industriels de Marbot jusqu'aux coteaux qui courent le long de l'Ornain.

Revenir à la rue Chavée et prendre à droite la rue de l'Armurier et enfin à gauche la rue de l'Horloge.

La **tour de l'Horloge** est un vestige de l'ancien château ducal. Le cadran a été restauré en 1994, à l'identique de celui du 14ᵉ s.

Par la rue de l'Horloge, à gauche, on gagne l'avenue du Château que l'on prend à gauche. Au passage, profiter de la vue plongeante depuis la terrasse de l'Esplanade du château sur la porte romane et les vestiges de fortification (sur la gauche avant la rue Gilles-de-Trèves).

Collège Gilles-de-Trèves

◄ Il a été fondé en 1571 par Gilles de Trèves, doyen de la collégiale St-Maxe. Il voulait donner à Bar un collège d'enseignement supérieur pour éviter aux jeunes nobles de s'expatrier vers des universités où soufflaient de plus en plus l'esprit de la Réforme. Il paya lui-même la construction.
Dans la cour, les balustrades de pierre au dessin complexe pourraient être d'origine flamande.

Poursuivre par la rue du Baile.

> **DEVISE**
> C'est celle qu'on peut lire sur le porche voûté du collège : « Que cette demeure reste debout jusqu'à ce que la fourmi ait bu les flots de la mer et que la tortue ait fait le tour du globe. » Elle n'est pas près de s'écrouler !

Rue des Ducs-de-Bar

Ancienne « Grande Rue » de la ville haute, c'est un ensemble homogène de belles façades. Au **n° 41**, deux frises ornées d'attributs militaires du 16ᵉ s. Au **n° 47**, l'une des rares maisons à avoir conservé ses gargouilles ; Bernanos y a écrit *Sous le soleil de Satan*. Au **n° 53**, la porte d'entrée est encadrée d'une arcade à décor sculpté. Au **n° 73**, la façade est décorée de ravissantes appliques représentant, entre autres, des instruments de musique.
Au **n° 75**, un pressoir du 15ᵉ s. est installé dans une grange au fond de la cour ; la masse de bois devait être manœuvrée par 5 ou 6 hommes. Enfin, la façade de l'hôtel de Salm barre le fond de la rue.

LA VILLE BASSE

Château de Marbeaumont

Ancienne propriété des banquiers Varin-Bernier, cet exubérant château du début du 20ᵉ s. (1901-1903) servit de QG au général Pétain au cours de la Première Guerre mondiale. Il se trouve au cœur d'un grand parc équipé d'installations sportives et d'un camping.

Au coin de la rue du Bourg et de la rue Maginot, un monument représente un enfant et une bicyclette. Il rend hommage au Barisien Pierre Michaux et à son fils Ernest, inventeurs du vélocipède à pédales en mars 1861.

Rue du Bourg

◄ Le bourg dans la ville basse était le quartier commerçant de Bar. Sa grande rue fut à partir du 16ᵉ s. l'une des plus élégantes de Bar-le-Duc, comme en témoignent les riches façades que vous pouvez y admirer (**n°ˢ 42**, **46**, **49** et **51**).
La Maison des Deux-Barbeaux, au **n° 26**, (1618) présente des fenêtres décorées de bustes de femmes et de sirènes.

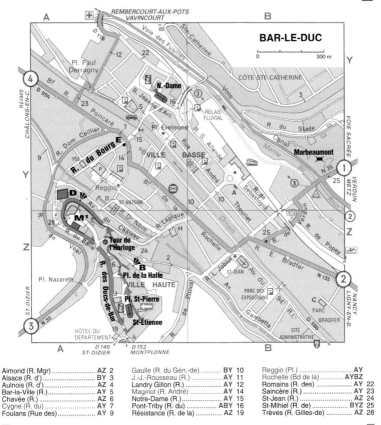

visiter

Musée barrois

Tlj sf mar. 14h-18h, w.-end et j. fériés 15h-18h. Fermé 1ᵉʳ janv., 1ᵉʳ mai, 14 juil., 15 août, 1ᵉʳ nov., 25 déc. 12F. ☎ 03 29 76 14 67.

Dans les beaux bâtiments de l'ancienne cour des comptes (1523) et du château neuf (1567), le musée présente une riche collection archéologique depuis l'âge du bronze jusqu'à la période mérovingienne : statue gallo-romaine de la déesse mère de Naix-aux-Forges, stèle de l'oculiste de Montiers-sur-Saulx, parures mérovingiennes découvertes dans la nécropole de Gondrecourt.

Vous pourrez voir aussi diverses peintures françaises et flamandes (Heindrick de Clerck, David II Teniers, Jan Steen), des armes et armures des 16ᵉ et 17ᵉ s., une salle d'ethnographie et d'autres d'histoire locale.

> **DANS LA CHAMBRE DU TRÉSOR**
> Contenant initialement des chartes, la collection de sculptures lorraines a remplacé le « trésor » de cette salle historique. Sous les ogives sont exposées des œuvres du Moyen Âge ou de la Renaissance (Pierre de Milan, Gérard Richier).

Église Notre-Dame

Tlj sf dim. ap.-midi.

Église romane à l'origine, elle a été restaurée après un incendie au 17ᵉ s. (son clocher est du 18ᵉ s.). Dans la nef, Christ en croix de Ligier Richier. Dans la chapelle du transept Sud, un bas-relief de la fin du 15ᵉ s. représente l'Immaculée Conception : au-dessous du Père Éternel, la Vierge en prière est entourée des emblèmes-symboles de sa pureté.

alentours

Rembercourt-aux-Pots

18 km. Quitter Bar par le Nord (D 116), en direction de Vavincourt. Belle église du 15ᵉ s., dont la magnifique façade★, allie le style gothique flamboyant à celui de la Renaissance. Éléments décoratifs où les niches en coquille se mêlent aux sujets païens de la frise Renaissance. Ses deux tours sont inachevées.

Bitche

Il faut oublier l'image de ville de garnison, les mauvais souvenirs de 1940, la vie militaire en général. Reste, admirable pour son architecture, la citadelle de Vauban, en grès rose, posée sur un énorme socle rocheux, autour duquel la ville s'est construite. Aujourd'hui, Bitche a changé de vocation et de visage. Maintenant, c'est le tourisme vert qui est valorisé, avec un jardin de sculptures expérimental dans le parc municipal, un golf dans un paysage magnifique, un village de vacances au bord d'un étang.

La situation

Cartes Michelin nᵒˢ 57 pli 18 ou 242 pli 11 — Moselle (57). Bitche est cernée de forêts magnifiques, à 21 km de la frontière allemande. Les voies de circulation les plus importantes sont la D 35ᴬ en direction de l'Allemagne et à l'Ouest la N 62 qui conduit à Sarreguemines. Dans la direction opposée (Strasbourg à environ 80 km), Haguenau se trouve à 50 km par la N 62.

🛈 *Hôtel de ville, 31 r. du Mar.-Foch, 57230 Bitche,* ☎ *03 87 06 16 16.*

Le nom

La ville est une création urbaine relativement récente, autour de la construction de la citadelle au 17ᵉ s., mais le fief a appartenu à la famille lorraine Deux-Ponts-Bitche. D'où son nom.

Les gens

5 517 Bitchois. Le général Michel Bizot (1795-1855) est né à Bitche. Il est mort dans les rangs franco-britanniques à la bataille de Sébastopol alors que Tolstoï témoignait dans le même temps du courage des russes à défendre leur ville.

> **OÙ SE RESTAURER**
> **Auberge du Lac -**
> *2 km au SE de Bitche, à l'étang de Hasselfurth -* ☎ *03 87 96 27 27 -* *fermé fév., mar. soir et mer. - 115/295F.* Au bord de l'étang de Hasselfurth, cette maison avec ses airs de chalet n'est pas très facile à trouver... Pourtant, une fois que vous y serez, vous pourrez vous attabler tranquillement dans un cadre nature pour un repas autour de la cuisine régionale simple... Terrasse.

Les remparts de la citadelle, imposante sentinelle de pierre sur le passage des Vosges.

visiter

Citadelle★

De mars à mi-nov. : visite (avec casque infrarouge, 2h) 10h-17h (juil.-août : 10h-18h). 38F (enf. : 23F). ☎ 03 87 06 16 16.

Bâtie par Vauban vers 1680, elle a été démantelée, puis reconstruite de 1741 à 1754 pour devenir la place forte victorieuse des Prussiens en 1793 et résistante en 1870. En grès rouge, elle est impressionnante bien que sa structure souterraine reste invisible de l'extérieur. Elle pouvait abriter une garnison de près de 1 000 hommes. Perdez-vous dans le dédale des galeries (cuisines, hôpital, corps de garde principal, dortoir des officiers) et des casemates et revivez le siège de 1870 grâce à des projections audiovisuelles et à des effets olfactifs. Tous aux abris !

▶

> **DEPUIS LA CITADELLE**
> Après avoir gravi la rampe et être passé sous la porte monumentale, on atteint le tertre central d'où la vue est circulaire : la ville de Bitche qui suit les contours naturels de la citadelle, à l'Ouest, cloches cuirassées du Simserhof (Ligne Maginot), environs boisés.

alentours

Reyersviller

5 km à l'Ouest par la N 62. Après le village, sur la droite de la route, le **Chêne des Suédois**, impressionnant par son âge (400 ans) et sa taille, aurait servi de potence aux Suédois pour pendre les paysans du village disparu de Kirscheid pendant la guerre de Trente Ans. Brrr...

Le Simserhof★ *(voir Ligne Maginot)*

Ossuaire de Schorbach

6 km au Nord-Ouest par les D 962 et D 162B à gauche.
Près de l'église reconstruite en 1774 et dédiée à St-Remi, un petit bâtiment percé d'arcatures romanes s'ouvre sur un ossuaire né de l'exiguïté du cimetière.

Volmunster

11 km au Nord-Ouest par les D 35^A^ et D 34. L'**église St-Pierre**, détruite lors de la dernière guerre a été reconstruite en 1957. Une mosaïque de 70 m² représentant saint Pierre en marin-pêcheur figure au « tympan » du portail.

Saint Pierre, sur l'église de Volmunster.

Bourbonne-les-Bains ♨♨

À en croire les panneaux à l'entrée et à la sortie de la ville, celui qui arrive avec des béquilles repart sautillant comme la gazelle au vent léger, grâce à la vertu des eaux chaudes de Bourbonne. Ça vaut le coup d'essayer, vous ne risquez qu'une petite entorse à votre budget vacances.

La situation

Cartes Michelin n°s 62 plis 13, 14 ou 242 pli 33 — Haute-Marne (52). L'église au sommet d'une butte, l'établissement thermal au bas ; entre les deux, à mi-pente, la Grande-Rue commerçante. 🛈 *Pl. des Bains, 52400 Bourbonne-les-Bains,* ☎ *03 25 90 01 71.*

Le nom

Bourbonne dérive étymologiquement de *Borvo*, dieu gaulois. Les gallo-romains s'adressaient au dieu bouillonnant des eaux thermales, connu non seulement à Bourbonne, mais aussi à Bourbon-Lancy, Bourbon-l'Archambault, en espérant qu'il les guérisse...

Les gens

2 764 Bourbonnais. L'établissement thermal a reçu du beau monde : Auguste Renoir, Paul Guth, Raimu, Claude Autant-Lara, ainsi que Michel Platini qui se libéra de ses béquilles à la fin de la cure.

Panneau d'entrée de la ville.

carnet pratique

OÙ DORMIR ET SE RESTAURER

● À bon compte

Chambre d'hôte Ferme Adrien – *Rte du Val-de-la-Maljoie - 52400 Coiffy-le-Haut - 10 km au SO de Bourbonne-les-Bains par D 26* - ☎ *03 25 90 06 76 -* 🖃 *- 5 ch. : 220F - repas 70F.* Quel bonheur de se retrouver dans cette ferme de 1845 entourée de vallons, de prés et de forêts ! Sa cheminée monumentale dans la salle à manger, ses meubles anciens, mais aussi son petit musée paysan vous charmeront.

● Valeur sûre

Des Sources – *Pl. des Bains* - ☎ *03 25 87 86 00 - fermé 1ᵉʳ déc. au 3 avr. et mer. soir - 24 ch. : 250/300F -* 🖃 *40F - restaurant 125/200F.* Dans cet hôtel proche des thermes, tout est fait pour votre bien-être. Couleurs douces dans les chambres et dans la salle à manger ouvrant sur un patio bien aménagé. Petits plats gourmets pour égayer le quotidien des curistes.

Jeanne d'Arc – *R. Amiral-Pierre -* ☎ *03 25 90 46 00 - fermé 1ᵉʳ nov. au 14 mars -* 🅿 *- 30 ch. : 265/310F -* 🖃 *45F - restaurant 110/200F.* À deux pas des thermes, profitez du calme et de la lumière. Les chambres sont confortables, la terrasse vraiment ravissante. La piscine de plein air et le solarium ajoutent un plus à votre bien-être... Carte classique et menus élaborés avec soin.

CURE

Établissement thermal – *BP 15 -* ☎ *03 25 90 07 20.*

PARCOURS DE SANTÉ

🏃 À **Serqueux** (4 km de Bourbonne), un sentier très vallonné serpente à travers la forêt de feuillus et de sapins. Aire de pique-nique et point de vue sur la vallée de l'Apance.

séjourner

RÉVÉLONS NOS SOURCES

Trois sources chaudes coulent en permanence :
- source St-Antoine ou puisard romain, les thermes actuels,
- source Matrelle, petit temple sur la place des Thermes,
- source Patrice dans l'ancien hôpital militaire.

Quartier thermal

L'établissement thermal a été entièrement rénové en 1978 : baignoires avec hydromassages, douches, piscines de rééducation, tout y est. L'ancien hôpital militaire thermal, le premier construit en France dès 1732, abrite aujourd'hui le centre Borvo, un hôtel et un centre d'animation (conférences, spectacles, activités diverses...) surnommé le « clocheton ».

Le **parc des Thermes, le parc d'Orfeuil** forment l'écrin indispensable au repos, à la promenade et à la détente.

La Ville Haute

Elle occupe le sommet de la colline. De l'ancien château féodal du début du 16ᵉ s. subsiste la porterie qui marque l'entrée du parc du château. Installé dans les dépendances, le **musée** présente des vestiges gallo-romains et des peintures du 19ᵉ s. de René-Xavier Prinet (1861-1946), Georges Freset (1894-1975) et Horace Vernet *(Prise de Constantine)* et en été des expositions temporaires ♿ *De mai à fin oct. : mar., jeu., ven., certains dim. Fermé 1ᵉʳ mai et 14 juil. 10F.* ☎ *03 25 90 14 80.*

Le **château,** belle demeure construite à l'emplacement de l'ancien château fort a été léguée à la ville par un curiste reconnaissant, Chevandier de Valdrome. Aujourd'hui, la mairie s'y est installée. Vue agréable sur la ville basse et la profonde vallée de l'Apance. L'**église N.-D.-de-l'Assomption** du début du 13ᵉ s. abrite une belle Vierge en marbre du 14ᵉ s. pleine de grâce et de finesse.

L'**arboretum de Montmorency**, conçu à l'anglaise, compte 250 essences différentes dont 90 sortes de résineux et 95 espèces de feuillus.

alentours

Panneau de sortie de la ville.

Abbaye de Morimond

16 km au Nord-Ouest de Bourbonne-les-Bains. Cette abbaye cistercienne est la 4ᵉ fille majeure de Cîteaux, fondée en 1115. Favorisée par sa position géographique aux confins de la Champagne et de la Lorraine, elle fut la « tête de pont » du développement de l'ordre Cistercien vers les pays germaniques (213 abbayes dépendaient de Morimond au 13ᵉ s.).

Il ne reste, dans un vallon sauvage, que quelques vestiges de la porterie et la chapelle Ste-Ursule, ancienne chapelle des étrangers, remaniée au 17ᵉ s. et récemment restaurée. Aller jusqu'à l'étang, le site est chargé de mystère.

circuit

LE VIGNOBLE

27 km — 1h. Quitter Bourbonne-les-Bains au Sud-Est par la D 417.

Villars-St-Marcellin

Construit sur les coteaux de l'Apance, le village est dominé par l'**église** du 12ᵉ s., restaurée au 19ᵉ. Dans la crypte mérovingienne, sarcophage de pierre du 8ᵉ s. dit de saint Marcellin.

Prendre la petite route au Sud-Ouest pour rejoindre la D 460 à Genrupt et poursuivre jusqu'à Montcharvot. Tourner à droite dans la D 130 vers Coiffy.

Coiffy-le-Haut

Coiffy est surtout connu pour son vignoble qui produit un vin de qualité sous le nom de « vins de pays des coteaux de Coiffy ». À la fin du siècle dernier, le vignoble, constitué de cépage gamay, disparut suite au phylloxéra et au développement ferroviaire qui facilita l'arrivée des vins du Midi de la France. Sous l'impulsion d'une association, 8 ha furent replantés en 1983 avec des cépages nobles : le pinot noir et le gamay pour le vin rouge et le chardonnay, l'auxerrois et le pinot gris pour le vin blanc. Du village, beaux points de vue sur le vignoble et les vallées encaissées. Il reste quelques murailles de l'ancienne forteresse du 13ᵉ s.

> **AVIS AUX ŒNOLOGUES**
> 18 ha de vignoble !
> Ne manquez pas la dégustation dans le caveau. *Mars-oct. 14h30-18h.*
> ☎ *03 25 84 80 12.*

Coiffy-le-Bas

Le village, séparé de Coiffy-le-Haut par quelques rangées de vignes, a conservé quelques vieilles maisons dont la mairie (porte du 16ᵉ s. et échauguette).

Suivre la D 158, puis la D 26.

Parc animalier de la Bannie

De juin à mi-oct. : tlj sf ven. 14h-18h, dim. 11h30-18h30 ; mars-mai : tlj sf ven. 14h-17h, dim. 11h30-18h30 ; de mi-oct. à fin fév. : tlj sf ven., dim., j. fériés 14h-16h (fév. et oct. : fermeture à 17h). Gratuit. ☎ 03 25 90 14 77.

Dans un parc de plus de 100 ha évoluent cerfs, daims, biches, mouflons dans un milieu naturel. Nombreuses variétés d'oiseaux en volières.

Rejoindre Bourbonne par la D 158.

Bouxwiller

Réfugié au pied d'un repaire de sorcières, le Bastberg, Bouxwiller s'est fait une spécialité du bretzel, mais on y trouve aussi, bel inventaire à la Prévert, des orchidées et des fossiles étudiés par Cuvier. Le château des Lichtenberg n'a pas résisté à la Révolution, mais il reste de nombreuses maisons des 16ᵉ et 17ᵉ s., à pans de bois et torchis, qui s'imbriquent les unes dans les autres.

La situation

Cartes Michelin nᵒˢ 87 pli 13 ou 242 pli 15 — Bas-Rhin (67). Blottie au pied de l'envoûtant Bastberg, Bouxwiller se trouve à l'orée de la forêt de Hanau. 🄴 *Pays de Hanau, 68 r. du Gén.-Goureau, 67340 Ingwiller, ☎ 03 88 89 23 45.*

L'emblème

Bouxwiller est synonyme de traditions alsaciennes qui dépassent largement le cadre régional. La coiffe au grand nœud noir, portée sur les cheveux nattés et relevés, est née ici, comme certains menuets que l'on dansait encore au 19e s.

Les gens

3 693 Bouxwillerois. Après la guerre de Trente Ans, Caroline de Hesse, la Grande Landgravine, est venue s'installer à Bouxwiller. Elle a fait aménager de beaux jardins qui ont valu à Bouxwiller le surnom de « petit Versailles ». Surnom aussi ronflant qu'éphémère puisque tout disparut à la Révolution.

se promener

Circuit historique

Livret-guide à la mairie. Il parcourt les rues typiques du centre, bordées de « cours nobles » ou de maisons de style Renaissance allemande.

Hôtel de ville

C'est l'ancienne chancellerie dont le portail arrière s'orne des armoiries comtales.

Aller vers la place du Marché-aux-Grains, à droite en sortant.

Les façades à colombages de ses maisons du 17e s. sont parfois en léger encorbellement. Beau bâtiment de ◄ l'ancienne balance publique. La déclivité de la jolie place est rattrapée par des petits perrons de pierre devant chaque habitation.

Prendre la rue des Seigneurs, puis la rue de l'Église.

Église protestante

De juil. à fin août : visite sur demande préalable ven. 15h-18h, sam. 10h-12h, 15h-18h, dim. 11h-12h, 15h-18h. ☎ 03 88 70 71 05.
Elle date de 1614 et possède une **chaire★** en pierre sculptée et peintures sur bois, un orgue Silbermann et une loge seigneuriale au décor délicat de stucs.

LANGUE DE BOIS
Les pans de bois des maisons de Bouxwiller donnent des recommandations aux habitants. Ici une forme d'œil rappelle à la vigilance ; associé à un bec, il protège du mal ; ailleurs, la croix de St-André veille à la fécondité...

---

carnet pratique

FÊTES LOCALES

Plusieurs dates du calendrier, à l'occasion de l'Avent, de Ste-Lucie ou du Christkindel (fin de l'année) constituent encore de grands événements populaires, avec parades dans les rues, distribution de sucreries et petits cadeaux.

MARCHÉ

1er et 3e sam. du mois, pl. du Château : productions locales de fruits et légumes et spécialité de bretzel.

SE DIVERTIR

Le Royal Palace – *4 km à l'E de Bouxwiller - réservation : Adam Meyer, 67330 Kirrwiller,* ☎ *03 88 71 31 95.* Cabaret parisien avec revue de danseuses en strass, paillettes et « trucs en plumes ». Une soirée inattendue dans ce music-hall, le cinquième de France, qui attire de nombreux spectateurs français et des pays voisins.

VISITE DE BRASSERIE

Météor – *6 r. du Gén.-Lecocq, 67270 Hochfelden -* ☎ *03 88 71 73 73 - 14 km au Sud-Est de Bouxwiller - ouv. tout l'été à la visite et certains jours le reste de l'année.*

Bienvenue au Royal Palace

Villas isolées et poutres apparentes : un type architectural propre à la région.

visiter

Musée du Pays de Hanau
Mai-sept. : 14h-18h ; oct.-avr. : tlj sf sam. 14h-18h, dim. 14h-17h. Fermé 1er-2 janv., Ven. saint, 1er mai, 24-26 et 31 déc. 15F. ☎ 03 88 70 70 16.
Il présente un bel ensemble de **meubles polychromes**★, ▶ un intérieur paysan reconstitué, ainsi qu'une salle de séjour bourgeoise, des costumes et des objets traditionnels.

Musée judéo-alsacien
♿ *De mi-mars à mi-sept. : tlj sf lun. et sam. 9h-12h, 14h-17h, dim. et j. fériés 14h-18h. 40F (enf. : 20F). ☎ 03 88 70 97 17.*
Il occupe l'ancienne synagogue (1842), lieu de culte abandonné en 1963 et sauvé de la démolition, et retrace l'histoire et la culture des juifs d'Alsace selon un parcours aménagé de rampes et de plateaux où la scénographie est très soignée (mannequins, maquettes en céramique...).

> **FLACONS SANS IVRESSE**
> Bouxwiller avait autrefois une verrerie dans ses murs. La production était spécialisée dans la fabrication de flacons à bonbons, que vous pourrez voir au musée du Pays de Hanau.

randonnée

Sentier géologique du Bastberg
🚶 *Document disponible à la mairie, au Syndicat d'initiative ou à la maison du Pays.*
Première réalisation de ce genre en Alsace, ce sentier ▶ suit un parcours de 6 km pour mettre en évidence l'histoire géologique de l'Alsace. Il conduit au sommet du Bastberg d'où l'on domine la ville (tables d'orientation). En mai et juin, de petites orchidées, qui ne doivent surtout pas être cueillies, poussent sur ce sol calcaire. *On peut aussi accéder au sommet du Bastberg en voiture par la D 6. Depuis Bouxwiller, tourner à droite juste avant Imbsheim.*

> **DÉCRITS PAR CUVIER**
> Les nombreux fossiles que l'on trouve le long du sentier géologique contribuent à la renommée internationale du site de Bouxwiller, étudié par le grand paléontologue Georges Cuvier (1769-1832).

Briey

Ici se trouve la troisième Cité radieuse de Le Corbusier, après celles de Marseille et de Nantes. C'est dire si dans les années 1950, Briey s'était déjà tournée vers l'avenir... Aujourd'hui, retour à la nature, la nouvelle aventure moderne, avec des activités nautiques sur le plan d'eau de la Sangsue et des balades en forêt. Une pointe de nostalgie aussi, avec, à quelques kilomètres, un musée de l'Art forain et de la Musique mécanique.

OÙ SE RESTAURER
Ferme-auberge
Ste-Mathilde - *9 r. du Pâle - 54640 Tucquegnieux - 10 km au NO de Briey par D 346, D 146 puis D 145A - ☎ 03 82 21 29 04 - ouv. sam. soir et dim. midi - ⌹ - 110/140F.* Si vous le pouvez, ne manquez pas la potée lorraine de la patronne, servie un dimanche par mois en hiver. Goûtez aussi les fromages, le beurre et la crème maison... Savourez enfin cochons et volailles élevés ici et vous repartirez enchanté de cette belle ferme du 16e s.

L'ATELIER DU CORBU
André Wogenscky a travaillé avec Le Corbusier, et notamment pour le projet de Briey. Il a été l'un des premiers à laisser apparents les réseaux techniques, notion officialisée à Beaubourg. Il a également réalisé la maison de la Culture de Grenoble, théâtre en rond à scène mobile.

La situation
Cartes Michelin nos 57 pli 3 et 15 ou 242 pli 5 ou 4054 D 3 — Meurthe et Moselle (54). À 26 km au Nord-Ouest de Metz, Briey constitue le point urbain ultime de la zone qui se développe de Thionville à Metz, le long de l'Orne. Côté Nord, elle est cernée par la belle forêt de Moyeuvre.
🛈 *15 r. du Temple, 54150 Briey,* ☎ *03 82 46 33 22.*

Le nom
Briey viendrait du mot celte *briga* qui signifie forteresse. À son origine, qui remonte avant la conquête romaine, la ville occupait une butte et défendait effectivement la petite vallée du Woigot.

Les gens
4 506 Briotins dont 2 000 vivent dans les 339 logements de la Cité radieuse.

se promener

Cité radieuse
Le Corbusier et André Wogenscky choisirent le site boisé de Briey-la-Forêt pour intégrer architecture et nature. Ici, le programme destiné à environ 2 000 habitants comprend 60 logements individuels et surtout une « unité d'habitation » de 17 étages et 350 logements. On peut descendre à pied au plan d'eau, par le sentier qui se trouve à l'arrière de la Cité.

Église St-Gengoult
Une crypte romane du 11e s. située sous l'allée collatérale gauche, entre les 3e et 4e piliers a été mise au jour en 1982 mais elle a dû être recouverte. Le bâtiment visible, est plus composite, et son joli clocher date de 1743. Les fenêtres du chœur, murées, mettent en valeur le poignant **calvaire★**, groupe de six personnages de taille humaine, sculptés dans le bois vers 1530, attribué à l'école de Ligier Richier sinon au maître lui-même.

Belvédère
Sur le côté gauche de l'église, un petit jardin offre une vue dominante sur le plan d'eau de la Sangsue, créé par une retenue du Woigot. Il est le point de départ de plusieurs promenades pédestres en forêt et accueille des activités nautiques.

Conflans-en-Jarnisy
13 km au Sud-Ouest, par la N 103. Cette petite ville est située au confluent de l'Orne et de l'Yron. Un intéressant **musée de l'Art forain et de la Musique mécanique** fait revivre les fêtes d'autrefois. Voir, notamment, le gigantesque orchestrion. ♿ *De mi-mars à mi-nov. : visite guidée (1h1/4) dim. et j. fériés 14h-18h. 15F.* ☎ *03 82 33 37 57.*

Automates, orgues de Barbarie, pianos mécaniques, phonographes : une collection originale pour le musée de Conflans-en-Jarnisy.

Colmar★★★

On la visite à pied et même en barque sur les canaux de la « Petite Venise » ; ses fontaines, ses cigognes, ses maisons à colombage, ses géraniums aux balcons disent tout de son appartenance à l'Alsace... Ni les guerres, ni le temps ne se lisent sur son visage. Si le patrimoine culturel est inépuisable, les plaisirs de la table le sont tout autant. Excellent point de départ pour découvrir la route des Vins, c'est aussi le lieu idéal pour mieux connaître l'Alsace gastronomique : le prochain Festiga, Festival international de la gastronomie réunissant les meilleurs talents culinaires et produits du monde, s'y tiendra en 2002.

La situation

Cartes Michelin n°s 87 pli 17 ou 242 pli 31 — Haut-Rhin (68).
Est-il besoin de situer cette ville, l'une des plus visitées d'Alsace ? Elle se trouve à mi-chemin entre Strasbourg et Bâle, reliée aux deux grandes cités par l'A 35. Nombreux parkings, au long des avenues conduisant au centre-ville. Notez bien : celui-ci est en grande partie piétonnier...

🖪 *4 r. d'Unterlinden, 68000 Colmar, ☎ 03 89 20 68 92.*

Le nom

Louis le Pieux, le premier, en 823, mentionne *Columbarium* (« le pigeonnier »), qui deviendra une étape de villégiature dans les déplacements des rois carolingiens, dont Charlemagne. Le domaine des Colombes s'est transformé en *Columbra*, puis en Colmar.

Les gens

83 816 Colmariens. Parmi eux le dessinateur Hansi, et le sculpteur Bartholdi, l'Alsacien le plus connu aux États-Unis.

> **JEAN-JACQUES WALTZ, DIT HANSI**
>
> Né à Colmar, écrivain et aquarelliste (1872-1951), Hansi avait aussi un grand talent de caricaturiste. Son crayon, vengeur à l'égard de l'occupant militaire allemand dont il appuie les allures grotesques, se fait tendre, amusé et poète devant le petit peuple alsacien, représenté, plus vrai que nature, coloré, patriote et malicieux (*L'Alsace racontée aux enfants par l'oncle Hansi, Mon village, L'Alsace heureuse*).

comprendre

Un maire pas assez noble — Colmar est en lutte ouverte contre l'évêque de Strasbourg qui aimerait bien mettre la main sur la petite ville très convoitée. Mais c'est Roesselmann, le fils d'un tanneur, qui y exerce les plus hautes responsabilités, au grand dépit des nobles de la région. En 1261, ceux-ci prêtent main-forte à l'évêque pour se débarrasser de leur ennemi commun. Roesselmann ne se résigne pas et se réfugie chez Rodolphe de Habsbourg, futur empereur, dont l'aide lui permet de réoccuper les lieux. Mais un matin, une troupe aux couleurs de Rodolphe entre dans la ville : ce sont les soldats de l'évêque déguisés. Roesselmann réussi à repousser l'ennemi, mais y laisse la vie.

La Décapole alsacienne — Au 14e s., les Habsbourg, ambitieux, voulaient soumettre l'Alsace. Colmar se dote alors d'une charte communale en 1354 et la ville entre dans la Décapole alsacienne. Cette ligue avait pour objet de défendre le patrimoine des dix villes les plus dynamiques d'Alsace. Colmar renforce sa position grâce au soutien des villes alliées et garantit la paix à sa population pendant près de deux siècles.

Une ville d'artistes — Des artistes illustres sont nés à Colmar. **Martin Schongauer** (1445-1491) y a exécuté presque toute son œuvre peinte (retables) et ses nombreuses gravures ont été admirées autant par Dürer que par les artistes vénitiens de la Renaissance. Plus tard, le célèbre sculpteur **Auguste Bartholdi** (1834-1904) a reçu plusieurs commandes de sa ville natale.

> **SANGLANT OBJET**
>
> Dès le 15e s., le tyran **Hagenbach** installé en Alsace par l'empereur germanique Sigismond, a tenté de s'imposer sans y réussir et y a laissé sa tête. Le glaive qui a décapité le tyran Hagenbach est conservé au musée d'Unterlinden.

La fontaine Schwendi de Bartholdi porte le nom de celui qui introduisit le cépage tokay en Alsace.

carnet pratique

VOIR LA VILLE AUTREMENT

Visite guidée – Des visites de la vieille ville, à 10 h, et du musée d'Unterlinden, à 11h15, sont organisées en juillet et août les mardi, jeudi et samedi et en septembre le dimanche. S'adresser à l'Office de tourisme.

Train touristique – *Départ quai de la Sinn, de Pâques à la Toussaint, 9h-18h (toutes les 1/2h – durée : 35mn).* Circuit commenté de 7 km à travers la vieille ville.

Promenade en barque – Des promenades en barque dans la Petite Venise ont lieu en saison tous les jours, embarquement près du pont St-Pierre.

Illuminations – Chaque soirée de fin de semaine en été et lors des grandes occasions au cours de l'année, les plus beaux bâtiments de la ville sont inondés de lumière par un procédé dynamique réellement spectaculaire.

OÙ DORMIR

● À bon compte

Hôtel Au Moulin – *Rte d'Herrlisheim - 68127 Ste-Croix-en-Plaine - 10 km au S de Colmar par A 35, puis D1 -* ☎ *03 89 49 31 20 - fermé 6 nov. au 31 mars -* ▣ *- 17 ch. : 240/480F -* ☕ *55F.* Perdu dans la campagne, cet ancien moulin est parfait pour ceux qui cherchent le calme et la tranquillité. Ses grandes chambres, toutes identiques, sont plutôt bien aménagées. Un petit musée d'objets anciens régionaux est installé dans un bâtiment annexe.

● Valeur sûre

Hôtel Le Colombier – *7 r. de Turenne -* ☎ *03 89 23 96 00 - 24 ch. : 440/1090F -* ☕ *60F.* Dans le vieux Colmar, cette belle maison du 15e s. marie vieilles pierres et décor contemporain : ses installations laissent apparaître des vestiges de son passé, comme le superbe escalier Renaissance. Mobilier design, tableaux modernes et chambres soignées.

Hôtel Turenne – *10 rte de Bâle -* ☎ *03 89 41 12 26 - 83 ch. : 250/400F -* ☕ *48F.* En périphérie de la vieille ville, cet hôtel est loti dans une grande maison avenante, à la façade rose et jaune. Ses chambres rénovées sont bien insonorisées et agréablement aménagées. Quelques singles, petites mais proprettes et peu chères.

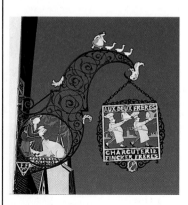

Une enseigne qui ne manque pas de charme.

OÙ SE RESTAURER

● À bon compte

Winstub La Krutenau – *1 r. de la Poissonnerie -* ☎ *03 89 41 18 80 - fermé 23 déc. au 31 janv. et dim. sf midi de Pâques à fin oct. - 35F.* Au menu de cette winstub au bord de la Lauch : promenades en barque dans la Petite Venise et tartes flambées sur la terrasse fleurie le long du canal en été... Une façon très ludique – et facultative, bien sûr – de découvrir ce ravissant quartier de Colmar... À faire !

Chez Hansi – *23 r. des Marchands -* ☎ *03 89 41 37 84 - fermé 2 janv. au 7 fév., mer. soir et jeu. - 98/260F.* L'Alsace pur jus, c'est ici ! Dans cette maison au cœur de la vieille ville, la choucroute est servie en costume traditionnel dans une salle rustique aux meubles de pays. Certains y verront un piège à touristes, les autres seront ravis d'avoir trouver cette adresse attachante.

● Valeur sûre

Enopasta Bradi – *14 r. des Serruriers -* ☎ *03 89 23 58 01 - fermé 3 sem. en nov., le soir, lun. sf du 15 juin au 15 sept. et dim. - 130/180F.* Dans cette maison du 16e s. au cœur du vieux Colmar, seule une partie de l'ancien plafond peint a été conservée... Joli détail dans ce décor moderne, où l'on déjeune autour de délicieuses pâtes maison et de savoureux plats italiens. Terrasse sur la place en été.

La Maison des Têtes – *19 r. des Têtes -* ☎ *03 89 24 43 43 - 169/350F.* À deux pas du musée d'Unterlinden, ce restaurant est incontournable ! Installé dans la célèbre maison des Têtes, sa salle à manger du 19e s. est somptueuse avec ses boiseries miel et sa cour-terrasse est formidable en été. Cuisine inspirée des saveurs d'ici. Chambres élégantes.

La Taverne Alsacienne – *99 r. de la République - 68040 Ingersheim -* ☎ *03 89 27 08 41 - 4 km au NO de Colmar par N 83 - fermé 19 juil. au 9 août, dim. soir et lun. - 100/240F.* Sur la grande avenue d'Ingersheim, cette maison 1900 est une étape gourmande de la ville. Tenue depuis 1964 par la même famille, ce sont les enfants qui sont aujourd'hui aux fourneaux et à l'accueil et la table est généreuse, savoureuse et aimablement servie...

Winstub Brenner – *1 r. de Turenne -* ☎ *03 89 41 42 33 - fermé 3 au 18 fév., 20 au 27 juin, 17 au 25 nov., Noël au Jour de l'An, mar. soir et mer. - 160/220F.* Au bord de la Lauch, dans la Petite Venise, sa terrasse est prise d'assaut aux beaux jours. Il faut dire que son emplacement est idéal et que la cuisine, certes simple, y est copieusement servie. Le tout-Colmar s'y encanaille avec un plaisir manifeste !

OÙ PRENDRE UN VERRE

Le Kikuyu – *1-3 r. Mercière -* ☎ *03 89 23 52 12 - tlj 19h-3h, sf mar. et jeu. jusqu'à 2h30.* Rêver aux îles le temps d'un verre... Un décor tropical, une ambiance torride, c'est ce qu'offre ce bar à cocktails (la carte en compte pas moins de 80) où sont organisées soirées rhum et chapeaux de paille, salsa, karaokés et concerts de rock.

Le Haricot Rouge – *6 pl. de la Cathédrale (Galerie Bartholdi)* - ☎ *03 89 41 74 13 - mar.-sam. 19h-3h.* Cet ancien relais de poste du 19ᵉ s., qui a conservé de belles peintures représentant des dieux grecs, est aujourd'hui le plus grand bar de Colmar. Les treize bières à la pression aidant, les passions s'exacerbent autour du jeu de fléchettes et du billard, effervescence qui culmine lors des soirées à thème du jeudi : karaoké, soirée antillaise ou reggae...

Country Bar – *9 rte d'Ingersheim* - ☎ *03 89 41 48 47 - tlj sf mar. 16h-3h.* Magnifique saloon avec totem, chevaux grandeur nature et peintures murales évoquant le *Old Wild West...* On s'y croirait presque, et la musique country et les bières contribuent à créer l'illusion. Bon restaurant au sous-sol. Un endroit où l'on peut venir en famille.

SPECTACLES

Soirées folkloriques – Mai-sept. mar. à 20h30, place de l'Ancienne-Douane.

Théâtres – **La Manufacture**, *6 rte d'Ingersheim,* programme de pièces modernes, de musique et de danse. **Le Théâtre Municipal,** *pl. du 18-Novembre*, propose des pièces classiques et des opéras.

VIGNOBLE

Maison des Vins d'Alsace – *12 av. de la Foire-aux-Vins, au N de la ville* - ☎ *03 89 20 16 20.* ♿ *Tlj sf w.-end 9h-12h, 14h-17h. Gratuit.* ☎ *03 89 20 16 20.*
Ce centre regroupe quatre importants organismes viticoles de la région : le Conseil interprofessionnel des vins d'Alsace, le service régional de l'Institut national des appellations d'origine, l'Association des viticulteurs d'Alsace et le Centre interprofessionnel de dégustation. Le visiteur découvrira une carte en relief de six mètres de long, avec les villages et les grands crus, une évocation du travail du vigneron à l'aide de maquettes interactives, et un audiovisuel sur le vignoble.

Caveau Robert Karcher – *11 r. de l'Ours* - ☎ *03 89 41 14 42 - tlj 8h-12h, 14h-18h.* Ce viticulteur presse ses raisins et élève ses vins en plein centre-ville, dans une cave qui date de 1602. Vous pourrez y déguster toute la production du domaine Karcher : riesling, crémant d'Alsace, et autres gewurztraminer.

SPÉCIALITÉS

Fortwenger – *32 r. des Marchands* - ☎ *03 89 41 06 93 - lun.-ven. 9h30-12h30, 13h30-19h, sam. 9h30-12h30, 13h30-18h30, dim. 10h-12h30, 13h30-18h.* Vous voilà chez le spécialiste du pain d'épice.

découvrir

MUSÉE D'UNTERLINDEN★★★

Avr.-oct. : 9h-18h ; nov.-mars : tlj sf mar. 10h-17h. Fermé 1ᵉʳ janv., 1ᵉʳ mai, 1ᵉʳ nov., 25 déc. 35F (enf. : 25F). ☎ *03 89 41 89 23.*

Le Logelbach traverse la place d'Unterlinden, autrement dit, le « canal des moulins » qui passait autrefois « sous le tilleul », peut-être contemplé par les moniales. Car le bâtiment était alors un couvent de dominicaines, fondé au 13ᵉ s. et célèbre pour son mysticisme et son austérité. Fermé à la Révolution, devenu musée en 1849, c'est aujourd'hui le plus célèbre musée de Colmar.

Le cloître★

Construit au 13ᵉ s., en grès rose. Au milieu de la galerie Ouest, une arcade plus haute et ornée surmonte la cuve de l'ancien lavabo. Puits Renaissance dans un angle.
Les salles du rez-de-chaussée autour du cloître sont consacrées à l'art rhénan : peintures et sculptures, provenant parfois d'édifices religieux de la région, bronzes, vitraux, ivoires, tapisseries, datant de la fin du Moyen Âge ou de la Renaissance. Les primitifs rhénans sont représentés par Holbein l'Ancien, Cranach l'Ancien, Gaspard Isenmann et les gravures sur cuivre de Martin Schongauer.

Le retable d'Issenheim★★★

Conservé dans la chapelle, avec des œuvres de Schongauer et de son entourage (**retable de la Passion★★** en 24 panneaux). Le retable a été exécuté vers 1500-1515

> **MODE D'EMPLOI**
> Pour mieux percevoir le côté exceptionnel du retable d'Issenheim, voir d'abord les salles 1, 3 et 4. La vue depuis la tribune aide à saisir l'organisation des multiples tableaux. Fixées au mur, des maquettes reconstituent l'ensemble du retable.

Partie centrale du retable d'Issenheim, scène de la Crucifixion et de la Mise au tombeau, entre saint Jérôme et saint Augustin.

par **Grünewald** pour l'église du couvent des Antonites d'Issenheim, ordre spécialisé dans le traitement du « mal des ardents » ou « feu de saint Antoine » (empoisonnement au seigle ergoté). Il était exposé dans l'église, ouvert de différentes façons selon les jours. Les statues du compartiment central n'étaient visibles qu'à la fête de saint Antoine.

Le réalisme des détails (carafe en verre, poignée de coffre, baquet) le dispute à l'invention, à la poésie (ange aux plumes vertes) et même à l'humour des décors et des personnages (soldat renversé, son casque sur le nez). Dans la Crucifixion, la douleur physique qui émane des mains clouées sur la croix, du corps raidi et déchiré d'égratignures est quasi insupportable.

LE MYSTÈRE GRUNEWALD

Morcelé à la Révolution, le retable n'est reconstitué qu'en 1930, le temps de retrouver l'ordre, tissé de significations cachées, de chaque panneau. Aucune certitude sur la naissance du peintre, sa vie, sa mort ni même son nom (Grünewald est employé par commodité). Mais on reconnaît de loin ses peintures, par leur style expressionniste, leurs couleurs audacieuses, l'art de leurs éclairages tour à tour crépusculaire, ardent, surnaturel, et leur mysticisme halluciné.

RECONSTITUTION
Une chambre gothique aux murs et plafond lambrissés, un salon, dit des demoiselles anglaises (18ᵉ s.), avec un magnifique plafond peint en trompe l'œil dans le goût baroque.

1ᵉʳ étage

◄ Histoire de Colmar et objets alsaciens : costumes, meubles, armes, étains, orfèvrerie, ferronnerie, porcelaines, faïences de Strasbourg (18ᵉ s.). Intérieurs reconstitués ; la cave du vigneron (pressoir à cabestan du 17ᵉ s.) est accessible depuis le cloître.

Cave du couvent

Deux nefs admirablement conservées accueillent des collections allant de la préhistoire à l'époque mérovingienne. Le sous-sol comprend aussi une salle gallo-romaine (fragments de la mosaïque de Bergheim, 3ᵉ s.) et des œuvres de peintres du 20ᵉ s. : Renoir, Rouault, Picasso, Viera Da Silva, Nicolas de Staël, Poliakoff...

COLMAR

se promener

① LA VILLE ANCIENNE★★

Circuit au départ de la place d'Unterlinden (proche de l'Office de tourisme). Suivre la rue des Clefs.

On passe devant l'hôtel de ville du 18ᵉ s., aux beaux chaînages de grès rose, qui appartenait à l'abbaye de Pairis, fondation cistercienne aujourd'hui détruite, qui se trouvait dans le Val d'Orbey.

Place Jeanne-d'Arc, tourner à droite dans la Grand'Rue.

Temple protestant St-Matthieu

De mi-juin à mi-sept. : 10h-12h, 15h-17h ; de mi-sept. à mi-juin : se renseigner. ☎ 03 89 41 44 96.

Ancienne église des Franciscains, il a retrouvé sa beauté et son harmonie premières après plusieurs années de restauration (jubé, vitraux du 14ᵉ et 15ᵉ s.).

Bref détour place du 2-Février pour voir l'**ancien hôpital** du 18ᵉ, coiffé d'une haute toiture percée de lucarnes. De retour dans la Grand'rue, on croise la très belle **maison des Arcades★** de style Renaissance flanquée aux angles de deux tourelles octogonales, puis la **fontaine Schwendi**.

On arrive sur la place de l'Ancienne-Douane.

Dépasser la **maison du Pèlerin** (1571).

Place de l'Ancienne-Douane

C'est l'une des plus pittoresques de Colmar : nombreuses maisons à pans de bois dont la **maison au Fer rouge**.

Ancienne Douane★ (ou Koifhus)

Imposant bâtiment couvert de tuiles vernissées. Au rez-de-chaussée du corps de logis principal (1480), on entreposait les marchandises soumises à l'impôt communal et à l'étage siégeaient les représentants des dix villes libres de la Décapole. Dans la partie arrière (ajoutée fin du 16ᵉ s.), la tourelle d'escalier à pans coupés coiffée d'un clocheton conduit à une jolie galerie de bois.

Continuer par la rue des Marchands.

Maison Pfister★★

Petit bijou de l'architecture locale, elle a été construite en 1537 pour un chapelier de Besançon. Façade peinte, oriel d'angle vitré au premier étage et habilement intégré à la galerie du second étage, délicatement sculptée et soutenue par de belles consoles ouvragées.

Dans cette rue, voir la **maison Schongauer** ou **de la Viole**, qui appartint à la famille de ce peintre (15ᵉ s.) et la **maison au Cygne**, où il aurait vécu ; au n° 9, un marchand sculpté dans le bois (1609).

Un passage sous arcades en face du musée Bartholdi (voir description dans « visiter ») permet de rejoindre la place de la Cathédrale.

C'est ici que s'élève la plus ancienne maison de Colmar : la **maison Adolphe** (1350), ainsi que l'**ancien corps de garde★** de la ville (1575). Il possède une magnifique loggia d'où le magistrat prêtait serment et annonçait les condamnations infamantes.

Collégiale St-Martin★

Ici, on l'appelle couramment « cathédrale ». Elle est construite en grès rouge et le portail principal est encadré de deux tours. La tour Sud porte un cadran solaire. Le **portail St-Nicolas**, signé « Maistre Humbret » est orné de la légende de saint Nicolas. À l'intérieur, mobilier de qualité (buffet d'orgues dû au facteur Silbermann 18ᵉ s.).

Quitter la place de la Cathédrale par la rue des Serruriers.

À VOIR
Dans le temple St-Matthieu, en haut du collatéral droit, le **vitrail de la Crucifixion★**, attribué à Pierre d'Andlau (15ᵉ s.).

PARIS-COLMAR
Les meilleurs marcheurs au monde se mesurent sur ce parcours mythique, long de 520 km, qui a succédé au Paris-Strasbourg. Il leur faut environ 70 heures pour rejoindre la place de l'Ancienne-Douane où les attend une grande fête populaire.

Un des plus beaux vestiges alsaciens, la maison Pfister et son unique oriel à deux étages.

À VOIR
Dans la chapelle absidiale, une **Crucifixion★** sculptée du 14ᵉ s.

Détail de la maison des Têtes, rue des Têtes, ornée de plus d'une centaine de masques.

Église des Dominicains

De fin mars à fin déc. : 10h-13h, 15h-18h, sous réserve en continu 10h-18h. 8F.

Remarquable et surprenant vaisseau élancé, aux longs ▶ piliers sans chapiteau avec des **vitraux**★ des 14e et 15e s. et un célèbre tableau de Schongauer, la **Vierge au buisson de roses**★★.

Prendre ensuite la rue des Boulangers et tourner à droite dans la rue des Têtes.

Le nom de la rue et celui de la **maison des Têtes**★, au n° 19, vient des nombreuses sculptures qui figurent en façade de cette demeure qui a pignon sur rue.

Poursuivre jusqu'à la place d'Unterlinden.

2 LA PETITE VENISE★

Au départ de la place de l'Ancienne-Douane, rejoindre la rue des Tanneurs, longée par un petit canal.

Quartier des Tanneurs

Bien que restauré dans les années 1970, il est resté typique de l'activité qui y régna jusqu'au 19e s. Les maisons à pans de bois y sont étroites et hautes, car elles comportaient un grenier pour le séchage des peaux.

Franchir le pont sur la Lauch.

On entre dans le **quartier de la Krutenau**, jadis bourg fortifié peuplé de maraîchers qui circulaient sur les cours d'eau en barques à fond plat.

Suivre, à droite, le quai de la Poissonnerie.

La rue de la Poissonnerie et ses maisons de pêcheurs aboutissent à la rue de Turenne, l'ancienne « Krutenau », jadis marché aux légumes.

Prendre la rue de la Herse, puis à droite, la ruelle conduisant à la Lauch.

Promenade aménagée le long de la berge qui mène au **pont St-Pierre**. Remarquable **point de vue**★ sur la Petite Venise et le Vieux-Colmar.

> **CES QUELQUES FLEURS**
> La Vierge au buisson de roses, œuvre majeure de Schongauer (1473), est devant le chœur. La Vierge et l'Enfant se détachent sur un fond d'or couvert de rosiers blancs et rouges, habité de toutes sortes d'oiseaux. Ce tableau admirablement conservé est d'une rare élégance.

> **PROMENADES**
> Des canaux, des barques pour se promener... Si la saison s'y prête, n'hésitez pas à tenter cette promenade sur le canal. Embarquement au bas du pont St-Pierre. *Juil.-août : promenade (1/2h) 10h-20h ; juin et sept. : 10h-12h30, 14h-18h, dim. et j. fériés 10h-18h ; avr. et mai : 10h-12h, 14h-18h, j. fériés 10h-18h. 35F (enf. : gratuit).* ☎ 03 89 41 01 94.

Aspect de la Petite Venise arrosée par la Lauch.

À droite, la rue du Manège aboutit à la place des Six-Montagnes-Noires. La **fontaine Roesselmann** de Bartholdi célèbre le héros colmarien.

À droite de la place, sur le pont, on retrouve la rivière qui baigne les vieilles maisons.

Rejoindre la rue St-Jean.

À gauche, la **maison des Chevaliers de St-Jean** évoque un palazzo vénitien. La façade ornée de deux galeries superposées datées de 1608 observe une rigoureuse symétrie. On ne serait pas étonné de voir un personnage masqué surgir d'une de ces loggias.

La place du Marché-aux-Fruits est bordée par la **maison Kern**, Renaissance, et par la jolie façade classique en grès rose du **tribunal civil★**, sur la gauche. L'Ancienne Douane est en face.

Rejoindre la place de l'Ancienne-Douane.

visiter

Musée Bartholdi

De mars à fin déc. : tlj sf mar. 10h-12h, 14h-18h (dernière entrée 17h). Fermé 1er mai, 1er nov., 25 déc. 20F. ☎ 03 89 41 90 60.

La partie basse de la maison natale du sculpteur Auguste Bartholdi (1834-1904) a été transformée en musée d'Histoire locale (archives, sceaux, gravures). Les appartements au 1er étage meublés comme au temps de l'artiste, évoquent sa vie et ses œuvres, du Lion de Belfort au Vercingétorix de Clermont-Ferrand. Le 2e étage est tout entier consacré à la célébrissime « Lady Liberty », la statue de la Liberté du port de New York. Une collection d'art juif est aussi présentée dans l'une des salles.

BARTHOLDI DANS LA RUE
Statue du général Rapp, place Rapp ; monument de l'amiral Bruat, place du Champ-de-Mars ; fontaine Roesselmann, place des Six-Montagnes-Noires ; fontaine Schwendi, place de l'Ancienne-Douane ; fontaine du Vigneron, angle des rues des Écoles et du Vigneron.

Musée animé du Jouet et des Petits Trains

🅰 ♿ Juil.-août : 10h-18h (dernière entrée 1/2h av. fermeture) ; sept. : tlj sf mar. 10h-18h ; oct.-juin : tlj sf mar. 10h-12h, 14h-18h. Fermé 1 sem. en janv., 1er janv., 1er mai, 1er nov., 25 déc. 25F. ☎ 03 89 41 93 10.

Installé dans un ancien cinéma, un coin de paradis pour petits et grands enfants : poupées, chevaux, avions, machines à coudre, sans oublier wagons et locomotives de la collection Trincot (circuit de 800 m où circulent une vingtaine de trains de marques et d'écartements variés). Amusantes vitrines animées sur le thème de la fête foraine et du cirque.

Muséum d'Histoire naturelle et d'Ethnographie

Tlj sf mar. 10h-12h, 14h-17h, dim. 14h-18h. Fermé janv.-fév., 1er mai, 1er nov., 25 déc. 20F. ☎ 03 89 23 84 15.

Mammifères, oiseaux et poissons d'Alsace naturalisés sagement rangés dans une maison du 17e s. La salle de géologie explique la diversité des paysages de la région et une collection d'égyptologie complète une section d'ethnologie et de minéralogie.

Commercy

Commercy doit une fière chandelle à Marcel Proust qui a assuré la renommée et fait passer à la postérité la fameuse madeleine. On doit le gâteau à une des soubrettes du roi de Pologne Stanislas. Elle lui sauva la face un jour où le chef cuisinier royal ayant disparu dans la nature, elle improvisa pour le roi et ses invités un dessert à base de beurre, farine et œufs, le tout parfumé avec du citron. Le roi et ses convives furent tellement contents qu'ils donnèrent au gâteau le nom de la jeune fille, Madeleine.

La situation

Cartes Michelin n°s 57 plis 12 et 13 ou 62 pli 3 ou 242 pli 17 —
Meuse (55). Commercy se trouve à environ 50 km à
l'Ouest de Nancy, en empruntant les voies express de
circulation. La ville est installée le long de la Meuse qui
coule du Sud vers le Nord.

B *Pl. Charles-de-Gaulle, 55200 Commercy,* ☎ *03 29 91 33 16.*

*Les fameuses madeleines
qui ont fait la réputation
de Commercy, souvent
imitées, rarement égalées.*

Le nom

Du commerce à Commercy ? Sans aucun doute : on
trouve aujourd'hui ses madeleines dans le monde
entier !

Les gens

6 404 Commerciens. La ville aristocratique a été largement dotée par Louis XV qui l'offrit à Stanislas, le roi de
Pologne déchu dont il épousa la fille.

visiter

Château Stanislas

Visite sur demande préalable auprès de l'Office de tourisme,
☎ *03 29 91 75 57 ; expositions dans la salle d'honneur, se*
renseigner auprès de la mairie, ☎ *03 29 91 02 18.*
Précédé d'une esplanade en fer à cheval tout à fait majestueuse, le château forme une très belle perspective en
bout de la rue Stanislas et de l'allée des Tilleuls. Elles se
poursuivent, à l'opposé, jusqu'à la forêt de Commercy.
Bâti à partir de 1708 sur les plans de Boffrand et d'Orbay
pour le prince de Vaudémont, il échut comme résidence
de chasse aux ducs de Lorraine, puis en 1744 à Stanislas
Leszczynski.

*Le château Stanislas à
l'imposant péristyle où
siège l'hôtel de ville.*

Musée de la Céramique et de l'Ivoire

De mai à fin sept. : w.-end et j. fériés 14h-18h (juil.-août : tlj
sf mar.). 20F. ☎ *03 29 92 04 77 ou 03 29 91 02 18.*
Les anciens bains-douches municipaux construits dans
les années 1930 abritent une très belle collection
d'ivoires européens et asiatiques, ainsi que des céramiques allant des porcelaines chinoises aux faïences italiennes de la Renaissance.

alentours

Euville

3 km au Sud-Est en suivant la Meuse.
Ce petit bourg fut célèbre au 19e s. pour ses carrières de
pierre qui alimentèrent d'illustres chantiers comme
l'Opéra de Paris, la gare du Nord, la Sorbonne ou le pont
Alexandre-III. Sa **mairie** reste tout un symbole. *Fermé
pour travaux.*

> **VOIR ABSOLUMENT**
> La mairie d'Euville est le
> seul édifice public
> revendiqué par l'école de
> Nancy. Construit par E.
> Gutton et E. Vallin, il est
> de pur style Art nouveau,
> élevé à la gloire des
> carrières d'Euville qui
> apportèrent la prospérité
> au village. Majorelle,
> Janin, Grüber et Brant
> ont participé à sa
> décoration.

Contrexéville⚕⚕

Si on vous dit « Contrex », vous pensez à quoi ? À une eau minérale, synonyme de régime, de minceur, de cure, de remise en forme... Contrexéville est donc une station thermale (et plus exactement hydrothermale) en concurrence, d'ailleurs, avec sa voisine Vittel (même si elles appartiennent toutes les deux au même groupe industriel...). Les minces et les moins minces profiteront de l'air pur des Vosges, des balades au milieu des étangs, des forêts et des fleurs. En cas d'excès... de dépenses, il y a toujours la possibilité de se renflouer au casino (incontournable dans le décor d'une station thermale). Le casino, contrairement à l'eau de Contrex, se consomme, lui, avec modération.

La situation

Cartes Michelin n°s 62 pli 14 ou 242 pli 29 — Vosges (88). La ville est traversée par le Vair que longe la rue de la Division-Leclerc qui coupe la ville en deux.

🛈 *Galerie du Parc, 88140 Contrexéville, ☎ 03 29 08 08 68.*

Le nom

Aujourd'hui, on dit « Contex » et non plus « Contrexéville » : incroyable, ici, même les noms maigrissent !

Les gens

Les 3 945 Contrexévillois doivent une fière chandelle au docteur Bagard, premier médecin du dernier roi de Pologne, Stanislas Leszczynski. C'est vers 1750 qu'il publia ses *Mémoires sur les eaux minérales de Contrexéville*, attestant de spectaculaires résultats sur les malades traités avec l'eau de cette source. Après que le médecin de Louis XVI eut confirmé le prodige, celui-ci ordonna la construction du premier établissement thermal, en 1774.

Ancienne affiche. Les vertus des eaux de Contrexéville valent à la station sa renommée depuis plus de deux siècles.

BONNE EAU, BEAU LINGE

À la Belle Époque, le Gotha était contrexévillois une bonne partie de l'année. Les VIP se retrouvaient ici, pensant, grâce aux vertus de l'eau miraculeuse, traiter les excès de fêtes trop arrosées (pas à la Contrex !). Le shah de Perse, le roi de Serbie, la grande-duchesse Wladimir de Russie et de nombreux diplomates y installaient leurs quartiers d'été. À l'époque on appelait cela « prendre les eaux ». Cruelle déception pour les paparazzi, la clientèle d'aujourd'hui n'est plus la même !

---

séjourner

Centre thermal

Le centre thermal actuel a été construit dans le style néo-byzantin en 1912 par l'architecte Mewes, un habitué de la station. Il a été entièrement rénové en 1995. La galerie qui longe le parc et le pavillon des Sources, où

Le Pavillon des sources, édifice circulaire d'inspiration néo-byzantine.

carnet pratique

OÙ DORMIR ET SE RESTAURER

● *Valeur sûre*

Chambre d'hôte M. Breton Benoît – *74 r. des Récollets - 88140 Bulgnéville - 7,5 km à l'O de Contrexéville par D 164 - ☎ 03 29 09 21 72 - Benoit.Breton@wanadoo.fr - fermé 15 j. en hiver -* ⌷ *- 4 ch. : 380/400F.* Cette belle maison de maître qui date de 1720 est très bien mise en valeur... Et pour cause : c'est un antiquaire qui y vit. Il accueille ses hôtes dans de superbes chambres modernes mais joliment meublées à l'ancienne, bien sûr ! Agréable jardin derrière.

Hôtel de France – *Av. du Roi-Stanislas - ☎ 03 29 05 05 05 - fermé 15 déc. au 15 janv. et dim. soir du 15 janv. au 15 mars -* ⊞ *- 31 ch. : 255/350F -* ⌷ *38F - restaurant 90/195F.* Légèrement à l'écart du centre, cet hôtel familial accueille curistes et clientèle de passage pendant toute l'année. Fonctionnelles, ses chambres aux couleurs pastel sont sobrement meublées. La cuisine est simple mais variée. Forfaits week-end et séjours diététiques.

CURE

Établissement thermal – *88140 Contrexéville -* ☎ *03 29 08 03 24.* Les eaux des cinq sources minérales naturelles jaillissant à 11° sont prescrites dans le traitement de l'obésité, des infections urinaires et biliaires, de la goutte. La saison thermale et touristique dure de fin mars à mi-octobre.

SE DIVERTIR

Tout au long de la saison : concerts, folklore et spectacles musicaux, en salle ou en plein air, concours hippique, open de tennis, feux d'artifice.

Le Chalet du Lac – *Rte des Lacs - juin-sept. : tlj 9h-22h.* Située en bordure des lacs et à proximité de la piscine, la terrasse ombragée de ce café est l'une des plus agréables de la ville.

Casino – *R. du Gén.-Hirschauer - Parc thermal - ☎ 03 29 08 01 14 - tlj à partir de 11h.* Principal centre de loisirs de la station, le casino propose de nombreuses activités : machines à sous et boule, cinéma (en saison) et night-club. On y organise des soirées (le vendredi et le samedi) et des thés dansants (le dimanche après-midi) très prisés des curistes.

---

l'eau sort des griffons, sont recouverts de mosaïques bleues et roses. Les fontaines, en lave émaillée et marbre de Carrare, ne passent pas inaperçues. Elles sont l'œuvre, parfois discutée, de N. Normier et J.-M. Hennin.

Usine d'embouteillage

Juin-août : visite guidée (1h1/2) tlj sf w.-end à 9h30, 10h30, 13h30, 14h30 (sf lun. matin à partir de mi-août) ; de sept. à déb. oct. : tlj sf w.-end et lun. matin 9h30-14h30 ; avr.-mai : tlj sf w.-end 9h30-14h30 ; de déb. oct. à fin mars : sur demande préalable. Fermé j. fériés. Gratuit. ☎ 03 29 08 80 20.

En la visitant, vous comprendrez le processus de fabrication, d'embouteillage et de conditionnement des bouteilles d'eau minérale.

Lac de la Folie

À 1,5 km au Nord-Ouest.

Le lac, de 12 ha, est situé dans les bois. Baignade interdite, mais piscine et pédalos. Chemins de randonnée autour du lac.

alentours

Bulgnéville

7,5 km à l'Ouest par la D 164. Bulgnéville est construite à ▶ la lisière de la forêt autour de quatre fontaines, dont celle des Curtilles, de 1750. De l'ancienne église, reconstruite au 18ᵉ s., subsiste une chapelle du 15ᵉ s. qui renferme une Mise au tombeau de la même époque et un magnifique haut-relief du 16ᵉ s. représentant la lignée de sainte Anne. Boiseries et chaire du 18ᵉ s.

> **PHOTO DE FAMILLE**
> Sur le haut-relief : sainte Anne, ses trois filles dont la Vierge, ses trois gendres et ses sept petits-enfants dont Jésus. Tout le monde est là ?

Route des **Crêtes** ★★★

BÊTES RARES

Il n'est pas impossible de rencontrer des troupeaux de chamois et des oiseaux rares, comme le pipit sponcielle ou le tarier des prés.

◄ 80 km enivrants de grands espaces, de liberté, dont la moitié au travers de forêts. Des cols, des ballons, des lacs, des rochers, des pâturages... presque à l'infini. À l'automne, vous vous barbouillerez de myrtilles. En été, gentianes jaunes et pensées des Vosges seront l'occasion d'une formidable leçon de botanique. En hiver, les champs de neige vous offriront des kilomètres de randonnées à skis. Et le printemps ? Ce sera l'époque où les vaches sortiront timidement de leur étable pour gagner les chaumes. La route des Crêtes, c'est un nouveau plaisir à chaque saison.

La situation

Cartes Michelin n°s 87 plis 17, 18, 19 ou 242 plis 31, 35 — Haut-Rhin (68), Vosges (88). L'itinéraire commence à 30 km à l'Ouest de Colmar et descend vers le Sud jusqu'à Thann, en passant par les hauteurs du Hohneck et du Grand Ballon. Accès au col du Bonhomme depuis Colmar par la N 415, après Kaysersberg.

Les chaumes alsaciens, domaine estival des troupeaux, sont de vastes prairies naturelles aux herbes courtes, situées au-dessus de la limite des forêts.

Le nom

Le but des généraux français de 14-18 était d'assurer, par ce tracé constamment au voisinage de la ligne des crêtes, la communication du Nord au Sud entre les différentes vallées du front des Vosges. Les canons se sont tus depuis bien longtemps ; reste un itinéraire touristique exceptionnel. Merci aux poilus.

Le symbole

Sentiers balisés, verts pâturages, fleurs sauvages, chants d'oiseaux, murmures de ruisseaux, sapins, hêtres et épicéas entremêlés... une nature émouvante et fragile à préserver avant tout.

CONSEIL

La route des Crêtes est généralement fermée entre le Hohneck et le Grand Ballon du 15 novembre au 15 mars à cause de l'enneigement. Elle se transforme alors en pistes de ski de fond. Ne tardez pas trop sur la route le 14 novembre…

itinéraire

DU COL DU BONHOMME À THANN

83 km — environ une demi-journée

Col du Bonhomme *(voir p. 265)*

Au départ du col, belles échappées à gauche sur la vallée de la Béhine dominée par la Tête des Faux et le Brézouard. Du col du Louchbach, belle vue au Sud sur la vallée de la Meurthe.

Au col du Calvaire, tourner à droite.

carnet d'adresses

OÙ SE RESTAURER

La route des Crêtes est jalonnée de fermes-auberges, où, de juin à octobre, sont servis des collations ou des repas composés de plats régionaux. Réservation conseillée les dimanches et jours de fête. Pour éviter l'affluence (et les cars de touristes) ne venez pas en plein été.

● **À bon compte**

Ferme-auberge Molkenrain – *Rte des Crêtes - 68700 Wattwiller - 4 km au S de Vieil-Armand par D 431, puis rte secondaire -* ☎ *03 89 81 17 66 - fermé 12 nov. à Pâques et lun. - réserv. obligatoire - 92F.* Dans un site fantastique, au-dessus de la route des Crêtes, cette ferme construite en 1926 domine Vieil-Armand et la plaine d'Alsace. Sur sa terrasse avec vue ou dans une salle chaleureuse, vous dégusterez plats « marcaires », à base de pommes de terre et d'oignons, et fromages d'ici.

Auberge La Chaume de Schmargult – *Rte des Crêtes - La Bresse - 88400 Gérardmer - 1 km au S du pied du Hohneck par rte secondaire -* ☎ *03 29 63 11 49 - fermé avr., nov. et mar. hors sais. - 85/120F.* Séjour nature garanti dans cette grosse maison montagnarde de La Bresse. Au programme, ski en hiver, dégustation de munster et visite de la marcairie, où se fabriquaient les fromages. Restaurant avec vue sur les pistes et chambres simples.

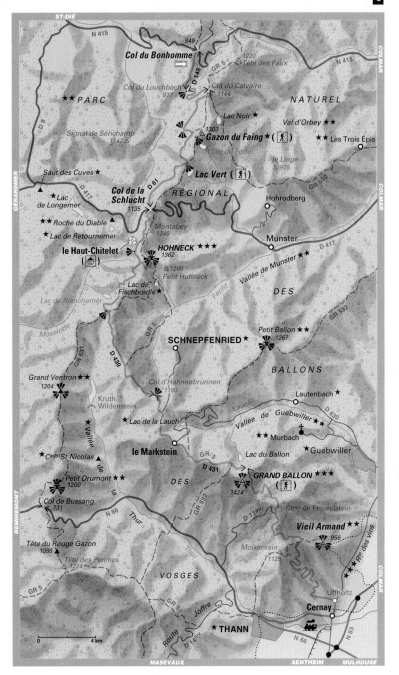

Gazon du Faing★

🚶 *3/4h à pied AR.* Monter, en passant par le sommet du Gazon du Faing (1 303 m) jusqu'à un gros rocher. De cet endroit, la vue est vraiment superbe. Au fond du cirque de Lenzwasen, le petit étang des Truites a été transformé en réservoir par un barrage. Au-delà, on distingue de gauche à droite le Linge, le Schratz-maennele, le Barrenkopf ; plus à droite, au-delà de la vallée de la Fecht, dans laquelle on devine Munster, une longue crête descend du Petit Ballon ; à droite de celui-ci, à l'horizon, la silhouette du Grand Ballon (1 424 m) ; plus à droite encore, on aperçoit le Petit Hohneck (1 288 m) et le Hohneck (1 362 m).

Lac Vert

À hauteur de la borne km 5 (5 km de la Schlucht), un sentier conduit au lac Vert, appelé également lac de Soultzeren. Des lichens en suspension donnent leur teinte aux eaux du lac, qui est donc réellement vert, comme son nom l'indique.

Col de la Schlucht

Situé à 1 135 m d'altitude, il fait communiquer la vallée de la Meurthe, qui prend sa source à 1 km de là, avec celle de la Fecht. Au croisement de la route des Crêtes et de la route de Gérardmer à Colmar, c'est l'un des passages les plus fréquentés des Vosges.

> **CHANGEMENT DE SAISON**
> En hiver, une petite station de ski fonctionne. Un télésiège monte au sommet du Montabey.

Jardin d'altitude du Haut-Chitelet

À 2 km du col de la Schlucht, vers le Markstein, sur le côté droit de la D 430. Juil.-août : 10h-18h ; juin : 10h-12h, 14h-18h ; sept. : 10h-12h, 14h-17h30. 15F, gratuit en sept. ☎ *03 29 63 31 46.*

À 1 228 m d'altitude, sur 11 ha, ce jardin d'altitude conserve une belle hêtraie et une tourbière en réserve intégrale. Des rocailles sur plus de 1 ha présentent 2 700 espèces de plantes originaires des principaux massifs montagneux du monde.

Plus loin, jolie **vue★** sur la vallée de la Vologne au fond de laquelle dorment les lacs de Longemer et de Retournemer (belvédère aménagé).

Le Grand Ballon, dont les rondeurs attirent en toute saison d'innombrables excursionnistes.

Le Hohneck★★★

Le chemin d'accès en forte montée s'embranche sur la route des Crêtes à 4 km de la Schlucht (ne pas prendre le chemin privé qui précède — à 3 km — en mauvais état).

Ce sommet, l'un des plus célèbres des Vosges, et l'un des plus élevés (1 362 m), est le point culminant de la crête qui constituait, avant la guerre de 1914-1918, la frontière franco-allemande. **Panorama★★★** exceptionnel *(table d'orientation)* sur les Vosges, du Donon au Grand Ballon, sur la plaine d'Alsace et la Forêt-Noire. Par temps clair, on aperçoit les sommets des Alpes.

La route parcourt les **chaumes**. Sur la droite, le lac de Blanchemer, dans un très beau site boisé. Plus loin, vue magnifique sur la grande vallée de la Fecht ; ensuite le lac et la vallée de la Lauch et, au loin, la plaine d'Alsace se devinent.

> **PRÉCAUTIONS**
> Attention au vent glacial dans les derniers mètres qui mènent au sommet du Hohneck.

Le Markstein

Modeste station de sports d'hiver qui a pourtant connu son heure de gloire en accueillant des épreuves de la Coupe du monde de ski alpin en 1983 et 1987.

De la route, en corniche, vues tantôt sur la vallée de la Thur et le massif du Ballon d'Alsace, tantôt sur la vallée de la Lauch et le Petit Ballon. Au fond d'un entonnoir boisé : le petit lac du Ballon.

Grand Ballon ★★★

▲ *Quitter la voiture à hauteur de l'hôtel et emprunter le sentier à gauche (1/2h à pied AR).*

Le voilà le point culminant des Vosges (1 424 m) ! le Grand Ballon ou Ballon de Guebwiller. Inutile de vous dire que le **panorama★★★** est prodigieux sur les Vosges méridionales, la Forêt-Noire et, par temps clair, le Jura et les Alpes. N'oubliez pas vos jumelles !

En descendant du Grand Ballon, on passe à côté des ruines du château de Freundstein, nid d'aigle médiéval.

Vieil-Armand★★ *(voir ce nom)*

Cernay

Ce village industriel situé au pied de Vieil-Armand conserve encore des restes de son enceinte fortifiée du Moyen Âge, dont la porte de Thann, ainsi qu'un petit **musée** sur les trois dernières guerres. *De mai à fin sept. : tlj sf lun. 14h-17h, w.-end et j. fériés 15h-18h. 25F.* ☎ *03 89 75 88 85.*

◎ De St-André, au Sud de Cernay, part le **chemin de fer à vapeur** de la vallée de la Doller, qui mène, en 14 km, à Sentheim. *(Trains à vapeur : de juin à fin sept. : dim. et j. fériés dép. à 11h et 15h30, retour à 15h et 18h30. 55F AR. Trains Diesel : de juil. à fin août : tlj sf lun. et mar. dép. à 15h, retour à 17h30. 45F AR.* ☎ *03 89 82 88 48.)*

Prendre la D 35 à l'Ouest.

Thann★ *(voir ce nom)*

Un peu en contrebas du sommet s'élève le monument des « Diables bleus », à la mémoire des bataillons de chasseurs.

Massif du **Donon** ★★

Quel que soit le côté par lequel on arrive, on reconnaît sa silhouette : un sommet à deux gradins qui marque la limite entre l'Alsace et la Lorraine. Il est la source de nombreux ruisseaux, s'attirant la jalousie, du haut de ses 1 009 m, de bien des châteaux d'eau... C'est sans doute sa situation plus près du ciel qui en a fait une montagne sacrée. Le sommet porte en effet les traces de rites religieux datant des époques celtiques et gallo-romaines. Nous sommes en plein royaume du fameux sapin des Vosges et de son cousin l'épicéa, sources d'inspiration, cette fois, pour les scieries et les maisons forestières.

Le petit temple du grand Donon.

La situation

Cartes Michelin n°s 87 plis 14, 15 ou 242 plis 23, 27 — Moselle (57), Meurthe-et-Moselle (54), Vosges (88), Bas-Rhin (67). Entre St-Dié et Saverne, marquant la limite entre l'Alsace et la Lorraine, le massif du Donon occupe la partie Sud des Vosges gréseuses.

Les gens

Le col du Donon est le carrefour d'un trafic soutenu de pèlerins, de voyageurs, puis de touristes, depuis des millénaires. Les Celtes, les premiers, y bâtirent un temple au dieu cerf. Des traces de culte gallo-romain ont aussi été découvertes. ▶

VESTIGES
Le fruit des découvertes faites sur le site du col du Donon se trouve aux musées archéologiques de Strasbourg et d'Épinal.

Le symbole

Nos ancêtres gallo-romains en avaient fait un centre non pas culturel, mais cultuel dédié probablement à Mercure. Ce qui n'était pas idiot. Comment mieux se protéger des mauvaises rencontres sur les routes qu'en honorant le dieu des Voyages !

circuits

VALLÉES DE LA SARRE ROUGE ET DE LA SARRE BLANCHE *55 km — environ 2h*

Col du Donon

🚶 *1h1/2 à pied AR environ. Vous pouvez laisser la voiture au col du Donon et prendre le sentier à droite de l'hôtel Velléda, ou bien suivre, en auto, sur 1,3 km, la route qui s'embranche à 1 km du col, à droite, sur la D 993. Dans ce cas, laisser la voiture sur le parking et continuer les 2 derniers km à pied.*

◄ Alt. 718 m. Au sommet du Donon, deux tables d'orientation et reconstitution d'un petit temple romain datant de Napoléon III. Des vestiges gallo-romains, un réémetteur de télévision, nous sommes bien sur une montagne sacrée.

Le trajet, en descendant du col du Donon, suit d'abord la belle **vallée de la Sarre rouge** ou vallée de St-Quirin, puis passe sur le plateau lorrain.

Après une légère montée, laisser à gauche la route de Cirey-sur-Vezouze. La D 145 devient D 44 à la limite départementale : on passe en Lorraine.

Aussitôt commence une très agréable descente entre les arbres vers la vallée de St-Quirin. La route, très encaissée, suit les sinuosités de la Sarre rouge, un ruisseau plutôt modeste.

LA LIGNE BLEUE DES VOSGES
Du Donon, un **panorama★★** sur la chaîne des Vosges, le plateau lorrain, la plaine d'Alsace et la Forêt-Noire.

Grand Soldat

Hameau qui vit naître Alexandre Chatrian, moitié d'Erckman-Chatrian, écrivain à 4 mains du 19ᵉ s. Émile Erckmann est lui-même natif de Phalsbourg.

Abreschviller

Un **petit train forestier** à vapeur ou Diesel conduit à Grand Soldat (6 km) à travers les richesses naturelles de la Sarre rouge. *juil.-août : à 14h45 et 16h15, dim. et j. fériés à 10h30, 14h30, 15h15, 16h, 16h50 ; mai et juin : sam. à 15h, dim. et j. fériés à 10h30, 14h30, 15h15, 16h, 16h50 ; de sept. à déb. oct. : sam. à 15h, dim. et j. fériés à 14h45 et 16h15. 50F (enf. : 35F).* ☎ 03 87 03 79 12.

3 km plus loin, tourner à gauche dans la D 96ᶠ vers St-Quirin.

Vasperviller

◄ Sur les premiers contreforts du Donon, ce village doit à l'architecte Litzenburger une remarquable petite **église** moderne, Ste-Thérèse (1968). Du sommet du campanile, accessible par un original escalier-chemin de croix de 75 marches, point de vue sur l'agglomération et le vallon que borde la route de St-Quirin.

FAMILLE
L'intérieur de l'église Ste-Thérèse est éclairé par de jolis vitraux dont l'« arbre généalogique du Christ ».

St-Quirin

La chapelle romane de St-Quirin était le but d'un pèlerinage très ancien. L'église du 18ᵉ s. est surmontée de deux tours et d'un clocheton coiffés de bulbes superposés. À l'intérieur, orgues de Silbermann (1746), rénovées.

Quitter St-Quirin par la D 96, à l'Ouest, et, 2 km plus loin, prendre à gauche la D 993.

La **vallée de la Sarre blanche**, que longe la D 993, traverse de belles forêts. Peu peuplée, seules quelques scieries ou maisons forestières en bordure de route, mais très beau paysage.

En fin de parcours, on repasse en Alsace et, laissant à gauche la route d'Abreschviller, on regagne le col du Donon.

GRAVÉS DANS LA PIERRE
Un certain nombre de soldats français et allemands sont venus mourir sur les pentes du Petit Donon en 1914. Leurs noms sont gravés sur un rocher.

VALLÉE DE LA PLAINE
60 km — 2h1/2.

◄ La descente commence à travers une magnifique futaie de sapins, puis on entrevoit, en avant et à droite, sur la vallée de la Plaine, les villages jumeaux de Raon-sur-Plaine et de Raon-lès-Leau (à l'intérieur du virage, mémorial des évadés de guerre et des passeurs).

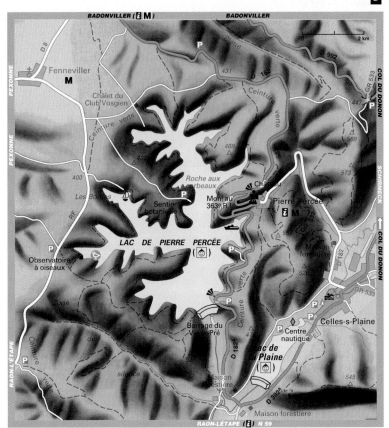

Raon-sur-Plaine

Localité située dans un beau bassin de prairies d'où l'on découvre des vues sur le Donon. Une petite route conduit en 4 km dans la montagne, à proximité d'une **voie romaine**, très bien conservée, courant sous bois sur environ 500 m.

Vallée de la Plaine ou vallée de Celles

Les maisons ont des toits rouges, les prairies sont vert tendre, les sapins vert foncé...

Lac de la Maix

1h à pied AR, en prenant à Vexaincourt, à gauche, une route forestière étroite.

Un sentier fait le tour de ce petit lac, aux eaux d'un vert profond, que domine une chapelle.

Entre Allarmont et Celles-sur-Plaine, l'ancienne **scierie de la Hallière** est le siège d'un écomusée rassemblant des équipements et des outils jadis utilisés pour le sciage *(démonstrations en été)* ou le travail du bois, roue à palmes mue par la force hydraulique. *De mai à fin oct. : dim. et j. fériés 14h-18h30 (juil.-sept. : tlj sf lun.). 15F.* ☎ 03 83 74 49 71.

À **Celles-sur-Plaine**, profitez des deux lacs pour vous ▶ accorder un peu de détente.

Le **lac de la Plaine** (36 ha) a été aménagé en base de loisirs et de plein air à vocation nautique (baignade, voile, aviron, kayak...).

Prendre la route de Badonviller (D 182ᴬ) à droite après le barrage du lac de la Plaine.

Le parcours au milieu de forêts de sapins offre de belles vues dans la première partie de la montée. La **route★** permet d'accéder au minuscule village de **Pierre-Percée**.

ART ET TRADITIONS
À la mairie de
Pierre-Percée,
exposition « Art,
artisanat et produits du
terroir lorrain ». *De fin
juin à fin août :
14h-18h30. Gratuit.*
☎ 03 83 73 04 45.

Une promenade sur le lac de Pierre-Percée offre de jolies vues sur les monts qui l'entourent.

Passant devant le monument aux morts du 363e RI dû au sculpteur Sartorio, la route grimpe au pied des ruines d'un château fort des comtes de Salm *(parc de stationnement)*, dont subsiste un donjon du 12e s. De là, **vues**★ étendues sur le lac, les collines et les forêts.

Lac de Pierre-Percée

Parc de stationnement à hauteur du barrage du Vieux-Pré. Faire quelques pas vers le belvédère où des panneaux expliquent la construction de l'ouvrage.

◙ Pour découvrir le lac, offrez-vous la promenade à bord de la **vedette Cristal**. *d'avr. à mi-sept. : dim. et j. fériés dép. à 14h, 15h, 16h, 17h (de mi-juin à déb. sept. : tlj). 40F (enf. : 15F).* ☎ *03 83 73 04 45.*

◙ Pour découvrir le milieu forestier, suivez le sentier botanique de la Roche aux Corbeaux et arrêtez-vous à l'**observatoire à oiseaux** *(accès par la ceinture verte).*

Revenir sur la D 182 pour gagner Badonviller.

Badonviller

Cette petite localité industrielle a eu le privilège d'être une des premières villes libérées par la 2e DB lors de la bataille d'Alsace déclenchée au début de novembre 1944.

Revenir au col du Donon par la D 992, puis la D 183, en passant par le col de la Chapelotte, Vexaincourt et Raon-sur-Plaine.

Écomusée d'Alsace★★

Le patrimoine rural a été repéré, minutieusement démonté, méticuleusement remonté, pièce par pièce, poutre par poutre, tuile par tuile pour échapper à la destruction. Il a été finalement sauvé par un musée de l'Alsace en plein air. La visite fait découvrir, à travers une cinquantaine de maisons rurales regroupées selon leur région d'origine, l'organisation sociale et domestique aux 19e et 20e s. Tous les sens sont sollicités : on goûte les saveurs autour du pressoir et du four à pain, on touche la chaleur moite du cheval de labour et la glaise froide du potier, on découvre les savoir-faire et les façons de vivre.

PROCHAINEMENT…
Les seules constructions que l'on aperçoive depuis la route sont les installations d'une ancienne mine de potasse, le carreau Rodolphe, contigu et prochainement intégré à l'Écomusée.

La situation

◄ *Carte Michelin n° 242 pli 35 — Haut-Rhin (68).* L'Écomusée se trouve en zone rurale. Il est desservi par l'A 35, sortie Ensisheim distante de 9 km au Nord-Est, ou bien par l'A 36, sortie Bourtzwiller, direction Guebwiller par la N 83 sortie Écomusée. La route serpente jusqu'au vaste parking, à l'entrée de l'Écomusée.

Le slogan

« Le passé, le présent : la vie ». Tout est dit.

carnet pratique

Où DORMIR

● *Valeur sûre*

Hôtel Les Loges de l'Écomusée – *À l'Écomusée* - ☎ *03 89 74 44 95* - 🅿 *- 30 ch. : 335/496F -* 🍽 *34F.* Aux portes de l'Écomusée, cette résidence hôtelière lotie dans des petites maisons d'inspiration alsacienne ne manque pas d'attrait. Conçue comme un village, ses chambres avec mezzanines ou en duplex sont modernes et simples... Studio indépendants.

Où SE RESTAURER

● *À bon compte*

La Taverne – *À l'Écomusée* - ☎ *03 89 74 44 95* - *98/198F.* Décor de vieille taverne alsacienne avec poutres et charpentes pour une cuisine revigorante à base de cochonnailles, choucroutes et autres plats régionaux typiques... Parfait pour continuer la découverte des traditions entamée à l'Écomusée, ambiance en plus !

ÉQUIPEMENT

On trouve une boutique de souvenirs, d'artisanat et de gastronomie locale, des cabines téléphoniques, une boîte aux lettres et même un distributeur de billets de banque. De plus, la boulangerie cuit un pain traditionnel au levain (four à bois).

ANIMATIONS-ÉVÉNEMENTS

Des animations varient en fonction des saisons : « grand nettoyage de printemps », « rassemblement des chevaux de trait », « distillation des plantes de la St-Jean », « battage des céréales », « cochonnailles de la St-Martin », sans parler des fêtes religieuses qui sont autant d'occasions de venir sur place.

Les gens

De nombreux bénévoles passionnés participent aux animations des ateliers qui font revivre les vieux corps de métier (forgeron, sabotier, charron, potier) et redécouvrir les techniques traditionnelles des maçons, charpentiers, artisans d'une Alsace ancestrale, mais que l'on n'oubliera pas, grâce à eux.

visiter

🔲 *La visite est conçue comme une promenade en plein air sur près de 20 ha. Chacun y consacre le temps qui lui convient, mais une demi-journée semble un temps minimum ; par ailleurs, des animations pour mieux connaître la vie en Alsace sont proposées en soirée, principalement l'été.* 🚻 *Avr.-sept. : 9h30-18h (juil.-août : 9h-19h) ; mars et oct. : 10h-17h ; nov.-fév. : 10h30-16h30. 78F (enf. : 48F).* ☎ *03 89 74 44 74.*

Du rouge, du bleu, mais aussi du jaune et du vert : décidément l'Alsace est pleine de couleurs.

Maisons alsaciennes à pans de bois

Les différences de plan, de techniques de construction, d'aménagement intérieur selon que la maison était en plaine, dans le vignoble ou en montagne, sont mises en évidence. Ces belles constructions à colombage ont pourtant en commun leur salle de séjour appelée « Stube ». La plus grande partie de la vie familiale et sociale s'y déroulait. On s'y retrouvait pour manger, recevoir le dimanche, organiser les veillées. Elle était aussi parfois la chambre à coucher du maître de maison.

> **VENU DE L'EST**
> Le poêle de faïence, placé dans la Stube, est un objet typique et imposant du mobilier alsacien. Vous en verrez plusieurs dans l'Écomusée.

Dans la région de Soufflenheim, les potiers y avaient leur atelier. Le travail de ces potiers est visible dans la maison reconstruite, près du plan d'eau.

Espace naturel

◄ Il est aussi très valorisé avec le verger-conservatoire de pommiers, un rucher, une basse-cour... En levant la tête, on voit des cigognes. On a prévu pour elles des supports de nids dont elles font le meilleur usage, constituant ainsi une petite colonie féconde.

> **AU PROGRAMME**
> Des évocations thématiques jalonnent la visite, sous forme d'expositions ou de spectacles. Exemple : autour de la coiffe alsacienne, de l'eau (scierie), du feu (atelier de charron, maréchal-ferrant), de l'école (contes)...

> **TOURNEZ MANÈGES**
> Entrez, entrez, dans le hangar proche de la halle des fêtes !
> Vous voilà dans l'univers enchanteur de l'**Eden-Palladium** ! C'est un carrousel-salon entièrement reconstitué avec ses glaces miroitantes, ses tables bistrot, la musique du limonaire et le splendide manège de chevaux frémissants. Si les enfants sont bien sûr les premiers à vouloir y monter, sachez qu'il faut d'abord prendre un ticket, et qu'au début du siècle lorsqu'elle fut créée, cette attraction était destinée aux adultes.

Eguisheim ★

Inoubliable l'arôme des deux grands crus d'Eguisheim. Inoubliable également la forme de ce village. ◄ Tout rond, entouré de vignes. Il y a matière à une leçon de géométrie à Eguisheim. Le village s'est développé en cercles concentriques à partir du château octogonal du 13e s. Si les trois fameuses tours, qui servaient de cadran solaire aux travailleurs de la plaine, sont définitivement en ruine, les ruelles et les vieilles maisons de la ville semblent n'avoir pas vu passer les quatre derniers siècles. En faisant abstraction des tenues vestimentaires des touristes qui ne s'accordent pas du tout avec le décor, vous pourrez remonter le temps et la Grand'Rue, tel un villageois de la Renaissance.

> **ROUTE DES VINS**
> Eguisheim compte 300 ha de vignobles cultivés et deux grands crus l'eichberg et le pfersigberg.

La situation

Cartes Michelin n°^{os} 87 Est du pli 17 ou 242 pli 31 — Schéma p. 387 — Haut-Rhin (68). À 7 km au Sud de Colmar, 41 km au Nord de Mulhouse. Accès par la N 83 ou la E 225-A 35 Colmar-Mulhouse.
🚩 *22ᴬ Grand'Rue, 68420 Eguisheim,* ☎ *03 89 23 40 33.*

Le nom

Ce sont les comtes d'Eguisheim, qui, au 13e s., ont fait construire le château qui a pris le nom des comtes, juste retour des choses. À court d'imagination, la ville a pris le nom du château.

Les gens

1 530 Eguishiens. Et parmi eux, un pape ! Bruno d'Eguisheim est né ici en 1002. Il fut plus connu sous le nom de Léon IX, le « pape voyageur ».

Natif d'Eguisheim, Léon IX, unique pape alsacien de l'histoire.

se promener

Grand'Rue

◄ Maisons anciennes à grands portails armoriés et datés, ainsi que deux jolies fontaines Renaissance.

> **À VOIR**
> Le sentier viticole avec visites guidées et dégustation (1h environ). Fête des vignerons le 4e week-end d'août.

Circuit des remparts ★

Suivre le circuit fléché pour emprunter l'ancien chemin de ronde. Les rues étroites et pavées sont bordées de vieilles maisons très riches architecturalement (balcons, oriels, pans de bois, pignons pointus).

carnet d'adresses

OÙ DORMIR

● *Valeur sûre*

Hostellerie du Château – *2 r. du Château -* ☎ *03 89 23 72 00 - fermé 9 janv. au 12 fév. - 12 ch. : 410/780F -* 🍴 *55F.* Sur la place du village, cette maison ancienne a été entièrement rénovée par le patron qui est architecte. Son décor moderne ne manque pas de style : les chambres sont agréables et claires et leurs salles de bains à l'ancienne sont vraiment chouettes...

OÙ SE RESTAURER

● *Valeur sûre*

Le Caveau d'Eguisheim – *3 pl. du Château-St-Léon -* ☎ *03 89 41 08 89 - fermé 9 janv. au 12 fév., jeu. midi du 11 nov. au 14 juil. et mer. - réserv. conseillée - 175/370F.*

Ici, dans cette jolie maison typique de la place du village, on ne boit que des vins de la région... Et comme ils accompagnent fort bien la cuisine inventive du jeune chef, qui mêle plats régionaux et saveurs actuelles, on s'y attable avec plaisir !

Grangelière – *59 r. du Rempart-Sud -* ☎ *03 89 23 00 30 - fermé fév. et jeu. hors sais. - 130/390F.* Près des remparts, cette maison alsacienne est un peu en dehors du circuit touristique. Mais vous ne regretterez pas d'avoir fait le détour : le chef, qui a roulé sa bosse dans les grandes maisons, prépare une cuisine au goût du jour fort séduisante.

VISITE DE CAVE

Charles Baur – *29 Grand'Rue -* ☎ *03 89 41 32 49.*

Église

À l'intérieur de l'église moderne, à droite en entrant, une chapelle s'ouvre sous le clocher. Au tympan (12e s.) de l'ancien portail, un Christ entre saint Pierre et saint Paul ; le linteau représente la parabole des Vierges sages et des Vierges folles. De superbes vitraux modernes représentent des scènes de la vie de Léon IX. Bel orgue Callinet du 19e s.

L'originalité d'Eguisheim réside dans le tracé concentrique de ses vieilles rues pavées.

circuit

ROUTE DES CINQ CHÂTEAUX★
20 km — plus 1h3/4 à pied AR environ

Gagner Husseren (voir p. 390) par la D 14. À la sortie du bourg, emprunter, à droite, la route forestière « des Cinq Châteaux ». À 1 km, laisser la voiture (parc de stationnement) et atteindre les « trois châteaux » d'Eguisheim à pied (5 mn de montée).

Donjons d'Eguisheim

Weckmund, Wahlenbourg, Dagsbourg, tels sont les noms de ces trois donjons de grès rouge, carrés, massifs, qui s'élèvent sur le sommet de la colline. Après l'extinction de la famille des Eguisheim, les trois châteaux devinrent, en 1230, la propriété des évêques de Strasbourg.

Ayant repris la voiture, poursuivre la route des Cinq Châteaux.

Ne pas se priver de très beaux points de vue tout au long du parcours.

HISTOIRE

Les donjons appartenaient à la puissante famille d'Eguisheim. Ils furent brûlés à la suite de la guerre dite « des Six Oboles », conflit ayant opposé les bourgeois de Mulhouse à la noblesse des environs.

Château de Hohlandsbourg

D'avr. au 11 nov. : visite guidée (3/4h) sam. 14h-18h, dim. et j. fériés 11h-18h (de juil. à déb. sept. : tlj 10h-19h). 25F. ☎ 03 89 30 10 23.

NID D'AIGLE
Du château de Hohlandsbourg, vue magnifique sur le donjon de Pflixbourg et le sommet du Hohneck à l'Ouest, le Haut-Kœnigsbourg au Nord, sur Colmar et la plaine d'Alsace à l'Est.

◄ Sur la gauche, à 6 km environ des donjons d'Eguisheim, se dresse l'imposant château de Hohlandsbourg, jadis chef-lieu d'une seigneurie des Habsbourg, construit à partir de 1279. Acquis en 1563 et modernisé par Lazare de Schwendi, conseiller de l'empereur Maximilien II, il fut détruit pendant la guerre de Trente Ans. Il a été restauré au 16e s. et adapté à l'artillerie, ce qui explique la présence de nombreuses bouches à feu.

Donjon de Pflixbourg

🏃 *Accessible par un sentier situé 2 km plus loin, sur la gauche.* La famille des Ribeaupierre reçut en fief au 15e s. cette forteresse qui était l'ancienne résidence du représentant de l'empereur en Alsace. Une citerne voûtée jouxte le donjon. Belle vue sur la vallée de la Fecht à l'Ouest et la plaine d'Alsace à l'Est.

La route rejoint la D 417 en direction de Colmar. À la sortie de Wintzenheim (voir route des Vins), tourner à droite dans la N 83, puis de nouveau à droite dans la D 1bis pour regagner Eguisheim.

Ensisheim

Une ville qui fait l'unanimité, visiblement. Déjà nos ancêtres du néolithique semblent avoir apprécié le lieu. Puis, les Habsbourg, à leur tour, jugèrent plaisant le climat de Ensisheim et y installèrent la capitale de leurs possessions en Alsace. Jusqu'en 1648, elle sera même la capitale de l'Autriche antérieure. Témoins de ces heures de gloire, de très belles maisons du gothique à la Renaissance dont le palais de la Régence. Les astronomes amateurs pourront tenter de retrouver l'impact de la météorite qui a touché le sol d'Ensisheim l'année où Christophe Colomb touchait celui de l'Amérique.

La situation

Cartes Michelin n°s 87 Est du pli 18, ou 242 pli 35 — Schéma p. 387 — Haut-Rhin (68).
D'Ensisheim, on peut faire un saut à l'écomusée d'Alsace qui ne se trouve qu'à 9 km au Sud-Ouest par la D 4 bis jusqu'à Ungersheim, la D 44 en direction de Feldkirch Bollwiller, la D 200 à gauche, puis la D 430 à gauche.

OÙ SE RESTAURER
La Couronne - 47 r. de la Ire-Armée-Française - ☎ 03 89 81 03 72 - fermé 2 au 15 août, sam. midi, dim. soir et lun. soir - 230/420F. Cette belle maison classée du 17e s. a un charme certain... Et la prison, juste en face, ne parvient pas à l'altérer. Décor médiéval et belle terrasse pour vous attabler confortablement à moins que vous ne préfériez la formule simple du caveau Le Thaler. Chambres plus banales.

Le nom

C'est dans un document daté de 765 que, paraît-il, le nom d'Ensisheim apparaît pour la première fois. On ne sait d'ailleurs pas à quel propos.

Le symbole

Une météorite de 158 kg est tombée près d'Ensisheim le 7 novembre 1492 dans, on l'imagine, un fracas épouvantable. Il s'agit de la première dont l'histoire a enregistré la chute. À force d'en offrir des morceaux à chaque visiteur de marque, on l'aurait réduit à ses mesquines dimensions actuelles (54 kg).

visiter

Palais de la Régence

Le bâtiment a été bâti vers 1532 sur un plan gothique, mais décoré Renaissance. Au rez-de-chaussée, les belles voûtes des arcades sont décorées d'écussons aux armes de plusieurs villes d'Alsace. Sur la façade, du côté de l'église, une tourelle octogonale renferme l'escalier.

Musée de la Régence

Tlj sf mar. 14h-17h30 (janv.-mars : tlj sf mar. 14h-17h30, jeu. 10h-12h30, 14h-17h30). Fermé j. fériés et un w.-end sur deux. 11F. ☎ *03 89 26 49 54.*

Il présente, dans la 1ʳᵉ salle, la fameuse météorite, du moins ce qu'il en reste. Exposition du produit des plus récentes découvertes archéologiques : céramiques, outils, sépulture d'enfant remontant au néolithique ancien, objets de l'âge du bronze et de l'époque gallo-romaine.

Hôtel de la Couronne

Dans la Grand-Rue, dans un très beau bâtiment de 1609, décoré de pignons à volutes et d'un oriel sculpté à deux étages. Turenne y logea en 1675 avant la bataille de Turckheim.

Le palais de la Régence.

Épinal ★

Tout est affaire d'image à Épinal : image papier, mais également image de marque... Paradoxe en milieu urbain, c'est la ville la plus boisée de France et elle accumule les récompenses nationales de fleurissement (eh oui, c'est le mot !...). Des fleurs à tous les coins de rues, des cactus et des palmiers place Clemenceau, les roses blanches de la maison romaine, des géraniums, des pétunias, des bidens et des héliotropes sur les berges de la Moselle et le long du canal. On retiendra aussi d'Épinal un effort important en matière d'Art contemporain, une fête rigolote à la fin de l'hiver pour le dégel des ruisseaux et des champs.

La situation

Cartes Michelin nᵒˢ 62 pli 16 ou 242 pli 30 — Vosges (88). Au débouché de la partie vosgienne de la vallée de la Moselle, Épinal est la première commune de France pour son patrimoine forestier (3 600 ha). Elle accueille d'ailleurs l'École nationale supérieure du bois (ENSTIB). 🛈 *13 r. de la Comédie, 88008 Épinal,* ☎ *03 29 82 53 32.*

Le nom

À la fin du 10ᵉ s., Thierry de Hamelant, évêque de Metz, crée une église, un monastère et un marché sur le site de Spinal, dernière « épine » du massif vosgien, là où dès le Haut Moyen Âge, un château sans doute de bois défendait la vallée de la Moselle.

Les gens

50 909 Spinaliens dont Jean-Charles Pellerin (1756-1836), fils d'un fabricant de cartes à jouer et de dominos. C'est sans doute ce qui a inspiré son approche ludique quand il se mit à réaliser, d'abord des cadrans d'horloge de papier coloriés au pochoir, puis les fameuses images d'Épinal.

découvrir

L'IMAGERIE

Pendant près de deux siècles, l'imagerie d'Épinal a connu un énorme succès. Jean-Charles Pellerin est resté célèbre pour avoir modernisé les sujets en introduisant de nombreux sujets profanes : chansons, devinettes, fables de La Fontaine, alors que le répertoire traditionnel était plutôt religieux. S'intéressant à la publicité à la fin du 19ᵉ s., l'entreprise dirigée ensuite par son fils s'ouvre aux talents de Caran d'Ache, O'Galop, Job, Benjamin Rabier... Les deux guerres mondiales et les nouvelles techniques ont provoqué le déclin de cette activité, mais non sa disparition qui reste créative.

> **LA TECHNIQUE**
>
> L'image est gravée sur bois, de poirier de préférence, et imprimée au moyen d'une presse à bras Gutenberg. Puis les couleurs sont appliquées une à une, à l'aide de pochoirs.

carnet pratique

OÙ DORMIR

● À bon compte

Hôtel Azur – *54 quai des Bons-Enfants -* ☎ *03 29 64 05 25 - fermé 24 déc. au 3 janv. - 20 ch. : 178/305F -* ⊑ *34F.* Au bord de la Moselle, cet hôtel est en plein centre-ville. Derrière sa façade modeste, les chambres sont simples, mais bien tenues et propres. Pratique, il est en plus très peu cher.

● Valeur sûre

Hôtel Clarine – *12 av. du Gén.-de-Gaulle -* ☎ *03 29 82 10 74 - fermé 23 déc. au 2 janv. - 45 ch. : 315/340F -* ⊑ *39F.* En face de la gare, cet hôtel est une adresse agréable de la ville : bien insonorisées côté rue, ses chambres sont pimpantes, soigneusement tenues et chaleureuses. Accueil aimable et bon rapport qualité/prix.

OÙ SE RESTAURER

● À bon compte

La Bagatelle – *12 r. des Petites-Boucheries -* ☎ *03 29 35 05 22 - fermé 15 au 31 juil. et dim. - 63/170F.* Sur la petite île d'Épinal, coincée entre deux bras de la Moselle, cette maison pimpante des années 1940 est aux premières loges pour regarder les compétitions de canoë-kayak... en savourant une cuisine inspirée dans sa salle lumineuse, décorée de meubles modernes.

Ferme-auberge Les 7 Pêcheurs – *88220 Méloménil-Uzemain - 15 km au SO d'Épinal par D 50 -* ☎ *03 29 30 70 79 - fermé mer. hors sais. -* ⊏ *- 95/120F.* Ici, on s'attable dans la forge du 18ᵉ s., qui a gardé une belle authenticité avec ses vieilles poutres, ses murs en pierres apparentes et sa cheminée. Des chambres et un grand gîte simples pour ceux qui veulent profiter du calme de cette ancienne ferme... Belles balades.

● Valeur sûre

Calmosien – *88390 Chaumousey - 10 km à l'O d'Épinal par D 36 et D 460 -* ☎ *03 29 66 80 77 - fermé dim. soir - 115/290F.* Au cœur du village, cette maison 1900 ressemble à une école avec sa façade blanche, ses fenêtres bordées de briques rouges et son toit pentu... Décor rétro et jardin-terrasse servent de cadre à une cuisine au goût du jour servie en menus ou à la carte.

Le château et son jardin.

POUR UNE PETITE FAIM

Daval – *44 r. Léopold-Bourg -* ☎ *03 29 35 60 60 - mar.-sam. 8h30-19h, lun. 14h-19h, dim. 8h30-12h30.* Cette pâtisserie-salon de thé située en plein centre-ville est une halte idéale pour qui recherche un peu de quiétude. Vous pourrez y déguster d'excellentes pâtisseries maison accompagnées de café ou de thé.

Pâtisserie du Musée – *2 quai du Musée -* ☎ *03 29 82 10 73 - mar-ven. 7h30-19h, sam.-dim. 7h30-12h30-14h-19h.* Située à proximité du musée dans un écrin de verdure, cette pâtisserie-salon de thé est sans doute l'une des plus agréables de la ville. À moins d'être un monomaniaque en matière de sucreries, il vous sera difficile de ne pas barguigner entre le désir des Îles, le délice à la mirabelle ou à l'edelweiss, le pain d'anis maison, et les fameuses « charbonnettes des Vosges » (praliné enrobé de pâte d'amande et de poudre de cacao). Vente à emporter.

OÙ PRENDRE UN VERRE

L'Équipe – *16 r. François-Blaudez -* ☎ *03 29 82 23 24 - tlj à partir de 8h.* Situé en plein centre-ville, ce grand bar au décor hétéroclite et sans prétention offre un espace convivial où chacun peut consulter les nombreux magazines à disposition. Le billard qui trône au centre de la pièce est l'enjeu de parties souvent animées. Clientèle de tous âges.

Le Cartoon – *25 r. de la Maix -* ☎ *03 29 34 35 33 - lun.-jeu. 10h30-1h, ven.-sam. 10h30-2h.* Ce bar orné de fresques représentant les grands mythes du dessin animé est le point de rendez-vous des spinaliens branchés. Ambiance sympa dans un quartier en plein renouveau et soirée à thème toutes les deux semaines.

The Wellington – *11 r. Chipotte -* ☎ *03 29 64 03 78 - Tlj à partir de 11h.* Sympathique petit pub au style très *british*, où la convivialité est de mise. Grande terrasse particulièrement animée en fin de soirée.

FESTIVITÉS

Fêtes de la St-Nicolas – Saint Nicolas et le père Fouettard visitent les écoles maternelles et distribuent pain d'épice et oranges. En ville, des chars décorés défilent dans les rues, le 1ᵉʳ samedi de décembre.

Fête des Champs Golot – Le mercredi avant Pâques. Elle marque la fin de l'hiver, le dégel des ruisseaux et des champs. Un bassin rue du Gén.-Leclerc et au plateau de la Justice sont remplis d'eau et les enfants y traînent des bateaux illuminés, qu'ils ont fabriqués eux-mêmes.

ESPACES VERTS ET RANDONNÉES

La ville d'Épinal est dotée de nombreux parcs : parc du Cours, rue Gambetta, parc du Château, entrées rues d'Ambrail et St-Michel, parc du plateau de la Justice, rue Henri-Sellier.

Des parcours de santé ont aussi été aménagés à moins de 2 km du centre-ville (parc du Mont-Carmel et à la fontaine Guéry).

Club Vosgien – *5 r. François-Blaudez -* ☎ *03 29 35 45 44.* Il accompagne de nombreuses randonnées pédestres dans le massif forestier des alentours d'Épinal.

ÉPINAL

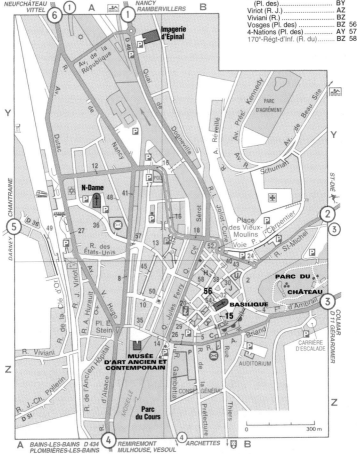

REPRISE

Il s'agit de l'ancienne Imagerie Pellerin qui, fondée en 1796, était restée dans la famille pendant près de 200 ans.

Imagerie d'Épinal

◄ *Accès par le quai de Dogneville, au n° 42 bis.*

On visite la **galerie Pinot**, d'exposition et de vente de rééditions ou de créations d'images contemporaines. &. *Juin-sept. : visite guidée (3/4h) 8h30-12h30, 14h-19h, dim. et j. fériés 14h-19h ; oct.-mai : 8h30-12h, 14h-18h30, dim. et j. fériés 14h-18h30. Fermé 1ᵉʳ janv. et 25 déc. 30F (enf. : 5F). ☎ 03 29 31 28 88.*

D'autre part, à l'**écomusée**, on peut suivre les techniques de fabrication, avec démonstration sur certaines machines (machine à colorier de 1898). &. *Visite guidée (3/4h) 8h30-12h, 14h-18h30, dim. et j. fériés 14h-18h30. Fermé 1ᵉʳ janv., 2 nov., 25 déc. 30F (enf. : 5F). ☎ 03 29 31 28 88.*

se promener

LA VIEILLE VILLE★

La basilique St-Maurice, non loin de l'enceinte médiévale.

Basilique St-Maurice★

De juil. à fin août : possibilité de visite guidée sur demande auprès de l'Office de tourisme.

Véritable jeu de piste sur cet édifice où diverses influences régionales se manifestent. La façade principale, avec son avant-corps massif formant beffroi, procède de la tradition mosane. L'entrée principale se trouve sur le flanc gauche de l'édifice. Très « champenois », le portail des Bourgeois (15ᵉ s.) est précédé d'un porche profond.

Bourguignonne dans son élévation à trois étages, la nef se prolonge au-delà du transept par le lumineux « chœur des Chanoinesses » qui relève de l'art champenois par la légèreté de ses lignes (14ᵉ s). Mise au tombeau (15ᵉ s.) dans le croisillon droit, et Vierge à la rose (14ᵉ s.) dans la chapelle voisine.

Prendre à droite de la basilique.

Rue du chapitre

Plusieurs maisons de chanoinesses des 17ᵉ et 18ᵉ s. De là, il est possible d'accéder à l'enceinte médiévale, dont les bases des tours et les murs de grès rouge ont été dégagés.

Repasser devant St-Maurice.

Place des Vosges

C'est l'ancienne place du Marché qui a conservé ses maisons à arcades pour protéger produits, marchands et badauds. Entre une librairie et un café, maison du Bailli du 17ᵉ s. avec une très belle loggia.

Rejoindre la Moselle et prendre le quai Jules-Ferry jusqu'à la place Foch.

Parc du Cours

En bordure de la Moselle, c'est un grand parc public très soigné en même temps qu'une plantation d'essai de beaux arbres exotiques, parfois séculaires, mêlés aux essences vosgiennes.

L'Illustre famille des Jean.

| J'embroche . | J'enfonce. | J'embellis . | Ô J'enlaidis ! | J'empoche . |

visiter

Musée départemental d'Art ancien et contemporain★

Tlj sf mar. 10h-12h, 14h-18h. Fermé 1ᵉʳ janv., 1ᵉʳ mai, 1ᵉʳ nov., 25 déc. 30F (enf. : 15F). ☎ 03 29 82 20 33.

Situé à la pointe amont de l'île sur la Moselle, le bâtiment ▶ est une reconstruction contemporaine autour des vestiges (17ᵉ s.) de l'ancien hôpital St-Lazare.

Collections d'archéologie (sites gallo-romains de Grand, Soulosse et du Donon, nécropole mérovingienne de Sauville, monnaies remontant parfois jusqu'à la période celtique), de peintures françaises et écoles du Nord (Gellée, La Hyre, Vignon, La Tour et son *Job raillé par sa femme*, Brueghel, Van Goyen, Van Cleeve, Rembrandt et sa *Mater dolorosa*). La collection de Paul Oulmont est composée quant à elle de dessins et d'aquarelles du 18ᵉ s. La section d'art contemporain est l'une des premières de France. On retrouve des œuvres minimalistes (Carl André, Donald Judd), l'Arte Povera (Mario Merz, Gilbert Zorio) et le Pop Art (Andy Warhol, Edward Rusha).

> **ENCORE DES IMAGES**
> L'histoire de l'imagerie est retracée, illustrant la vie politique, sociale, militaire et religieuse. Les images proviennent d'Épinal bien sûr, mais aussi de grandes villes françaises ou de l'étranger.

Parc du château★

Avr.-sept. : 7h30-19h (mai-août : 7h30-20h) ; oct.-mars : 8h-17h (mars et oct. : 7h30-18h). Gratuit. ☎ 03 29 68 50 61.

Ce très beau parc forestier de 26 ha a été tracé à l'emplacement de l'ancien château d'Épinal. Il occupe le sommet de la colline gréseuse qui s'avance jusqu'au milieu de la ville. Autour des ruines, remarquables jardins médiévaux.

> **COMPLET**
> ⬚ Dans le parc du château, un mini-zoo, un terrain de jeu et un avion !

Église Notre-Dame

Reconstruite de 1956 à 1958, son portail présente des panneaux d'émail cloisonné sur cuivre rouge. Autour d'une croix sont représentés les symboles des quatre évangélistes et ceux des sept planètes. À l'intérieur, un immense vitrail à la gloire de la Vierge éclaire le chœur.

alentours

Fort d'Uxegney

6 km au Nord-Ouest par la D 166, direction Dompaire. Sortir d'Épinal par ⑥ du plan. De mi-juin à mi-sept. : visite guidée sam. à 14h et 16h, visite libre dim. 13h30-17h. 20F.

Construit après 1870, c'est un exemple de fortification ▶ « Séré de Rivières », entre le bastion « Vauban » car il était à l'origine en pierre, et celle enterrée de la Ligne Maginot. Modernisé en 1914, le fort est resté intact ; on y voit la tourelle de 155R, remise en état de fonctionnement, celle de 75, des tourelles mitrailleuses et des casemates de Bourges armées de canons de 75.

> **POINT DE VUE**
> Du « dessus » du fort, on découvre les dômes des tourelles et un large paysage.

Cimetière et mémorial américains

7 km au Sud par la D 157, en suivant la rive gauche de la Moselle. 1 800 m après Dinozé, prendre à droite le chemin menant au cimetière. Situé sur un plateau dominant la rivière, ce vaste terrain aligne sur des pelouses impec-

| J'empiffre. | J'engraisse. | J'embaume. | J'embête. | J'enfourne. |

cables ses croix et ses stèles israélites, de marbre blanc. Derrière, une chapelle et un mémorial gardent le souvenir des soldats américains tombés en 1944-45, dont 5 255 demeurent enterrés ici.

Châtel-sur-Moselle
18 km au Nord-Ouest par N 57. Ici, on visitera avant tout la **forteresse**. Bâti autour d'un donjon carré, le premier château des 11ᵉ et 12ᵉ s. a connu une grande extension au 15ᵉ s., sous l'influence des sires de Neufchâtel, vassaux du duc de Bourgogne. Des adaptations à l'artillerie ont suivi. Des fossés de 57 m de largeur, deux enceintes fortifiées, 21 tours de guet protégeaient le site, alors que trois étages de galeries souterraines en faisaient communiquer les différentes parties. Démantelés en 1671 pendant le règne de Louis XIV, les bâtiments de l'enceinte et du château ont servi de base au couvent Notre-Dame qui s'installa en 1707. Il est aujourd'hui transformé en **musée**. *Juil.-sept. : visite guidée (1h1/2) à 15h, 16h et 17h ; oct.-juin : w.-end et j. fériés à 15h, 16h, 17h, lun.-ven. sur demande (2 j. av.). 20F.* ☎ *03 29 67 14 18.*

Construite aussi à la fin du 15ᵉ s., l'**église St-Laurent** est remarquable d'unité. Le chœur à cinq pans, très lumineux, est voûté à sept branches. Dans le bas-côté Sud, une pietà du 16ᵉ s. se trouve sous un enfeu.

> **VIE DE SOLDAT**
> Dans le musée on trouve l'ancêtre du fusil, le bâton à feu, des systèmes de fermeture de porte appelés crapaudines et même des jeux de quilles qui témoignent de jours plus tranquilles.

Gérardmer ★

Est-ce parce que le site est fantastique ? En tout cas, Gérardmer a bel et bien enlevé à Avoriaz l'organisation, chaque année, du festival du film fantastique. Son Office de tourisme a été le premier créé en France, en 1865, preuve s'il en fallait de la volonté touristique de cette station de sports d'hiver, reconvertie l'été en station climatique autour de son très beau lac. Même Charlemagne, paraît-il, appréciait son charme et serait venu y prendre quelques vacances. Pourquoi pas... On ne sait pas si la fête de la jonquille existait déjà...

La situation
Cartes Michelin nᵒˢ 62 pli 17 ou 242 pli 31 — Vosges (88). Située du côté lorrain du massif des Vosges, Gérardmer se trouve pourtant au pied de versants bien marqués, lovée près du lac qui porte le même nom. Tout près, l'altitude et la neige permettent la pratique du ski en hiver, le col de la Schlucht et la route des Crêtes ne sont en effet qu'à 15 km par la D 417.
🅱 *4 pl. des Déportés, 88400 Gérardmer,* ☎ *03 29 27 27 27.*

Le nom
Attention, si vous ne voulez pas avoir l'air ridicule, Gérardmer se prononce « Gérardmé ». La dernière syllabe mer n'a rien à voir avec le lac, mais rappelle les jardins, *moué* en patois vosgien.

Les gens
8 951 Géromois. Comme le courageux phénix, ils peuvent renaître de leurs cendres. Incendiée en novembre 1944 et détruite à 85 %, la cité a été reconstruite. Ainsi, la « Belle Vallée » des aïeuls de Paul Claudel se tourne aujourd'hui vers le tourisme vert et blanc.

séjourner

LES LACS

Lac de Gérardmer ★
C'est le plus grand lac des Vosges. Sa longueur est de 2,2 km et sa largeur de 750 m. Assez profond (38 m), on peut y pratiquer la pêche et bien sûr, s'y baigner ou faire

carnet pratique

Où dormir

● Valeur sûre

Hôtel Le Chalet du Lac – *1 km à l'O de Gérardmer par D 417 (rte d'Épinal) -* ☎ *03 29 63 38 76 - fermé oct. -* 🅿 *- 11 ch. : 310/400F -* 🖵 *45F - restaurant 90/330F.* Ce gros chalet ouvre ses fenêtres sur le lac. Tenu par deux couples, il a tout d'un gentil petit hôtel familial, avec ses chambres simplettes mais bien tenues et sa salle à manger lambrissée de bois où l'on s'attable autour de menus régionaux sans prétention... avec vue.

Hôtel Les Vallées – *31 r. P.-Claudel - 88520 La Bresse -* ☎ *03 29 25 41 39 - 14 km au S de Gérardmer par D 486 -* 🅿 *- 53 ch. : 345/420F -* 🖵 *41F - restaurant 91/260F.* Sur la piste du chamois en été ou skis aux pieds en hiver, vos journées seront bien remplies ici... À moins que vous préfériez lézarder dans les chambres agréables et modernes de cet hôtel ou profiter de sa piscine couverte. Studios à louer.

● Une petite folie !

Hôtel Le Manoir au Lac – *1 km à l'O de Gérardmer par D 417 (rte d'Épinal) -* ☎ *03 29 27 10 20 -* 🅿 *- 7 ch. : à partir de 750F -* 🖵 *80F.* Ce chalet de 1830 au bord du lac est un petit bijou dans un écrin de verdure. Lieu de séjour aimé de Maupassant, chacune de ses ravissantes chambres, aux noms évocateurs, sont meublées avec goût : plus ou moins grandes, elles sont toutes cosy. Terrasse et belle bibliothèque-salon.

Où se restaurer

● À bon compte

Ferme Équestre de Liézey – *9 rte de Saucefaing - 88400 Liézey - 9,5 km à l'O de Gérardmer par D 417 et D 50 -* ☎ *03 29 63 09 51 - fermé 15 nov. au 15 déc. et lun. - 88/118F.* Sous la neige ou au milieu des sapins selon les saisons, cette grosse ferme-chalet, dont les fondations dateraient de 1799, vous accueille pour un repas revigorant, préparé avec les produits des fermes voisines. Balades à cheval en été. Chambres simples et gîte.

À la Belle Marée – *88400 Bas-Rupts - 4 km au S de Gérardmer par D 486 -* ☎ *03 29 63 06 83 - fermé 20 juin au 3 juil., 5 au 20 déc., dim. soir et lun. sf août - 90/250F.* Pour prendre le large, c'est ici qu'il faut aller ! Dans un décor de bois sombre éclairé de hublots, les saveurs de la mer sont à l'honneur dans ce restaurant, niché dans les montagnes vosgiennes. Grandes baies vitrées ouvrant sur la nature et terrasse couverte en été.

Où prendre un verre

Les Rives du Lac – *1 av. de la Ville-de-Vichy -* ☎ *03 29 63 04 29 - Tlj à partir de 9h.* C'est réputé être l'un des cafés les plus agréables de la ville, ce dont vous conviendrez aisément une fois installé à sa terrasse, bercé par le clapotis des vagues, face à l'onde bleutée du lac et aux montagnes environnantes.

Les Terrasses du Lac – *3 av. de la Ville-de-Vichy -* ☎ *03 29 60 05 05 - Tlj à partir de 11h.* Ce centre de loisirs comprend des machines à sous et des jeux traditionnels (boule, roulette, black jack), une salle de spectacle, un cinéma, une scène de théâtre et un restaurant dont la terrasse donne sur le lac.

Artisanat

Marché Artisanal – *Pl. du Vieux-Gérardmé - sam. 8h-19h.* Ce rendez-vous hebdomadaire des artisans et producteurs régionaux en fait l'un des marchés les plus populaires de la région.

La Saboterie des Lacs – *25 bd de la Jamagne -* ☎ *03 29 60 09 06 - lun.-sam. à partir de 9h.* Saboterie artisanale où vous assisterez à la fabrication complète d'une paire de sabots, démonstration accompagnée des commentaires de l'artisan dans un langage fleurant bon le terroir. Vous pourrez également y acheter le sabot décliné sous toutes ses formes : utilitaire, décoratif, miniaturisé en porte-clés... mais toujours en bois d'érable.

Les Petits Crus Vosgiens – *10 chemin de la Scierie - Le Beillard -* ☎ *03 29 63 16 50 - Tlj 10h-12h, 14h-19h.* Daniel Villaume, maître des lieux, vous fera découvrir les produits de sa fabrication et déguster ses boissons fermentées à base de groseilles, cassis, rhubarbe, cerises, pommes, fleurs de pissenlit et de sureau. Ces vins de fruits ou de fleurs, très réputés dans les Vosges, se boivent en apéritif ou au dessert.

Production de laine mohair – *9 imp. des Chaies-Gleys -* ☎ *03 29 63 00 54.* Élevage de chèvres angora.

Jean-Louis Claude – *Le Pré d'Anis - 88400 Liézey - prendre la D30 entre Le Tholy et Gérardmer, direction Liézey - au croisement de l'arrêt de bus prendre à gauche sur 500 m (itinéraire fléché) -* ☎ *03 29 61 84 84 - tlj 10h-12h, 14h-19h.* Une clairière en plein cœur de la forêt abrite cet atelier de découpe et de fabrication de jouets en bois. Jean-Claude, le maître des lieux, officie volontiers sous vos yeux : il scie, ponce, découpe de multiples sujets, bijoux, prénoms et jouets.

Maison de l'artisanat – *17 rte de Saucéfaing - 88400 Liézey -* ☎ *03 29 63 16 50 - 7 km au NE de Gérardmer par D 50 - avr.-déc. : dim. 15h-18h - tlj 15h-18h pendant les vac. scol.* Dans cette ancienne ferme, plus de 50 artisans et producteurs régionaux exposent et vendent leurs produits : jouets en bois, émaux, broderies, dentelles, miel, confitures, confiseries, eaux-de-vie...

Usines textiles

Visite technique – La renommée du linge de maison provenant de Gérardmer n'est plus à faire. La modernisation de la production (90 % du marché français) a rendu cette industrie très performante et Gérardmer reste le symbole de la qualité et la tradition. *De mi-juin à mi-sept. (sf août). S'adresser à l'Office de tourisme -* ☎ *03 29 27 27 27.*

Linvosges – *6 pl. de la Gare -* ☎ *03 29 60 11 00.* Si vous voulez en savoir plus sur les torchons et les serviettes, visitez le site de production et de vente de Linvosges.

Le Jacquard Français – *35 r. Ch.-de-Gaulle et 45 bd Kelsch.* Linge de table, de toilette et de plage.

FRISSONS

Fantasticable – *La Mauselaine - Chalet ESF, au pied du domaine skiable, env. 1 km au S de Gérardmer par le chemin de Rayée - ☎ 03 29 60 09 10 - lun.-ven. 8h30-12h, 13h30-19h ; sam.-dim. et vac. scol. 8h30-19h.* Une fois attaché et sanglé, vous n'aurez qu'à vous laisser glisser le long du câble d'un kilomètre qui traverse la vallée de la Basse des Rupts à plus de 100 m au-dessus des sapins. À près de 100 km/h, l'entreprise ne dure que 55 secondes mais laisse en principe un souvenir inoubliable... Certains voient défiler leur vie, d'autres ont suffisamment de cran pour ouvrir les yeux et se rassasier du panorama sur Gérardmer et le lac.

ÉVÉNEMENT

La Fête de la jonquille, qui a lieu un dimanche voisin du 20 avril, en période de pleine floraison, convoque près d'une trentaine de chars pour lequel des millions de fleurs sont nécessaires. Le défilé est exceptionnel.

de l'aviron, du canoë-kayak, de la voile... Le **tour du lac★** peut être effectué à pied ou en voiture (6,5 km). Il offre de belles vues variées sur le lac, selon que l'on se trouve plus ou moins près de la rive. On peut aussi faire le **tour du lac** en vedettes, canots électriques, barques, pédalos... *Tour du lac commenté (1/4h) en vedette, 25F ; en canot électrique : 80F la 1/2h, en pédalo : 35F la 1/2h.*

Vue sur le lac depuis son campanile. Un superbe plan d'eau enchâssé dans la montagne environnante.

Lac de Longemer★

5 km à l'Est par D 417 et D 67^A. Long de 2 km, large de 550 m, profond de 30 m, on trouve autour du lac de belles fermes typiques au milieu des prairies.

Lac de Retournemer★

12 km à l'Est par D 417 et D 67. Alimenté par les cascades de la Vologne, ce petit lac de 5,5 ha est remarquable par la pureté et le bleu profond de ses eaux qui reposent au creux d'une conque.

LES STATIONS DE SKI

Gérardmer-La Mauselaine❋

40 km de pistes de ski dont la plus longue des Vosges (4 km) sont balisées sur les hauteurs de Gérardmer. De tous niveaux, certaines sont équipées de canons à neige, d'autres peuvent ouvrir en nocturne jusqu'à 22h.

Le premier espace nordique du massif des Vosges, le « domaine des Bas-Rupts » n'est qu'à 2,5 km du centre-ville de Gérardmer. Les 100 km de pistes tracées forment des circuits de tous niveaux sur les communes de Gérardmer, La Bresse et Xonrupt, et s'enfoncent à travers la forêt. Entre 800 et 1 100 m d'alt., les pistes de fond sont complétées par des itinéraires à emprunter en raquettes.

ACCÈS

Navettes gratuites depuis le centre-ville de Gérardmer jusqu'à La Mauselaine, durant le week-end et en période de vacances scolaires. Sinon, un vaste parking est à disposition.

La Bresse-Hohneck

C'est le plus grand domaine skiable vosgien. Il est équipé de 220 canons à neige et regroupe 36 pistes sur 3 sites principaux, autour du Hohneck en descendant sur La Bresse, près du lac de Retournemer et aux environs du col de la Schlucht. La Bresse est ainsi passée de la taille d'une station familiale à celle d'une véritable station sportive dont sont originaires plusieurs champions, notamment en ski alpin et en biathlon.

circuits

La région de Gérardmer a subi l'empreinte des glaciers qui recouvraient les Vosges. L'un d'eux, partant du Hohneck, emplissait la vallée où reposent aujourd'hui les lacs de Retournemer, de Longemer, de Gérardmer, et rejoignait près de Remiremont, les glaciers de la Moselotte et de la Moselle.

> **FONTE DES GLACES**
> En disparaissant, le glacier laissa des moraines qui arrêtèrent les eaux de la Vologne. En aval du lac de Longemer, la rivière a cherché une issue par la vallée des Granges et a rejoint la Moselle. Les eaux du lac de Gérardmer, elles, ont formé la rivière de la Jamagne, affluent de la Vologne.

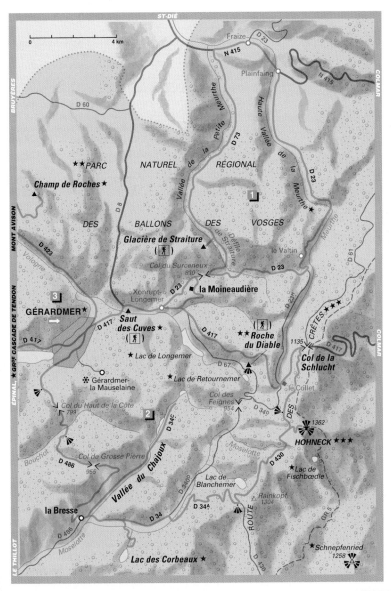

1 VALLÉE DE LA MEURTHE ET DE LA PETITE MEURTHE★

55 km — environ 2h. Quitter Géradmer par la D 417.

Saut des Cuves★

⚑ *Laisser la voiture à proximité de l'hôtel du Saut des Cuves. Prendre à droite, en amont du pont, le sentier qui mène à la Vologne que franchissent deux passerelles permettant de faire un petit circuit.* Le torrent tombe en cascade parmi de gros blocs de granit. La plus importante des chutes se nomme le Saut des Cuves.

Après 2 km sur la D 23, prendre à droite la route qui conduit au domaine de la Moineaudière.

La Moineaudière

⚐ *9h30-12h, 14h-18h30. Fermé 15 j. en janv., 15 j. en mars et de mi-oct. à mi-déc. 26F.* ☎ *03 29 63 37 11.*

Implanté à la lisière d'une forêt d'épicéas, on y présente une collection de cactus, coquillages, insectes, fossiles et surtout de minéraux, dont un quartz « fantôme » du Brésil de 650 kg. À voir également, une collection de masques et d'objets d'art primitif.

Continuer à descendre le long de la route forestière. On débouche sur la D 417 ; tourner à droite pour regagner la bifurcation de la D 23.

Après un parcours en forêt, on atteint près du Valtin la **haute vallée de la Meurthe**, dont les versants sont couverts de pâturages et de sous-bois. En aval de Rudlin, la vallée s'étrangle et la Meurthe, rapide et claire, vient alimenter plusieurs scieries.

À Plainfaing, prendre à gauche la N 415, puis la D 73 encore à gauche.

Le retour s'effectue par la **vallée de la Petite Meurthe**, qui, large et cultivée, se resserre. La route pénètre dans le défilé de Straiture aux parois escarpées couvertes de sapins.

Glacière de Straiture

⚐ *À 0,7 km au-delà d'une petite route à droite, un sentier franchit la rivière et permet d'atteindre la glacière.* C'est un amas de rocs entre lesquels on peut trouver, même en plein été, des morceaux de glace. On vous sert un verre ?

À l'extrémité du défilé, la route franchit la Petite Meurthe et rejoint le col de Surceneux, d'où l'on regagne Gérardmer.

2 LA BRESSE, LE HOHNECK ET LA SCHLUCHT★★★

54 km — environ 2h1/2. Quitter Gérardmer par la D 486.

La Bresse

La fondation de ce gros bourg remonte au 7ᵉ s. Son habitat typique de la montagne vosgienne est dispersé dans la vallée. L'**église St-Laurent** du 18ᵉ s., possède un chœur gothique éclairé de **vitraux** modernes en verre éclaté. Quatre verrières racontent les destructions de La Bresse.

Vallée du Chajoux

Au Nord-Est de La Bresse, elle longe un torrent poissonneux au pied de versants boisés. Chutes et retenues d'eau.

Lac des Corbeaux★

À hauteur de l'hôtel du Lac, vous verrez à droite une route bordée de très beaux arbres ; elle conduit au lac.

Sa situation est particulière, au milieu d'un cirque abrupt couvert d'épaisses forêts. ⚑ Un sentier permet d'en faire le tour (1/2h à pied).

Après La Bresse, on remonte le cours de la Moselotte que l'on franchit, laissant à gauche la D 34ᴰ vers le col des Feignes. Deux km plus loin, laisser la route de Bramont et emprunter la D 34ᴬ, sinueuse, appelée « route des Américains ».

On atteint alors les pâturages et l'on découvre une belle vue à droite sur la haute vallée de la Thur, Wildenstein et le barrage de Kruth-Wildenstein.

AUJOURD'HUI ILS SONT 5 000

Très tôt les habitants de La Bresse furent régis par un droit coutumier propre si bien que la ville demeura jusqu'en 1790 une petite république presque autonome vivant des fromages et du tissage. Les Bressauds l'ont reconstruite à la suite des destructions de l'automne 1944.

Prendre à gauche la route des Crêtes (D 430) qui contourne le Rainkopf.

À gauche, en contrebas, **lac de Blanchemer** entouré de prairies. Puis on atteint les chaumes du Hohneck.

Le Hohneck★★★ *(voir p. 148)*

Peu après, au loin à gauche, apparaît le lac de Longemer dans la vallée de la Vologne. La **vue★** devient superbe sur ce lac et celui de Retournemer.

Col de la Schlucht *(voir p. 148)*

Roche du Diable★★

🚶 *1/4h à pied AR. Laisser la voiture près du tunnel de Retournemer et prendre un sentier très raide par lequel on arrive aussitôt au belvédère.*

On a une large **vue★★** sur la vallée de la Vologne, les prairies qui la tapissent, les lacs de Retournemer et Longemer, les versants alentour.

Saut des Cuves★ *(voir plus haut)*

③ VALLÉES DU TENDON ET DE LA VOLOGNE

61 km — environ 2h. Quitter Gérardmer par la D 417. À l'entrée du Tholy, prendre à droite la D 11. Parcourir 5 km. 200 m avant l'hôtel Grande Cascade, prendre la route qui descend à gauche. Elle conduit à la cascade (800 m).

Grande cascade de Tendon★

Double chute qui dévale joliment en plusieurs paliers successifs, à travers les sapins.

Devant Faucompierre, tourner à droite et, par la D 30 et la D 44, gagner Bruyères où, en prenant la route de Belmont à gauche du cimetière, on arrive au pied du mont Avison. Laisser la voiture.

Tour-belvédère du mont Avison

🚶 *3/4h AR à pied.* Élevée sur le sommet (601 m) d'une des buttes entourant Bruyères, cette tour de 15 m de haut domine le carrefour des vallées où la ville a pris place. **Panorama★** depuis la table d'orientation (82 marches) jusqu'aux sommets vosgiens de la Tête des Cuveaux, du Hohneck, du Donon.

Champ-le-Duc

La vieille **église** (12e s.) en grès rouge a survécu au raid des Suédois en 1635. La nef avec son alternance de piles fortes et faibles, la voûte avec ses boudins épais et l'abside en cul de four percée de trois petites fenêtres sont typiques de l'art roman primitif rhénan.

Dans Granges-sur-Vologne, bourg industriel lié au textile, prendre la D 31 à gauche. À Barbey-Seroux, emprunter la route forestière à droite (à la deuxième intersection) et traverser la

Depuis la roche du Diable, la vue embrasse toute la vallée de la Vologne.

La grande cascade de Tendon, près du col de Bonne Fontaine, dans la forêt de Fossard.

UNE ENTREVUE CONTESTÉE

L'un des chapiteaux de l'église de Champ-le-Duc est historié. La légende prétend qu'il faudrait y reconnaître une rencontre entre Charlemagne et son fils Charles en 805.

forêt de Vologne. À 2,4 km, à une bifurcation près de laquelle se trouve une maison, prendre à gauche et laisser la voiture à environ 150 m.

Champ de roches de Granges-sur-Vologne★

🚶 C'est une extraordinaire coulée morainique, longue d'environ 500 m et qui scinde la forêt en ligne droite comme un fleuve de pierre figée. La surface de cet amoncellement, exempte de toute végétation, est constituée de blocs serrés les uns contre les autres.

Revenir à Barbey-Seroux et à Granges, puis, par la D 423, rejoindre Gérardmer.

Gorze

Gorze s'est formé autour d'une abbaye bénédictine fondée au 8e s. par saint Chrodegang, évêque de Metz et conseiller de Pépin le Bref (jolie carte de visite !). L'emprise spirituelle de ses moines chanteurs très cultivés s'est étendue au cours des siècles et le village a conservé de cette période religieuse et prestigieuse d'anciennes demeures Renaissance, 17e et 18e s. et un palais abbatial. Après l'histoire, le présent. Gorze est situé au cœur du Parc naturel régional de Lorraine où des sentiers balisés vous entraînent vers les Roches de la Pucelle, la chapelle St-Clément (1603) et le rocher de la Vierge.

La situation

Cartes Michelin n°s 57 pli 13 ou 242 plis 9 et 13 — Moselle (57). Gorze se trouve en périphérie de la ville de Metz, à 12 km au Sud-Ouest. Sortir de Metz par Montigny-lès-Metz, puis rejoindre la rive gauche de la Moselle et la D 6. à Ancy-sur-Moselle, prendre la petite route à droite en direction de Gorze (D 6 bis). 🚩 *Mairie, 57680 Gorze, ☎ 03 87 52 00 19. Avr., mai et oct. : w.-end et j. fériés ; juin-sept. : ap.-midi.*

Le nom

Gorze est blotti au creux du vallon de la Gorzia. Qui a pris le nom de l'autre ? Le village sans doute, car la forêt alentour le porte aussi, tout comme « la Terre de Gorze », qui désigne le territoire ancestral et autonome, structuré autour de l'abbaye.

Les gens

1 389 Gorziens. Ils portent en eux la joie héritée d'une longue tradition du chant. Metz eut dès le 8e s. une école de plain-chant réputée, à l'origine du chant grégorien. L'art du plain-chant avait été développé par les moines de l'abbaye de Gorze.

visiter

Maison de l'Histoire de Terre de Gorze

D'avr. à fin oct. : w.-end et j. fériés 14h-18h (de juin à mi-sept. : tlj sf lun.). 10F. ☎ 03 87 52 04 57. Des souvenirs rappellent la prospérité de Gorze depuis l'époque du captage des sources par les Romains au 1er s., la construction du pont-aqueduc illustrée par une maquette, jusqu'à la fondation de l'abbaye.

Église St-étienne

Le contraste est frappant entre l'extérieur, roman (sans arcs-boutants) et l'intérieur gothique (fin 12e s.) qui témoigne d'une influence rhénane. Le clocher central monumental est du 13e s. Curieuse figuration du Jugement dernier de la fin du 12e s. Belles boiseries renfermant des peintures bibliques du 18e s.

RECTO VERSO
Au tympan du porche Nord, vous verrez une belle représentation de la Vierge (13e s.) entre deux orants. Au revers, suspendu au-dessus de l'entrée, le grand Christ en bois est attribué à Ligier Richier.

Vestiges de l'aqueduc romain du début du 2ᵉ s. à Jouy-aux-Arches. Les Romains n'avaient pas volé leur réputation de bâtisseurs.

Ancien palais abbatial

Bâti en 1696, il est inclus dans l'actuelle maison de retraite. On y voit encore de belles fontaines ornées de bas-reliefs, une chapelle baroque et deux élégants escaliers.

alentours

Aqueduc romain de Gorze à Metz

8,5 km à l'Est, en direction de Metz. Cet ouvrage enjambait la Moselle. 7 arches subsistent en bordure de la D 6, au Sud d'Ars-sur-Moselle, sur la rive gauche. Des fouilles ont mis au jour des éléments de canalisations et de maçonnerie. À Jouy-aux-Arches, sur la rive droite, un long tronçon de 16 arches surplombe la N 57.

Gravelotte

8,5 km au Nord, par la D 103 bis et la D 903.
Ce village entra dans l'histoire lors des combats indécis ▶ mais furieux qui s'y déroulèrent les 16 et 18 août 1870. Leur caractère meurtrier est resté proverbial.
Le **Musée militaire** contient d'intéressantes reliques des armées françaises et allemandes : uniformes, documents, armes, ainsi qu'un diorama illustrant la bataille.
♿ *De mai à fin oct. : mer. 14h-18h, w.-end et j. fériés 10h-12h, 14h-18h. 15F.* ☎ *03 87 60 92 56.*

> **PROUESSES ROMAINES**
> La qualité des eaux de Gorze avaient été repérée par les Romains qui captèrent la source des Bouillons pour alimenter Metz. Des canalisations longues de 22 km reliaient Gorze jusqu'aux thermes et fontaines de Metz.

> **EXPRESSION**
> « Il pleut comme à Gravelotte » est devenu une expression familière. Il est bon de préciser qu'il s'agissait de pluie d'obus pendant les combats sanglants de 1870.

Grand

Les ruines romaines de Grand sont grandioses ! Les Romains étaient venus sur ce plateau calcaire, loin des routes, au milieu des forêts, pour construire un immense amphithéâtre, des thermes, un rempart... une vraie grande ville. Une leçon d'urbanisme des années 80... avant J.-C., avec ici encore l'eau comme objet de culte. Des kilomètres de canalisations alimentaient un bassin sacré autour duquel se pressaient les pèlerins antiques. Les visiteurs gaulois d'aujourd'hui peuvent se glisser à l'intérieur des vestiges de ces ouvrages et investir, pacifiquement, le camp romain.

La situation

Cartes Michelin nᵒˢ 62 Sud-Est du pli 2 ou 241 pli 39 — Vosges (88). Grand se situe à 23 km à l'Est de Neufchâteau par la N 74, la D 427 et la D 71, 47 km au Nord de Chaumont par la N 74, la D 25, la D 225 et la D 19.

Le nom

C'est sous son premier nom d'*Andesina*, que Grand a été, à l'époque romaine, un sanctuaire des eaux dédié à l'Apollon gaulois, Apollon Grannus, qui, comme son homologue l'Apollon romain, avait le pouvoir de guérir. Grannus, s'est tout naturellement abrégé en Grand.

COLLECTION
On a retrouvé à Grand une soixantaine de variétés de marbre provenant de multiples parties de l'empire, témoignage de la magnificence de ses aménagements.

Les gens

540 Grandésiniens. C'est probablement dans ce même temple d'Apollon Grannus que l'empereur Constantin, de passage pour prendre les eaux, a eu, en 310, une vision ! Mais on ne sait pas laquelle.

visiter

Vestiges de canalisations

De juil. à fin août : visite guidée (1/4h) dim. et j. fériés 14h-18h. 10F. ☎ 03 29 06 77 37.

Une quinzaine de kilomètres de canalisations d'amenée d'eau vive, enfouies jusqu'à 12 m de profondeur, alimentaient en toute saison un bassin sacré, aujourd'hui recouvert par l'église Ste-Libaire. Une des cheminées d'accès sauvegardées permet de visiter une portion de 80 m de canalisations.

CONSEILS
Ça patauge ! Prenez des bottes en caoutchouc. Et si vous êtes claustrophobe, attendez dehors !

Amphithéâtre

Avr.-sept. : 9h-12h, 14h-19h ; oct.-mars : tlj sf mar. 10h-12h, 14h-17h. Fermé de mi-déc. à mi-janv. 15F, 20F mosaïque et amphithéâtre. ☎ 03 29 06 77 37.

Construit vers l'an 80 après J.-C., il dessine un demi-ovale, forme adaptée ici au terrain, mais également particulière à la Gaule. D'une dimension imposante, il pouvait accueillir 17 000 spectateurs qui assistaient à des combats de gladiateurs et à des chasses. Abandonné à la fin du 4e s., il a conservé une partie de ses murs-enveloppes et quelques arcades de son grand corridor axial. Une restauration récente lui a redonné des gradins ; leur matériau, un bois exotique résistant aux intempéries, doit permettre au monument de retrouver sa vocation première d'édifice de spectacle.

Mosaïque★

Mêmes conditions de visite que l'amphithéâtre.

MERVEILLE
Datée de la première moitié du 3e s., cette mosaïque est la plus vaste qui a été dégagée en France et l'une des mieux conservées du monde romain : 224 m² d'un seul tenant.

◄ Elle pavait le sol d'une basilique, édifice public à vocation administrative. Le tableau central ou *emblema* a subi une importante mutilation ; on y distingue deux personnages, souvent interprétés comme un pèlerin et un prêtre d'Apollon Grannus. Aux angles figurent des animaux bondissants : ours ou chien, tigre, panthère, sanglier. Enfin l'abside est décorée de motifs géométriques en pelta (petit bouclier).

Rempart

De 1 760 m de périmètre, il était doté de 22 tours circulaires et de portes, dont une monumentale, tous les 80 m. Il délimitait un espace sacré, réservé aux divinités du sanctuaire. Seules trois tours, arasées, ont pu être dégagées.

L'amphithéâtre figure parmi les plus vastes monuments de spectacle de l'empire romain. Mais les gradins en bois nous en cachent les détails.

Guebwiller ★

Ville industrielle ou vigneronne ? Le vignoble est depuis le Moyen Âge la principale ressource de la ville si l'on excepte le 19ᵉ s. L'empire « Schlum » (Schlumberger) et ses filatures sont en effet passés par Guebwiller mais ont été relayés, crise industrielle oblige, par le développement des vignobles. Quatre grands crus pour cette nouvelle étape de la route des Vins, le kitterlé, le kessler, la saering et le spiegel et des méthodes d'exploitation du vignoble tout à fait modernes.

La situation
Cartes Michelin n°ˢ 87 pli 18 ou 242 pli 35 — Schéma p. 387 — Haut-Rhin (68). Guebwiller se situe à 25 km de Colmar et de Mulhouse entre vignobles et coteaux boisés. Son centre-ville, semi-piétonnier est préservé des flux automobiles puisqu'il faut traverser la Lauch pour entrer dans la ville basse.

🛈 *73 r. de la République, 68500 Guebwiller, ☎ 03 89 76 10 63.*

Le nom
Fondée en 728 par saint Pirmin, l'abbaye de Murbach étend sa domination sur une grande partie de la vallée de la Lauch. La villa Gebunvillare est mentionnée en 774 comme choix de capitale administrative des états de la puissante abbaye.

Les gens
10 942 Guebwillerois. Considéré comme le « Bernard Palissy du 19ᵉ s. », Théodore Deck (1823-1891), céramiste et administrateur de la manufacture nationale de Sèvres, est guebwillerois. Il a retrouvé, entre autres, la formule du bleu turquoise utilisé en Perse, couleur à laquelle on a donné son nom, le « bleu Deck ».

Un chat bleu (évidemment) d'inspiration égyptienne, par Deck (musée du Florival).

carnet pratique

Où dormir
● *Valeur sûre*
Hostellerie St-Barnabé – 68530 Murbach - 5 km au NO de Guebwiller par D 40ᴵᴵ - ☎ 03 89 62 14 14 - fermé 16 janv. au 4 mars, dim. soir de fin oct. à mi-mai, lun. midi, mer. midi et ven. midi - 🅿 - 24 ch. : 450/595F - ☕ 75F - restaurant 158/388F. Cette maison rose, bien fleurie en été, est nichée dans un vallon... Calme, entourée d'un jardin, ses chambres, et en particulier celles de l'annexe, sont modernes et claires. Le restaurant, agréablement aménagé, sert plusieurs menus. Attention aux jours de fermeture...

Où se restaurer
● *Valeur sûre*
Auberge Jean-Luc Wahl – 58 rte de Rouffach - 68500 Issenheim - 3 km à l'E de Guebwiller par D 430 et rte secondaire - ☎ 03 89 76 86 68 - fermé 27 juil. au 2 août, 2 au 12 janv., sam. midi et lun. - 120/400F. Au cœur du village, cette maison alsacienne du 18ᵉ s. est fort agréable avec son décor de boiseries sombres, ses bibelots et ses tables soignées... Mais c'est surtout dans l'assiette que ça se passe, avec une cuisine inventive qui, à elle seule, mérite votre intérêt...

Gastronomie
Christmann – Pl. de l'Hôtel-de-Ville. Pâtissier-chocolatier-salon de thé. Délicieuses tartes aux fruits.
Au Pavé d'or – 134 r. de la République. Boulangerie servant bretzels, kougelhopfs et pains divers.
Foire aux vins – Chaque jeudi de l'Ascension, on peut déguster et acheter sylvaner, pinot blanc, muscat d'Alsace, riesling, tokay d'Alsace, gewurztraminer, pinot noir, pinot rosé et crémant d'Alsace.

Où faire du ski
Le Markstein est une station de sports d'hiver à 1 240 m d'altitude équipée de canons à neige (ESF, pistes de luge, 50 km de pistes balisées pour le ski de fond). Maison du Markstein, ☎ 03 89 82 74 78.

se promener

Église Notre-Dame★

Le centre de la place est occupé par la belle collégiale néoclassique élevée de 1760 à 1785 par le dernier prince-abbé de Murbach. La façade de grès rouge est décorée de statues représentant les vertus théologales et cardinales. À l'**intérieur★★**, les deux bras du transept s'achèvent par des absides semi-circulaires qui forment avec celle du chœur un jeu trinitaire d'esprit baroque. À voir également l'exceptionnelle composition en haut relief du **maître-autel★★** (1783) sur le thème de l'Assomption, où le sculpteur Sporrer a laissé libre cours à ses dons de metteur en scène. On lui doit aussi les stalles et le buffet d'orgues.

> **FIDÈLE**
> Tel est le prénom de Sporrer, sculpteur qui a réalisé la décoration du chœur de Notre-Dame. On dit que sa fille Hélène lui donna un coup de main.

Place Jeanne-d'Arc

D'autres constructions réalisées pour les princes-abbés de Murbach au 18e s. sont rassemblées autour de l'église : l'ancien doyenné (musée du Florival), quelques maisons canoniales et l'ancien château de la Neuenbourg, résidence du prince-abbé, actuellement IUFM.

Emprunter la rue de la République.

À droite, la place de la Liberté et sa fontaine de 1536.

> **ART NOUVEAU**
> Une maison modern style, se trouve à gauche de l'hôtel de ville, 69 rue de la République. Elle témoigne de la prospérité de la ville à la fin du 19e s.

◀ Hôtel de ville★

Bâti en 1514 pour un riche drapier. Remarquables, les fenêtres à meneaux et le bel oriel à cinq pans de style gothique flamboyant. À droite dans une niche d'angle, une Vierge du 16e s.

Poursuivre jusqu'à l'église St-Léger.

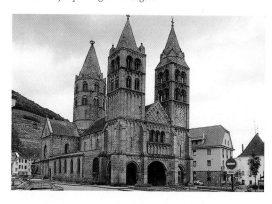

Les tours de St-Léger sont comme suspendues, au-dessus du porche ouvert. Les bandes d'arcatures dénotent quant à elles, une influence lombarde.

Église St-Léger★

C'est un très bel édifice dans le style roman rhénan tardif. La **façade Ouest★★** encadrée de deux hautes tours comporte un porche ouvert sur trois côtés. Elle date, comme la nef, le transept et les bas-côtés, des 12e et 13e s.

Contourner l'église.

L'**ancien tribunal de bailliage** est situé dans une belle maison de 1583 (n° 2 de la rue des Blés). Ensuite, très belle **cave dîmière** et enfin l'**ancien hôtel de ville** qui date lui aussi du 16e s.

LA NUIT DE LA ST-VALENTIN

Au 13e s., les bourgeois de Guebwiller avaient entouré leur cité de remparts. Le 14 février 1445, les Armagnacs franchissent les fossés gelés. Mais une femme aperçoit leurs manœuvres et donne l'alerte en allumant une botte de paille au point le plus menacé du rempart, puis elle se met à hurler si fort que les Armagnacs détalent sans demander leur reste, en abandonnant leurs échelles. Elles sont conservées, depuis, dans l'église St-Léger. Il n'y a pas qu'à Chicago que l'on sait fêter la St-Valentin !

visiter

Musée du Florival★

 ♿ *Tlj sf mar. 14h-18h, w.-end et j. fériés 10h-12h, 14h-18h. Fermé 1er janv., 1er mai, 25 déc. 15F.* ☎ *03 89 74 22 89.*

Sur cinq niveaux d'une ancienne maison canoniale du 18e s., collections de minéraux, objets illustrant l'histoire viticole artisanale et industrielle de la ville. Mais surtout, pour le régal des yeux, très importante collection d'œuvres de Théodore Deck (1823-1891) : vases « bleu Deck », plats à fond d'or, salle de bains et véranda reconstituées avec leurs carreaux de faïence au dessin d'un infini détail...

Ancien couvent des Dominicains

Juil.-août : 9h-12h, 13h30-18h30, w.-end 14h-18h30 ; sept.-juin : tlj sf w.-end 10h-12h, 14h-17h30. ☎ *03 89 74 94 64.*

Fondé en 1294. Les bâtiments ont été vendus à la Révolution et sont devenus tour à tour dépôt d'usines, hôpital, avant d'être rachetés par le conseil général du Haut-Rhin pour y installer le **centre polymusical des Dominicains de Haute-Alsace.**

> **MUSICAL**
> Le Caveau à jazz, dans l'ancien couvent, anime les vendredis et les samedis soir de septembre à juin.

Église St-Pierre-et-St-Paul

Construite entre 1312 et 1340, cette église gothique, qui appartenait au couvent des Dominicains, possède un jubé et de belles fresques des 14e et 16e s. Son acoustique est excellente et on y programme un large répertoire, notamment classique.

itinéraire

VALLÉE DE GUEBWILLER★★

De Guebwiller au Markstein — 30 km — environ 2h. Schéma p. 123. Quitter Guebwiller par la D 430 direction la route des Crêtes et le Markstein.

Paradis des randonneurs, le **Florival** appelé aussi vallée de la Lauch ou de Guebwiller, au fond plat, est couvert de prairies et de fleurs, comme son nom l'indique. C'est une **zone de tranquillité**, interdite aux voitures de part et d'autre de la D 430. À Buhl débouche le vallon de Murbach.

Église de Murbach★★ *(voir ce nom)*

Lautenbach★

C'est un petit bourg constitué de deux centres dont ▶ l'un s'est développé à partir d'une abbaye bénédictine. Le porche roman de l'**église★** est divisé en trois vaisseaux voûtés d'ogives. À l'intérieur, les stalles du 15e s. sont historiées et surmontées d'un dais du 18e s.

> **LE MONDE DU VIVANT**
> 📷 Fourmis-parasol, mantes-orchidée, mygales-Matoutou et autres insectes étonnants cohabitent au vivarium du moulin de Lautenbach-Zell.

Détail du porche de l'église de Lautenbach, l'un des plus beaux et des plus anciens d'Alsace (12e s.).

Peu après Linthal, la vallée de la Lauch qui était jusqu'ici large et industrielle, devient très étroite et sauvage, au cœur du Parc naturel régional des Ballons des Vosges.

Lac de la Lauch★

On le découvre au détour de la route sinueuse qui monte vers le Markstein. Un barrage retient ses eaux tranquilles où l'on peut pêcher.

La route réserve alors quelques échappées dans la forêt sur la vallée et le Grand Ballon.

Le Markstein

Carrefour naturel avec la route des Crêtes. Station de sports d'hiver et d'été : des promenades à pied ou en poney permettent de mieux connaître les environs, à travers hêtraies et sapinières.

Haguenau ★

Haguenau est une clairière au milieu d'un immense massif forestier. Des chemins sont balisés qui mènent au milieu des fougères, des myrtilles, des frênes, des hêtres, des charmes, des pins, des aulnes, jusqu'au chêne d'Arbogast planté, selon la légende, à l'emplacement d'un ermitage du 5e s., et qui valut à la forêt le nom de « Forêt sainte ». En août, l'immense lande de callunes du camp d'Oberhoffen prend des teintes mauves.

La situation

Cartes Michelin nos 87, pli 3 ou 242 pli 16 — Bas-Rhin (67). La ville est à 25 km au Nord de Strasbourg par l' A 4 et si vous poursuivez vers le Nord, vous entrez dans la forêt d'Haguenau sillonnée de nombreux chemins et pistes cyclables. Cette large provision de bois a permis l'installation de villages de potiers célèbres, tels que Betschdorf à 17 km au Nord, ou Soufflenheim à la même distance à l'Est. Le Rhin, frontière avec l'Allemagne est à environ 20 km.

🛈 *Pl. de la Gare, 67500 Haguenau, ☎ 03 88 93 70 00.*

carnet pratique

OÙ DORMIR

● À bon compte

Chambre d'hôte Krumeich – *23 r. des Potiers - 67660 Betschdorf - 15 km au NE d'Haguenau, dir. Wissembourg par D 263, puis D 243 - ☎ 03 88 54 40 56 - 3 ch. : 210/320F*. Dans cette maison de Betschdorf, vous pourrez vous initier à la poterie de grès au sel, avec le propriétaire, digne héritier d'une vieille famille de potiers... Ou tout simplement dormir dans une de ses jolies chambres, meublées à l'ancienne et profiter de son jardin.

OÙ SE RESTAURER

● Valeur sûre

Au Bœuf – *48 Grand'Rue - 67620 Soufflenheim - 15 km à l'E d'Haguenau par N 63 - ☎ 03 88 86 72 79 - 128F*. Au cœur de ce village réputé dans la région pour ses potiers, cette maison typique avec ses balcons et sa terrasse fleuris a elle aussi sa petite renommée locale... On y mange des plats alsaciens et des tartes flambées le soir, sous un beau plafond peint comme au 17e s. Distractions

Nautiland – *8 r. des Dominicains - ☎ 03 88 90 56 56.* 🖻 Ce centre de loisirs aquatiques comporte des cascades, geysers, toboggans, à deux pas du centre-ville.

GASTRONOMIE

Marchés – Marché hebdomadaire le matin à la halle du Houblon, mardi et vendredi. Marché biologique le vendredi après-midi rue du Rempart.

Chez Karl Kretzchmar – *1 r. de la Perdrix - 67240 Kaltenhouse - ☎ 03 88 63 21 97 - 6 km à l'Est de Haguenau par D 329.* Fraises en cueillette libre.

ATELIERS DE POTERIE

Michel Dupuy – *13 r. du Moulin-Neuf - ☎ 03 88 93 28 18.* Maisons miniatures d'Alsace.

Potiers de Soufflenheim – *20b Grand'Rue - 67620 Soufflenheim - ☎ 03 88 86 74 90.* Il existe une dizaine d'ateliers exposition-vente qui proposent de la poterie culinaire et réfractaire, au décor fleuri et aux couleurs chatoyantes.

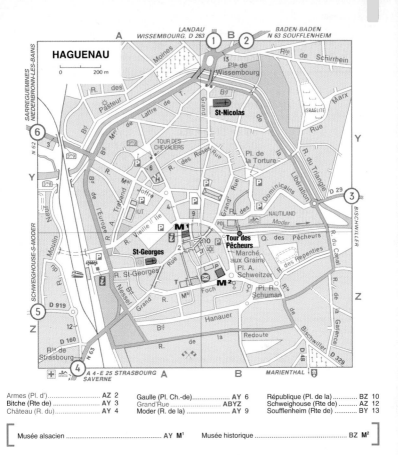

Le nom

C'est Frédéric le Borgne de Hohenstaufen qui a fait construire, au début du 12ᵉ s., sur une île de la Moder, au milieu de la forêt, un château qui va s'appeler, « Hagenow », qui signifie « l'enclos près de la rivière ».

Les gens

27 675 Haguenoviens. Les premiers habitants, à l'âge du bronze, exportaient leurs haches à talon à travers l'Europe ; au 19ᵉ s., c'était plutôt le houblon. Haguenau est restée une ville très commerçante.

visiter

Musée historique★

Juin-sept. : 10h-12h, 14h-18h, mar., w.-end et j. fériés 14h-18h ; oct.-mai : tlj sf mar. 10h-12h, 14h-18h, w.-end et j. fériés 15h-17h30. Fermé 1ᵉʳ janv., Pâques, 1ᵉʳ mai, 1ᵉʳ nov., 25 déc. 20F. ☎ 03 88 93 79 22.

Le bâtiment est imposant (style néo-Renaissance 1900 et 1905). Les objets provenant de fouilles dans la forêt d'Haguenau et sur le site de Seltz sont nombreux : bijoux, armes, céramiques de l'âge du bronze ou de l'âge du fer. Les monnaies et les médailles frappées sur place, de même que les ouvrages imprimés à Haguenau au 15ᵉ et 16ᵉ s., racontent l'histoire de la ville. Au 1ᵉʳ étage, collection de céramique. Les Hannong, célèbres faïenciers du 18ᵉ s., avaient deux fabriques, l'une à Strasbourg, l'autre à Haguenau.

Église St-Georges

Du 12ᵉ et 13ᵉ s., elle allie les styles roman et gothique. La nef appartient à la première période ; elle est ample et limite les bas-côtés par de puissantes piles reliées ▶

> **DÉTAILS**
>
> Les deux cloches de St-Georges sont les plus anciennes datées de France (1268). Quant aux rainures qu'on peut voir sur le contrefort du transept Sud, ce sont les étalons de mesures de longueur utilisés pour la construction.

entre elles par des arcs en plein cintre. Le chœur, de style gothique, a été réalisé par des sculpteurs de l'Œuvre Notre-Dame de Strasbourg. Il renferme une **custode** (gothique flamboyant) pour contenir les hosties, qui s'élève jusqu'à la voûte. La chaire, sculptée dans la pierre en 1500, le grand Christ en bois de 1487, ou le très beau **retable**★ du Jugement dernier, sont autant d'œuvres à découvrir.

Église St-Nicolas

Possibilité de visite guidée. S'adresser à l'Office de tourisme.
Elle a été fondée par l'empereur Frédéric Barberousse, qui s'était fait édifier une résidence impériale prestigieuse à Haguenau. De la construction primitive de 1189, il ne reste que la tour ; la nef et le chœur gothiques ont été construits vers 1300. Remarquables **boiseries**★ du 18ᵉ s. pour la chaire, le buffet d'orgues et les stalles du chœur. Elles proviennent de l'ancienne abbaye de Neubourg, et ont été transportées ici après la Révolution. Quatre très belles statues de bois, à l'entrée du chœur sont dans la tradition baroque. Elles représentent saint Augustin, saint Ambroise, saint Grégoire et saint Jérôme.

Musée alsacien

9h-12h, 14h-18h, mar. 14h-18h, w.-end et j. fériés 14h-17h. Fermé 1ᵉʳ janv., Pâques, 1ᵉʳ mai, 1ᵉʳ nov., 25 déc. 15F. ☎ 03 88 73 30 41.
◄ Il est aménagé dans l'ancienne chancellerie de la ville, bâtiment restauré qui date du 15ᵉ s. La collection de peintures sous verre et de canivets est très intéressante. On y voit aussi quelques costumes alsaciens traditionnels, un atelier de potier reconstitué et un intérieur paysan avec sa cuisine et sa Stub (salle à manger).

> **CANIVET**
> Ce mot étrange désigne un ouvrage artistique tout aussi étrange que les religieuses des environs d'Haguenau réalisaient au 19ᵉ s. Il s'agit de petits tableaux sous verre, délicates compositions pieuses souvent dédiées à la Vierge

Une des façades du Musée alsacien installé dans la chancellerie du 15ᵉ s.

alentours

Gros Chêne

6 km à l'Est de Haguenau, sortir par ② du plan.
Près d'une modeste chapelle dédiée à St-Arbogast, le Gros Chêne dont il ne reste plus qu'une partie du tronc, consolidée, est plus un repère dans l'espace qu'une curiosité en soi. Sentier botanique, parcours de santé, promenades balisées en forêt et aire de jeux pour enfants.

Soufflenheim

◄ *14 km à l'Est par ② du plan.* Ce petit bourg est illustre pour ses **ateliers** de poteries et de céramiques typiquement alsaciennes : terrines ovales pour la potée, moules à gâteau (kougelhopf) et autres plats. En 1837, la localité comptait 55 ateliers employant 600 personnes. Aujourd'hui la confrérie des artisans potiers garantit

> **CHEF-D'ŒUVRE DES POTIERS**
> Dans l'ancien cimetière fortifié de l'Oelberg à Soufflenheim, un auvent protège la Cène, composition d'après le tableau de de Vinci. Les personnages grandeur nature ont été façonnés dans l'argile par le céramiste Léon Elchinger en collaboration avec Charles Burger (1871-1942).

Enseigne de potier à Soufflenheim, localité connue pour ses céramiques vernissés et colorés.

l'origine de fabrication selon une tradition séculaire. *Tlj sf w.-end 9h-12h, 14h-17h. Fermé juil.-août (selon l'atelier) et j. fériés.*

Betschdorf

16,5 km au Nord-Est par ① du plan. Dans ce village aux jolies maisons à colombage, un **musée** présente dans une ancienne ferme une collection de grès au sel, caractéristique de la production locale. On y voit aussi des tessons de poteries du Moyen Âge et des productions actuelles, utilitaires ou œuvres d'art. Dans l'ancienne grange, on a reconstitué un atelier de poterie. *Pâques-Toussaint : 10h-12h, 13h-17h. 20F.* ☎ *03 88 54 48 07.*

Hatten

22 km au Nord-Ouest par ① du plan. Gagner Hatten par Betschdorf. Le **musée de l'Abri et casemate d'infanterie Esch** se trouve dans la localité. La **casemate**, quant à elle, est à 1 km après la sortie sur la route de Seltz, sur la gauche *(voir Ligne Maginot).*

Walbourg

10 km. À la lisière Nord-Ouest de la forêt, sortir de Haguenau par ① du plan. Le paisible village doit son nom à la fondation par des moines Bavarois d'une abbaye bénédictine dédiée à Ste-Walburge, en 1074. Il en reste une belle abbatiale du 15ᵉ s. à nef plafonnée. Le chœur voûté d'ogives ramifiées est éclairé de cinq verrières du 15ᵉ s. également.

Morsbronn-les-Bains

11 km au Nord par ① du plan, D 27. Dans cette petite station thermale, les eaux chlorurées sodiques jaillissent à 41,5°. Là furent massacrés la plupart des cuirassiers survivants de la charge dite, à tort, de Reichshoffen.

Sessenheim

21 km à l'Est de Haguenau. Sessenheim garde le souvenir des amours de Goethe et Frédérique, fille cadette du pasteur Brion chez qui le jeune poète avait accompagné un ami en visite. On suivra donc Goethe à la trace dans l'**église protestante** où les amoureux écoutaient le prêche et à l'**auberge « Au bœuf »** où sont rassemblés des gravures, lettres et portraits se rapportant à Goethe et à Frédérique. *Tlj sf lun. et mar. Fermé de déb. fév. à mi-fév. et de mi-juil. à déb. août. Carte postale 3F.*

Enfin, on ira se recueillir devant le **mémorial Goethe** *(à côté du presbytère).*

LE GRÈS AU SEL

Cruches, pots ou vases en grès gris à décor bleu sont tournés à la main et après séchage décorés au pinceau avec du bleu de cobalt. À la fin de la cuisson à 1 250°, ils sont vernis au sel.

POUR LES ENFANTS

Morsbronn-les-Bains, emmenez vos enfants au parc d'attractions de Fantasialand. Manèges de clowns, radeaux, tacots, train de mines, cinéma 180°, bateau pirate, etc. *1 rte de Gunstett. De déb. Avr. à déb. sept. 10h-18h.*

Haroué ★

On dirait un château de la Loire qui se serait égaré dans la campagne de Sion. Haroué a tous les critères du beau château : quatre tours rondes, des douves en eau, un magnifique parc à la française, un jardin à l'anglaise, une cour d'honneur, des grilles, des statues...

La situation

Cartes Michelin n°s 62 Sud du pli 5, 242 pli 22 ou 4054 F 8 — Meurthe-et-Moselle (54). Au Sud de Nancy, sous la protection de Notre-Dame de Sion toute proche, Haroué est desservi par la N 57 et la D 9.
🛈 *54740 Haroué, ☎ 03 83 52 40 14.*

Le nom

C'est peut-être Boffrand, architecte du duc de Lorraine Léopold, qui lui a donné ce nom d'Haroué, en construisant, en 1720, le château sur les fondations de l'ancien château des Bassompierre.

Les gens

451 habitants, mais tous ne font pas partie de la famille des Beauvau-Craon, installée au château depuis huit générations.

Le prestigieux château de Haroué, une demeure princière en Lorraine.

visiter

Le château

D'avr. au 11 nov. : visite guidée (1h) tlj sf lun. et mar. 14h-18h (juil.-août : tlj 10h-12h, 13h30-18h30). 38F (enf. : 20F). ☎ 03 83 52 40 14 ou 03 83 52 55 57.

Le château est précédé d'une cour d'honneur fermée par des grilles réalisées par Jean Lamour. Les statues de la cour d'honneur et du parc sont l'œuvre de Guibal qui, comme Lamour, travaillera à la place Stanislas de Nancy. Bonnes références, donc.

◀ Un grand escalier dont la rampe (due à Lamour, encore) vous amènera au premier étage devant les douze **tapisseries**★ (17ᵉ s.) tissées aux manufactures ducales de la Malgrange près de Nancy et retraçant les batailles d'Alexandre le Grand. On peut y voir aussi le mobilier signé Bellanger, que le roi Louis XVIII offrit à la comtesse du Cayla pour orner le château de St-Ouen, des portraits par François Pourbus, Rigaud et des paysages d'Hubert Robert. Le **salon doré** a été exécuté par le peintre Hébert en 1858-59 pour la visite de Napoléon III à Haroué. On redescend ensuite au rez-de-chaussée pour avoir un aperçu sur l'arbre généalogique. Dans le salon Louis XVIII, portraits par Gérard du roi assis à sa table

EXOTIQUE
Le **salon chinois** peint par Pillement en 1747, rare exemple de l'art décoratif et de l'engouement pour la Chine au début du 18ᵉ s.

de travail et de Mme de Cayla entourée de ses enfants. Dans la chambre d'apparat, réservée au roi Stanislas lors de ses fréquents séjours au château, un lit du 17e s. ayant appartenu aux Médicis et une belle table florentine recouverte d'une mosaïque dure.

alentours

Vézelise
8,5 km à l'Ouest par la D 9. Vézelise fut longtemps connue pour sa brasserie fondée en 1863 par Antoni Moreau et qui ferma ses portes en 1972.
Les belles **halles** en bois datant de 1599 témoignent de l'importance de l'activité commerciale de cet ancien chef-lieu de bailliage. L'**église St-Côme-et-St-Damien** présente une belle porte fermée par des vantaux Renaissance sculptés des effigies des saints Côme et Damien en habits de médecin pour cette église, des 15e et 16e s. À l'intérieur, beaux vitraux du 16e s. dans le chœur et le transept.

Les halles de Vézelise, parmi les plus anciennes de France.

Château du **Haut-Barr** ★

Une forteresse rouge qu'on dirait pétrifiée dans la roche qui l'enserre de part et d'autre, tel est l'émouvant visage que nous présente le Haut-Barr. Un lieu plein de mystère et de magie, alimentant l'imagination de tous. Parmi eux l'évêque Manderscheidt qui s'y réfugia et en profita pour fonder la « confrérie de la Corne », dont le rituel consitait à vider d'un trait une énorme corne d'aurochs remplie de bon vin d'Alsace !

La situation
Cartes Michelin n°s 87 Est du pli 14 ou 242 pli 19 — Schéma p. 400 — Bas-Rhin (67). À 5 km au Sud de Saverne. On accède au château depuis Saverne par la D 102 qui offre des vues sur la Forêt-Noire. Prendre ensuite la D 171, qui sinue entre les sapins. Près de l'entrée du château, parking.

Le nom
Cette fois c'est de surnom qu'il va être question. L'« Œil de l'Alsace » ! Celui-ci vaut pour la vue, bien sûr exceptionnelle, puisque, par temps clair, il est possible d'apercevoir la flèche de la cathédrale de Strasbourg.

Situé à l'orée de la forêt de Saverne, le château du Haut-Barr en défend l'accès par ses épaisses murailles naturelles.

Les gens

Bizarrement, ce n'est pas un enfant du pays mais un sarthois qui est à l'honneur ici, Claude Chappe, l'inventeur du télégraphe optique. C'est grâce à son procédé de « sémaphore mécanique » que les informations ont circulé entre Paris et Strasbourg de 1798 à 1852.

visiter

Du portail d'entrée, une rampe pavée conduit à une porte derrière laquelle se trouvent à droite une chapelle romane restaurée et à gauche le restaurant du Haut-Barr. Au-delà de la chapelle, on accède à une plate-forme (table d'orientation), d'où la **vue**★ s'étend sur Saverne, les coteaux du Kochersberg et, au loin sur la Forêt-Noire. Par un escalier métallique *(64 marches)*, appliqué contre la paroi de grès, on peut atteindre un premier rocher. On revient devant le restaurant et, aussitôt après, on monte un escalier de 81 marches, cette fois pour atteindre un deuxième rocher relié par une passerelle, le « pont du Diable », à un troisième rocher. Là, la **vue**★★ est encore plus incroyable.

À 200 m du château, au Sud, on trouvera une reconstitution du célèbre **télégraphe Claude Chappe**. Il s'agit d'une tour-relais du fameux télégraphe optique imaginé en 1794. Un petit musée est installé à l'intérieur de la tour. *De juin à mi-sept. : visite guidée (1/2h) tlj sf lun. 12h-18h. 10F.* ☎ *03 88 52 98 99.*

Réplique d'une des tours-relais du télégraphe optique de Chappe, qui reliaient Paris à Strasbourg.

Château du **Haut-Kœnigsbourg** ★★

Son apparition dans la brume matinale est vraiment magique ! Forteresse de 300 m de long perchée à près de 800 m de haut, ce n'est ni un mirage, ni une « Grande Illusion », pour faire allusion au film que Jean Renoir y tourna en 1937. Beaucoup de pierres, beaucoup d'Histoire et beaucoup d'histoires. L'éperon de grès sur lequel le château est accroché surveille toutes les routes menant vers la Lorraine ou traversant l'Alsace, celle du vin, celle du blé et du sel.

La situation

Cartes Michelin n°s 87 Sud-Est du pli 16 ou 242 pli 27 — Schéma p. 387 — Bas-Rhin (67). La route d'accès (2 km) s'embranche à l'intersection de la D 159 et de la 1^{BI}, à hauteur de l'hôtel du Haut-Kœnigsbourg. À 1 km, prendre à droite la route à sens unique qui contourne le château, route à gauche de laquelle on peut laisser la voiture.

Les gens

Construit par les Hohenstaufen au 12e s. après un passage aux mains de chevaliers brigands qui en avaient fait leur quartier général, le château est récupéré par les Habsbourg au 15e s. Puis après quelques siècles d'abandon dû à des pillages et des incendies, il a été offert en 1899 par la ville de Sélestat à l'empereur Guillaume II, grand amateur de châteaux.

Le symbole

L'Alsace compte plus de 500 châteaux et ruines de châteaux forts, témoins de l'importance stratégique de la région au Moyen Âge. Ce *burg* (château) est le plus important et le plus visité de la région.

RÉHABILITATION

Guillaume II a confié la restauration du château à l'architecte berlinois Bodo Ebhardt, spécialiste de la fortification médiévale. Les travaux se sont terminés en 1908. Dix ans après son inauguration, le château redevenait français !

RÉHABILITATION (BIS)

Lors de la tempête de fin décembre 1999, la toiture du château a été endommagée. Aussi, ne soyez pas étonnés d'y voir encore des échafaudages.

carnet pratique

OÙ DORMIR ET SE RESTAURER

• À bon compte

Relais du Haut-Kœnigsbourg – *Rte du Haut-Kœnigsbourg - 67600 Orschwiller -* ☎ *03 88 82 46 56 -* ▣ *- 26 ch. : 190/250F -* 🍽 *40F - restaurant 65/139F.* Cet hôtel-restaurant vaut surtout par sa situation : à 5 mn du château, il domine superbement la forêt... La maison, des années 1960, mériterait un coup de propre et seules quelques chambres ont été rafraîchies : préférez-les aux anciennes. Soirées folkloriques organisées.

• Valeur sûre

Auberge La Meunière – *68590 Thannenkirch - 5 km au SO du Château par D 159 puis D 42 -* ☎ *03 89 73 10 47 - fermé 21 déc. au 24 mars*

- ▣ *- 19 ch. : 290/385F -* 🍽 *40F - restaurant 100/235F.* Cette maison en brique et bois est au cœur du village... et pourtant certaines de ses chambres, les plus belles, ouvrent leurs fenêtres côté campagne avec, au loin, les tours du château du Haut-Kœnigsbourg. Vous profiterez aussi de cette magnifique vue de la terrasse du restaurant.

ANIMATIONS

Soirées médiévales de mai à décembre, et soirées médiévales musicales sur demande toute l'année. ☎ *03 88 82 50 60.*

visiter

Mai-sept. : 9h-18h (juil.-août : 9h-18h30) ; mars-avr. et oct. : 9h-12h, 13h-17h30 ; nov.-fév. : 9h30-12h, 13h-16h30. Fermé 1ᵉʳ janv., 1ᵉʳ mai et 25 déc. 40F (enf. : 25F). ☎ 03 88 82 50 60.
Après la porte et le massif de la herse, on atteint la basse-cour où se trouvent les bâtiments d'intendance, nécessaires à l'autonomie du château en cas de siège : hostellerie (restaurant, boutique, librairie), écuries, forge et moulin. On accède par une rampe bordée de meurtrières au portail des lions **(1)** et au fossé séparant le logis du reste du château. Un puits **(2)** fortifié, profond de 62 m, est construit en bordure de l'éperon rocheux sur lequel s'élève le logis. Au rez-de-chaussée de ce dernier se trouvent le cellier **(3)** côté Ouest, les cuisines **(4)** côté Nord. Depuis la cour intérieure, deux escaliers en colimaçon desservent les étages. Côté Sud, deux balcons décorés des représentations des Neuf Preux. Les appartements (chambre de séjour, chambre à coucher) occupent les côtés Sud et Nord. À l'Ouest se trouvent les grandes salles : la salle des fêtes, suivie de la chambre lorraine, enfin, la salle d'armes. À l'Est, le donjon restauré dans ses niveaux supérieurs. Le mobilier et les armes (15ᵉ-17ᵉ s.) ont été acquis au début du 20ᵉ s. pour mettre en scène l'ambiance, que l'on imaginait alors, d'un château fort.

Face Ouest du logis du Haut-Kœnigsbourg, magnifique reconstitution médiévale.

Après la traversée du haut-jardin, depuis le grand bastion, **panorama★★** au Nord, sur les ruines des châteaux de Franckenbourg, de Ramstein, de l'Ortenbourg ; à l'Est, de l'autre côté du Rhin, les hauteurs de Kaiserstuhl, en avant de la Forêt-Noire ; au Sud, le Hohneck, et, à l'horizon, le Grand Ballon et la route des Vins ; à 200 m environ à l'Ouest, ruine de l'Œdenbourg ou du Petit-Kœnigsbourg.

> **REGARDEZ BIEN !**
> Les fresques de Léo Schnug, expert en perspective. L'une, dans la salle des fêtes, représente le siège du château en 1462.

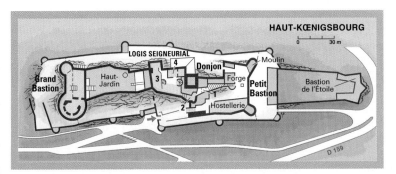

181

Le Hohwald ★★

Un seul et même nom pour un village et sa région. Le village d'abord est l'une des plus anciennes stations de villégiature d'Alsace, lieu de cure et de détente très à la mode au début du siècle, point de départ aujourd'hui d'excursions vers l'oxygène, été comme hiver. Alentour, beaucoup de châteaux et de monastères, la forêt qui abrite framboisiers et airelles et qui ne s'éclaircit que pour faire place à la vigne, au tabac et aux houblonnières confirmant ainsi le surnom donné à ce coin d'Alsace de « terre bénie ».

La situation

Cartes Michelin n°s 87 plis 5 et 15 ou 242 plis 23 et 27 — Bas-Rhin (67). La région de Hohwald, dans la partie Nord du massif vosgien, couvre deux pays traditionnels : le pays de Barr (la ville de Barr est à 17 km par la route de montagne) et le pays de Bernstein. Pour arriver au Hohwald, on emprunte d'abord la D 425, jusqu'à Andlau en suivant le cours très romantique de la rivière du même nom. Par la D 5, on rejoint ensuite la vallée du Rhin, puis on prend la N 83 vers la Nord.
Square Kuntz, 67140 Le Hohwald, ☎ 03 88 08 33 92.

Le nom

Hohwald signifie « la forêt des hauts ».

Les gens

Environ 400 habitants au Hohwald. Parmi les *happy few* qui se sont reposés au Hohwald, la reine Wilhelmine des Pays-Bas, le général de Gaulle, Sarah Bernhardt, le maréchal Joffre, le chancelier Adenauer.

Féerie du givre au col de la Charbonnière.

circuit

1 LE NORD DU HOHWALD ★★

91 km — environ une journée. Quitter Le Hohwald par la D 425 qui suit la rivière d'Andlau en sous-bois.
Sur la gauche, les ruines du château de Spesbourg et du Haut-Andlau apparaissent sur une crête.

carnet pratique

Depuis 1856 le parc hôtelier s'est étoffé et des centaines de kilomètres de sentiers fléchés passent par le Howald, point de départ de très nombreuses excursions diverses et variées.

OÙ DORMIR

● *À bon compte*

Chambre d'hôte Tilly's Inn – *28 r. Principale - ☎ 03 88 08 30 17 - ⊞ - 3 ch. : 200/320F - ⊡ 30F - repas 90F.* Laissez-vous tenter comme nous par la façade rouge, décorée de dessins naïfs de cette maison, vous ne serez pas déçu ! Chambres originales et surprise du matin : un cheval de bois dans un décor amusant, où s'entassent objets anciens et bibelots, assiste au petit-déjeuner.

OÙ SE RESTAURER

● *Valeur sûre*

Ferme-auberge Lindenhof – *2 km à l'O du Hohwald par D 425 - ☎ 03 88 08 31 98 - fermé vacances de Noël et jeu. - ⊞ - réserv. - 120F.* Entre campagne et forêt, cette bâtisse plutôt anodine sert une cuisine préparée à partir des produits de la ferme sous une grande véranda : fromage blanc, munster, gruyère et beurre, en plus des volailles et lapins. Cuisine alsacienne sur commande.

LOISIRS SPORTIFS

Stade de neige du Champ du Feu – Au cœur des Vosges moyennes, il est situé entre 900 et 1 100 m d'altitude. C'est un vaste plateau propice au ski de fond, ou aux balades en raquette, mais la station possède aussi 17 remontées mécaniques. École de ski français, ☎ 03 88 97 35 05.

École de parapente Grand Vol – *67220 Breitenbach - ☎ 03 88 57 11 42 – dir. Villé par D 425.*

GOURMANDISES

Pains d'épice Lips – *Pl. de la Mairie - 67140 Gertwiller - ☎ 03 88 08 93 52.* Au début du siècle, Gertwiller petit village viticole situé près de Barr, comptait neuf fabricants de pains d'épice. On peut visiter à présent l'ancienne grange dîmière qui retrace cette histoire (musée du Pain d'épice et des douceurs d'autrefois). Dégustation, visite de la fabrication.

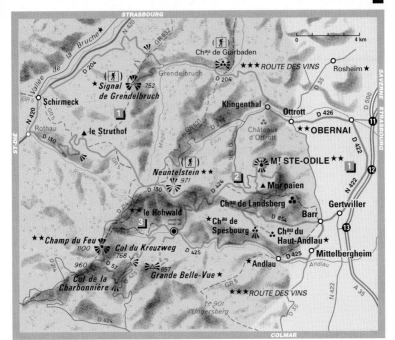

Andlau★ (voir ce nom)

La route suit le pied des vignobles entre Andlau et Obernai.

Mittelbergheim

Les maisons de ce joli bourg sont accrochées aux flancs d'un coteau. La place de l'hôtel-de-ville est bordée de belles maisons Renaissance. Leurs ouvertures sont en grès des Vosges et la vigne y est cultivée, dit-on, depuis l'époque romaine.

Barr (voir p. 385)

Après **Gertwiller**, village renommé pour son vignoble et ses pains d'épice glacés, on distingue, sur les premières pentes des Vosges, le château de Landsberg ; plus à droite, le couvent de Ste-Odile et plus bas, les ruines des châteaux d'Ottrott.

Mittelbergheim, entouré d'un vignoble réputé qui remonterait à l'époque romaine.

Obernai★★ (voir ce nom)

Ottrott

Au pied du mont Ste-Odile, Ottrott est célèbre pour son vin, le « rouge d'Ottrott », fruité et agréablement corsé. Ottrott est également fier de ses deux châteaux : le Lutzelbourg du 12ᵉ s., avec son bâtiment carré et sa tour ronde, et le Rathsamhausen du 13ᵉ s., plus vaste et plus orné.

⊙ Plus loin, sur la route de Klingenthal, le grand aquarium **Les Naïades** rassemble 3 000 poissons provenant de toutes les mers de la planète. ♿ *9h30-18h30. 42F.* ☎ *03 88 95 90 32.*

> **EXOTIQUE**
> Attention ! Requins, piranhas et autres gymnotes (anguilles électriques) habitent une ancienne filature près d'Ottrott, dans des bassins qui reconstituent au mieux leur milieu naturel.

Klingenthal

Son nom signifie « vallée des lames », rappelant la manufacture d'armes blanches qui y fut fondée en 1776.

Prendre la D 204, tracée en forêt. À l'hôtel-restaurant de Fischhütte, laisser la voiture. À 150 m, à droite, un sentier (🧍 *6 km à pied AR*) *mène aux ruines du château fort de Guirbaden.*

Le **château fort de Guirbaden** dont le donjon et les murs du corps de logis subsistent, fut construit au 11ᵉ s.

Signal de Grendelbruch★
🚶 *1/4h à pied AR.* Le **panorama**★ est large sur la plaine d'Alsace et la Forêt-Noire, jusqu'à la vallée de la Bruche et la chaîne des Vosges avec le Donon, couronné d'un petit temple.

La route se poursuit vers la vallée pittoresque de la Bruche.

Schirmeck *(voir ce nom)*
À la hauteur de Rothau, prendre à gauche la D 130 dans la vallée de la Rothaine que l'on quitte 3 km plus loin par un coude à gauche. On arrive sur un haut lieu de souvenir de la Seconde Guerre mondiale.

Le Struthof
Au cours de la dernière guerre, les Nazis créèrent ici un « camp d'extermination » qui reçut des convois provenant des pays occupés. De l'**ancien camp de concentration** restent la double enceinte de fils de fer barbelés, la grande porte d'entrée, le four crématoire, les cellules des déportés, deux baraques (un dortoir et la cuisine) transformées en musée. *Juil.-août : 10h-18h (dernière entrée à 17h) ; mars-juin : 10h-12h, 14h-17h30 (dernière entrée à 11h30 et 16h30) ; de sept. à Noël : 10h-12h, 14h-17h. Fermé de Noël à fin fév. 10F.* ☎ *03 88 97 04 49.*

La **nécropole,** aménagée au-dessus du camp, abrite les restes de 1 120 déportés. Devant elle se dresse le **mémorial,** sorte d'immense colonne évidée, portant gravée à l'intérieur une silhouette géante de déporté. Le socle renferme le corps d'un déporté inconnu français.

La route court ensuite sur le plateau, pénètre en forêt et descend vers la Rothlach.

À 1,5 km, laisser la voiture et prendre à gauche un sentier vers le rocher de Neuntelstein.

Rocher de Neuntelstein★★
🚶 *1/2h à pied AR.* La **vue**★★ est très belle sur Ste-Odile, l'Ungersberg, le Haut-Kœnigsbourg et le Champ du Feu.

Poursuivre la D 130 qui rejoint la D 426 à un carrefour d'où l'on peut gagner le mont Ste-Odile. En prenant à droite, on revient au Hohwald.

ESCALADE
L'école d'escalade du rocher de Neuntelstein permet de se familiariser avec ce sport. *Voir l'Office du tourisme du Hohwald.*

HISTOIRE
L'histoire de la région du Hohwald plante ses racines dans des temps lointains, témoin : le curieux Mur païen du très célèbre mont Ste-Odile. Il est à peu près reconnu que ce fameux mur est l'œuvre des Celtes qui y mettaient à l'abri leurs familles et leurs biens.

itinéraires

---

② MONT STE-ODILE★★
Quitter Le Hohwald à l'Est par la D 425, puis la D 426. Voir p.312.

③ CHAMP DU FEU★★
11 km — environ 1/2h. Quitter Le Hohwald à l'Ouest par la D 425.

Col du Kreuzweg
À 768 m d'alt., il ouvre sur les vallées de Breitenbach et du Giessen et sur les monts qui les encadrent.

La D 57 monte ensuite vers le col de la Charbonnière, et l'on aperçoit les châteaux du Haut-Kœnigsbourg et de Frankenbourg sur des promontoires qui dominent la plaine.

Col de la Charbonnière
Au-delà des hauteurs du val de Villé, on distingue la plaine d'Alsace et, à l'horizon, la Forêt-Noire.

Au col, tourner à droite dans la D 214 qui contourne la tour du Champ du Feu.

Champ du Feu★★
Du haut de la tour d'observation, immense **panorama**★★ sur les Vosges, la plaine d'Alsace, la Forêt-Noire et par temps clair, les Alpes bernoises. Depuis la tour, on peut rejoindre le stade de neige.

À 1 km, la D 414 conduit au chalet-refuge et aux pistes de la Serva ouvertes en hiver.

randonnées

Le Champ du Feu sans la neige mais couvert de lupins, au-dessus du Hohwald.

Châteaux du Haut-Andlau et de Spesbourg★

🚶 *1h1/2 à pied AR. De Barr, prendre la D 854, puis 1 500 m après Holzplatz, un chemin goudronné à gauche qui mène à la maison forestière d'Hungerplatz. Y laisser la voiture et suivre le chemin tracé sur la crête de la montagne jusqu'aux ruines.* Le **château du Haut-Andlau★**, bâti au 14ᵉ s. et restauré au 16ᵉ s., était encore habité en 1806. Il présente entre deux grosses tours, des murs en ruine percés de fenêtres gothiques. De la terrasse, vue sur le vignoble, la plaine d'Alsace et, au loin, la Forêt-Noire. Du **château de Spesbourg★**, on découvre vers le Sud une jolie vue sur la vallée d'Andlau et l'Ungersberg. Un donjon carré domine les hauts murs du corps de logis aux belles fenêtres géminées.

Grande Bellevue★

🚶 *1h1/2 à pied AR. Du Hohwald, prendre la route qui fait face au café-restaurant d'Alsace et qui traverse la rivière.* Belle vue sur le site du Hohwald. À 1 km, à hauteur de l'ancienne pension Belle-Vue, prendre un sentier à gauche. Il monte sur 3 km en forêt et atteint les pâturages. **Vue★** à droite sur le Climont, en avant sur le val de Villé et le Haut-Kœnigsbourg.

Hombourg-Haut

Ne cherchez pas le château fort, il a totalement disparu. Rêvez-le... Pour vous aidez, il reste quelques vestiges des remparts et une vieille porte. C'est peu ? Peut-être, mais c'est vraiment joli.

La situation

Cartes Michelin nᵒˢ 57 Nord du pli 16 ou 242 pli 10 — Moselle (57). Entre **St-Avold** *(8 km au Sud-Ouest — voir ce nom)* et Freyming-Merlebach sur la N 3. 🖪 *Villa Gouvy, 1 r. de la Gare, 57470 Hombourg-Haut, ☎ 03 97 90 53 53.*

Le nom

Il existe un autre Hombourg, en Allemagne. Duquel des deux Hombourg le compositeur allemand Hans Werner Henze s'est-il inspiré pour le personnage de son opéra, *Le Prince de Hombourg* ?

Les gens

9 580 Hombourgeois. C'est Jacques de Lorraine, l'évêque de Metz, qui se fit construire ici, en 1254, le fameux château disparu.

La statue de saint François accueille les visiteurs de l'ancien couvent des Récollets.

se promener

LE VIEUX HOMBOURG

Collégiale St-Étienne

À VOIR
Majestueuse tribune d'orgues à l'intérieur de la collégiale St-Étienne.

Style gothique. Dans le chœur à gauche, beau crucifix en grès, malheureusement mutilé (fin 15ᵉ-début 16ᵉ s.). La chapelle St-Nicolas, partie la plus ancienne de l'église, est voûtée d'ogives massives dont les clefs de voûte sont ornées de figures humaines.

En sortant de l'église, à droite, on aperçoit le portail baroque de l'ancien couvent des Récollets (aujourd'hui presbytère) agrémenté d'une statue de saint François (1769).

Les « saints auxiliaires »

Dans la rue Ste-Catherine qui mène à la chapelle du même nom, on découvre une série de statues en grès représentant 13 saints auxiliaires. Seraient-ils moins importants que les autres saints ? En tout cas, ils sont tous martyrs, sauf saint Gilles.

Chapelle Ste-Catherine

D'avr. à fin sept. : 14h-18h sur demande auprès de l'Office de tourisme. ☎ 03 87 90 53 53.

À l'extrémité du promontoire, c'est l'ancienne chapelle du château de Jacques de Lorraine. Elle a été renforcée au 19ᵉ s. par d'épais contreforts du côté Nord.

Hunawihr

OÙ SE RESTAURER
Caveau du Vigneron — 5 Grand'Rue - ☎ 03 89 73 68 40 - fermé de Noël à mi-mars et mer. - 70/130F. Cette maison classée du 17ᵉ s. vous ouvre les portes de son ancienne cave, où vous remarquerez les piliers en grès et le torchis d'origine, avant de vous attabler autour d'une cuisine locale simple. En été, service dans la cour pavée.

La route des Vins ne pouvait pas ne pas passer à Hunawihr, il y a des vignes tout autour ! Ici, c'est le riesling qui profite du soleil. Mais à Hunawihr, outre l'église et le cimetière qui attireront, bien entendu, toute votre attention, deux curiosités vraiment épatantes : le parc des Cigognes et la serre aux Papillons. Ces rendez-vous animaliers donneront des ailes aux enfants... entre deux visites de monuments.

La situation

Cartes Michelin nᵒˢ 87 Est du pli 17 ou 242 pli 31 — Schéma p. 387 — Haut-Rhin (68). À 15 km au Nord de Colmar, entre Riquewihr et Ribeauvillé ; à 2 km des deux villages.

Le symbole

Hunawihr est le pays de la réintroduction de la cigogne. Oiseau emblématique de l'Alsace, l'espèce, longtemps menacée d'extinction, semble sauvée, avec plus de 150 couples nicheurs.

visiter

Centre de réintroduction des cigognes

◎ *D'avr. au 11 nov. : 10h-12h, 14h-17h30, w.-end et j. fériés 10h-17h30 (juil.-août : 10h-18h30 ; juin : 10h-18h). Spectacles à 15h, 16h (et 17h ou 18h en sais.). 45F (enf. : 30F). Se renseigner au préalable.* ☎ *03 89 73 72 62 ou* ☎ *03 89 73 28 48.*

Pas d'Alsace sans cigogne. Ce pourrait être un slogan. Depuis 1976, les responsables du centre s'attachent à supprimer l'instinct migratoire des cigognes alsaciennes qui étaient en voie de disparition, pour un certain nombre de raisons : les chasseurs, les lignes électriques, la sécheresse en Afrique, etc. On pourra découvrir la nidification, l'élevage des cigogneaux, et voir plusieurs couples évoluant librement. Dans le centre sont nourries plus de 200 cigognes.

En 1991 a été créé un **centre de reproduction de la loutre**, disparue des rivières françaises. La loutre fait ainsi son retour dans la région, après le castor et le saumon. *Pour rendre visite à ces animaux, appeler au 03 89 73 72 62).*

Chaque après-midi a lieu un spectacle d'animaux pêcheurs : cormorans, manchots, otaries et loutres *(ci-dessus)*.

Le jardin des Papillons exotiques vivants

◎ ♿ *D'avr. au 11 nov. : 10h-18h. 30F (enf. : 20F).* ☎ *03 89 73 69 58.*

Plus de 150 espèces de papillons, de toutes dimensions, aux couleurs chatoyantes, évoluent en liberté dans une vaste serre climatisée parmi une végétation luxuriante (orchidées, fleurs de la passion). Ces beautés éphémères, qui vivent une quinzaine de jours en moyenne, viennent d'Afrique, d'Asie et d'Amérique. Grâce à l'éclosoir, le visiteur peut observer leur cycle de vie complet.

Église

Gagner le centre du village et, avant la fontaine située près de la mairie, prendre à gauche la rue de l'Église puis gravir un raidillon. D'avr. à fin nov. : 9h-19h.

Son lourd clocher carré tient plus du donjon. Elle est entourée d'une enceinte hexagonale datant du 14ᵉ s. dont l'unique entrée était défendue par une tour. En faisant le tour de l'édifice, entre les tombes du cimetière catholique, on découvre les six bastions qui flanquaient l'enceinte. L'église est fortifiée et sert à la fois aux cultes catholique et protestant (à tour de rôle !). Le chœur est réservé aux catholiques depuis Louis XIV.

LA VIE DES SAINTS
Dans la chapelle à gauche du chœur, des fresques des 15ᵉ et 16ᵉ s. aux tons ocre rouge, bleus et jaunes racontent la vie et les miracles de saint Nicolas et la canonisation de sainte Hune.

La cigogne blanche claquette, craquette ou glottore (la cigogne noire siffle plutôt). La cigogne ne se reproduit pas, elle s'apparie. Son petit est un cigogneau, un cigognat ou un cigonneau.

Kaysersberg ★★

« Il est minuit, docteur Schweitzer ! » Rien n'a beaucoup changé dans la petite ville où vous êtes né. Elle a toujours son aspect médiéval, ses vieilles maisons, les ruines de son château, le très beau retable de l'église Ste-Croix, le puits Renaissance avec son inscription rigolote, le pont fortifié… Quoi de neuf ? Eh bien, en 1975, le schlossberg a été le premier vin à bénéficier de l'appellation grand cru d'Alsace, le marché de Noël de Kaysersberg est devenu un des plus célèbres d'Alsace, et surtout, un centre culturel portant votre nom vous est consacré tout près de votre maison natale.

La situation

Cartes Michelin n°s 87 pli 17 ou 242 pli 3 — Haut-Rhin (68). Kaysersberg se trouve à 12 km au Nord-Ouest de Colmar. Aucun danger de se perdre, Kayserberg est sur tous les panneaux… Depuis les ruines du château (🏃 *1/2h à pied AR*), jolie vue sur la ville.

🛈 *31 r. du Geibourg, 68240 Kaysersberg,* ☎ *03 89 78 22 78.*

Le nom

Kaysersberg signifie « le mont de l'empereur », *Caesaris mons.* Dès l'époque romaine, la cité commandait l'un des plus importants passages entre la Gaule et la vallée du Rhin.

Les gens

2 755 Kaysersbergeois. Les vignerons de Kaysersberg ont réussi à élever les meilleurs crus d'Alsace parmi lesquels le tokay dont les premiers plants leur ont été offerts par Lazare de Schwendi.

LE BAILLI SCHWENDI

En 1353, Kaysersberg adhère à la Décapole et Charles Quint favorise son développement. Au 16e s., l'empereur Maximilien soutient Lazare de Schwendi au poste de bailli de la ville. Ce dernier avait combattu en Hongrie et pris la ville de Tokay. C'est là qu'il aurait recueilli quelques plants de vigne qui se sont aujourd'hui largement multipliés et font la renommée viticole de Kaysersberg.

se promener

La promenade se déroule au fil de la rue principale, la rue du Gén.-de-Gaulle.

Hôtel de ville★

Construit dans le style de la Renaissance rhénane, il offre une jolie façade, une cour tranquille et une galerie de bois ouvragée.

carnet pratique

OÙ DORMIR

● *Valeur sûre*

Hôtel Les Remparts – ☎ *03 89 47 12 12* - 🅿 *- 40 ch. : 350/448F -* ☕ *41F.* Un peu à l'écart de la ville, cet hôtel est assez tranquille. Si vous le pouvez, préférez les chambres de l'annexe récente, construite dans un style alsacien : elles sont plus modernes et certaines ont des balcons.

OÙ SE RESTAURER

● *À bon compte*

Le Château – ☎ *03 89 78 24 33* - *fermé 15 fév. au 8 mars, 1er au 9 juil., mer. soir de nov. à juin et jeu. - 85/190F.* Au centre du village, ce restaurant alsacien est très simple, mais il dépannera utilement les gourmands de passage : ses plats typiques sont alléchants et servis à des prix plus que raisonnables dans une modeste salle. Quelques chambres.

● *Valeur sûre*

Le Couvent – *1 r. du Couvent - ☎ 03 89 78 23 29 - fermé janv. et mar. - 125/285F.* Il faut ouvrir l'œil pour trouver ce tout petit restaurant à la façade discrète. Mais vous ne serez pas déçu de l'avoir cherché : tenu par un jeune couple, il a bonne réputation dans la ville et les viticulteurs y viennent volontiers… Plats alsaciens et cuisine traditionnelle.

La Vieille Forge – *1 r. des Écoles - ☎ 03 89 47 17 51 - ferm. vacances de fév., 1er au 21 juil., mar. et mer. - 117/285F.* À deux pas de la rue principale, il faut repérer ce restaurant. Discret, il mérite pourtant largement votre intérêt : sa table, agrémentée de quelques plats alsaciens, gourmande et pas très chère, est fort appréciée des habitants d'ici… Et pour cause !

GASTRONOMIE

Pâtisserie Loecken – *Pl. de l'Église.* Pâtisserie installée dans une superbe maison à pans de bois du 16e s.

Caveau des Vignerons – *20 r. du Gén.-de-Gaulle - ☎ 03 89 47 18 43.* Dégustation et vente de vins.

KAYSERSBERG

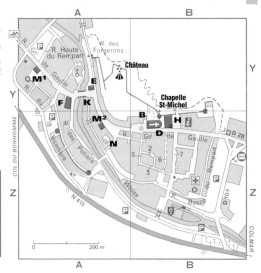

Église Ste-Croix★

Sur son parvis, jolie fontaine de 1521, restaurée au 18ᵉ s. ▶
Elle représente l'empereur Constantin. Certains chapiteaux du portail roman sont décorés de pélicans et
sirènes à deux queues, motif d'inspiration lombarde.
Groupe en bois sculpté polychrome dans la nef, belle verrière (15ᵉ s.) de Pierre d'Andlau représentant le Christ en
croix entre les deux larrons. Dans le chœur illuminé de
vitraux, un large triptyque constitué d'un panneau central entouré de douze panneaux sculptés : ce magnifique
retable★★ du maître Jean Bongartz de Colmar (1518)
représente la Crucifixion et diverses scènes de la Passion.
Au revers, les peintures (17ᵉ s.) figurent la Découverte et
l'Exaltation de la sainte croix.

Chapelle St-Michel

C'était l'ancienne chapelle du cimetière. Elle date de
1463, et comporte deux étages. La salle inférieure, transformée en ossuaire, est assez saisissante (bénitier avec
une tête de mort à la base). Dans la chapelle supérieure,
fresque de 1464 et à droite, dans le chœur, curieux crucifix du 14ᵉ s.

Cimetière

Des fragments archéologiques donnent à ce cimetière le
caractère d'un musée lapidaire. Une galerie de bois du
16ᵉ s. abrite une croix dite « de la peste » de 1511.

Reprendre la rue du Gén.-de-Gaulle, appelée aussi
Grand'Rue.

> ### Saint-Sépulcre
>
> Le bas-côté Nord de
> l'église abrite un
> St-Sépulcre de 1514. La
> partie la plus
> extraordinaire est le
> groupe des saintes
> femmes, chef-d'œuvre
> de Jacques Wirt. Détail
> que l'on retrouve dans
> plusieurs églises
> d'Alsace : la poitrine du
> Christ est percée d'une
> entaille destinée à
> recevoir les hosties
> pendant la Semaine
> sainte.

Village séduisant,
Kaysersberg est une étape
gastronomique et un haut
lieu du vignoble alsacien.

Vieilles maisons★

Dans les rues de l'Église, de l'Ancien-Hôpital et de l'Ancienne-Gendarmerie, des maisons à pans de bois forment un ensemble architectural de premier ordre avec celles de la Grand'Rue. Dans la cour du n° 54 de la Grand'Rue, **puits Renaissance** de 1618.
En poursuivant plus loin, on arrive à la Weiss.

Hostellerie du pont

Elle se trouve à droite, à l'angle de la rue des Forgerons. À la fois robuste et élégante, c'était l'ancienne maison des Bains.

Pont fortifié★

Il possède un parapet crénelé et porte même un petit oratoire. Dès que vous l'aurez traversé, vous admirerez la **maison Brief★**, appelée aussi « maison du Gourmet », remarquable par ses pans de bois richement sculptés et peints, et sa galerie couverte.

> **UNE FONTAINE QUI PARLE**
> Sur le puits, une inscription de 1618 : « Si tu te gorges d'eau à table, cela te glacera l'estomac ; je te conseille de boire du bon vin vieux et laisse-moi mon eau ! »

visiter

Musée communal

Juil.-août : 10h30-12h, 14h-18h ; sept. : sam. 14h-18h, dim. 10h30-12h, 14h-18h. 10F.
Dans une maison Renaissance avec tourelle à escalier, objets d'art religieux (rare Vierge ouvrante du 14ᵉ s., Christ des Rameaux du 15ᵉ s.), d'art populaire (tonnellerie) et d'archéologie (fouilles à Benwihr)

Musée Albert-Schweitzer

De mai à fin oct., Pâques, les 4 w.-end av. Noël : 9h-12h, 14h-18h. 10F. ☎ 03 89 78 22 78.
Situé à côté de sa maison natale, il présente des documents, photos, objets personnels et souvenirs retraçant sa vie.

Le souvenir d'Albert Schweitzer inspire la tranquillité du parc où se trouve son buste.

> **FRENCH DOCTOR**
> Le docteur Albert Schweitzer (1875-1965) a reçu le prix Nobel de la Paix en 1952. Organiste, musicologue, écrivain, médecin, il a mené en Afrique un combat exemplaire contre le sous-développement et la maladie. Il est mort en septembre 1965 à Lambaréné au Gabon où il avait fondé un hôpital et où son « œuvre vivante » se poursuit toujours. On peut également visiter à Gunsbach la maison qu'il se fit construire au village où il passa son enfance, lorsque son père y était pasteur.

Kientzheim

L'entrée dans Kientzheim nous met au parfum : sur la porte du Lalli, le roi des tireurs de langue d'Alsace. Le Moyen Âge a laissé traîner son charme dans les rues au détour desquelles on rencontre des maisons à colombage, de vieux puits, des cadrans solaires...

La situation

Cartes Michelin nᵒˢ 62 plis 18, 19 ou 87 pli 17 ou 242 pli 31 — Schéma p. 387 — Haut-Rhin (68). À 3 km à l'Est de Kaysersberg par la D 28, et 10 km à l'Ouest de Colmar.

Le nom

Ne pas confondre avec Kintzheim qui, à 8 km de Sélestat, est, lui, dans le Bas-Rhin. Tout est dans le « e » !

Les gens

933 Kientzheimois. Des vignerons et des tonneliers, métier, aujourd'hui, au bord de l'extinction. La modernisation de la viticulture fait qu'on a de moins en moins besoin de tonneaux et de hottes à vendanger. Dommage...

>
> **FAITES LA FÊTE !**
> À Kientzheim, la fête du vin a lieu le dernier week-end de juillet.

carnet d'adresses

OÙ DORMIR

● *Valeur sûre*

Hostellerie de l'Abbaye d'Alspach –
☎ 03 89 47 16 00 - fermé 5 janv. au 10 mars -
🅿 - 29 ch. : 350/450F - ☕ 50F. Seules les
cloches du village pourront éventuellement
troubler quelque peu la grande tranquillité que
vous trouverez dans cet ancien couvent au
cœur de Kientzheim… Ses chambres sont
spacieuses, décorées de meubles rustiques
massifs. Accueil aimable.

VISITE DE CAVES

André Blanck et Fils – *Ancienne cour
des Chevaliers de Malte* - ☎ 03 89 78 24 72 -
tlj sur RV.

Domaine Paul Blanck – *29 Grand'Rue* -
☎ 03 89 78 23 56 - lun.-sam. 9h-12h,
13h30-18h - sur RV.

Cave vinicole de Kientzheim Kaysersberg –
10 r. des Vieux-Moulins - ☎ 03 89 47 13 19 -
*lun.-ven. 8h-12h, 14h-18h (ven. jusqu'à 17h
ven.) ; sam., dim. et fêtes à partir de 10h.*

se promener

Ancien château

Remontant au Moyen Âge mais transformé au 16e s.,
l'ancien château est aujourd'hui le siège de la confrérie
St-Étienne qui contrôle la qualité des vins alsaciens. Un
musée du Vignoble et des Vins d'Alsace rassemble sur
trois étages une importante vinothèque. Les collections
comprennent notamment un monumental pressoir
ancien et de nombreux instruments devenus rares,
comme ce curieux arracheur de ceps. *De juin à fin oct. :
10h-12h, 14h-18h. 15F.*

Porte Basse

Dite du « Lalli », elle est surmontée d'une tête sculptée
qui tire la langue aux passants. Cette tête narguait
l'assaillant qui avait franchi la première enceinte, mais
l'effrayait-il vraiment ?

Église

Elle a une tour gothique très restaurée. À l'intérieur, sur ▶
l'autel latéral gauche, Vierge du 14e s. et, à côté, **pierres
tombales★** de Lazare de Schwendi. Dans la sacristie,
ancien ossuaire, fresques du 14e s. et statues de la Vierge
des 14e et 17e s.

Chapelle Sts-Félix-et-Régule

À l'intérieur, curieux ex-voto, peintures naïves sur toile
et sur bois, de 1667 à 1865.

Bienvenue à Kientzheim !

FRISSONS
Sur le mur Nord de
l'église, à l'angle d'une
ruelle, étrange fresque
représentant une
inquiétante danse
macabre.

Ligne Maginot★

« Vous n'aurez plus l'Alsace et la Lorraine… on a une
bonne idée. » C'est ce qu'auraient pu chanter nos
ministres de la Guerre après la victoire de 1918 et
après avoir récupéré les deux provinces. La géniale
idée de départ des ministres Painlevé et Maginot,
c'était une ligne continue de fortifications allant de
la mer du Nord à la Méditerranée ! Le projet fut revu
à la baisse. On connaît la suite ; la « Cuirasse du
Nord-Est » n'a pas tenu ses promesses…

PAS DE JALOUX !
Les Allemands n'étaient
pas en reste. Ils avaient,
juste en face, de l'autre
côté de la frontière, leur
ligne à eux, qui, elle,
s'appelait Siegfried.

La situation

*Cartes Michelin n°s 56 pli 10 ; 57 plis 2, 3, 4, 15, 16, 17, 18, 19,
20 ; 62 pli 19 ou 241 et 242 — Meuse (55), Meurthe-et-Moselle
(54), Moselle (57), Bas-Rhin (67).* Les ouvrages ouverts au
public, indépendants les uns des autres, forment une
suite discontinue s'étirant sur plusieurs centaines de
kilomètres, plus ou moins près des frontières avec la Belgique, le Luxembourg et l'Allemagne.
La température à l'intérieur des galeries souterraines est
fraîche (13° en moyenne) : se munir d'un bon pull. Prévoir aussi des chaussures confortables.

Le nom

Héros de la guerre 1914-1918, André Maginot (1877-1932), ministre de la Guerre sous la IIIe République, est le promoteur de ce projet.

Les gens

Un coup de chapeau aux militaires, bénévoles, retraités et associations qui raniment ces vestiges rouillés et abandonnés, les remettent en état et les entretiennent encore, innovant chaque année pour inciter de plus en plus de touristes du monde entier à venir les voir et ainsi, à ne pas oublier !

comprendre

« MURAILLE DE FRANCE »

En moins de 10 ans, 58 ouvrages sont édifiés sur la frontière du Nord et du Nord-Est dont 22 gros ouvrages, 50 dans les Alpes, dispositif complété par 410 casemates et abris pour l'infanterie. 152 tourelles à éclipse, 1 536 cloches fixes hérissent les superstructures en béton armé, les « dessus » qui seuls s'exposent au regard. À cela s'ajoutent 339 pièces d'artillerie et plus de 100 km de galeries souterraines.

Nouvelle stratégie — Les leçons de la Grande Guerre obligent la France à se doter d'une « muraille » infranchissable au Nord du pays. Mais l'évolution des armes rend inefficaces les places fortes isolées et le réseau de tranchées à découvert. Le concept de régions et secteurs fortifiés offrant des fronts continus de 20 à plus de 60 km s'impose, en même temps que celui de fortification permanente enterrée, adaptée au combat moderne. Gros ouvrages mixtes, petits ouvrages d'infanterie ou d'artillerie, abris, chapelets de casemates, cuvettes inondables, blockhaus, champs de mines, réseaux de rails ou fossés antichars, tel est le concept défensif des années 1920. Dans les intervalles entre ces ensembles fortifiés manœuvreront les troupes de soutien. Pourtant, le nombre des constructions est nettement diminué et très souvent des armes d'infanterie remplacent les organisations d'artillerie initialement prévues. La dispersion de l'effort achève de dénaturer les choix originels. Les blocs de surface sont en béton armé ; l'épaisseur des murs arrière se révélera notoirement insuffisante lorsque l'ennemi prendra certains ouvrages à revers en 1940. Les parties souterraines, au-delà de 20 m de profondeur, sont construites en maçonnerie de pierre de taille, moins coûteuse.

TRANSPORTS EN COMMUN

Les gros ouvrages étaient reliés à des dépôts de munitions par des voies ferrées électrifiées, empruntées aujourd'hui par les visiteurs pour parcourir de longues distances en galerie.

◄ **Les hommes** — L'importance de la garnison, qu'on appelait « équipage », était fonction de celle de l'élément fortifié : ne dépassant pas une quinzaine d'hommes dans la petite casemate de Dambach-Neunhoffen, elle en comptait près de onze cents au Hackenberg ou à Guentrange. Ces soldats appartenaient à des unités d'élite créées à partir de 1933, les troupes de forteresse.

Dans la tourmente — En 1939 la Ligne, qui avait vieilli, ne prévoyait rien contre les parachutistes, ses armes antichars ou antiaériennes modernes étaient trop rares. La « cuirasse du Nord-Est » n'a pas, on le sait, rempli la mission que lui avaient assignée ses promoteurs.

visiter

VILLY

Villy était le « pilier ouest » de la Ligne Maginot sur la vallée de la Chiers. Mais l'ouvrage se réduisit finalement à deux blocs d'infanterie, réunis par une galerie creusée à plus de 30 m de profondeur et flanqués de deux casemates d'artillerie (l'une d'elles borde la route en face du chemin d'accès).

Petit ouvrage de Villy-la-Ferté

18 km de Montmédy par la N 43 et la D 44. Rameaux-Toussaint : visite guidée (1h1/2) dim. et j. fériés 14h-16h30 (juil.-août : tlj sf lun.). 20F. ☎ 03 24 27 50 80 ou 03 24 29 79 33.

◄ Il fait partie des ouvrages « nouveaux fronts », construits à partir de 1935 avec des améliorations techniques que la visite permettra de découvrir : entrée en chicane, créneaux de tir à rotule plus protecteurs, cloches d'armes mixtes associant mitrailleuses et canon antichars... Le 18 mai 1940, le fort, qui n'était plus défendu par les troupes d'intervalle, fut « couronné » par les sapeurs allemands. La totalité de l'équipage (plus de 100 hommes), réfugiée dans la galerie souterraine mal ventilée, périt asphyxiée. À l'extérieur, adossé au champ de rails antichars, un monument rappelle ce sacrifice. Sur les « dessus », les dégâts aux cloches, la tourelle basculée par une charge explosive témoignent des épreuves subies.

Gros ouvrage de Fermont

13 km au Sud-Ouest de Longwy par la N 18 et la D 172. Après Ugny prendre à droite la D17 A, puis à gauche la D174. Juil.-août : visite guidée (2h1/2) 14h-16h30 ; avr.-mai : w.-end et j. fériés à 14h et 15h30 ; juin : à 15h, w.-end et j. fériés à 14h et 15h30 ; sept. : à 14h et 15h30. Se munir d'un vêtement chaud et prévoir des chaussures de marche. 30F. ☎ 03 82 39 35 34.

Le plus occidental des gros ouvrages de la Ligne Maginot comporte deux blocs d'entrée et sept blocs de combat, dont trois à armement d'artillerie. Devant le fort, monument dédié aux troupes de forteresse et, sous un hangar, musée du Matériel lourd exposant des écorchés de tourelles, divers types d'observatoires de campagne affectés aux troupes d'intervalle, etc.

On gagne en monte-charge à munitions et en petit train électrique le bloc 4, imposante casemate d'artillerie couverte d'une dalle de béton épaisse de 3,50 m (protection maximum sur la Ligne Maginot) et équipée de canons obusiers de 75 mm. Celle des « dessus » présente les principaux types de superstructures : tourelles à éclipse, cloches GFM (guetteur-fusil-mitrailleur) à vision périscopique, cloches lance-grenades, casemates. Les dégâts causés par les combats de 1940 sont bien visibles : soumis à d'intenses bombardements, puis cible de troupes d'assaut à partir du 21 juin, Fermont, invaincu, dut se livrer six jours plus tard sur ordre supérieur.

Fort de Guentrange

2 km au Nord-Ouest de Thionville. Quitter la ville par l'allée de la Libération, puis tourner à droite vers Guentrange. ♿ *De mai à fin sept. : visite guidée (1h1/2) le 1ᵉʳ et 3ᵉ dim. du mois à 15h. 15F. ☎ 03 82 88 12 15.*

Ancienne Feste (groupe fortifié) allemande construite de 1899 à 1906, occupée par l'armée française en 1918, le fort de Guentrange fut incorporé à la Ligne comme ouvrage de soutien du secteur fortifié de Thionville en

▶
> **RÉSIDENCE À RÉNOVER**
> Resté pratiquement dans l'état de 1940, l'ouvrage de Fermont forme un ensemble très complet avec cuisines, boulangerie, chambre froide, infirmerie, dortoirs, chambres de sous-officiers et officiers, douches, foyer du soldat, etc. Un coup de peinture et on devrait pouvoir s'y installer !

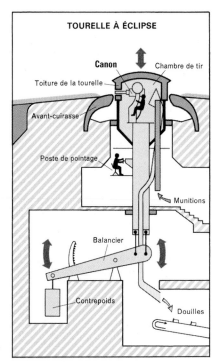

TOURELLE À ÉCLIPSE

Canon — Chambre de tir
Toiture de la tourelle
Avant-cuirasse
Poste de pointage
Munitions
Balancier
Contrepoids
Douilles

À l'Immerhof, la tourelle à éclipse du bloc d'artillerie, pour mortiers de 81 mm, est actionnée devant les visiteurs qui verront aussi une tourelle lance-grenades et des tourelles pour jumelages de mitrailleuses.

Outre la centrale électrique et ses huit moteurs Diesel en état de marche, l'élément le plus spectaculaire de la visite est l'énorme casernement central de 140 m de long, réparti sur quatre niveaux, en mesure d'accueillir 1 100 hommes.

◀ 1939-40. Certaines des solutions techniques dont il avait précocement bénéficié se retrouveront sur la Ligne Maginot : machinerie électrique, transmissions téléphoniques, etc. Particularité de l'armement : les tourelles pour canons de 105 mm sont pivotantes mais non escamotables. Plusieurs salles présentent une documentation sur le fort.

Abri du Zeiterholz

14 km au Nord de Thionville. Prendre la direction de Longwy, puis tourner à droite sur la D 57. Traverser Entrange ; panneaux indicateurs à partir de la chapelle. De mai à fin sept. : visite guidée (1h1/2) 1er et 3e dim. du mois 14h-16h. 15F. ☎ 03 82 55 11 43.

Le Zeiterholz, construit en béton armé sur deux niveaux, est un abri de surface, à distinguer de l'abri-caverne hébergeant les hommes dans des locaux souterrains. Ses occupants avaient la garde des blockhaus égrenés entre les ouvrages et casemates. Bien conservés, les locaux du casernement sont progressivement rééquipés et animés de scènes reconstituées avec des mannequins.

Petit ouvrage de l'Immerhof

À partir du Zeiterholz, gagner Hettange-Grande par Entrange-Cité. La D 15 prise à gauche (panneau indicateur) conduit au Immerhof. D'avr. à fin sept. : visite guidée (1h1/2) 2e et 4e du mois, j. fériés 14h-17h. 20F. ☎ 03 82 53 09 61.

C'est l'un des deux ouvrages de la Ligne Maginot — et le seul visitable — qui furent construits à ciel ouvert, à cause de la configuration du terrain, et entièrement bétonnés. Chambres, infirmerie, lavabos, etc. sont en très bon état car l'Immerhof a longtemps compté parmi les postes de commandement de l'Otan. Au cours de la visite des « dessus », remarquer une fausse cloche servant de leurre.

Gros ouvrage du Hackenberg★

20 km à l'Est de Thionville. Quitter la ville par la D 918. Panneaux indicateurs à partir de Metzervisse. ♿ D'avr. à fin oct. : visite guidée (2h) w.-end et j. fériés 14h-15h30. 25F. ☎ 03 82 82 30 08.

À proximité du village de Veckring, sous 160 ha de forêts, est tapi le plus gros des ouvrages de la Ligne avec ses 2 blocs d'entrée et ses 17 blocs de combat. Ses installations pouvaient abriter 1 200 hommes, sa centrale électrique était capable d'alimenter en courant une ville de 10 000 habitants et son artillerie de tirer plus de 4 t d'obus à la minute ! Tout ici est colossal, ce qui tend à faire du Hackenberg un cas particulier. L'écrasante porte

Après un parcours en petit train électrique et en monte-charge, on découvre le bloc d'artillerie n° 9, équipé de canons lance-bombes de 135 mm.

« parasouffle », la gare centrale avec ses hautes voûtes, les kilomètres de galeries vides, la monumentale usine électrique évoquent une métropolis vaine et délaissée. L'animation qui régnait dans les cuisines, dans l'infirmerie ou dans le PC de tir est reconstituée avec des mannequins. Le **musée** expose toutes sortes d'armes, dont une riche collection de mitrailleuses et fusils-mitrailleurs des deux guerres mondiales, et des uniformes d'unités alignées dans la bataille de France. Démonstration de fonctionnement de la tourelle à éclipse.

Pour comprendre la valeur stratégique du fort, dont les éléments de défense regardaient à la fois la vallée de la Nied et celle de la Moselle, monter en voiture (ou à pied par beau temps) jusqu'à la chapelle du Hackenberg entourée de pierres tombales anciennes *(2,5 km par la route débutant au fond du parking ; devant l'entrée des hommes, prendre à gauche le chemin revêtu de macadam)*. De ce site très calme de la forêt de Sierck émergent les cloches de tir ou pour périscopes d'artillerie des deux observatoires du Hackenberg. Derrière la chapelle, un sentier conduit à un escarpement maçonné de 700 m de long, dispositif unique défendu par cinq blocs de combat.

Gros ouvrage du Michelsberg

22 km à l'est de Thionville par la D 918 (accès à partir du village de Dalstein). Du Hackenberg, se diriger vers Dalstein par la D 60, la D 60 ^{B}, puis la D 118 ^{N}. D'avr. à fin oct. : visite guidée (1h1/2) dim. et j. fériés 14h-18h. 15F. ☎ 03 82 34 66 67.

Attaqué le 22 juin 1940, le Michelsberg résista grâce à la puissance de son propre feu et au tir croisé des forts voisins, notamment le Hackenberg, distant de seulement 6 km. L'équipage ne quittera le « Michel » que le 4 juillet, sur ordre du haut commandement français et en recevant les honneurs militaires. Ouvrage de taille intermédiaire, le Michelsberg se décompose en un bloc d'entrée, deux blocs d'infanterie et trois blocs d'artillerie.

Petit ouvrage du Bambesch

9 km à l'Ouest de St-Avold par la N 3. D'avr. à fin sept. : visite guidée (1h1/2) 2e et 4e dim. du mois, lun. de Pâques, lun. de Pentecôte, 15 août 14h-18h. 20F. ☎ 03 87 90 31 95.

Il fournit un bon exemple d'ouvrage que les restrictions de crédits ont progressivement dénaturé : diminution du nombre de blocs, suppression des organisations d'artillerie... Ainsi réduit à trois blocs d'infanterie, le fort est attaqué sur ses arrières à l'arme lourde le 20 juin 1940, les cloches sont percées ou descellées. L'équipage, instruit du drame de Villy-la-Ferté, préféra se rendre. Le niveau des galeries, à 30 m sous terre, est atteint par un escalier. On visite le petit casernement et les blocs de combat. Le bloc 2 porte les pathétiques marques de l'assaut de juin 1940.

Zone inondable de la trouée de la Sarre

Placé entre les deux grandes régions fortifiées de la Ligne Maginot, celle de Metz et celle de la Lauter, le domaine qui s'étend de Barst à Wittring, couvert au Nord par le territoire de la Sarre administré par la France, n'était pas défendu par des ouvrages, mais par une zone inondable à partir d'un système d'étangs-réservoirs endigués. Lorsque la Sarre redevint allemande en 1935, ce système fut renforcé par un réseau serré de blockhaus et obstacles antichars.

Quitter St-Avold par la N 56. À Barst (8 km), prendre à droite après l'église et deux fois à gauche, dans la rue de la Croix, puis dans le premier chemin.

Celui-ci est bordé d'une douzaine de blockhaus représentatifs, dans leur diversité, du type de fortification en faveur après 1935.

TOUT A UNE FIN

Le 4 juillet 1940, l'équipage de l'ouvrage dut se rendre, sur ordre apporté par l'officier de liaison du gouvernement replié à Bordeaux.

COLLECTOR

Le bloc d'artillerie n° 6 abrite la fameuse tourelle de 135 mm qui brisa l'assaut allemand du 22 juin 1940 ; demeurée en bon état, cette pièce d'un poids de 163,5 t représente le plus gros modèle de canon en service de la Ligne Maginot.

C'EST DU RATA

Les menus proposées par les cuisiniers de l'Intendance désignent comme incontestable vainqueur sur la Ligne Maginot, la conserve de bœuf, stockée en quantités astronomiques dans les réserves souterraines des ouvrages.

Sortir du chemin et tourner dans le suivant à droite ; garer la voiture.

À 50 m en contrebas de l'étang, le wagon bétonné est le dernier en place des obstacles antichars de la trouée de la Sarre.

Quitter Barst en direction de l'Est.

De la sortie de Cappel à Puttelange-aux-Lacs, la route domine quelques-uns de ces étangs-réservoirs qui servirent à inonder la zone.

Fort Casso
À Rohrbach-lès-Bitche, 18 km à l'Est de Sarreguemines par la N 62. 1 km avant Rohrbach, prendre à gauche la D 84. Avr.-oct. : visite guidée (1h1/2) w.-end et j. fériés à 15h ; nov.-mars : 1ᵉʳ w.-end du mois à 15h. Fermé 1ᵉʳ janv. et 25 déc. 25F. ☎ 03 87 09 70 95.

Ce petit ouvrage présente des particularités intéressantes : locaux crépis, dortoirs à hamacs, tourelle pour armes mixtes et tourelle pour mitrailleuses en état de fonctionnement. Bien conservés, les locaux sont progressivement rééquipés : PC de tir, central téléphonique, etc. Fort Casso fut attaqué le 20 juin 1940 mais, couvert par les canons de l'ouvrage du Simserhof, il ne subit pas le sort de Villy-la-Ferté et dut à un ordre supérieur de se rendre.

Gros ouvrage du Simserhof★
4 km à l'Ouest de Bitche par la D 35, puis la route militaire prise en face de l'ancien casernement du Légeret. Fermé pour restauration jusqu'en mars 2001.

> **L**e magasin à munitions fait office de musée (périscopes, diascopes, épiscopes, clichés photographiques). On voit aussi le local des cuves à mazout et celui des batteries de filtres à air.

◄ La visite de ce gros ouvrage, l'un des plus importants de la Ligne, constitue une initiation à un type de fortifications dont le rôle qu'elles ont joué en 1940 est resté méconnu. De l'extérieur, on ne voit que le bloc d'accès, orienté au Sud, avec sa porte blindée de 7 t, ses créneaux de flanquement précédés de fossés « Diamant » et les cloches de tir ou d'observation, qui surmontent les blocs de combat, disséminés dans un espace de plusieurs kilomètres de façon

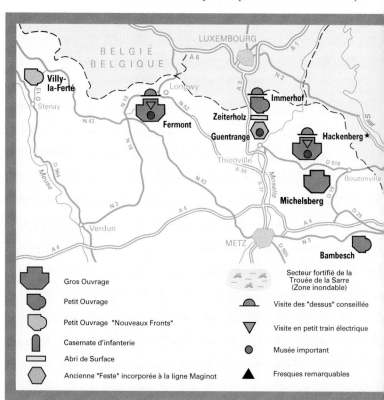

*Le Four à Chaux est le site
le plus visité de la Ligne
Maginot en Alsace
(50 000 visiteurs annuels).*

à dominer la plaine en contrebas *(on voit quelques-unes de ces
émergences depuis la D 35ᴬ, route de Hottwiller, 1 km au départ
de la D 35).*
La partie enterrée du fort se compose de deux secteurs :
l'un « arrière », de service, l'autre « avant », de combat, dis-
tribués sur un même niveau et reliés par une galerie de
5 km avec voie ferrée. La longueur totale des galeries du
Simserhof atteint 10 km.

Casemate de Dambach-Neunhoffen
*Entre Neunhoffen et Dambach, 20 km à l'est de Bitche par la
D 35, la D 87 et la D 853. De mi-juin à mi-sept. : dim. 14h-17h.
5F. ☎ 03 88 09 22 50.*
Cette casemate du modèle le plus élémentaire, un petit
bloc bétonné à un seul niveau, gardait l'un des 12 barrages
du système d'inondation de la vallée de la Schwarzbach.

Le Four à Chaux de Lembach
*15 km à l'Ouest de Wissembourg par la D 3, puis la D 27 à la sortie
de Lembach. De mi-mars à mi-nov. : visite guidée (1h1/2) à 10h,
14h, 15h (juil.-sept. : à 10h, 11h, 14h, 15h, 16h, 17h ; mai-juin :
à 10h, 14h, 15h, 16h). 20F. ☎ 03 88 94 43 16.*

> ▶ **C**e type de fortification
> ne disposant pas de
> l'électricité, le système de
> ventilation
> fonctionnait… à bras (ou
> à pédales !).

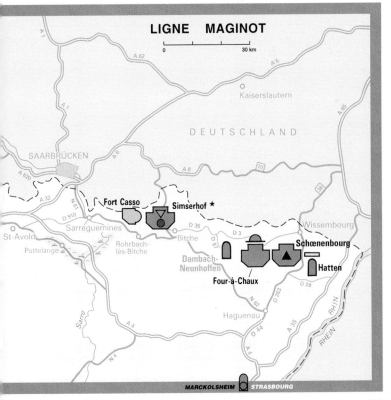

Cet ouvrage d'artillerie de taille intermédiaire (6 blocs de combat et 2 entrées, effectif théorique de 580 hommes) a conservé des locaux en bon état, équipés de leur matériel d'origine : casernement, poste de commandement, central téléphonique, usine électrique, système de chauffage central et d'alimentation en eau chaude, puits artésien, cuisines, dortoir... Originalité : un plan incliné muni d'une crémaillère relie l'entrée des munitions, construite en contrebas, au reste de l'ouvrage. Il servait au transit des wagonnets. À l'extérieur, un fragment de réseau de rails antichars est resté en place. Un musée est installé dans l'ancienne gare de triage de l'entrée des munitions : vestiges de la dernière guerre ; salle de projection vidéo.

CESSEZ-LE-FEU
Le bombardement massif du Four à Chaux et du petit ouvrage de Lembach, le 19 juin 1940 par 27 Stukas, aboutit au cessez-le-feu le 25 juin. Les troupes se rendirent le 1er juillet, l'armistice étant signée.

Ouvrage d'artillerie de Schœnenbourg

12 km au Sud de Wissembourg par la D 264. Suivre les panneaux indicateurs. Mai-sept. : 14h-16h, dim. et j. fériés 9h30-11h, 14h-16h ; avr. et oct. : dim. et j. fériés 9h30-11h, 14h-16h. 30F. ☎ 03 88 80 59 39.

Élément important du secteur fortifié de Haguenau, cet ouvrage typique de la Ligne Maginot fut conçu en tenant compte des enseignements acquis à Verdun de 1916 à 1918. La visite fait découvrir une bonne partie des installations souterraines : galeries de liaison (plus de 3 km au total, de 18 à 30 m sous la surface du sol), cuisine, usine électrique, centrale de filtrage de l'air, casernement et poste de commandement. On peut voir aussi un des trois blocs d'artillerie avec sa tourelle à éclipse.

Après avoir repoussé le 20 juin 1940 l'assaut d'une division allemande, le Schœnenbourg fut pilonné par les bombardiers et les mortiers lourds. Aucun autre ouvrage ne sera soumis à un tel déluge de feu, mais la qualité de ses protections permettra à celui-ci de tenir jusqu'à l'armistice.

TRÈS FORT !
À l'époque de l'achèvement du Schœnenbourg en 1935, on considérait à juste titre qu'aucune arme connue ne pouvait venir à bout d'un tel fort.

Hatten

22 km au Nord-Est d'Haguenau par la D 263 et la D 28. Pour s'y rendre depuis le Schœnenbourg (14 km), aller jusqu'à Soultz-sous-Forêts (D 264), puis prendre la D 28.

L'**abri** semi-enterré hébergeait les troupes d'intervalle de la Ligne Maginot : chambre d'hommes de troupe, chambre d'officiers, salle des réserves alimentaires, cuisine... Certaines salles, transformées en **musée**, présentent du matériel militaire français, américain et allemand (uniformes, armements, photos). En plein air sont exposés des engins dont un char russe T34, un char d'appui américain Sherman, des jeeps, camions... *De mars au 11 nov. : jeu.-sam. 10h-12h, 14h-18h, dim. et j. fériés 10h-18h (de mi-juin à mi-sept. : tlj 10h-12h, 14h-18h, dim. et j. fériés 10h-18h). 20F. ☎ 03 88 80 14 90.*

La **casemate d'infanterie Esch** se trouva, en janvier 1945, au cœur de la bataille de chars qui opposa Allemands et Américains, dévastant Hatten et les villages alentour. La reconstitution d'une chambre de troupe et d'une chambre de tir, l'aménagement des deux autres salles et un petit musée (uniformes, armes, équipements divers...) constituent une évocation très parlante du monde défensif de la Ligne. Une maquette (en coupe) d'un bloc d'artillerie avec tourelle à éclipse permet de comprendre l'économie des grands ouvrages souterrains. *De mai à fin sept. : dim. 10h-12h, 13h30-18h. 10F. ☎ 03 88 80 05 07.*

Mémorial musée de la Ligne Maginot du Rhin

À Marckolsheim, 15 km au Sud-Est de Sélestat par la D 424. Sortir de Marckolsheim par la D 10. ♿ De mi-mars à mi-nov. : dim. et j. fériés 9h-12h, 14h-18h (de mi-juin à mi-sept. : tlj). 8F. ☎ 03 88 92 74 99.

Sur l'esplanade sont exposés un canon soviétique, un char Sherman, une auto-mitrailleuse et un half-track. À l'intérieur des huit compartiments (*attention aux seuils métalliques*) de la casemate, armes et objets se rapportant à la lutte du 15 au 17 juin 1940 : la casemate fut courageusement défendue par 30 hommes pendant 3 jours. Hitler la visita après la bataille.

Longwy

De l'ancienne « cité du fer », il ne reste qu'une exposition de fers... à repasser. Longwy est aujourd'hui surtout célèbre pour ses faïenceries et ses émaux bleu-turquoise, peints à la main, avec leur craquelé et leur relief à décor bordé de noir. Depuis 1987, date de l'arrêt des hauts fourneaux, Longwy se tourne en effet résolument vers d'autres activités et une autre qualité de vie.

La situation
Cartes Michelin n°s 57 pli 2, 242 pli 1 ou 4054 C 1 — Meurthe et Moselle (54). Depuis Metz et Thionville, l'A 30 se prolonge par une voie express jusqu'aux abords immédiats de la ville. Au Nord, l'A 28 conduit rapidement vers Bruxelles et Liège, ou vers le Luxembourg.
🛈 *Hôtel de ville, 54400 Longwy, ☎ 03 82 24 27 17.*

Le nom
Si l'appellation « cité du fer » ne dura qu'un temps, le nom de la ville se prononça toujours « Lonwouy », à l'anglo-saxonne.

Les gens
15 428 Longoviciens. Maurice Chevalier était venu soigner sa « pomme » blessée dans les tranchées, à quelques kilomètres, au château de Cons-la-Grandville, transformé en hôpital en 1914.

Vase oriental d'après Owen Jones.

visiter

Quatre faïenceries perpétuent la tradition des émaux à Longwy. Quelques beaux exemples sont exposés au Musée municipal.

Musée municipal
Mai-oct. : tlj sf lun. 10h-12h, 14h-18h ; nov.-avr. : tlj sf lun. 14h-18h, w.-end et j. fériés 10h-12h, 14h-18h. 15F. ☎ 03 82 23 85 19.
Installé au premier étage d'un bâtiment de la manutention militaire, près de la porte de France, il présente entre autres collections, celle des faïences et des émaux produits à Longwy.

Château de la faïencerie St-Jean-l'Aigle
Accès par Longwy-Bas, r. de la Chiers. Visite guidée (1h1/2) tlj sf w.-end 9h-12h, 14h-18h. Fermé en août, entre Noël et Jour de l'An, Pâques, 1er mai. 30F. ☎ 03 82 24 58 20.
Il abrite une des dernières faïenceries artisanales et un agréable petit musée qui présente majoliques, barbotines, émaux sur paillon d'or et émaux ombrants typiques de Longwy. Remarquer le majestueux « cacatoès » daté des environs de 1900 et signé de Schuller.

> ▶ **REPASSER À LONGWY**
> Pour ce faire, vous aurez l'embarras du choix : 3 000 **fers à repasser ★** en verre, en pierre, en terre cuite, en bronze, en cuivre... et en fer sont exposés au Musée municipal.

carnet d'adresses

OÙ SE RESTAURER
● ***Valeur sûre***
Auberge des Trois Canards – *69 r. de Lorraine - 54400 Cosnes-et-Romain - 2 km à l'O de Longwy par D 43 - ☎ 03 82 24 35 36 - fermé vacances de fév., 22 août au 14 sept., jeu. soir, dim. soir et lun. - 116/212F.* D'aspect un peu austère, cette maison couverte de vigne vierge est une adresse utile : c'est en effet un des seuls restaurants du coin. Certes son décor est un peu vieillot mais Madame reçoit bien ses clients et Monsieur réalise une cuisine honnête. Menus.

ARTISANAT
Émaux des Récollets – *Longwy-Bas.* Les décoratrices y travaillent avec les mêmes gestes qu'autrefois, dans le style traditionnel de Longwy ou pour des créations contemporaines. ♿ *Visite guidée (1/2h) tlj sf dim. 9h-12h30 14h-18h15, sam. 14h-18h. Fermé j. fériés sf Ascension. 8F. ☎ 03 82 23 26 50.*

alentours

Cons-la-Granville

7 km au Sud-Ouest. Quitter Longwy par la N 18. À 4 km, prendre à gauche la D 172. Dans une cuvette entourée d'une boucle de la Chiers, cette bourgade est connue pour son **château** aux belles **façades★** Renaissance. Il a été construit au 16ᵉ s. sur l'emplacement d'un ancien château fort dont il ne reste qu'une tour ronde. *De mi-juil. à fin août : 14h-18h. 26F.* ☎ *03 82 44 90 41.*

Face au château, prieuré St-Michel, reconstruit au 18ᵉ s. À la sortie Nord de la localité, le haut fourneau, sur le côté gauche de la route, date de 1865.

> **À VOIR**
> Oubliettes dans le soubassement médiéval ; cheminée monumentale du 16ᵉ s. dans la salle d'honneur.

Crunes

17 km au Sud-Est de Longwy que l'on quitte par la D 520. L'église dédiée à sainte Barbe, patronne des mineurs, est entièrement réalisée en fer. Construite en 1939, elle est décorée de peintures d'Untersteller et d'un chemin de croix taillé dans des blocs de minerai.

> **PROTOTYPE**
> Cette église était un prototype destiné à être reproduit dans les colonies françaises. Avec la guerre, le projet a tourné court.

Musées des Mines de fer de Lorraine

Deux sites se complètent sur ce propos : **Aumetz,** sur la N 521, à égale distance de Longwy et Thionville, et **Neufchef,** au Sud-Ouest de Thionville, par la D 57 (*voir p. 361 et 362*).

Parc naturel régional de **Lorraine**

Toujours plus près de la nature protégée et aménagée, en suivant les sentiers de découverte et en rendant visite aux animaux du parc de Ste-Croix, toujours plus près des étoiles avec le télescope Newton de l'observatoire des Côtes de Meuse, toujours plus près du plaisir avec les haltes gastronomiques, les vergers de mirabelliers et les vignes. La plaine de la Woëvre est parsemée d'étangs et de prairies ; dans la zone orientale du Parc, les mares salées de la vallée de la Seille sont presque uniques en France et le pays des étangs accueille une grande variété d'oiseaux nicheurs ou migrateurs. Et pour ceux qui se sentiraient pousser des nageoires, le lac de Madine se montre très accueillant pour les baignades, la détente et les sports nautiques.

> **POUMON VERT DE LA LORRAINE**
> La vocation du Parc est de « faire de son territoire un milieu rural vivant, attractif et tourné vers l'avenir ». Il constitue une réserve de verdure indispensable à l'équilibre des habitants des grandes villes que sont Metz et Nancy.

La situation

Cartes Michelin nᵒˢ 241 plis 23, 24, 27, 28 et 242 plis 14, 15, 18, 19 — Meurthe-et-Moselle (54), Meuse (55), Moselle (57). Le Parc naturel régional de Lorraine couvre une superficie de 205 000 ha. Les villes-portes sont au nombre de huit : St-Mihiel et Commercy (55), Toul et Pont-à-Mousson (54), Dieuze, Morhange, Château-Salins et Sarrebourg (57). 🛈 *Siège social, domaine de Charmilly, chemin des Clos, 54700 Pont-à-Mousson,* ☎ *03 83 81 11 91.*

Le logo

Le Parc a choisi le chardon, surmonté de l'éclat de l'étoile qui marque l'appartenance à la grande famille des parcs naturels régionaux de France.

Les gens

60 000 personnes habitent dans la zone rurale du Parc. Il regroupe en tout 186 communes des 3 départements concernés. Ce sont les gardiens d'un espace reconnu fragile et les garants d'un développement économique et social harmonieux.

Le logo du Parc.

carnet pratique

HÉBERGEMENT

En plus des divers gîtes de France, quelques gîtes Panda labellisés par le WWF sont installés en Lorraine. Mise à la disposition d'une malle pédagogique avec guides de la faune et de la flore locales, matériel d'observation (jumelle et boussole) et cartes d'état-major. Location directe auprès du propriétaire, ou service de réservation Loisirs-Accueil de Moselle, ☎ *03 87 37 57 69*, ou de Meuse, ☎ *03 29 45 78 42.*

LAC DE MADINE

Les installations d'accueil et d'hébergement sont essentiellement concentrées sur la rive Nord-Est du lac. **Madine-Accueil,** *55210 Nonsard - ☎ 03 29 89 32 50.*
Madine 1, camping de Nonsard - ☎ *03 29 89 56 76.* Port de plaisance, restaurant, plage, location de vélos et golf.
Madine 2, camping d'Heudicourt - ☎ *03 29 89 36 08.* Plage, aire de jeux et centre équestre.
Madine 2-3, village de gîtes, école de voile, tennis couverts, parc aux oiseaux et salle polyvalente (animations en soirée).

SORTIES NATURE

Le Parc naturel régional de Lorraine propose en saison des sorties gratuites, de découverte et d'observation. (autour de la chauve-souris, des insectes, des habitants des mares...). D'autres associations abordent d'autres thèmes. *Se renseigner auprès du Parc - ☎ 03 83 81 12 77.*

VOIR LES ÉTOILES

L'un des plus puissants télescopes européens (télescope Newton de 83 cm de diamètre) est ouvert au public. **Observatoire des Côtes de Meuse,** *8 pl. de Verdun - 55210 Vieville-sous-les-Côtes - ☎ 03 29 89 58 64.*

Les étapes de charme ne manquent pas dans le Parc.

séjourner

Le Parc naturel régional de Lorraine a été créé en 1976. Découpé en deux parties, il s'étend sur deux zones géographiques distinctes, de part et d'autre de la vallée de la Moselle.
La **partie Ouest** s'inscrit dans un cadre fermé par Verdun, Metz, Commercy et Toul. C'est la région des Côtes, côtes de Meuse et côtes de Moselle, plantée de vergers et de vignobles, et dont les plateaux sont entaillés de belles vallées. La plaine de la Woëvre, plus humide, est un milieu de haute valeur biologique. Le lac de Madine est au centre de cette zone.
La **partie orientale** a une forme très irrégulière sur une carte. Elle va de Château-Salins, à Fénétrange et Sarrebourg. Limitée à l'Ouest par la vallée de la Seille (pays du sel) et à l'Est par les premiers contreforts du Massif vosgien, c'est le pays des Étangs (le Lindre), refuge pour de nombreux oiseaux, parfois très rares.

Sentiers de découverte

🄳 Ils sont thématiques et complétés par des bornes ou des panneaux explicatifs : sentiers de la forêt de la Reine, de la forêt de Bride-et-Kœking, de la forêt de Fénétrange, sentier des mares salées à Marsal, sentier des pelouses calcaires à Génicourt-sur-Meuse, sentiers de l'étang de Lindre, de l'étang des Essarts, sentier viticole de Lucey.

Observatoires ornithologiques

Ils sont installés près des étangs de la Chaussée, de Lindre et du Neuf Étang.

Maison des Arts et Traditions rurales

Zone occidentale du Parc. Hannonville-sous-les-Côtes. Tlj sf lun. et mar. ☎ 03 29 87 32 94.
Reconstitution de l'intérieur vigneron de Sophie et Paul Clamplon qui vivaient là vers 1850. On visite aussi le

MAUVAIS VENT

En décembre 1999, la Lorraine a essuyé une terrible tempête qui a abattu plusieurs milliers d'arbres. Les vergers et les forêts mettront sans doute longtemps avant de se reconstituer.

LES ROISES DE LUCEY

Dans la région de Toul, les roises sont les anciens trous d'eau utilisés pour faire rouir le chanvre, c'est-à-dire le faire pourrir pour séparer les fibres de la matière qui les collent entre elles. Un sentier de découverte permet au promeneur de comprendre le travail du chanvre.

Une promenade de 20 km à pied ou à vélo a été aménagée autour du lac de Madine.

jardin. Des expositions présentent la culture de la vigne et du chanvre, la tonnellerie et l'implantation du village au pied de la côte.

Maison du Pays des Étangs

Zone orientale du Parc. Presqu'île de Tarquimpol. Vac. scol. : mer.-sam. 14h-18h ; hors vac. Scol. : sam. 14h-18h, dim. et j. fériés 10h-12h, 14h-18h. Fermé du 20 déc. à mi-fév. 18F. ☎ *03 87 86 88 10.*

Situé sur l'étang de Lindre où l'on peut répertorier plus de 250 espèces d'oiseaux, cette langue de terre garde aussi mémoire du village gallo-romain de Decempagi qui a aujourd'hui disparu. Maquettes, montages audiovisuels et jeux interactifs informent de manière scientifique et technique pour mieux découvrir le site archéologique et naturel.

Lac de Madine

À 23 km à l'Ouest de Pont-à-Mousson. Pour rejoindre Nonsard, sur la rive Nord-Est du lac, prendre la D 958 jusqu'à Flirey, puis la D 904 à droite sur 7 km jusqu'à Pannes ; Nonsard est à 3 km, par la D 133 à gauche.

Ce lac d'une vaste superficie (1 100 ha) est une base de loisirs nautiques, entouré d'une très belle forêt de 250 ha. Cadre de verdure idéal pour la détente en famille ou entre amis, on peut y pratiquer baignade, la planche à voile, dériveur, canoë, pédalo, comme des sports plus « terrestres » : équitation, tennis, vélo...

Parc animalier de Ste-Croix

🎦 *À 3 km de la zone orientale du Parc, près de l'étang du Stock, 57810 Rhodes. D'avr. à mi-nov. : 10h-19h (se renseigner pour les horaires en nov.). 55F (3-11 ans : 38F).* ☎ *03 87 03 92 05.* Il regroupe 50 espèces originaires d'Europe parmi lesquelles des loups, des lynx, des renards, des cigognes, des cerfs. Une ferme à l'ancienne conserve des espèces en voie de disparition, mouton à quatre cornes, cochon laineux, chèvre naine, âne du Poitou.

itinéraire

LES CÔTES DE MEUSE★

De Verdun à St-Mihiel — 83 km — environ 2h1/2. Quitter Verdun par la D 903, en direction de Metz et Nancy.

Peu après Verdun, jolie vue à droite sur la vallée de la Meuse, aux amples vallonnements boisés.

À 7 km de l'embranchement D 903-D 964, prendre à droite la DST31, signalée Les Eparges, Hattonchâtel, puis à droite la D 154.

Les Éparges

Cet éperon domine la plaine de la Woëvre. Véritable montagne de boue, il a constitué un observatoire convoité lors de la Première Guerre mondiale, haut lieu de combats.

PRATIQUE
On peut observer les amours du cerf, presque disparu de la région lorraine, au début du mois d'octobre et entendre son célèbre brame.

INOUBLIABLE SOUVENIR
Maurice Genevoix, alors jeune officier, a évoqué « les abominations des Éparges, cette traversée d'enfer... en ce printemps 1915 ». Gravement blessé, il précise : « Je ne suis pas tombé cette fois-là, sur l'insatiable colline ; ni en avril, dans les dernières mêlées qui nous ont enfin rendu maîtres au prix de dix mille jeunes morts. Autant de morts chez les Allemands, vingt mille en tout sur une ligne de front qui n'excédait pas douze cents mètres... »

Site des Éparges

 Dans un épais couvert de conifères, des sentiers balisés permettent la découverte du site de combats, à partir du cimetière national du Trottoir. Sur la gauche s'élève un monument à la « gloire du génie », puis on arrive au « point X », sur la crête. Le sol est encore complètement bouleversé par les mines qui ont laissé de nombreux entonnoirs de plusieurs dizaines de mètres de diamètre.

Faire demi-tour et gagner la D 908 par St-Rémy-la-Calonne et Combres-sous-les-Côtes. À St-Maurice-sous-les-Côtes, prendre la D 101 à droite, puis le chemin stratégique à gauche, assez étroit, pour gagner Hattonchâtel.

Hattonchâtel★

Construit sur une butte et jadis fortifié, le village tire son nom de Hatton, 29e évêque de Verdun. Les chanoines de la collégiale ont rebâti l'**église** et édifié la chapelle et le cloître vers 1350. Magnifique **retable** de ▶ 1523, vitraux modernes de Grüber.

Dans la mairie reconstruite dans le style roman, le **musée Louise-Cottin**, présente une centaine de toiles de l'artiste (1907-1974) qui fut grand prix de Rome en 1934. Elle était excellente dans les portraits, les natures mortes et les scènes de genre. *(De mai à fin sept. : lun. et jeu. 14h-18h, w.-end et j. fériés 14h-19h. 10F. ☎ 03 29 89 30 73.)*

Au bout du promontoire, l'ancien **château**, démantelé en 1634 sur l'ordre de Richelieu, a été restauré dans le style du 15e s. De là, la vue sur la Woëvre s'étend jusqu'à Nancy. *Visite guidée (1/2h) tlj sf mar. 9h-12h, 14h-18h30. Fermé en oct. 15F. ☎ 03 29 89 57 44.*

Prendre la D 908 au Sud d'Hattonchâtel. À Woinville, tourner à gauche (D 119) vers Montsec.

CHEF-D'ŒUVRE

Le retable de la chapelle est attribué à Ligier Richier. Trois scènes séparées par des pilastres Renaissance représentent, à gauche, le Portement de croix et sainte Véronique, au centre, la Crucifixion et la Pâmoison de la Vierge, à droite, l'Ensevelissement du Christ.

On accède au mémorial de la butte de Montsec par un escalier monumental. Les colonnes de l'édifice forment une rotonde dont le couronnement porte les noms des unités américaines ayant combattu dans ce secteur.

Butte de Montsec★★

Au sommet d'une colline isolée (275 m), les Américains ont élevé un **monument★** pour commémorer l'offensive du 12 au 16 septembre 1918 qui leur permit de réduire le saillant de St-Mihiel et de faire 15 000 prisonniers. ▶

Faire demi-tour et reprendre la D 119 vers St-Mihiel

St-Mihiel★ *(voir ce nom)*

circuit

VUE

Depuis la butte de Montsec, **panorama★★** très étendu, à l'Ouest, sur la Woëvre et les côtes de Meuse, au Nord-Est sur le lac de Madine et la retenue de Nonsard-Pannes.

VALLÉE DU RUPT DE MAD

Circuit de 48 km au départ de Pont-à-Mousson — environ 1h1/2. Voir p. 278.

Lunéville ★

Il y a lune dans Lunéville, mais c'est plutôt du soleil qu'elle s'est inspirée et même du Roi-Soleil, puisque son château est une réplique, réduite certes, du château de Versailles. On y fera connaissance avec « Bébé », le nain du roi Léopold. L'ancienne faïencerie, ex-manufacture royale, s'est maintenant fait une spécialité de la vaisselle de table dans laquelle on pourra tester les spécialités gastronomiques proposées sur le marché.

La situation

Cartes Michelin nᵒˢ 62, pli 6, 242 pli 22 ou 4054 G7 — Meurthe et Moselle (54). Lunéville est situé à 30 km à l'Est de Nancy par la N 4. C'est une ville relativement étendue, avec de grandes artères de circulation où le stationnement reste assez facile.

🗒 *Aile Sud du Château, 54300 Lunéville, ☎ 03 83 74 06 55.*

Le nom

Lunéville évoque la lune donc, mais c'est plutôt son surnom de Petit-Versailles que l'on retient.

Les gens

20 682 Lunévillois. Ils sont « authentiques », qualité largement revendiquée par Jean-Pierre Coffe, né ici, dans ses chroniques gastronomiques.

Le nain, baptisé « Bébé », du roi Stanislas était né si petit qu'un sabot garni de laine lui servait de berceau (faïence de Lunéville).

LES BONS PRINCES

De 1702 à 1714, Lunéville est le séjour favori de Léopold, duc de Lorraine. Grand administrateur du Roi-Soleil, et peut-être un peu mégalo, il fait appel à Germain Boffrand, élève de Mansart, pour se faire construire à Lunéville une « réplique » modeste de Versailles. Quelques animations sont organisées, danse, jeux, théâtre, chasse, et c'est le succès. Toute la noblesse lorraine se précipite. Plus tard, Stanislas, beau-père de Louis XV, embellit Nancy bien sûr, mais recevra aussi au château scientifiques, musiciens et hommes de lettres (Voltaire, Montesquieu, Saint-Lambert, Helvétius).

découvrir

LE CHÂTEAU★

Très majestueux, il ouvre à l'Ouest par une grande cour d'honneur avec la statue équestre du général Lassale, Messin tué à Wagram en 1809. Germain Boffrand, l'architecte, a dessiné un large corps central, avec deux petites ailes et deux escaliers monumentaux. Un portique de

carnet pratique

OÙ SE RESTAURER

● *À bon compte*

Les Bosquets – *2 r. des Bosquets* - ☎ *03 83 74 00 14 - fermé août, jeu. soir et mer. - réserv. obligatoire - 89/199F.* Apprécié des gens du quartier, ce petit restaurant familial sert plusieurs menus, dont un pour les petits. Sa formule, servie à déjeuner, est particulièrement peu chère et ses trois salles au décor rustique simple sont souvent bien remplies...

ARTISANAT

Manufacture de faïences de Lunéville-St-Clément – *1 r. Trouillet -* ☎ *03 83 74 07 58.* Magasin d'usine et exposition de pièces anciennes.

Ets Ciepielewski – *74 r. de Viller -* ☎ *03 83 73 26 61.* Gravure sur cristal, démonstration, audiovisuel et vente.

ÉVÉNEMENT

Chaque dimanche en saison, spectacle audiovisuel, les « Grandes Heures de Lunéville » dans la chapelle du château. À la tombée de la nuit, son et lumière au château de juin à septembre.

trois arches en plein cintre équilibre la construction et ouvre la perspective des jardins. **Chapelle** inspirée de celle de Versailles. *Fermé pour travaux de restauration.*

Musée

Tlj sf mar. 10h-12h, 14h-17h (avr.-sept. : fermeture à 18h). Fermé 1ᵉʳ janv., Lun. gras, 25 déc. 15F. ☎ *03 83 76 23 57.*

Il se trouve au premier étage du château, dans les appartements du roi Stanislas : importante collection de faïences de Lunéville et de St-Clément, apothicairerie de l'hôpital St-Jacques de Lunéville, statuettes en terre de Lorraine de Paul-Louis Cyfflé, collection unique de portraits calligraphiés par Jean-Joseph Bernard (18ᵉ s.), des tentures flamandes de cuir peint (17ᵉ s.), des objets d'art nouveau signés des frères Muller et une section d'histoire militaire.

> **À VOIR**
> L'œuvre du peintre Georges de La Tour installé à Lunéville de 1620 à 1652 est évoquée par un audiovisuel, dans le musée.

Parc des Bosquets★

Tracé à partir de 1711 par Yves de Hours et complété par Louis de Nesles pour Léopold, il a été embelli par Héré pour Stanislas. À la mort du roi, les pavillons et chalets qui s'y trouvaient ont disparu, les nombreux automates et les statues de plomb ont été vendus, la plupart des bassins comblés. Après 1944 et de nouveaux dommages, la restauration des jardins à la française avec bosquets, parterres, statues et pièces d'eau a été entreprise. La terrasse a été dégagée.

Le château Stanislas vu du parc des Bosquets, en plein cœur de la ville.

visiter

Église St-Jacques

Cette ancienne abbatiale a été construite de 1730 à 1747 dans le style baroque. Commencée par Boffrand, c'est Héré qui l'a terminée. Les deux tours élancées supportent l'une, la statue de saint Michel, l'autre, celle de saint Jean Népomucène. Les **boiseries★** du tambour d'entrée, les stalles du chœur et de la chaire sont Régence. On y trouve aussi une pietà du 15ᵉ s. et de belles œuvres de Girardet.

> **ASTUCIEUSE**
> La décoration pour dissimuler les tuyaux du buffet d'orgues a été exécutée en 1751 sur un dessin de Héré.

Musée de la Moto et du Vélo

🎦 *Tlj sf lun. 9h-12h, 14h-18h. 25F.* ☎ *03 83 74 07 20.*

C'est une collection privée de 200 modèles à 2 ou 3 roues, avec ou sans moteur, dont le plus ancien remonte à 1895. Elle est installée dans les derniers ateliers Muller, célèbres verriers Lunévillois. Quelques raretés : moto de parachutiste anglais (1943) pesant 43 kg, bicyclette équipée d'un moteur Diesel auxiliaire de 18 cm³ (1951), ou encore bicyclette à cadre en bois (1910).

Luxeuil-les-Bains ♨

Station thermale réputée, Luxeuil doit beaucoup à la puissante abbaye fondée au 6e s. par saint Colomban. Comment ne pas être surpris, en traversant la ville, par la richesse décorative de ses belles maisons et hôtels de grès rouge ? Après des années de déclin, elle se refait une santé en développant ses loisirs autour du thermalisme.

La situation

Cartes Michelin n°s 66 pli 6 ou 242 pli 38 — Haute-Saône (70).
Malgré sa position excentrée au pied des Vosges, Luxeuil est desservie par la N 57 qui contourne la ville.
🛈 *1 av. des Thermes, 70300 Luxeuil-les-Bains,* ☎ *03 84 40 06 41.*

Le nom

Luxeuil, autrefois *Luxovium*, pourrait dériver du dieu gaulois Luxovius ; les sources sont en effet souvent associées à un dieu guérisseur.

Les gens

8 790 Luxoviens. Saint Colomban, très vénéré dans la pays, est un moine irlandais qui fonda l'abbaye de Luxeuil à la fin du 6e s. Ayant reproché au roi de Bourgogne ses dérèglements, il fut chassé du pays et dut se réfugier à Bobbio, en Italie.

LE SENTIER DES GAULOIS
Vous vous êtes bien détendu lors de vos séances aux thermes, pourquoi ne pas faire ce circuit de 4 km qui situe Luxeuil dans son contexte historique et géographique ? Renseignements à l'Office de tourisme.

se promener

BIEN VU
Sous le balcon, la 3e clef de voûte à partir de la gauche représente trois lapins. Le sculpteur n'a représenté que trois oreilles en tout, mais le groupe est disposé de telle sorte que chaque lapin paraît avoir deux oreilles.

Hôtel du cardinal Jouffroy★

◄ Le cardinal Jouffroy, abbé de Luxeuil, puis archevêque d'Albi, fut jusqu'à sa mort le favori de Louis XI. Sa maison (15e s.), la plus belle de Luxeuil, ajoute au gothique flamboyant de ses fenêtres et de sa galerie quelques éléments Renaissance dont, sur l'un des côtés, une curieuse tourelle (16e s.), coiffée d'un lanternon, construite en encorbellement. Mme de Sévigné, Augustin Thierry, Lamartine, André Theuriet ont habité cette maison.

Maison François-Ier★

Son nom ne perpétue pas le souvenir du roi de France, mais celui d'un abbé luxovien. Elle est de style Renaissance.

LUXEUIL-LES-BAINS

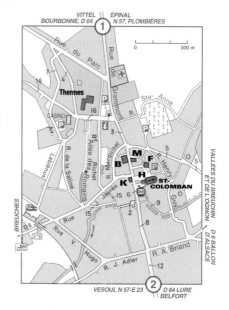

carnet pratique

Où dormir et se restaurer

• À bon compte

Hôtel Beau Site – 18 r. G.-Moulimard -
☎ 03 84 40 14 67 - fermé ven. soir et dim. soir
de nov. à fév. - 🅿 - 33 ch. : 160/340F -
☕ 40F - restaurant 85/220F. À l'écart du
centre-ville et proche des thermes, c'est une
imposante bâtisse au milieu d'un jardin fleuri.
Les chambres sont spacieuses. Prenez votre
petit-déjeuner en terrasse si le temps le permet,
après un bain dans la piscine.

Thermalisme

Thermes – ☎ 03 84 40 44 22.
L'établissement thermal, reconstruit au 18ᵉ s.
en grès rouge, est entouré d'un beau parc
ombragé. Il abrite, en plus des équipements
traditionnels, un **centre d'aquathérapie** très
moderne ouvert à tous.
Casino Paradise – 16 av. des Thermes. Pour
finir votre soirée, roulettes, black-jack,
traditionnelles machines à sous et même un
piano-bar vous attendent à deux pas des
thermes.

Spécialités

On ne peut éviter le traditionnel jambon de
Luxeuil, légèrement fumé, qui bénéficie d'un
label régional. La proximité de Fougerolles
explique les nombreux produits à base de
cerise comme le kirsch, les griottines…

Conservatoire de la Dentelle de

Luxeuil – Place de l'Abbaye -
☎ 03 84 93 61 11. On ne peut évoquer
Luxeuil sans parler de sa fameuse dentelle.
Après un succès international au 19ᵉ s., elle est
progressivement tombée dans l'oubli au cours
du 20ᵉ s. Un conservatoire tente depuis
quelques années de la réintroduire dans la
région.

Espace de détente aux thermes de Luxeuil.

Ancienne abbaye St-Colomban★

*Possibilité de visite guidée (2h) à 15h 3ᵉ jeu. du mois. Office
de tourisme. 25F.*
Succédant à une église du 11ᵉ s. dont il reste quelques
traces, la **basilique** actuelle remonte aux 13ᵉ et 14ᵉ s. Des
trois tours d'origine subsiste seulement le clocher occidental, reconstruit en 1527, dont le couronnement date
du 18ᵉ s. L'abside a été refaite en 1860 par Viollet-le-Duc.
Sur la place St-Pierre s'élève une statue moderne de saint
Colomban. Un portail classique à fronton donne accès à
l'intérieur, de style gothique bourguignon.
On ne peut manquer le superbe **buffet d'orgues★** soutenu par un atlante posé sur le sol et décoré de
médaillons sculptés. La chaire, au fin décor Empire,
tranche avec l'architecture de l'église ; elle provient de
Notre-Dame de Paris. Dans le transept à droite se trouve
la châsse de saint Colomban.
Le **cloître** garde trois de ses quatre galeries de grès
rouge : une travée comportant trois baies surmontées
d'un oculus remonte au 13ᵉ s., les autres ont été refaites
aux 15ᵉ et 16ᵉ s.
Les **bâtiments conventuels** comprennent au Sud de
l'église le « bâtiment des moines » des 17ᵉ et 18ᵉ s. et sur
la place St-Pierre le palais abbatial (16ᵉ-18ᵉ s.),
aujourd'hui hôtel de ville.

Maison du Bailli

Elle date de 1473. La cour est dominée par un balcon de
pierre flamboyant et par une tour polygonale surmontée
de créneaux.

visiter

Musée de la Tour des Échevins★

*Été : tlj sf lun. et mar. 10h-12h, 14h-18h30, dim. 14h-18h ;
hiver : tlj sf lun. et mar. 10h-12h, 14h30-17h30, dim.
14h-17h. Fermé en nov., 1ᵉʳ janv., 25 déc. 12F.* ☎ 03 84 40
00 07.

*Voilà un bel exemple de
« bâtarde » conservé à
St-Colomban. Cet étrange
nom donné à la dentelle de
Luxeuil vient de l'emprunt
de différentes techniques
italiennes (Venise, Milan)
et de l'ajout d'un lacet
mécanique.*

De remarquables
monuments funéraires
de pierre proviennent de
la ville gallo-romaine
(Luxovium) : **stèles★**
votives, inscriptions,
ex-voto d'époque
gauloise, etc.

L'hôtel des Échevins est un édifice important du 15ᵉ s. aux murs crénelés. La décoration extérieure et la fine loggia de style gothique flamboyant contrastent avec l'allure générale de la construction. Le 2ᵉ et le 3ᵉ étage abritent le **musée Adler** qui rassemble des peintures de J. Adler, Vuillard et Pointelin. Du sommet de la tour (146 marches) : **vue** sur la ville et, au loin, sur les Vosges, le Jura et les Alpes.

Marmoutier ★

Sur la route de Saverne, un des must de l'art roman en Alsace, l'église abbatiale de Marmoutier existe depuis le 6ᵉ s. Elle est incontournable. C'est un véritable plaisir que de découvrir ce joyau de grès rouge dans son écrin de verdure au débouché de la forêt.

La situation

PLONGEON
Des abords du
Sindelsberg *(1,5 km au
Nord-Ouest par
l'ancienne route de
Saverne, puis une petite
route goudronnée, à
gauche)*, jolie vue
plongeante sur
Marmoutier.

Cartes Michelin nᵒˢ 87 Sud-Est du pli 14 ou 242 pli 19 — Bas-Rhin (67). À 6 km au Sud de Saverne par la N 4. Accès par la A 4-E 25 Paris-Metz-Strasbourg : sortie à Saverne.
🖪 *6 pl. du Gén.-de-Gaulle, 67440 Marmoutier,* ☎ *03 88 71 46 84.*

Le nom

Fondée en 590 par saint Léobard (prénom peu usité de nos jours) disciple de saint Colomban (pas très courant non plus), le moine irlandais de Luxeuil-les-Bains, l'ancienne abbaye bénédictine fut reconstruite au 12ᵉ s. par l'abbé Maur qui lui donnera donc son nom. Maurmünster ou *Mauri Monasterium*, tous deux signifiant le monastère de Maur, deviendront Marmoutier.

Les gens

2 234 Maurimonastériens. Au 14ᵉ s., les abbés de Marmoutier imposent sur la région une influence considérable, tant spirituelle que temporelle. La Révolution les dispersera en 1792.

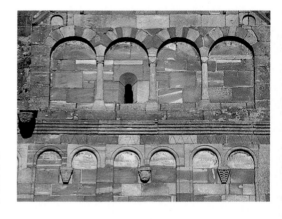

*Détail sur la façade de
l'église : arcatures aveugles
et culs de lampe sculptés :
un résumé de l'art roman à
Marmoutier.*

visiter

MAURIMONASTÉRIENS
Au 14ᵉ s., tout un petit
peuple d'artisans et d'agriculteurs gravite autour de
l'abbaye. Une communauté juive s'installe, chargée, par les abbés, du négoce.

Église★★

La **façade occidentale★★** est construite en grès rouge des Vosges. Le clocher est carré et les deux tours d'angle octogonales. Le porche comporte une voûte d'ogives centrale, entre deux voûtes en berceau.

Le narthex, voûté de coupoles, est la seule partie intérieure romane. Dans les bras du transept, monuments funéraires élevés en 1621 et très abimés pendant la Révolution. De belles boiseries dans le chœur : stalles

Louis XV et quatre dais surmontés de feuillages et de branches d'arbres ; au couronnement des stalles, petits anges charmants. Les orgues authentiques de Silbermann, construites en 1710, comptent parmi les plus belles d'Alsace. Des restes d'une **église précarolingienne** ont été découverts sous le transept *(accès par la crypte ; entrée dans le bras sud du transept).*

Musée d'Arts et Traditions populaires
De mai à fin oct. : visite guidée (1h1/2) dim. et j. fériés 10h-12h, 14h-18h. 20F. ☎ 03 88 71 46 84.
Il est installé dans une maison à colombage de style Renaissance. Le musée propose des reconstitutions de la vie rurale alsacienne d'autrefois : pièces aménagées (stube, cuisine...), ateliers d'artisans (forgeron, tonnelier, tailleur de pierre...). Importante collection de moules à pâtisserie en terre cuite. Nombreux témoins de la communauté juive alsacienne : objets du culte synagogal et domestique, ainsi que le bain rituel du 18ᵉ s.

Marsal

Ici, inutile de préciser qu'on est au pays du sel. D'abord des vestiges gallo-romains pour se souvenir que dès l'Antiquité, le sel si précieux attirait déjà les colons. Plus tard, Vauban, nommé par Louis XIV commissaire général des fortifications (1678) chargé de couvrir les frontières, est passé par là et a entassé quelques pierres. Cette fois, rien à voir avec le sel ; il a fait de Marsal une place forte dont il reste une partie de l'enceinte fortifiée et en particulier la porte de France. Pour mettre un peu de sel à vos vacances.

La situation
Cartes Michelin nᵒˢ 57 sud du pli 15 ou 242 pli 18 — Moselle (57). À 11 km au Sud-Est de Château-Salins sur la D 38 ; 60 km au Sud-Est de Metz par la D 955 ; 33 km au Nord-Est de Nancy par la N 74. **⌷** *Syndicat intercommunal à vocation touristique, ☎ 03 87 01 17 69.*

Le nom
Sal, sel... Marsal, Château-Salins, Saulnois... des noms qui évoquent l'activité salicole dans laquelle la région s'était spécialisée à partir de ses ressources naturelles.

visiter

Maison du Sel
De mi-juin à mi-sept. : lun.-mer. 14h-18h, jeu.-dim. 10h-12h, 14h-18h ; de mi-sept. à mi-juin : 14h-18h, dim. et j. fériés 10h-12h, 14h-18h (fermé en sem. en déc.). Fermé en janv. 18F. ☎ 03 87 01 16 75.

> **BALADE**
> **↟** En empruntant un itinéraire balisé, on peut découvrir aussi les mares salées environnantes.

La maison du sel, logée dans la porte de France, monument architectural de l'ancienne place forte des 17ᵉ et 18ᵉ s.

TOUT SUR LE SEL
Le musée retrace l'histoire des anciennes salines du Saulnois et décrit ce que furent les mines, les marais salants, les poêles à sel, la chimie du sel.

Elle retrace l'histoire de cette substance précieuse, recueillie dans les terrains salifères de la vallée de la Seille depuis l'Antiquité. Les « briquetages », bâtonnets d'argile et d'herbes mêlées, découverts lors des fouilles archéologiques, sont à l'origine de l'industrie salicole régionale, élément important de l'activité économique du pays.

Ancienne collégiale
Plan basilical sans transept, nef romane et chœur gothique, en quelques mots, l'ancienne collégiale du 12e s.

BASE DE LOISIRS
Non loin de Vic-sur-Seille, joies de la pêche et plaisirs de l'eau sur la base de loisirs de la Tuilière.

alentours

Vic-sur-Seille
7 km à l'Ouest par la D 38. Au cœur du pays du vin gris, Vic-sur-Seille a conservé ses rues anciennes bordées de somptueuses habitations. Quelques restes de son château fort subsistent encore, dont la porte des Évêques. Ayant eu ses heures de prospérité aux 15e et 16e s. grâce à ses gisements salins, le village est bien connu des amateurs de peinture pour avoir donné naissance à **Georges de La Tour** (1593-1652 — quelques œuvres sont rassemblées au musée d'Art et d'Histoire, à l'hôtel de ville).

DÉTAIL
Sur le côté gauche de l'église, le linteau du portail évoque la légende de l'ermite saint Marian.

◄ Sur la place du Palais, maison de la Monnaie, de style gothique du 15e s., ancien couvent des Carmes, du 17e s. et **église** (15e-16e s.) *Visite sur demande préalable auprès de l'Hôtel de la Monnaie, pl. du Palais.* ☎ *03 87 01 16 26.*

Metz ★★★

Metz, la ville lumière... Réservez-lui vos nuits, un très original programme de mise en valeur par la lumière du patrimoine architectural a été mis sur pied par la ville en partenariat avec l'usine d'électricité de Metz. Plus de 13 000 points lumineux habillent la ville dès la tombée de la nuit. Romaine, médiévale, classique, allemande, Metz garde de manière bien visible les traces de ses 3 000 ans d'Histoire et surtout, bien sûr, l'incontournable St-Étienne, cathédrale gothique monumentale et aérienne avec ses magnifiques vitraux, dont plusieurs de Chagall.

La situation
Cartes Michelin nos 57 plis 13 et 14, ou 242 plis 9 et 10 — Moselle (57). Metz est un nœud très important de routes, autoroutes, voies ferrées et de navigation sur la Moselle, canalisée vers l'Allemagne, dont la frontière est à moins de 50 km. L'aéroport Metz-Nancy-Lorraine est situé à 25 km au Sud de la ville. Sept parkings, dont deux ouverts 24h/24 facilitent le stationnement au cœur de Metz. Ils sont tous souterrains sauf celui de la République. Les voies piétonnes sont nombreuses dans le centre historique. **🛈** *Pl. d'Armes, 57000 Metz,* ☎ *03 87 55 53 76.*

Le nom
Appelée *Divodorum* pendant l'Antiquité, Metz était la capitale des Médiomatriques, un peuple celte dont le nom a donné par contraction « mettis » (fin 4e s.) qui est devenu, par contraction encore, « Metz ».

Les gens
193 117 Messins parmi lesquels le poète Paul Verlaine (1844-1896). Ce dernier a rendu hommage à sa ville natale dans l'*Ode à Metz* écrite en 1892. Son art poétique (« Pas de couleur, rien que de la nuance ») ressemble à la vie messine, toute en discrétion.

Verlaine, dont la maison natale se dresse rue Haute-Pierre, naquit à Metz en 1844.

carnet pratique

SE DÉPLACER

Le réseau de transports urbains TCRM offre de nombreuses lignes pour desservir les différents quartiers de Metz. *Espace-bus, pl. de la République -* ☎ *03 87 76 31 11.*

OÙ DORMIR

● *Valeur sûre*

Hôtel du Théâtre – *3 r. du Pont-St-Marcel -* ☎ *03 87 31 10 10 -* 🅿 *- 38 ch. : 450/590F.* Au bord de la Moselle et en face de la cathédrale, cet hôtel est idéalement situé au cœur de Metz. Seules trois suites sont installées dans la maison ancienne, qui date du 17ᵉ s. Les autres chambres, récentes, ont vue sur le port ou sur le fleuve. Piscine, hammam et sauna.

Hôtel Bleu Marine – *23 av. Foch -* ☎ *03 87 66 81 11 - 55 ch. : 380/480F -* 🛏 *60F - restaurant 128/157F.* Sis dans un bel immeuble ancien du quartier de la gare, cet hôtel a été entièrement rénové. Ses chambres sont modernes, spacieuses et bien insonorisées. Deux restaurants dont un bistrot : Le Caveau, avec menu à l'ardoise et vins au verre. Fitness et sauna.

Hôtel de la Cathédrale – *25 pl. de la Chambre -* ☎ *03 87 75 00 02 - 20 ch. : 320/540F -* 🛏 *50F.* Un charmant hôtel loti dans une jolie maison du 17ᵉ s. Entièrement rénové en 1997, ses chambres avec leur lit en fer forgé ou canné, leur parquet ancien et leurs vieux meubles, parfois orientaux, sont très agréables. La plupart donnent sur la cathédrale, juste en face.

OÙ SE RESTAURER

● *À bon compte*

La Migaine – *1-3 pl. St-Louis -* ☎ *03 87 75 56 67 - fermé 15 au 31 août et dim. - 70F.* Ici, vous pourrez manger à toute heure : ce salon de thé, sur une jolie petite place à arcades, sert du matin à la fin de l'après-midi... Au menu : petits déjeuners copieux, tourtes à la viande et quiches lorraines, pâtisseries et thés, à vous de choisir ! Terrasse en été.

Restaurant du Pont-St-Marcel – *1 r. du Pont-St-Marcel -* ☎ *03 87 30 12 29 - 98/168F.* Non loin de la cathédrale St-Étienne, cette maison du 17ᵉ s. sur pilotis est au bord d'un bras de la Moselle. À l'intérieur, une amusante fresque récente représente une scène de jour de foire au 17ᵉ s., avec ses saltimbanques et son théâtre. Service en costume et cuisine du cru.

Restaurant du Fort – *Allée du Fort - 57070 St-Julien-lès-Metz -* ☎ *03 87 75 71 16 - 8 km au NE de Metz dir. Bouzonville par D 3, puis rte secondaire - fermé 1ʳᵉ sem. de janv., dim. soir et mer. - réserv. le w.-end - 75/135F.* Au bout d'un chemin forestier, vous découvrirez avec surprise ce témoin de l'histoire mouvementée de la Moselle : un fort construit en 1870. Vous pourrez vous installer dans sa partie restaurée, qui abrite aujourd'hui un restaurant, pour découvrir la cuisine lorraine.

● *Valeur sûre*

Le Chèvrefeuille – *27 r. Taison -* ☎ *03 87 74 29 53 - fermé 15 juil. au 15 août, sam. soir et dim. - 150F.* Ce tout petit restaurant, dans une rue piétonne derrière la cathédrale, ressemble à une maison de poupée. Tenu par une ancienne fleuriste et son mari, son décor est très champêtre avec fleurs séchées et guirlandes électriques. Menus à l'ardoise et chaises bistrot.

L'Écluse – *45 pl. de la Chambre -* ☎ *03 87 75 42 38 - fermé 9 au 26 août, dim. soir et lun. - 165F.* Un petit coin de Bretagne à quelques pas de la cathédrale... Le jeune chef est amoureux de cette région et ça se voit : décor inspiré des côtes bretonnes, poissons à la carte (mais pas uniquement), chaises bleues, le tout dans une jolie salle claire.

Maire – *1 r. du Pont-des-Morts -* ☎ *03 87 32 43 12 - 150/380F.* Au cœur de Metz, ce restaurant ouvre une superbe vue sur la Moselle... Attablé dans une de ses agréables salles aux murs saumon et mobilier de bois clair ou à sa belle terrasse, vous en profiterez en goûtant la cuisine travaillée du jeune chef.

ANIMATIONS

Fontaines dansantes – Esplanade de Metz, dès la tombée de la nuit ven., sam. et dim., en saison.

Grandes Fêtes de la Mirabelle – Fin août-début septembre, corso fleuri et élection de l'ambassadrice des fêtes, animations folkloriques et feu d'artifice.

Marché de Noël – Durant le mois de décembre, défilé de St-Nicolas accompagné du père Fouettard.

Illuminations – Metz a reçu le grand prix national « Lumières dans la ville », et l'illumination de ses rues, places et monuments invite à une découverte nocturne de la ville (dépliant à l'Office de tourisme).

Le théâtre (18ᵉ s.) de Metz

BOUTIQUE

Boucherie-traiteur Éric Humbert – *8 r. du Grand-Cerf* - ☎ *03 87 75 09 38. Ce boucher-traiteur a eu les honneurs d'un grand magazine de décoration... fait notable qui mérite quelques explications. É. Humbert, qui cultive en effet avec le même bonheur talents de cuisinier et talents de designer, a conçu lui-même des présentoirs avant-gardistes pour sa boutique traditionnelle. Au plaisir des yeux s'ajoute celui des papilles : saucisson de volaille aux pistaches, foie gras en gelée au riesling...

VISITE TECHNIQUE

Centrale de La Maxe – *57140 Woippy - renseignement auprès de Mme Mansion - ☎ 03 87 30 45 26 - l'âge minimum est de 14 ans - visite sur rendez-vous.* Cette centrale thermique utilisant le charbon lorrain, située à 6 km au Nord de Metz, comporte 2 tranches de 250 MW chacune.

OÙ SORTIR

L'Oscar – *1 r. Paul-Bezançon - ☎ 03 87 76 93 80 - lun.-jeu. 12h-2h30, ven. et sam. jusqu'à 3h30.* Si la soirée s'annonce mal et qu'il ne se passe vraiment rien ce soir-là à Metz, un seul recours : L'Oscar. Ce bar musical organise des concerts toutes les semaines : bœufs le mardi, concerts de rock, soul ou salsa les mercredi, jeudi, vendredi ou samedi. Terrasse dans la cour St-Étienne en été.

L'Arsenal – *Av. Ney, ☎ 03 87 74 16 16 - www.mairie-metz.fr:8080 - tlj 12h-24h - billetterie: mar.-sam. 13h-17h30.* Cette salle de concert créée par R. Bofill est réputée être la « plus belle d'Europe ». Une « acoustique fantastique », selon Rostropovitch, qui ne le cède en rien au Concertgebouw d'Amsterdam ou au Musikverein de Vienne. ... Avec près de 200 manifestations par an, la programmation couvre tout l'éventail de la danse contemporaine et de la musique : concerts symphoniques, récitals lyriques, jazz, musiques du monde...

OÙ PRENDRE UN VERRE

Le 007 – *7 r. Poncelet - ☎ 03 87 37 09 38 - tlj 18h-4h (bar), lun. et mar. 22h-5h (discothèque).* C'est actuellement le bar le plus branché de Metz. La décoration s'inspire des tribulations de l'agent très spécial à travers le monde et la jeune clientèle est à l'image du fringant James, c'est-à-dire très BCBG. Discothèque au sous-sol et soirées à thème fréquentes.

Le Pierre qui Mousse – *24 r. du Palais - ☎ 03 87 75 25 52 - dim. et lun. 15h-1h, mar.-sam. 11h30-1h.* Malgré ses poutres, ses vrais troncs d'arbres et ses tabourets rustiques, ce n'est pas l'antre de bûcherons tyroliens mais l'un des endroits les plus en vogue de Metz. C'est chaleureux et convivial et la carte des bières est impressionnante.

Le Jehanne d'Arc – *Pl. Jeanne-d'Arc - ☎ 03 87 37 39 94 - lLun.-jeu. 11h-2h, ven. 11h-3h, sam. 15h-3h - concerts de jazz : de fin juin à déb. sept., jeu. 20h-22h.* L'un des cafés les plus illustres de Metz en raison de son cadre qui a conservé quelques pierres gallo-romaines, des fresques du 13e s. et des pochoirs du 17e s. Terrasse sur la jolie place Jeanne-d'Arc où sont organisés des concerts de jazz en été. Clientèle tranquille d'habitués, d'étudiants et d'intellos.

Les 2 Zèbres – *4 pl. St-Jacques - ☎ 03 87 76 24 00 - tlj 8h-2h30, w.-end jusqu'à 3h30 - fermé 25 déc. et 1er janv.* Un des bars les plus fréquentés et branchés de Metz ; une réputation méritée car c'est sans conteste l'un des meilleurs de la ville. Impossible de rester insensible à la belle décoration moderne et à l'invitation des fauteuils club. Caveau techno au sous-sol et immense terrasse sur la place St-Jacques.

comprendre

APRÈS LE PILLAGE

Saint Livier, noble messin, combat les Huns, les poursuit dans leur camp, et là se transforme en apôtre. Attila, insensible à sa parole, le fait décapiter. Qu'à cela ne tienne, saint Livier récupère sa tête, la prend dans ses mains et gravit la montagne au sommet de laquelle il sera enterré.

◄ **La Cour d'Or** — Après qu'au 5e s., Metz eut été pillé par les Huns, la cité devint la brillante résidence des rois d'Austrasie. Le palais médiéval a disparu mais son nom laisse à penser qu'il était fastueux. Charlemagne lui-même s'y plaisait et l'empereur choisit l'abbaye de St-Arnoult (à l'emplacement de l'actuel Cercle des officiers) pour recevoir la dépouille de sa femme Hildegarde et de ses enfants morts en bas âge.

La république messine — Au 12e s., Metz se constitue en ville libre, avec à sa tête un maître échevin appelé Sire. Il est choisi parmi les Paraiges, association des familles patriciennes si puissantes et si riches qu'elles prêtent couramment de grosses sommes aux ducs de Lorraine, aux comtes de Bar et même aux rois de France et à l'empereur. Le siège de 1552 qu'impose Charles Quint à la ville, met fin à ses franchises.

Les girons français puis allemand — La monarchie française s'affirme à Metz aux 17e et 18e s. La construction des places de la Comédie et d'Armes embellit la ville. Mais le 27 octobre 1870, le général Bazaine livre la ville à l'assaillant et Metz est annexée par l'empire alle-mand. Une ceinture de forts en fait l'une des plus puis-santes forteresses du monde et le quartier de la gare affirme la puissance impériale. La ville ne redeviendra française qu'en 1918.

découvrir

CATHÉDRALE ST-ÉTIENNE★★★

L'entrée de la cathédrale se fait par la place d'Armes. Visite : 1h1/2. Possibilité de visite guidée en s'adressant à l'Associa-tion de l'Œuvre de la cathédrale, 2 pl. de Chambre. ☎ 03 87 75 54 61.

La cathédrale St-Étienne s'impose par l'harmonie de ses élévations, encore que la surélévation de sa toiture, refaite en cuivre après l'incendie de 1877, ait été préju-diciable à l'envol des tours. La tour du Chapitre, à gauche et celle de droite datent toutes deux du 13e s. C'est la fameuse cloche « dame Mutte » qui donna son nom à cette seconde : il vient du mot « ameuter », c'est-à-dire « convoquer ». La **tour de Mutte** sonne encore et notam-ment les douze coups de midi.

Entrer dans l'édifice par le portail de la Vierge.

Le portail N.-D.-la-Ronde (2e travée du flanc gauche) est orné de draperies sculptées d'inspiration champenoise et de petits bas-reliefs du 13e s. Des figures d'animaux fantastiques, des scènes de la vie du roi David, de sainte Marguerite et de saint Étienne y figurent. Ce portail est dédié à la petite église primitive qui préexistait sur ce lieu.

> ▶ **ADMIRER**
> Depuis la place d'Armes, bien dégagée, belle vue sur la façade latérale de la cathédrale.

> **POUR VOUS REPÉRER**
> Les chiffres présents sur le plan ci-contre se rapportent aux chiffres noirs entre parenthèses dans le texte. Partez à leur recherche !

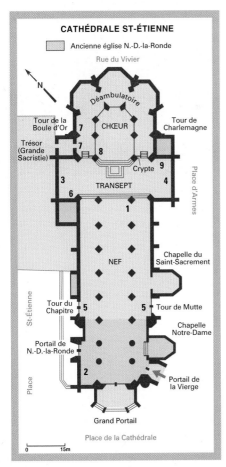

CATHÉDRALE ST-ÉTIENNE

Ancienne église N.-D.-la-Ronde

Rue du Vivier

N

Déambulatoire

Tour de la Boule d'Or

CHŒUR 7

Tour de Charlemagne

Trésor (Grande Sacristie)

7 8

Crypte

9

3 6

4

TRANSEPT

Place d'Armes

1

NEF

Chapelle du Saint-Sacrement

St-Étienne

Tour du Chapitre 5 5 Tour de Mutte

Chapelle Notre-Dame

Portail de N.-D.-la-Ronde

2

Portail de la Vierge

Place

Grand Portail

Place de la Cathédrale

0 15m

SUSPENDU

Un petit orgue de chœur (**1**) du 16e s. est suspendu sur le côté droit de la nef, au point de rencontre avec le transept. Cet emplacement inhabituel lui confère des performances acoustiques remarquables.

◄ Ce qui frappe le plus à l'intérieur de la cathédrale, c'est la hauteur de la nef (41,77 m). Elle est rendue plus saisissante encore par la lumière qui y pénètre et l'abaissement volontaire des collatéraux. C'est le plus haut vaisseau de France, après le chœur de Beauvais et avec la nef d'Amiens. Une frise garnie de draperies et de feuillages, à l'imitation des décorations habituelles des jours de fêtes, court tout autour, sous les fenêtres hautes.

Les verrières★★★

Elles forment un ensemble somptueux qui a valu à la cathédrale le surnom de « lanterne du Bon Dieu ». Œuvres de maîtres verriers illustres ou anonymes, elles sont de types très variés : 13e s. (**2**), 14e s. (Hermann de Munster), 16e s. (Théobald de Lyxheim **3** et Valentin Bousch **4**), 19e et 20e s. (Pierre Gaudin, Jacques Villon, Roger Bissière **5**, Marc Chagall **6** et **7**). La façade est percée d'une magnifique rose du 14e s. (Hermann de Munster), malheureusement amputée de sa partie inférieure par la construction du grand portail en 1766, réalisé en souvenir de la guérison de Louis XV.

Vitrail de Marc Chagall réalisé en 1963, sur le thème du Péché originel. Il illumine le transept de la cathédrale.

Dans le transept, partie la plus ajourée du bâtiment et qui fut reconstruite à la charnière du 16e s., la verrière de gauche est ornée de trois roses (**3**) et celle de droite est due au Strasbourgeois Bousch (**4**) qui a également réalisé les splendides vitraux du chœur. La lumière est magnifique.

Sur les vitraux les plus anciens de la cathédrale (13e s. — **9**), scènes de la vie de saint Paul, puis scènes du Paradis terrestre de Chagall (**6**). Dans le déambulatoire, deux autres vitraux de Chagall, le Songe de Jacob, le Sacrifice d'Abraham, Moïse, David.

ASSISE ROMAINE

Dans le chœur, le trône épiscopal de St-Clément (**8**) a été taillé à même le fût en marbre d'une colonne romaine.

La crypte

◄ *Mai-oct. : 9h30-18h15, dim. et j. fériés 12h-18h15 ; oct.-avr. : 9h30-12h, 14h-18h, dim. et j. fériés 14h-18h. Fermé 1er mai et 15 août. 25F. ☎ 03 87 75 54 61.*
Du 15e s. elle a été aménagée pour conserver des éléments de la crypte romane du 10e s., le tympan mutilé du portail de la Vierge du 13e s., des objets de fouilles et de culte soustraits au Trésor. Mise au Tombeau du 16e s. provenant de Xivry-Circourt, et, pendu au plafond, le fameux « Graoully » cité par Rabelais dans son *Pantagruel*.

Trésor

Il renferme l'anneau épiscopal en or de saint Arnoult qui vécut au 7ᵉ s., un reliquaire en émail limousin du 12ᵉ s, la mule du pape Pie VI, des objets cultuels, etc. Le « Gueulard », tête en bois sculptée du 15ᵉ s., provient des grandes orgues et ouvrait la bouche quand elles jouaient la note la plus grave.

MUSÉE DE LA COUR D'OR★★

10h-12h, 14h-18h. Fermé 1ᵉʳ janv., Ven. saint, 1ᵉʳ mai, 1ᵉʳ et 11 nov., 25 déc. 30F, gratuit mer. et dim. matin. ☎ 03 87 75 10 18.

Le musée occupe les bâtiments de l'ancien couvent (17ᵉ s.) des Petites Carmes, le grenier de Chèvremont (15ᵉ s.) et plusieurs salles qui relient ou prolongent cet ensemble monumental. Dans les sous-sols sont conservés *in situ*, des vestiges de thermes antiques. Agrandi en 1980, le musée a fait l'objet d'une savante muséographie qui fait de la visite une inoubliable promenade dans le passé, notamment pour la période qui couvre le Haut Moyen Âge.

Archéologie★★★

Les objets témoignent de l'importance de la ville, gauloise par son origine, grand carrefour de routes gallo-romaines et foyer de renouveau culturel sous les Carolingiens. La vie sociale est évoquée par les vestiges des grands thermes du Nord, ceux des remparts de la ville et du grand collecteur d'égout. La vie quotidienne à l'**époque gallo-romaine**, repas, vêtements, parure, commerce, est très évocatrice, de même que pour ce qui concerne les techniques du fer, du bronze, de la céramique et du verre.

L'**époque mérovingienne** occupe une place importante dans le musée : tombes en silo, emblèmes chrétiens, bijoux, vaisselle et techniques du métal (damasquinure). Un ensemble de l'**époque paléochrétienne** s'articule autour du chancel de St-Pierre-aux-Nonnains. Cette balustrade liturgique en pierre, exceptionnelle, est composée de 34 panneaux sculptés offrant une décoration admirable.

Vie quotidienne au temps des Gallo-Romains (section gallo-romaine).

Architecture et cadre de vie

Par leur présentation centrée sur une pièce majeure, les œuvres rappellent la vie quotidienne, l'art de bâtir et le goût de décorer jusqu'à la Renaissance. On peut voir des façades reconstituées (maison avec quatre bustes) et plusieurs maisons patriciennes ou populaires reconstruites autour de la cour des musées.

Grenier de Chèvremont★

Daté de 1457, il servait à engranger le produit de la dîme prélevée sur les céréales. Parmi les œuvres présentées : Pietà, Vierge couchée, statues de saint Roch et saint Blaise du 15ᵉ s.

Beaux-Arts

1ᵉʳ et 2ᵉ étages. Intéressants tableaux des écoles française (surtout 19ᵉ s. avec Corot, Delacroix, Moreau), allemande, flamande et italienne. L'école de Metz (1834-1870) est représentée par son chef de file, Laurent-Charles Maréchal, peintre, pastelliste et maître verrier. La galerie d'art moderne rassemble des œuvres de Bazaine, Alechinsky, Dufy, Soulages.

se promener

L'ESPLANADE★

L'esplanade est une jolie promenade aménagée au début du 19ᵉ s. à l'emplacement d'une citadelle. Depuis la terrasse, jolie vue sur le mont St-Quentin et son fort, et sur un des bras de la Moselle

DÉGÂTS

En décembre 1999, une rafale de vent a arraché un pinacle de plusieurs tonnes. Ce dernier est passé à travers la toiture et s'est encastré dans le plafond de la sacristie.

L'ŒUVRE DE JOB

Jacques Onfroy de Bréville, illustrateur de livres scolaires et d'histoire plus connu sous le nom de Job, a donné au musée une **collection** d'armes, uniformes et accessoires de la fin du 18ᵉ s. et du 19ᵉ s.

D'un seul regard, le Moyen Pont sur la Moselle, la perspective du quai Vautrin et la cathédrale St-Étienne.

Palais de justice

C'est le bâtiment le plus imposant de l'esplanade. Bâti sous Louis XVI pour servir de palais au gouverneur militaire. La Révolution en a changé la destination, mais la décoration en garde le souvenir (bas-reliefs allégoriques à la « gloire du duc de Guise en 1552 » et à « la Paix entre la France, l'Angleterre, les états-Unis et la Hollande en 1783 »).

Traverser les jardins jusqu'à l'arsenal.

L'arsenal

Création de Ricardo Bofill, ce centre ultramoderne dédié à la musique et aux arts *(voir « carnet pratique »)* est en pierre de Jaumont comme la cathédrale. Les façades de l'arsenal du 19ᵉ ont été préservées, mais une aile a été abattue afin de créer une continuité avec St-Pierre-aux-Nonnains et la chapelle des Templiers qui sont maintenant le cadre privilégié de concerts de musique ancienne. Une grande salle de concert, une petite salle de 350 places, une galerie d'exposition, une vaste boutique de diffusion de produits dérivés des musées et deux grands salons de réception, voilà ce qui vous attend à l'intérieur.

> **ENTHOUSIASTE**
> « Cette maison a une acoustique fantastique, des proportions idéales pour la musique et une atmosphère que je trouve exceptionnelle », remarqua le célèbre violoncelliste Rostropovitch, lors du concert d'inauguration en 1989.

LA VILLE ANCIENNE

Place St-Louis★

Cette très belle place au plan irrégulier est bordée sur un côté de maisons à contreforts et arcades des 14ᵉ, 15ᵉ et 16ᵉ s. Leur alignement suit l'ancien rempart qui leur sert de fondations. Au Moyen Âge, une soixantaine de changeurs y avaient leur boutique. Ce quartier animé accueillait aussi les foires et des représentations théâtrales (Mystères).

Emprunter la rue de la Tête-d'Or jusqu'à la Moselle.

> **À DÉCOUVRIR**
> Au fond de la place, au coin de la rue de la Tête-d'Or, trois petites têtes romaines, dorées, ressortent du mur.

Moyen Pont

D'ici, la **vue**★ est pleine de charme sur la rivière, les îles, le temple protestant et les deux petits ponts qui se reflètent dans l'eau.

Aller jusqu'à la place de la Comédie.

Sur l'île, le **théâtre** du 18ᵉ s., le plus ancien de France, est encadré d'autres bâtiments historiques, le pavillon de la Douane à droite et le pavillon St-Marcel destiné aux officiers. Il regarde l'ancien hôtel de l'Intendant du roi, reconstruit après un incendie en 1803, et qui est affecté aujourd'hui aux services de la **préfecture**.

Contourner la préfecture par l'arrière et rejoindre la rue St-Georges, puis la rue St-Vincent par la rue du Pont-Moreau.

Église St-Vincent

Visite suspendue pour cause de restauration.
Son chœur gothique, flanqué de deux élégants clochers contraste avec sa façade reconstruite au 18ᵉ s., qui imite celle de l'église St-Gervais de Paris.

METZ

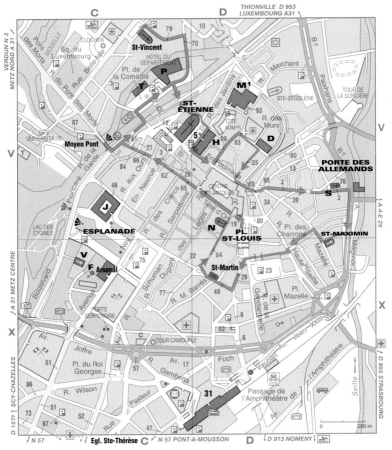

THIONVILLE D 953
LUXEMBOURG A 31

VERDUN N 3
METZ NORD A 31

CLOCHER

St-Vincent

HÔTEL DU DÉPARTEMENT

Pl. de la Comédie

ST-ÉTIENNE

Moyen Pont

CITÉ UNIVERSITAIRE

CITÉ ADMVE

PORTE DES ALLEMANDS

STE-SÉGOLÈNE

TOUR DE LA SORCIÈRE

CENTRE ST-JACQUES

ESPLANADE

LAC DES CYGNES

Arsenal

PL. ST-LOUIS

St-Martin

Pl. des Charrons

ST-MAXIMIN

PORTE SERPENOISE

TOUR CAMOUFLE

Pl. du Roi Georges

R. Wilson

Passage de l'Amphithéâtre

Egl. Ste-Thérèse

N 57 PONT-A-MOUSSON

D 913 NOMENY

Les illuminations des bords de la Moselle rassemblent dans une lumière œcuménique le temple protestant et la cathédrale.

Revenir à la préfecture et traverser la Moselle.

Place d'Armes

Tracée au 18ᵉ s. par l'architecte Blondel, la statue du Maréchal Fabert (1599-1662), fils d'un riche bourgeois messin, se dresse au centre. Les trois côtés sont constitués par l'hôtel de ville avec une sobre façade Louis XV, par l'ancien corps de garde dont le fronton est orné de trophées, et par l'ancien Parlement transformé en maison d'habitation.

Prendre à droite de l'hôtel de ville la rue En-Fournirue, puis tourner à gauche dans la rue Taison. Arrivé place Ste-Croix, prendre à droite.

L'**ancien couvent des Récollets** abrite aujourd'hui le Centre européen d'écologie. Son cloître du 15ᵉ s. a été restauré. *Tlj sf w.-end 9h-12h, 14h-18h. Fermé j. fériés. Gratuit.* ☎ *03 87 55 53 76.*

Prendre en face la rue d'Enfer et tourner à gauche dans la rue En-Fournirue. Place des Paraiges, prendre la rue des Allemands.

Église St-Eucaire

Son beau clocher carré date du 12ᵉ s. et sa façade du 13ᵉ s. La petite nef du 14ᵉ s., assise sur d'énormes piliers, paraît disproportionnée. Chapelles dans les bas-côtés voûtées d'ogives (15ᵉ s.) retombant sur des culs de lampe. Les ruptures de symétrie donnent à l'ensemble un aspect original.

> **DE LA SEILLE À LA MOSELLE**
> Une promenade suit le tracé du rempart le long de la Seille puis de la Moselle *(1,5 km vers le Nord à partir de la porte des Allemands).* On croise la tour des Sorcières, celle du Diable et celle des Corporations.

Porte des Allemands★

Vestige de l'ancienne enceinte dont la silhouette massive enjambe la Seille. Son nom vient d'un ordre Teutonique de frères hospitaliers établi dans le voisinage au 13ᵉ s. Côté ville : deux tours arrondies coiffées d'un toit d'ardoise en poivrière de cette époque ; côté campagne : deux grosses tours crénelées du milieu du 15ᵉ s. Une galerie réunit l'ensemble qui fut remanié au 19ᵉ s.

Suivre au Sud le boulevard Maginot et tourner dans la 4ᵉ rue à droite.

Église St-Maximin★

À l'entrée, sur le pilier central, belle tête de Christ sculptée. Des vitraux dus à Jean Cocteau ornent le beau chœur à pans. La chapelle des Gournay (maîtres échevins de Metz) des 14ᵉ et 15ᵉ s. communique avec le bras droit du transept par deux arcs en anse de panier.

Rejoindre la place des Charrons par la rue Mazelle. Traverser la rue Haute-Seille et prendre en face une rue passant sous un pont. Tourner ensuite à gauche dans la rue de la Fontaine, puis à droite dans la rue Lasalle.

Église St-Martin

Tlj sf dim. ap.-midi.

Son soubassement est constitué par le mur gallo-romain, visible des deux côtés de l'entrée. Toute la beauté de cet édifice est dans l'originalité de son **narthex★** très bas. Quatre piliers romans soutiennent la voûte d'ogives et renforcent l'effet d'élancement de la nef. Nombreuses œuvres d'art : vitraux des 15ᵉ, 16ᵉ et 19ᵉ s., buffet d'orgues Louis XV, pierres tombales et beau groupe sculpté de la Nativité dans le transept gauche.

Dépasser l'église et prendre à droite la rue des Parmentiers qui se prolonge par la rue de la Chèvre.

Église N.-D.-de-l'Assomption

En sem. : 10h-18h.

L'intérieur décoré au 19ᵉ s. est richement lambrissé ; les confessionnaux de style rococo viennent de Trèves, ainsi que l'orgue baroque construit par Jean Nollet.

Revenir place St-Louis par la rue de la Chèvre et à droite la rue de la Tête-d'Or.

LA VILLE MODERNE

Après 1870, l'empereur Guillaume II voulut faire de Metz une ville prestigieuse et allemande. Elle fut donc confiée au dessein de l'architecte berlinois Kröger qui utilisa du grès rose ou gris, du granit ou même du basalte. Curieusement, la rupture n'est pas trop franche avec les vieux quartiers, et la ville y gagne aujourd'hui en espace. Ce « nouveau quartier » comprend notamment la très large avenue Foch, la chambre de commerce, l'ancienne gare construite en 1878, la poste, etc.

Place du Général-de-Gaulle★

C'est le parvis revu par Philippe Starck (très beaux lampadaires contemporains) de l'imposante gare de Metz, construite en 1908. Cet immense bâtiment néo-roman de 300 m de long est richement décoré de chapiteaux et bas-reliefs. Des vitraux l'éclairent abondamment et en font un bâtiment fonctionnel.

La gare, aux allures de puissante église romane, éclairée par les lampadaires très « design » de Philippe Starck.

Église Ste-Thérèse-de-l'Enfant-Jésus

Accès par la rue Leclerc-de-Hauteclocque. Possibilité de visite guidée sur demande. ☎ 03 87 66 37 75.

Ouverte en 1954, cette grande église, flanquée d'un mât de 70 m appelé le « bâton du pèlerin », est remarquable par l'élan majestueux de sa nef. Beaux vitraux de Nicolas Untersteller.

visiter

Église St-Pierre-aux-Nonnains★

Sur l'Esplanade. ♿ Mai-sept. : tlj sf lun. 14h-18h ; oct.-avr. : w.-end 14h-18h. Fermé de mi-déc. à fin déc., 1ᵉʳ mai, Pentecôte, 14 juil., 15 août, 1ᵉʳ nov. Gratuit. ☎ 03 87 39 92 00.

C'est sous le règne de Constantin, vers 390 que les Médiomatriques ont bâti à cet emplacement une basilique civile qui a été endommagée plus tard lors du pillage des Huns. Mais les murs, construits d'un solide appareil de petits moellons renforcé de chaînages en brique rouge, ont pu être remployés dans la chapelle reconstruite vers 615. Des moniales s'y installèrent. C'est de cette période que date le splendide **chancel** à panneaux sculptés conservé au musée de la Cour d'Or. Vers 990, l'abbaye qui suivait désormais la règle bénédictine a été réorganisée et la vaste chapelle partagée en trois nefs par des arcades en plein cintre. Au 15ᵉ s., les nefs ont été voûtées d'ogives et un cloître élégant

Détail du chancel de l'église St-Pierre-aux-Nonnains de l'époque mérovingienne visible au musée de la Cour d'Or.

ajouté. L'histoire du bâtiment est bien connue du fait des fouilles entreprises au 20e s., qui font passer St-Pierre-aux-Nonnains pour la plus ancienne église de France. Des travaux récents lui ont rendu son volume d'origine.

Chapelle des Templiers

& *De fin juin à fin août : tlj sf lun. 14h-18h. Fermé j. fériés. Gratuit.* ☎ *03 87 39 92 00.*

À proximité de St-Pierre-aux-Nonnains, elle illustre la transition entre le roman et le gothique (début 13e s.). Son plan octogonal est unique en Lorraine. Chaque pan de mur est percé d'une petite fenêtre en plein cintre, la huitième face étant ouverte sur un chœur carré que prolonge une abside. Peintures modernes, hormis dans une niche à droite (14e s.).

alentours

VALLÉE DE LA CANNER
De Vigy à Hombourg (12 km), un petit train touristique à locomotive à vapeur longe la vallée sauvage de la Canner, dans les vallons boisés du plateau lorrain. *De fin avr. à déb. oct. : excursion en traction vapeur ou autorail dim. et j. fériés dép. à 15h et 17h. 50F AR (enf. : 35F). Gare de Vigy (15 km au Nord-Est de Metz par la D 2, puis la D 52).* ☎ *03 87 77 97 50.*

Scy-Chazelles

◄ *4 km à l'Ouest par la D 157ᴬ, puis à droite.*

Dans la ville en partie perchée sur le mont St-Quentin, on visite la **maison de Robert Schuman** (1886-1963) située près de l'église fortifiée (12e s.) où ce dernier repose. Des souvenirs du « père de l'Europe » mort ici à 77 ans rappellent sa longue carrière politique. Dans le parc, au-delà de la terrasse, sculpture de Le Chevallier : *La Flamme européenne. Visite guidée (3/4h) sur demande préalable. 25F. M. Nicolas ou Office de tourisme.* ☎ *03 87 66 54 01.*

Château de Pange

10 km à l'Est par les D 999, D 70 et D 6. & *De juin à fin sept. 10h-16h. Gratuit.* ☎ *03 87 64 04 41.*

La sobre façade classique bâtie de 1720 à 1756 de cette demeure renferme une salle à manger Louis XV aux boiseries vertes, avec un poêle lorrain d'un modèle primitif. Situé aux confins du duché de Lorraine, en regard de la république messine, le château a succédé à une ancienne forteresse.

Groupe fortifié L'Aisne

14 km au Sud par la D 913. & *De mai à fin oct. : visite guidée (2h1/4) 1ᵉʳ dim. du mois à 14h, 15h, 16h. Fermé j. fériés. 20F.* ☎ *03 87 52 76 91.*

L'ancienne Feste (groupe fortifié) Wagner, bâtie par les Allemands de 1904 à 1910, faisait partie de la ceinture extérieure de défense de Metz. Rebaptisée L'Aisne après 1918, elle ne fut pas contrairement à la Feste de Guentrange, incorporée à la Ligne Maginot *(voir ce nom).*

ABRIS, CANONS ET OBUSIERS
Le groupe fortifié est une construction regroupant plusieurs ouvrages reliés entre eux par un réseau souterrain de voies de communication. Le groupe L'Aisne comprend ainsi quatre blocs d'infanterie abritant jusqu'à trois niveaux de casernements souterrains, trois batteries d'artillerie équipées de tourelles pivotantes pour canons ou obusiers de gros calibre, et une quinzaine d'observatoires cuirassés.

Sillegny

20 km au Sud de Metz par la D 5. Ce village de la vallée de la Seille possède une **église** du 15e s. Modeste apparemment, l'intérieur est entièrement recouvert de **peintures murales★** datant de 1540. Les coloris sont restés d'une grande variété. Multitude de détails naïfs ou savoureux, représentations d'apôtres, du Jugement dernier au-dessus de la porte d'entrée et un saint Christophe haut de 5 m.

Parc d'attractions Walibi-Schtroumpf★ *(voir p. 107)*

Mirecourt

Sans doute Mirecourt a-t-elle été inspirée, au 16e s., par les fêtes auxquelles les ducs de Lorraine conviaient des artistes italiens. L'Italie venait d'inventer le violon, Mirecourt apprenait à le fabriquer. Loin des grandes routes, au milieu des vergers, au confluent de deux rivières, la petite ville est devenue le symbole du savoir-faire français en matière de lutherie. Ayant plusieurs cordes à son violon, elle a étendu sa réputation à la virtuosité de ses dentellières.

La situation

Cartes Michelin nos 62 Nord-Ouest du pli 15 ou 242 plis 25, 26 – Vosges (88). À 34 km au Nord-Ouest d'Épinal par la D 166, 24 km au Nord-Est de Vittel par la D 429, 48 km au Sud de Nancy. *40 r. du Gén.-Leclerc, 88500 Mirecourt, ☎ 03 29 37 01 01.*

Le nom

Mirecourt vient du latin *Mercuri Curtis*. La ville se retrouve donc associée au culte de Mercure, dieu du commerce et des voleurs.

École

Une école nationale de lutherie a été créée en 1970 pour perpétuer cette industrie qui, entre les deux guerres, produisait jusqu'à 40 000 violons par an.

Les gens

6 900 Mirecurtiens. Les Mirecurtiens se sont bien exportés. On a compté jusqu'à 1 000 luthiers et 100 archetiers originaires de Mirecourt dispersés dans le monde entier.

se promener

Église Notre-Dame

Tlj sf dim. ap.-midi.

Construite à partir de 1303 mais achevée au 15e s., elle est surtout remarquable par son clocher-porche, curieusement encastré dans la ligne d'immeubles bordant la rue principale. L'intérieur, aux voûtes gothiques, abrite trois chapelles des 16e et 17e s., ainsi que plusieurs tableaux de peintres lorrains du 17e s., visibles dans le chœur.

Halles

Datant de 1617, c'est un bâtiment petit et massif, à étage sur arcades. Sur sa façade, deux tours carrées.

visiter

Musée de la Lutherie

Mai-sept. et vac. scol. : 10h-12h, 14h-19h, dim. 14h-19h ; oct.-avr. : mer. et w.-end 14h-18h. Fermé en janv. et j. fériés (sf 14 juil. et 15 août). 20F. ☎ 03 29 37 05 22.

Violons, guitares, mandolines... choisissez votre instrument. Un atelier de lutherie a été reconstitué.

Un certain nombre d'artisans se consacrent encore à la fabrication d'instruments de musique à cordes.

LEÇON DE CHANT

Au 18ᵉ s., on fabriquait des orgues mécaniques pour apprendre à chanter aux oiseaux (entre autres la fameuse serinette) !

Maison de la Musique mécanique

Mai-sept. et vac. scol. : visite guidée (1h) 10h-12h, 14h-19h ; oct.-avr. : mer., w.-end, j. fériés 14h-18h. Fermé 1ᵉʳ janv. et 25 déc. 30F (enf. : 5F). ☎ 03 29 37 51 13.

◄ La collection comprend plus de 100 instruments (18ᵉ-début 20ᵉ s.), tous en état de fonctionnement : limonaire, piano mécanique, petit orgue de table allemand (1889), piano pneumatique reproducteur « Welte Mignon »... L'orgue de danse Decap (1939) est composé de 280 flûtes et 12 registres reproduisant plusieurs instruments d'orchestre.

LEÇON DE MUSIQUE

La sonorité d'un violon dépend du bois utilisé, en général l'épicéa pour la table et l'érable pour le fond. Les bois doivent avoir séché entre 7 et 10 ans. La consistance du vernis a aussi son importance. Des violons en fibre de carbone sont à l'étude.

Maison de la Dentelle

10h-12h, 14h-17h, w.-end j. fériés 14h-17h (mai-sept. : fermeture à 18h). Fermé entre Noël et Jour de l'An. 15F. ☎ 03 29 37 39 59.

Exposition de dentelles aux fuseaux (vêtements, nappes, rideaux) avec démonstrations du savoir-faire ancestral des dentellières.

Chapelle de la Oultre

Visite guidée sur demande auprès de l'Office de tourisme. ☎ 03 29 37 01 01.

En traversant le Madon par le pont St-Vincent (jolie vue sur l'étagement de la vieille ville), jeter un coup d'œil sur cette chapelle, au milieu des pelouses et des fleurs, à sa nef du 11ᵉ s. mais dont le transept et le chœur sont seulement du 16ᵉ s.

alentours

Un magnifique puits abrité du 12ᵉ s. orne le village de Poussay. Il faudrait n'y « poussay » personne : le puits est tout de même profond de 33 m !

Poussay

◄ *1 km au Nord.* Ce joli bourg en terrasses dominant la vallée du Madon fut édifié par un évêque de Toul autour d'une abbaye bénédictine.

Vomécourt-sur-Madon

8 km au Nord, par les D 413, D 55 et D 55ᶠ. Sa petite **église** romane du 12ᵉ s. est particulièrement bien conservée. Le tympan du portail est une représentation naïve des Saintes Femmes au tombeau et le combat de la Vie et de la Mort. À l'intérieur, un maître-autel (18ᵉ s.) surmonté d'une prédelle et d'un dais en fer forgé.

Molsheim ★

Circulation intense, au cours des siècles, de toutes sortes d'ordres religieux à Molsheim. Chassés des états protestants, bénédictins, chartreux, capucins et jésuites vont venir s'y installer et y laisser chacun des traces somptueuses de leur passage. Entre autres, l'église des Jésuites est le plus grand bâtiment cultuel d'Alsace, et la chartreuse, la seule jamais construite au cœur d'une ville. Quand les religieux sont là, le vin n'est jamais loin. Molsheim compte un grand cru classé, le bruderthal, quelques fêtes du raisin et du vin.

La situation

Cartes Michelin nᵒˢ 87 plis 5 et 15 ou 242 plis 23 et 24 —Bas-Rhin (67). Entrez dans le centre ancien par l'Est de la ville. Vous traverserez la Bruche et le canal Coulaux, et trouverez des places de stationnement sur l'un des trois parkings gratuits situés à proximité de l'église des Jésuites.

🛈 *17 pl. de l'Hôtel-de-Ville, 67125 Molsheim, ☎ 03 88 38 11 61.*

Les armes

Dans les armoiries de la ville, on trouve une roue : peut-être la meule d'un moulin oublié, ou celles, étincelantes, des superbes Buggatti construites dans les prestigieuses usines Messier-Bugatti, aux portes de la ville, sur la route de Sélestat...

Les gens

7 973 Molsheimiens. Le passé les révèle énergiques. Au 16e s., on conserve le souvenir des paysans révoltés et furieux lors de la guerre des Rustauds en 1525 et à peine plus tard, celui de catholiques convaincus qui ont soutenu les jésuites et la Contre-Réforme en 1580.

se promener

Église des Jésuites★

Elle appartenait à l'université transférée à Strasbourg en 1702. Bien que du début du 17e s., elle a été construite dans le style gothique. L'intérieur est remarquable par ses dimensions harmonieuses, ses vastes tribunes et sa voûte en résille. Les deux chapelles du transept sont décorées de stucs, de dorures et de peintures datant des 17e et 18e s. L'une est consacrée à saint Ignace (fonts baptismaux en grès blanc de 1624), l'autre à la Vierge (beau gisant polychrome de Jean de Durbheim, évêque de Strasbourg de 1306 à 1328). Belles boiseries pour la chaire (1631) et les portes (1618), ornées de sculptures. Les orgues de Silbermann datent de 1781 ; c'est le seul instrument d'Alsace à posséder un clavier d'écho complet de quatre octaves. À l'entrée Nord se dresse la croix des Chartreux, belle croix en pierre de la fin du Moyen Âge.

Suivre la rue Notre-Dame, à gauche du bâtiment.

Tour des Forgerons

Cette ancienne porte fortifiée du 14e s. abrite une des plus anciennes cloches d'Alsace (1412). De part et d'autre de la tour, deux logis, pour le péage et pour la garde, ont été accolés vers 1650.

Rejoindre à droite la place de l'Hôtel-de-Ville en empruntant la rue de Strasbourg.

La Metzig★

Bâtiment Renaissance construit en 1525 par la corporation des bouchers (Metzger), qui y tenait ses réunions à l'étage, les boucheries occupant le rez-de-chaussée. Au centre de la place, fontaine à deux vasques superposées, dominée par un lion qui porte les armoiries de la ville.

ÉRASME, L'AUTRE

Alors que le grand humaniste Érasme de Rotterdam voyageait à travers l'Europe, Érasme Gerber, tanneur à Molsheim, devenait le chef de milliers de paysans insurgés. Par leur lutte appelée « guerre des Rustauds », ils s'opposèrent aux seigneurs locaux tout puissants. Leur résistance prit fin dans un bain de sang, à Saverne.

LE POIDS DU SAVOIR

L'université fut fondée à Molsheim en 1618 par l'archiduc Léopold d'Autriche, évêque de Strasbourg. S'appuyant sur sa renommée en théologie et philosophie qui s'étendait fort loin, le cardinal de Rohan décida son transfert à Strasbourg, afin de contrebalancer l'influence de l'université protestante.

La Metzig est typiquement alsacienne avec ses pignons à volutes, son double escalier, sa loggia surmontée d'un beffroi et l'élégant balcon de pierre qui ceinture le 1er étage.

carnet pratique

Où SE RESTAURER

● *Valeur sûre*

Auberge Vigneronne D'-Winschnutzer – *12 pl. de la Liberté -* ☎ *03 88 38 55 47 - réserv. obligatoire - 130F.* Vous repérerez facilement cette ferme dans Molsheim grâce à sa fresque murale. Vin du cru, bien sûr, mais aussi jus de fruits naturels et légumes du potager accompagnent les plats alsaciens servis sous la charpente de son ancien grenier à foin.

Soirées d'été

En juillet et août, animations musicales au prieuré de la Chartreuse, tous les vendredis soirs. (Concert, cabaret, chorale...)

Fête du raisin

En octobre, elle donne lieu à des animations musicales et folkloriques. Caves ouvertes chez les viticulteurs.

Prendre la rue Jenner, à gauche de la place.

Remarquer, aux n°s 18 et 20, les deux anciennes maisons de chanoine de style Renaissance (1628).

Prendre à droite la rue des Étudiants et passer devant le musée de la Chartreuse (voir description dans « visiter »). puis tourner à droite dans la rue de Saverne.

Maison ancienne

Elle possède un bel oriel en bois de 1607 et des fenêtres délicatement ouvragées.

Poursuivre par la rue de Saverne, traverser la rue du Mar.-Foch et prendre en face la rue des Serruriers. Prendre ensuite à gauche la rue de la Boucherie, puis à droite la rue St-Joseph. On rejoint l'église des Jésuites à droite par la rue du Mar.-Kellermann.

Question d'ordre

Avec l'arrivée des Jésuites, des capucins et surtout des chartreux, Molsheim devient au 17ᵉ s. la capitale religieuse de l'Alsace. Un plan de 1744 montre l'importance de la chartreuse qui s'étendait sur 3 ha, à l'intérieur de la ville. Une partie du cloître a été restaurée et deux cellules de moines reconstituées.

visiter

Musée de la Chartreuse

De mai à mi-oct. : tlj sf mar. 14h-17h (de mi-juin à mi-sept. : tlj sf mar. 10h-12h, 14h-18h, w.-end et j. fériés 14h-17h). 16F. ☎ *03 88 38 25 10.*
C'est dans le prieuré de l'ancienne chartreuse (1598-1792) que se trouve le musée consacré à l'histoire de Molsheim et de sa région, de la préhistoire à nos jours.
Dans un autre bâtiment, la fondation Bugatti présente des souvenirs de la famille et quelques modèles de voitures construites ici dans l'entre-deux-guerres.

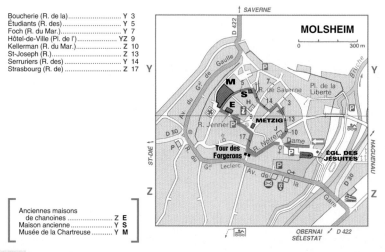

ETTORE BUGATTI
E. Bugatti (1881-1947), né à Milan, abandonna ses études artistiques aux Beaux-Arts pour la mécanique. Il conçoit sa première voiture à 20 ans, qu'il présente à l'exposition internationale de Milan en 1900 où il est repéré par le baron de Dietrich. Bugatti se retrouve 9 ans plus tard dans sa propre usine à Molsheim. De là sortirent les modèles prestigieux à l'origine de sa renommée, dont, en 1926, la Royale.

alentours

Avolsheim
3,5 km au Nord de Molsheim. Ce village conserve un très vieux baptistère et surtout, à 500 m au Sud-Est, une église célèbre qui passe pour être la plus ancienne d'Alsace.

La **chapelle St-Ulrich**, ancien baptistère (vers l'an 1000) au plan en forme de trèfle, se compose de quatre absidioles autrefois voûtées en cul-de-four. De belles **fresques**★ du 13e s. aux tons vert, ocre et rouge, représentent la Trinité, les quatre évangélistes et des scènes de l'Ancien Testament.

Avec son clocher à huit pans, l'**église St-Pierre** (Dompeter) fait face à un magnifique tilleul d'âge vénérable, au milieu d'un cimetière, en plein champ. ▶

Altorf
3 km à l'Est par la D 392. Contraste à l'**église St-Cyriaque** entre l'extérieur et la nef, de style roman tardif (bandes lombardes, arcs en plein cintre) et le transept et le chœur, franchement baroques (1724).

> **VÉNÉRABLE DOMPETER**
> Quoiqu'en partie reconstruite aux 18e et 19e s., l'église St-Pierre constitue un émouvant témoignage des débuts de l'art roman. De l'origine, il reste la base du clocher-porche, les linteaux des portes latérales ornés de symboles et les piles massives supportant les pleins cintres des arcades.

Montmédy

Deux villes pour le prix d'une, Montmédy-Haut et Montmédy-Bas. La ville haute, sur son piton, fortifiée à la Renaissance et transformée par Vauban, a toujours ses remparts et se trouve être un bel exemple d'architecture militaire. La ville basse, au bord de la Chiers, est réservée aux promenades plus romantiques, au fil de l'eau.

La situation
Cartes Michelin n°s 57 pli 1 ou 241 pli 15 — Meuse (55). À 67 km au Sud-Est de Charleville-Mézières par la N 43, Montmédy est située à courte distance de la frontière belge. En poursuivant par l'A 6 belge vers l'Est, on arrive en quelques minutes au Luxembourg. Montmédy se trouve aussi à 60 km au Nord de Verdun que l'on rejoint en suivant la vallée de la Meuse.
🛈 *Citadelle, 55600 Montmédy,* ☎ *03 29 80 15 90.*

Le nom
En 1221, Arnould III, comte de Loos et de Chiny, fait édifier le château de « Mady » à l'extrémité Sud du mont dont la situation particulière avait retenu son attention. Voilà comment on aboutit à « Montmady », autrement dit « Montmédy ».

Les gens
1 943 Montmédiens. Louis XIV avait conduit son premier siège à Montmédy en 1657, assisté du maréchal de la Ferté. Ce n'est que deux ans plus tard que les habitants, après avoir été rattachés au duché de Bourgogne, puis aux Habsbourg d'Autriche et enfin à l'Espagne, sont devenus français.

> **FESTIVITÉS**
> La Fête des remparts a lieu le 1er dimanche de mai (jongleurs, clowns, équilibristes), la Fête des pommes durant le 1er dimanche d'octobre (marché, expositions, dégustation)

Depuis son imposante citadelle s'offrent au regard les environs paisibles de Montmédy.

visiter

Citadelle★

◄ *Avr.-oct. : 10h-12h, 13h30-18h (juil.-août : 10h-19h) ; fév.-mars : 10h-12h, 13h30-17h. 25F. ☎ 03 29 80 15 90.*
Elle a conservé ses remparts imposants constitués de glacis, courtines et bastions qui furent modernisés après 1870. Le général Séré de Rivières décida alors d'aménager une caserne souterraine. La ville haute fut en partie détruite pendant la Grande Guerre.

Musées de la Fortification et Jules-Bastien-Lepage

Mêmes conditions de visite que pour la citadelle.
Dans la section « Fortification », plus de deux cents sites ou ouvrages fortifiés du département de la Meuse sont présentés : un bon moyen de comprendre l'« art de la guerre » et l'évolution des systèmes défensifs (maquettes, montage audiovisuel).
Quant à Jules Bastien-Lepage (1848-1884), c'est un portraitiste et un remarquable peintre de la nature. Le musée est consacré à son œuvre, notamment à des dessins préparatoires et des esquisses.

Église St-Martin

Construite en 1756, son style architectural reste pourtant assez sobre. En plus des boiseries du chœur, on remarquera les dalles funéraires de la famille d'Allamont, gouverneurs de la ville pendant la période espagnole.

alentours

Loupy-sur-Loison

14 km au Sud-Est, par la N 43. Le **château** du 17ᵉ s. a reçu la visite de Louis XIV. Pigeonnier, chapelle, (vestiges du château fort originel à proximité) et portails richement sculptés.

Marville

12 km à l'Est, en direction de Longwy. C'est un bon exemple de l'influence espagnole sur la région, de la fin du 16ᵉ s. à 1659. Façades sculptées de cette période dans la **Grand'Rue**. Dans l'**église St-Nicolas**, la balustrade de la tribune de l'orgue est du début du 16ᵉ s. *Possibilité de visite guidée sur demande auprès de la mairie. 15F. ☎ 03 29 88 15 15.*

◄ Un chemin goudronné conduit au **cimetière de la chapelle St-Hilaire** construit sur la colline, qui renferme un ossuaire fermé par un mur à colonnettes, lequel contient, dit-on, 40 000 crânes.

PETIT TOUR
La ville haute (Montmédy-Haut) est perchée sur un piton isolé. On y pénètre par le Nord en franchissant deux portes successives à pont-levis et une voûte commandant la citadelle.

VISITES
Un seul billet d'entrée permet de suivre le circuit des remparts et de visiter les deux musées situés à l'entrée de la citadelle. Le long du circuit, on suit le parcours de visite jalonné par des points sonores qui rappellent l'histoire du site.

ŒUVRE SCULPTÉE
Dans la chapelle St-Hilaire, *Christ aux liens*, remarquable sculpture attribuée à l'école de Ligier Richier.

Mulhouse ★★

Mulhouse, la ville industrielle par excellence, mais qui a « bien tourné ». Son patrimoine industriel a été intelligemment mis en valeur : un musée national de l'Automobile, le plus prestigieux de la planète, un musée du Chemin de fer, un musée du papier peint, un musée de l'Impression sur étoffe, un musée de l'Énergie électrique. L'autre visage de Mulhouse, c'est celui du centre-ville avec ses maisons anciennes et ses façades peintes que l'on découvrira plutôt à pied en suivant, par exemple, le sentier du Vieux-Mulhouse.

La situation

Cartes Michelin n°s 87 plis 9, 19 ou 242 pli 39 — Haut-Rhin (68). ▶
Mulhouse est situé au carrefour de deux voies rapides, l'A 35, qui va à Strasbourg (100 km au Nord) ou qui rejoint Bâle (32 km au Sud), et l'A 36, qui traverse les faubourgs de la ville d'Est en Ouest, puis se dirige vers Belfort et Montbéliard-Sochaux, villes à moins de 50 km. Ces grands axes soulagent la circulation dans les avenues de la ville, laissant libre son centre piétonnier ou semi-piétonnier. **🛈** *9 av. Foch, 68100 Mulhouse, ☎03 89 35 48 48.*

Le nom

À Mulhouse, les roues tournent avec le temps, dentées comme celles des engrenages bien huilés des usines du 19e s. ou semblables à celles du moulin qui a donné son nom à la ville, puisque la « ville au moulin » apparaît dès 717, sous la forme de Mul (moulin) et house (maison).

Les gens

223 856 Mulhousiens. L'un d'entre eux fut particulièrement malchanceux, le capitaine Alfred Dreyfus né à Mulhouse en 1859. Ce militaire accusé à tort d'avoir fourni des renseignements à l'ennemi, objet d'une des toutes premières campagnes médiatiques, a obtenu la révision de son procès, suivie de sa réhabilitation dans l'armée, après avoir passé quelques sordides années au bagne de Cayenne.

> **POINT DE VUE**
> Du sommet de la tour de l'Europe, belle vue d'ensemble sur Mulhouse et ses environs.

comprendre

Les bonnes fortunes — À l'époque féodale, Mulhouse choisit de n'obéir qu'à un seul maître : l'empereur du Saint Empire romain germanique. Puis, elle se lia aux neuf villes les plus libres d'Alsace pour former la Décapole. Les corporations de métier y devinrent très fortes, jusqu'à affaiblir le pouvoir impérial au milieu du 15e s.
En 1515, cernée par les possessions des Habsbourg de plus en plus menaçants, Mulhouse quitte la Décapole pour s'allier avec les cantons suisses. Elle garde toutefois l'exonération des droits de barrières douanières qui lui garantissent des débouchés commerciaux via le couloir rhénan. Dans le même temps, les Mulhousiens sont tenus à des règles de vie très strictes imposées par la religion réformée adoptée par la ville en 1524. Terminées les représentations théâtrales, fermées dès 10 heures le soir les auberges : telle est la prescription de Calvin.

Les aléas de l'histoire — En 1792, la toute nouvelle République française instaure le blocus douanier de Mulhouse, la dernière ville alsacienne indépendante. La ville bourgeoise opte alors, le 15 mars 1798, pour le rattachement à la France, appelée localement « la Réunion ». Cette nouvelle alliance, sauf de 1870 à 1918, époque pendant laquelle Mulhouse devint une ville sous contrôle allemand, n'exclut pas des relations spécifiques avec la Suisse. Aujourd'hui encore, Mulhouse et Bâle partagent, par exemple, un aéroport international.

> **L'ESPRIT CALVINISTE**
> Rude sous certains aspects, il agit aussi comme catalyseur du développement industriel : création de manufactures d'impression sur étoffes, de chimie, de tissage, de construction mécanique. Il inspire également des initiatives pionnières en matière sociale, les cités-jardins ouvrières.

carnet pratique

OÙ DORMIR

• À bon compte

Hôtel St-Bernard – 3 r. des Fleurs - ☎ 03 89 45 82 32 - stber@alsacom.com - 21 ch. : 210/280F - ☑ 35F. À deux pas de la jolie place de la Réunion et de l'Hôtel-de-Ville, dans la partie ancienne de Mulhouse, ce petit hôtel fonctionnel est bien situé. Demandez l'une des deux chambres avec matelas à eau pour rire ou celle avec un joli plafond peint pour rêver...

Les enseignes sont parfois de véritables œuvres d'art.

• Valeur sûre

Chambre d'hôte Le Clos du Mûrier – 42 Grand'rue - 68170 Rixheim - 6 km à l'E de Mulhouse, dir. Bâle - ☎ 03 89 54 14 81 - ☑ - réserv. obligatoire - 5 ch. : 280/320F - ☑ 35F. Au centre de Rixheim, cette maison alsacienne du 16ᵉ s. a été agréablement rénovée. Ses chambres sont spacieuses et, sous leurs poutres anciennes, la décoration moderne ne manque pas de style. Toutes sont équipées de kitchenettes. Joli jardin.

Hôtel Bristol – 18 av. de Colmar - ☎ 03 89 42 12 31 - 🅿 - 70 ch. : 300/480F - ☑ 42F. Un peu en dehors de la vieille ville, cet hôtel à la façade début de siècle a été entièrement rénové. Ses nombreuses chambres sont spacieuses et bien équipées. Certaines salles de bains ont des baignoires d'angle. Une adresse pratique de Mulhouse.

OÙ SE RESTAURER

• À bon compte

Zum Saüwadala – 13 r. de l'Arsenal - ☎ 03 89 45 18 19 - fermé lun. midi et dim. - 98/145F. Vous ne pourrez pas le rater avec sa façade typique : au cœur du vieux Mulhouse, ce restaurant, avec sa collection de chopes de bière au plafond et ses nappes vichy, sert une cuisine aux accents alsaciens de bon aloi. Plusieurs menus dont un pour les petits.

Aux Caves du Vieux Couvent – 23 r. du Couvent - ☎ 03 89 46 28 79 - fermé dim. soir et lun. - 57/180F. Une taverne alsacienne au cœur de la ville. Sous le plafond voûté de sa salle à manger, le décor rustique aux murs décorés de fresques et aux bancs et chaises de bois massif s'accorde fort bien avec la cuisine régionale servie dans une ambiance bon enfant.

• Valeur sûre

Auberge de Frœningen – 68720 Frœningen - 9 km au SO de Mulhouse par D 432 et D 8Bᴵᴵᴵ - ☎ 03 89 25 48 48 - fermé 9 au 30 janv., 16 au 31 août, dim. soir et lun. - 135/360F. Tentures rouges et lustres de cuivre donnent le ton : cette maison de village fleurie sert une cuisine régionale, rustique et généreuse dans un cadre cossu. L'une des deux salles, décorée à l'alsacienne, est plus chaleureuse. Quelques petites chambres proprettes.

• Une petite folie !

Hostellerie Paulus – 4 pl. de la Paix - 68440 Landser - 11 km au SE de Mulhouse par rte du parc zoologique, Bruebach, D 21 et D 6ᴮ - ☎ 03 89 81 33 30 - fermé 2 au 16 août, sam. midi, dim. soir et lun. - réserv. obligatoire - 235/365F. Dans un village campagnard non loin de Mulhouse, cette maison alsacienne à la façade rouge est connue des gourmets. Il faut dire que sa cuisine créative, servie dans deux petites salles modernes un peu austères, ne manque pas d'audace... Menus intéressants.

ARTISANAT

Maison de la céramique - 25 r. Josue-Hofer - ☎ 03.89.43.32.55. Centre d'art international, expositions temporaires uniquement.

Un marché réputé.

DISTRACTIONS

La ville de Mulhouse propose 5 piscines municipales, dont 4 sont aménagées pour les personnes handicapées.

Stade nautique – 59 bd Charles-Stoessel - ☎ 03 89 43 47 88. Ensemble de plein air dans une zone ombragée de 7 ha.

La piscine Pierre-et-Marie-Curie – 7 r. P.-et-M.-Curie - ☎ 03 89 32 69 00. Anciens bains municipaux. Elle offre en plus des bassins couverts des installations (de mi-sept. à fin mai) de sauna et de hammam, ou de baignoires de relaxation et bains romains, dans un décor étonnant de marbre et vitraux datant du siècle dernier.

OÙ PRENDRE UN VERRE

Le Blash – 41 r. de la Sinne - ☎ 03 89 45 55 71 - mar.-dim. 20h-1h30, ven.-sam. jusqu'à 3h - fermé août. Sa piste de danse et ses soirées à thème (chansons françaises, défilés de mode...) en font le nouveau bar branché de

Mulhouse. Des réjouissances qu'il convient de goûter un verre de caipirinha à la main (punch à base de vodka et de miel).

Glen Coe – *143 av. de Colmar - ☎ 03 89 43 00 22 - tlj 19h-1h30.* Pub écossais plus *scottish* que nature : le patron a vécu 10 ans dans les brumes des lochs et des landes, et il s'y est même marié. Ici tout le staff porte le kilt et la carte ne compte pas moins de 100 whiskies et 9 bières pression. Concerts de folk et de rock le week-end.

Le Passage – *23 passage des Augustins - ☎ 03 89 56 55 88 - lun.-ven. 17h30-1h30, sam. à partir de 20h30.* Bar atypique avec sa cabine téléphonique anglaise, sa moto des années 1940, sa musique rock agressive et son vrai zinc de 1902 (l'un des trois derniers en France selon le patron). Ambiance conviviale entretenue par une clientèle d'habitués hétérogène, des inspecteurs de police aux noctambules...

Charlie's Bar – *26 r. de Sinne - ☎ 03 89 66 12 22 - lun.-sam. 9h-1h30.* Le piano-bar de l'hôtel du Parc est un endroit huppé très prisé des hommes d'affaires et de la bourgeoisie mulhousienne. Dans ce bel écrin est élaborée une musique digne des meilleurs clubs de jazz : concert de piano tous les soirs (à partir de 19h) et duo le jeudi, le vendredi et le samedi (à partir de 22h). Les cocktails sont irrésistibles !

découvrir

LES MUSÉES DE L'INDUSTRIE

Musée national de l'Automobile, collection Schlumpf★★★

Accessible par l'avenue de Colmar. ⬜ ♿ Tlj sf mar. 10h-18h (dernière entrée 1/2h av. fermeture). Fermé 1ᵉʳ janv. et 25 déc. 57F (enf. : 27F). ☎ 03 89 33 23 23.

Cette fabuleuse collection de 500 automobiles de rêve ▶ (réserve comprise) a été passionnément constituée pour faire apprécier la créativité et la personnalité des constructeurs. Elle est installée dans une ancienne filature magnifiquement éclairée par des lampadaires 1900, réplique de ceux qui ornent le pont Alexandre-III à Paris. Ouvert en 1982, le musée évoque plus de cent ans d'histoire de l'automobile, depuis la Jacquot à vapeur de 1878 jusqu'à la Xénia Citroën « an 2000 ». 98 marques européennes, dont certains spécimens très rares ou uniques, sont présentées sur 17 000 m².

Beaucoup de ces voitures peuvent être admirées comme d'authentiques œuvres d'art pour le raffinement de leur carrosserie (Peugeot 174 coach, 1924), l'aérodynamisme de leurs lignes (Bugatti Type 46 coach surprofilé, 1933) la finition de leurs roues, moyeux et articulations (Gardner-Serpollet), pour le dessin de leurs calandres (coach Alfa-Roméo et C, 1936)... L'espace Bugatti est un ▶ peu une collection dans la collection. Ettore Bugatti s'installa à Molsheim en 1909 et 120 voitures de course, de sport ou de grand luxe témoignent à présent de ses exigences en matière de qualité, de fiabilité et de finition.

Parmi d'autres, rivalité entre les Panhard et les Levassor (celle de 1893 fut la première a être présentée sur un catalogue avec options), les Mercedes, les Alfa-Roméo, les Rolls-Royce, les Porsche, les Ferrari. À suivre, aussi, l'évolution des grandes marques françaises et séquence

> **VIP**
> Les modèles sont, pour la plupart, en état de marche, et plusieurs ont appartenu à des célébrités tels le président Poincaré (Panhard X26), le roi Léopold de Belgique (Bugatti 43 roadster sport), ou Charlie Chaplin (Rolls Royce Phantom III limousine)

> **À VOIR ABSOLUMENT**
> Deux Royale : La limousine et le coupé « Napoléon » ayant appartenu à Ettore Bugatti sont considérées comme les plus prestigieuses voitures de tous les temps.

Cadre raffiné pour voitures de luxe, le musée national de l'Automobile.

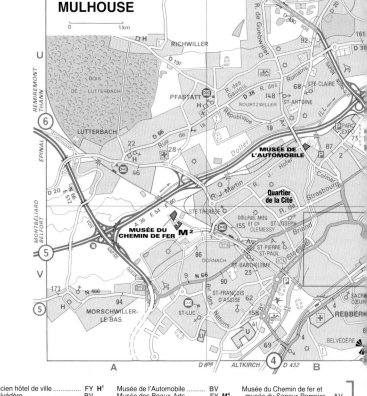

MULHOUSE

0 — 1 km

nostalgie face aux modèles des marques disparues : les Ravel de Besançon, les Zedel de Pontarlier, les Vermorel de Villefranche-sur-Saône, les Clément-Bayard de Mézières...

Musée français du Chemin de fer★★★

Situé à Mulhouse-Ouest, près de la commune de Lutterbach. 🖼 ♿ *9h-17h (avr.-sept. : 9h-18h). Fermé 1er janv., 25-26 déc. 45F (enf. : 20F).* ☎ *03 89 42 25 67.*

◄ La collection constituée par la SNCF est superbement présentée. L'une des parties, le **musée-express** permet de se familiariser avec le monde ferroviaire par l'intermédiaire de jeux, de maquettes et de manipulations interactives. À l'extérieur, tout le matériel ferroviaire : signaux, infrastructures, bâtiments et trains. Enfin, l'immense hall principal offre des aménagements astucieux pour tout connaître et tout comprendre : passe-

DES WAGONS GRIFFÉS

Lalique décora avec magnificence la voiture de la présidence de la République de 1925 et Viollet-le-Duc, la voiture-salon des aides de camp de Napoléon III.

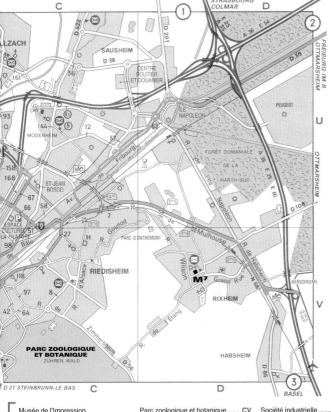

relles pour observer l'intérieur des voitures, fosses pour passer sous les locomotives, présentations en animation. Parmi les pièces à ne pas manquer, la locomotive St-Pierre au corps de bois de teck affectée à la ligne Paris-Rouen en 1844 ou la dernière des locomotives à vapeur, mais aussi la voiture de 4e classe de la compagnie d'Alsace-Lorraine.

Musée du Sapeur-Pompier

Mêmes conditions de visite que celles du musée du Chemin de fer.

L'histoire de ce métier dangereux et prestigieux y est retracée, ainsi que l'évolution du matériel utilisé dans la lutte contre l'incendie. Le central téléphonique de l'ancienne caserne de Mulhouse, par exemple, avec son pupitre de réception des avertisseurs publics a été reconstitué.

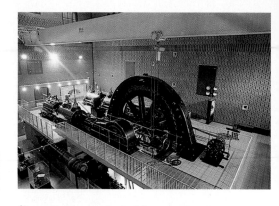

À Électropolis trône la formidable BBC-Sulzer de 170 tonnes, productrice d'électricité.

JUMELAGE
Situé à l'Ouest de Mulhouse, Électropolis est proche du musée du Chemin de fer avec lequel il partage un vaste parking. Un billet d'entrée jumelé existe pour ces deux structures.

PRATIQUE
La boutique du musée de l'Impression sur étoffes réédite les motifs originaux d'impression et propose un large choix de nappes, châles, foulards, mouchoirs et accessoires, aux couleurs chatoyantes.

Plusieurs lés composent ce grand panoramique (Les Français en Égypte ou La Bataille d'Héliopolis), où la bataille n'est plus qu'une anecdote dans le paysage idéalisé de l'Égypte.

Électropolis : musée de l'Énergie électrique★

Tlj sf lun. (hors lun. de Pâques et Pentecôte) 10h-18h (juil.-août : tlj). Fermé 1er janv. et 25-26 déc. 48F (enf. : 23F). ☎ *03 89 32 48 60.*

L'architecture moderne du bâtiment fournit un cadre original à la présentation de toutes les étapes de la production de l'électricité et ses applications. Les thèmes les plus divers sont abordés dans la vaste « galerie de Jupiter » : la musique, l'électroménager, l'informatique et l'électronique, la radio, les satellites...

Un certain nombre d'expériences sont proposées, des manipulations et des jeux pour s'initier à l'univers de l'énergie électrique. Quant à la « maison de l'électricité », installée dans un des pavillons du jardin, elle anticipe ce que sera le confort domestique de demain.

Musée de l'Impression sur étoffes★

10h-18h. Fermé 1er janv., 1er mai, 25 déc. 36F (enf. : 15F). ☎ *03 89 46 83 00.*

Au cœur de la ville, ce musée se trouve dans un bâtiment de 1880 ayant appartenu à la SIM (Société industrielle de Mulhouse). Cette société, fondée en 1825, s'était donné pour objet « l'avancement et la propagation de l'industrie ». Animatrice dans les domaines intellectuel et artistique avec la création d'écoles techniques et l'ouverture de musées, elle a doté la ville d'un musée du Dessin industriel (ancêtre du musée de l'Impression sur étoffes), puis d'un muséum d'Histoire naturelle, d'un zoo, du musée des Beaux-Arts...

Ici, on découvre comment Mulhouse s'est ouvert à l'impression textile, comment celle-ci s'y est développée entraînant à sa suite la croissance de la ville et comment l'évolution des techniques a pu servir la créativité des dessinateurs. Du blanchiment des toiles jusqu'à leur amidonnage et lustrage, teinture par les couleurs naturelles telles qu'indigo ou garance, savoir-faire des dessinateurs et des graveurs, rien ne vous échappera. Ainsi naissent les chefs-d'œuvre les plus rares (indiennes du 18e s. dont les motifs floraux imitent ceux de la Perse) ou les objets les plus familiers.

Musée du Papier peint★

À Rixheim, 6 km à l'Est de Mulhouse sur la route de Bâle. Juin-sept. : 10h-12h, 14h-18h (dernière entrée 1/2h av. fermeture) ; oct.-mai : tlj sf mar. 9h-12h, 14h-18h, w.-end et j. fériés 10h-12h, 14h-18h. Fermé 1er janv., Ven. saint, 1er mai, 25 déc. 35F. ☎ *03 89 64 24 56.*

Il occupe l'aile droite d'une ancienne commanderie de Chevaliers teutoniques où en 1797, Jean Zuber installa une fabrique de papiers peints qui fit la renommée de sa famille. La **collection★★** de ces fameux panoramiques est remarquable. Ils furent très recherchés et exportés dans le monde entier, notamment en Amérique du Nord. Ce sont pour l'essentiel des paysages aux fraîches couleurs qui mêlent des vues recomposées de la Suisse, de l'Algérie ou du Bengale.

Montaigne fut séduit par l'hôtel de ville de Mulhouse qu'il qualifia de « palais magnifique et tout doré » (détail de l'horloge).

se promener

AUTOUR DE LA PLACE DE LA RÉUNION

Hôtel de ville★★

Il a été construit en 1552 dans le style de la Renaissance ▶ rhénane par un architecte bâlois. Il est tout à fait unique en France avec ses façades peintes, dans la technique du trompe-l'œil pour certains détails. Le double perron couvert est une merveille d'équilibre. Les écus aux armes des cantons suisses peints sur la façade rappellent le lien historique de Mulhouse avec la Confédération helvétique. Au pied de la volée de marches, côté droit, se trouve l'entrée du Musée historique de Mulhouse *(voir description dans « visiter »)*. La **salle du conseil**, au 1ᵉʳ étage, servait autrefois de lieu de réunion du gouvernement de la petite république protestante. De nos jours, il arrive que le conseil municipal y siège, alors que les services municipaux sont désormais dans les locaux modernes de la nouvelle mairie.

MAUVAISES LANGUES
Sur le côté droit de l'hôtel de ville est accroché un masque de pierre grimaçant, copie du « klapperstein » pesant plus de 10 kg, qu'on suspendait au cou des personnes condamnées pour médisance. Ces dernières devaient faire le tour de la ville, assises à rebours sur un âne.

MULHOUSE

Sur le côté gauche de la place le « poêle des tailleurs », immeuble dans lequel se réunissait la corporation la plus nombreuse de la ville. Plus loin (rue Henriette), le « poêle des vignerons », maison dont la façade date du 16ᵉ s.

Temple St-Étienne

De mai à fin sept. : tlj sf mar. 10h-12h, 14h-18h, dim. 14h-18h. Fermé 14 juil. Gratuit. ☎ 03 89 46 58 25.

Reconstruit en 1866 à l'emplacement d'une église du 12ᵉ s., il en a gardé le nom et les magnifiques **vitraux★** du 14ᵉ s. Ils sont connus comme étant les plus beaux conservés en Alsace.

Traverser la place en diagonale.

À l'angle de la rue des Boulangers, la plus ancienne **pharmacie de Mulhouse** offre ses services depuis 1649.

Quitter la place de la Réunion par la rue des Bouchers. Tourner à droite dans la rue des Bons-Enfants et poursuivre jusqu'à la première rue à gauche : rue des Franciscains.

Côté gauche, vous verrez l'hôtel particulier que la famille Feer a fait construire entre 1765 et 1770. À mi-rue sont installées plusieurs manufactures d'indiennes dont la plus célèbre est la « cour des chaînes » ouverte en 1763 dans un édifice du 16ᵉ s. Fabio Rieti, un artiste contemporain, y a créé un intéressant mur peint se rapportant à l'histoire de Mulhouse.

Continuer par la rue de la Loi.

À droite, à l'angle de la rue Ste-Claire, un ensemble manufacturier du 18ᵉ s. remplace, comme il est fréquent à Mulhouse, une propriété plus ancienne ayant appartenu à la noblesse locale.

Revenir par le passage des Augustins, prendre la première rue à droite, puis à gauche la rue Henriette. Dans celle-ci, traverser à droite le passage Teutonique, puis prendre à gauche la rue Guillaume-Tell où se trouve le musée des Beaux-Arts. Au bout de la rue Guillaume-Tell, on retrouve la place de la Réunion.

LA VILLE INDUSTRIELLE

Le Nouveau Quartier

Au Sud-Est du centre historique par la place de la République. Les magnifiques arcades inspirées de la rue de Rivoli à Paris courent autour du square de la Bourse. Ce n'est pas tout à fait une place, juste trois rues qui ferment ce haut lieu du commerce mulhousien où fut édifié en 1827 le beau bâtiment de la **Société industrielle de Mulhouse** destiné à abriter à la fois la chambre de commerce et la bourse.

Les cités-jardins ouvrières

De part et d'autre du canal de dérivation de l'Ill. C'est autour de l'église St-Joseph, édifiée dans la rue de Strasbourg, que le quartier de la Cité est le plus typique.

La rue des Oiseaux est l'artère principale qui reçoit les « passages » qui desservent les cités-jardins. Inscrites dans un plan orthogonal, les maisons, construites dès 1851, offraient à chaque famille un logement à entrée indépendante et un petit jardin. Un système de location-vente permettait l'accession à la propriété.

> **LES CITÉS-JARDINS OUVRIÈRES**
> Impulsées par la société industrielle de Mulhouse, « la cité de Mulhouse », puis la « nouvelle cité » offraient à chaque famille un logement à entrée indépendante et un petit jardin.

Les cités-jardins ouvrières : des logements sympathiques avec un petit jardin à cultiver en pleine ville (gravure du 19ᵉ s.).

visiter

Musée historique ★★

Tlj sf mar. 10h-12h, 14h-17h (mai-oct. : fermeture à 18h). Fermé 1ᵉʳ janv., Ven. saint, Pâques, Pentecôte, 1ᵉʳ mai, 14 juil., 1ᵉʳ et 11 nov., 25-26 déc. 21F. ☎ 03 89 45 43 20.

Les collections évoquent l'histoire de la ville, de sa région et de la vie quotidienne à travers le temps depuis 6 000 ans (salles archéologiques). Leur présentation dans l'ancien hôtel de ville est très respectueuse du bâtiment-symbole de Mulhouse, les objets du Moyen Âge notamment mettent en valeur l'étage où le gouvernement de la République se réunissait.

🔲 Dans le **Grenier d'Abondance** accessible par la passerelle réalisée au 18ᵉ s., une belle collection de jouets a été rassemblée comprenant des maisons de poupées et leurs accessoires, de même que des jeux de société.

> **CADEAU**
> C'est au Musée historique que se trouve la **coupe en vermeil** offerte par la ville au représentant du Directoire en 1798, lors de la Réunion de Mulhouse à la France.

La vie quotidienne depuis le 18ᵉ s. est évoquée dans la galerie d'art populaire où sont reconstitués des intérieurs traditionnels, mais on peut aussi imaginer la vie dans le milieu bourgeois avec la reconstitution de salons mulhousiens (curieux lit camouflé sous l'apparence d'un buffet peint).

Musée des Beaux-Arts

  Tlj sf mar. 10h-12h, 14h-17h (de mi-juin à fin sept. : fermeture à 18h). Fermé 1ᵉʳ janv., 1ᵉʳ mai, Ven. saint, Pâques, Pentecôte, 14 juil., 1ᵉʳ et 11 nov., 25-26 déc. 21F. ☎ 03 89 45 43 19.

Il rassemble surtout des peintures des 17ᵉ et 18ᵉ s. dont des œuvres de Bruegel le Jeune, Teniers, Ruysdael, Boucher, ainsi que celles de nombreux maîtres alsaciens à tendance folklorique : Brion, Pabst, Wencker, Jundt. Également des toiles de Jean-Jacques Henner (1829 1905), des paysages et natures mortes de Lehmann (1873-1953) ou des compositions rutilantes de Charles Walch (1896-1948).

Parc zoologique et botanique★★

Au Sud de Mulhouse, en périphérie du quartier du Rebberg.   *Mai-août : 9h-19h (dernière entrée 1/2h av. fermeture) ; avr. et sept. : 9h-18h ; oct.-mars : 9h-17h (déc.-fév. : 10h-16h). 46F (hors sais. et enf. : 23F) ☎ 03 89 31 85 10.*

Le gibbon concolore est originaire du Sud de la Chine et du Viêt-nam. Il est connu pour son chant particulier et son agilité phénoménale. Il représente un cas typique d'espèce menacée placée sous la protection du parc zoologique de Mulhouse, lequel s'est vu confier la tenue de son registre mondial d'élevage.

◄ *Ce beau parc a pour mission principale la sauvegarde et la connaissance d'espèces rares ou en voie de disparition, parfois par l'élevage quand seule subsiste cette solution. On y observe des lémuriens de Madagascar, des tigres de Sibérie, des zèbres de Grévy ou des cerfs du Prince Alfred, ces derniers ne subsistant plus que sur deux îles des Philippines. D'autres espèces plus fréquentes dans les zoos voisinent avec ces rescapés : otaries, pythons, loups, perroquets... en tout près de 1 000 animaux.*

Cependant l'attrait pour ce parc est double puisqu'il abrite également une remarquable collection botanique : jardin de bulbes dont la floraison est magnifique vers avril, jardin de pivoines délicatement odorant en mai, jardin d'iris superbe en juin (la plus importante collection du Nord-Est de la France). De grands arbres ajoutent à la tranquillité du lieu.

Munster ★

Entre les vignobles et la route des Crêtes, Munster c'est, en hiver, l'accès aux champs de neige et, en été, le départ de circuits pédestres, pistes et sentiers vers les sommets arrondis des hautes Vosges, les versants parfois escarpés, les lacs, et surtout les prairies d'alpage : les hautes chaumes. Ces pelouses des sommets sont le repaire des marcaires, paysans détenteurs de la recette du très odorant fromage de Munster.

La situation

Cartes Michelin nᵒˢ 87 plis 5 et 15 ou 242 pli 31. — Haut-Rhin (68). Munster commande l'accès à la vallée de Munster, dénomination culturelle plus que géographique qui recouvre deux vallées du massif vosgien se rejoignant à Munster et filant ensuite vers la plaine. Seize communes implantées le long de la Petite et de la Grande Fecht, toutes deux verdoyantes (hêtraies) constituent cette entité traditionnelle parcourue notamment par la D 417.

❸ *1 r. du Couvent, 68140 Munster, ☎ 03 89 77 31 80.*

LA VOIE DU PROGRÈS
André Hartmann a fondé à Munster l'une des premières usines de textile d'Alsace avec Mulhouse, Colmar... Très active au 19ᵉ s., elle était un modèle d'institutions sociales en faveur des ouvriers. Elle perdure dans une petite unité d'impression située au cœur de la ville et dans une fabrique de rideaux installée plus loin, en fond de vallée.

carnet pratique

Où DORMIR

● *Valeur sûre*

Hôtel La Verte Vallée – *10 r. A.-Hartmann, parc de la Fecht -* ☎ *03 89 77 15 15 - fermé 3 au 28 janv. -* 🅿 *- 107 ch. : 440F -* ☕ *60F - restaurant 90/265F.* Séjour détente garanti dans cet hôtel moderne : deux piscines couvertes pour le farniente, une salle de musculation pour la forme, un sauna pour la détente, un solarium et des UVA pour la mine... en plus du calme environnant. Cuisine soignée et accueil aimable.

Où SE RESTAURER

● *Valeur sûre*

Restaurant des Cascades – *68140 Stosswihr - 6 km à l'O de Munster par D 417, puis rte secondaire -* ☎ *03 89 77 44 74 - fermé janv.,* lun. sf du 14 juil. au 15 août et mar. - 130/160F. Sur la route des Crêtes, ce restaurant niché au bord d'un ruisseau a sa petite célébrité : ses tartes flambées au feu de bois, servies pendant le week-end et les vacances, attirent les foules ! Grand jardin avec des animaux.

LOISIRS SPORTIFS

Randonnées – La vallée de Munster propose 500 km de sentiers pédestres balisés et presque autant pour pratiquer le VTT. Ce dernier, avec les engins motorisés, est interdit sur les hautes chaumes qui sont des espaces naturels fragiles

Ski – Le domaine skiable de la vallée de Munster regroupe 4 sites distincts : le Schnepfenried (ski de piste, ski de fond tracé sur les chaumes et dans la forêt, vues spectaculaires), le Gaschney (ski de piste avec télésiège ouvert durant l'été à la promenade, ski de fond en forêt), le Tanet (ski de piste, ski de fond autour des lacs Vert et des Truites) et les Trois-Fours (uniquement ski de fond et raquettes, magnifiques panoramas).

Le nom

Des moines irlandais, venus au 7e s. pour achever l'évangélisation de l'Alsace, ont fondé dans ce lieu sauvage une abbaye qui donna son nom au bourg créé dans son ombre. Munster signifie « monastère ».

Les gens

5 000 Munstériens. Dans la vallée, les marcaires vivent depuis toujours en réseau solidaire. Au début du printemps, ils mènent leurs troupeaux de vaches, d'abord près des granges d'altitude (fourrage coupé l'année précédente), puis l'été venu, ils montent à la marcairie, généralement un bien communal, et fabriquent le fromage.

se promener

La Grand'Rue est très animée avec ses jolies boutiques, On parvient à y oublier les dommages et les ruines laissés par la Grande Guerre. La très belle église protestante a été construite dans les années 1920, dans le style néoroman.

En bordure de la place du Marché, l'aile subsistante de l'ancien palais abbatial est devenue le siège du **Parc naturel régional des Ballons d'Alsace**. Une exposition permanente y présente les principales richesses et caractéristiques du Parc. *Mai-sept. : 9h-12h, 14h-18h, lun. 14h-18h ; oct.-avr. : tlj sf w.-end 10h-12h, 14h-18h. Gratuit.* ☎ *03 89 77 90 34.*

La riante vallée de Munster arrosée par la Fecht, au cœur du Parc naturel régional des Ballons des Vosges.

circuit

⑤ VALLÉE DE MUNSTER★★

55 km — environ 3 h. Voir schéma p. 123. Quitter Munster au Nord-Ouest par la D 417, puis tourner à droite dans la D 5bis en montée sinueuse.

Hohrodberg
Le site de cette station estivale très ensoleillée est remarquable. **Vue★★** étendue sur Munster, sa vallée et, de gauche à droite, du Petit Ballon au Hohneck.

Le Collet du Linge
À droite de la route s'étend un cimetière militaire allemand.

Le Linge
Après de violents combats, les troupes françaises s'établirent définitivement en août 1915 sur les pentes Ouest du Linge et du Schratzmaennele, alors que les Allemands occupaient la crête. En prenant à droite, on atteint le sommet du Linge et l'on passe près des tranchées creusées dans le grès.

La D 11 domine bientôt le val d'Orbey.

Col de Wettstein
Cimetière des Chasseurs où reposent 3 000 soldats français.

On descend ensuite dans la Petite Vallée par la D 48 qui rejoint la D 417 près de Soultzeren.

La route grimpe vers le col de la Schlucht offrant des perspectives de plus en plus belles sur la vallée de la Fecht, puis sur la Petite Vallée. Après un très beau parcours en forêt et de superbes échappées vers la plaine d'Alsace et la Forêt-Noire, on domine de très haut le cirque magnifique où naît la Petite Fecht.

Col de la Schlucht *(voir p. 148)*

Jardin d'altitude du Haut-Chitelet *(voir p. 148)*

Le Hohneck★★★ *(voir p. 148)*

Le Markstein *(voir p. 148, 174)*

Prendre à gauche la route des Crêtes.

Au passage sous un téléski, vue plongeante sur le lac de la Lauch, la vallée de Guebwiller et la plaine d'Alsace.

Revenir sur ses pas et prendre à droite la D 27.

Après une courte montée, on quitte la région des pâturages : belle vue à gauche sur le massif du Hohneck. La descente continue dans les bois où les hêtres prennent le pas sur les sapins.

SENTIERS À THÈME
🚶 En route vers le Collet du Linge, aire de pique-nique d'où on admire les environs. Un livret-guide disponible à la mairie de Hohrod (sur la D 417) propose aussi trois sentiers balisés : **sentier de Rosskopf** (faune et flore), **sentier de Katzenstein** (paysages et vies économiques) et **sentier du Barrenkopf** (vestiges de la Grande Guerre).

Schnepfenried★

Alt. 1 258 m. Cette station de sports d'hiver possède ▶
plusieurs remonte-pentes. Elle offre un beau **panora-
ma★** sur le massif du Hohneck, au flanc duquel on
distingue le barrage et le lac de Schiessrothried, et,
plus à droite, sur Munster et les hauteurs qui dominent sa vallée.

*À Metzeral, prendre la D 10^{VI}. 1 km plus loin, tourner à
droite pour franchir la Fecht et laisser votre voiture.*

POINT DE VUE

🚶 Du sommet du
Schnepfenried, accessible
par un sentier *(1h à pied
AR)*, **tour d'horizon★**
sur la chaîne du Grand
Ballon au Brézouard et la
vallée de la Fecht, la
Forêt-Noire.

Lac de Fischboedle★

Alt. 790 m. Ce petit lac presque circulaire d'un diamètre de moins de 100 m est l'un des plus beaux des
Vosges. On le doit au manufacturier de Munster,
Jacques Hartmann qui l'a créé vers 1850. Le cadre est
boisé, admirable, surtout à la fonte des neiges lorsque
le torrent du Wasserfelsen alimente le lac par une
jolie cascade.

Lac de Schiessrothried

🚶 *1h à pied AR par le sentier en lacet qui part à droite
lorsqu'on arrive au lac de Fishboedle. On peut aussi arriver
en voiture par la D 310, puis il reste 2 km à faire à pied.*
Lac de 5 ha, transformé en réservoir. Il est situé à
920 m d'altitude, au pied du Hohneck.

Revenir à Metzeral et prendre à gauche la D 10.

*Le lac de Schiessrothried au
pied du Hohneck.*

Muhlbach-sur-Munster

Le **musée de la Schlitte** est installé en face de la gare.
C'est une reconstitution thématique autour des traî-
neaux chargés du bois coupé en forêt, et qu'on des-
cendait sur des pentes douces. Utilisant des rondins
comme les barreaux d'une échelle, le schlitteur, placé
à l'avant, freinait le chargement. *De juil. à fin août :
visite guidée (3/4h) 10h-12h, 15h-18h. 9F.* ☎ *03 89 77
61 08.*

Luttenbach-près-Munster

Voltaire y séjourna à plusieurs reprises en 1754, en
pleine forêt.

*Revenir à Munster par la rive gauche de la Fecht, en
empruntant la D 10.*

itinéraires

**SUR LE THÈME DE
L'EAU**

🚶 Un circuit pédestre
de 4 km sur la rive de la
Fecht rejoint Munster
au départ de
Gunsbach. Suivre les
panneaux explicatifs. Le
versant Sud de la vallée
est complètement
boisé.

⑥ VALLÉE DE LA FECHT

*20 km. Quitter Munster à l'Est par la D 10. Voir schéma
p. 123.*

Gunsbach

Albert Schweitzer passa son enfance dans ce village où
son père était pasteur. Installé au Gabon où il poursuivait
son œuvre, il fit construire une maison près de celle de
son frère, grâce au prix Goethe qu'il reçut en 1928.

Transformée en **musée**, on y retrouve des souvenirs du « french doctor ». ⚹ *Visite guidée (1h) tlj sf lun. 9h-11h30, 14h-16h30. Fermé 1ᵉʳ mai, 21-23 avr., de Noël à fin déc.* ☎ *03 89 77 31 42.*

À Wihr-au-Val, traverser la Fecht et la D 417.

Soultzbach-les-Bains

La **chapelle Ste-Catherine**, du 17ᵉ s. abrite deux tableaux intéressants de F.-G. Hermann (1738). À l'écart du bourg, l'**église** paroissiale, très restaurée, contient trois **autels**★★ étincelants de dorures, de vrais joyaux de sculpture sur bois. Exécutés entre 1720 et 1740, ils sont dus à l'ébéniste J.-B. Werlé. À gauche dans le chœur, beau tabernacle du 15ᵉ s. que supporte un saint Christophe. *Pour visiter, s'adresser à la mairie ou au presbytère.*

Revenir à la D 417 en direction de Colmar.

La vallée de la Fecht tapissée de prairies s'élargit peu à peu et la vigne garnit encore les pentes inférieures exposées au soleil. On aperçoit bientôt les ruines du haut donjon de Pflixbourg.

Tourner à gauche dans la D 10 pour rejoindre Turckheim.

Turckheim★ *(voir ce nom)*

Colmar★★★ *(voir ce nom)*

⑦ **MASSIF DU PETIT BALLON**★
De Munster au Markstein. Voir schéma p. 123 et description p. 267.

> **DÉCOUVRIR LE VILLAGE**
> Un circuit historique *(2 km, 1h1/2, livret-guide à l'Office de tourisme)* vous permettra de mieux connaître ce village médiéval, aux maisons à colombage fleuries.

Église de **Murbach**★★

C'est parce qu'il avait trouvé ce creux de vallon propice à la promenade et à la méditation que saint Pirmin est venu y fonder en 727 son abbaye, devenue depuis une des plus puissantes abbayes bénédictines de la région. Elle déployait des droits et des biens sur plus de 300 localités alentour. Les abbés, tous fils de bonne famille, possédaient des mines, une bibliothèque remarquable et faisaient battre monnaie. Aujourd'hui, faites comme Pirmin et venez découvrir un des joyaux de l'art roman en Alsace.

La situation

Cartes Michelin nᵒˢ 87 pli 18 ou 242 pli 35 — Schéma p. 387 — Haut-Rhin (68). Sortir de Guebwiller par la route des Crêtes, puis à Buhl, prendre à gauche la D 40. Le château de Hugstein (ruines) qui protégeait jadis le vallon de Murbach, est indiqué. De l'église, suivez le chemin de croix jusqu'à l'église N.-D.-de-Lorette (1693) : vues plongeantes sur l'abbaye dans son cadre de verdure.

Le nom

L'évêque Pirmin, fondateur de Murbach, était pérégrin, c'est-à-dire qu'il ne souhaitait pas s'installer longuement quelque part, si bien que le monastère prit d'abord le nom de *Vivarius Peregrinorum*, le « vivier des Pérégrins ».

Les gens

« Orgueilleux comme le chien de Murbach » dit la chronique populaire. Les armes de l'abbaye portent en effet un lévrier noir bondissant, symbole de la noblesse des religieux. Les abbés avaient le titre de prince du St-Empire et les moines devaient justifier de quatre générations d'ancêtres nobles.

REPÈRES HISTORIQUES

727 — Fondation de l'abbaye par Pirmin. Le frère du duc d'Alsace, le comte Eberhard, la dote avec largesse.

850 — Constitution de la bibliothèque de l'abbaye. Ses manuscrits contribuent grandement à sa renommée. L'abbaye possède des biens dans plus de 200 localités de Worms dans le Palatinat à Lucerne en Suisse.

1544-16 66 — Les ateliers de l'abbaye frappent monnaie.

1759 — Les princes-abbés s'installent à Guebwiller.

1789 — Mécontents de leur tutelle, les paysans de la vallée de St-Amarin pillent le château abbatial de Guebwiller, ville voisine où l'abbaye avait été transférée en 1759.

visiter

L'église St-Léger construite au 12ᵉ s. est réduite à présent au chœur et au transept ; la nef a été démolie en 1738. Le **chevet**★★ est la partie la plus remarquable de l'édifice. Son mur plat légèrement en saillie porte des sculptures disposées apparemment avec fantaisie dans le large triangle du haut. Puis une galerie de 17 colonnettes dissemblables règne au-dessus de deux étages de fenêtres.

Le tympan du portail Sud, avec sa composition en faible ▶ relief, deux lions affrontés dans un encadrement de rinceaux et de palmettes, rappelle certains ouvrages orientaux.

À l'intérieur se trouve le sarcophage des sept moines tués par les Hongrois en 926. Le croisillon Sud abrite, dans un enfeu, le gisant du comte Ebehard (14ᵉ s.).

> **DÉTAIL**
> L'un des lions du tympan tire la langue, sans doute pour intimider le visiteur qui ne serait pas dans l'état d'esprit convenant à ce lieu saint.

D'un écrin de verdure semble surgir toute la solennité silencieuse de l'église de Murbach.

alentours

Buhl

3 km à l'Est par la D 40. L'**église** néoromane de Buhl abrite le seul triptyque peint d'Alsace qui ne soit pas conservé dans un musée. Ce **retable**★★ de grandes dimensions (7 m de large) a sans doute été réalisé par l'atelier de Schongauer vers 1500. La partie centrale représente une admirable Crucifixion. Au revers, le Jugement dernier est encadré d'épisodes de la vie de la Vierge.

Nancy ★★★

Nancy, cette ville vous évoque quoi ? Pour les uns, les fameuses bergamotes sagement rangées dans leurs belles boîtes de fer. Pour d'autres la majestueuse place Stanislas toute de dorures sur le ciel bleu. Pour d'autres encore, la capitale des ducs de Lorraine. Pour certains l'Art nouveau, présent dans les rues et derrière les vitrines des musées. Pour les derniers enfin, un club de football, l'AS Nancy-Lorraine, qui a vu dans les années 1970 l'éclosion d'un talent précoce, celui de Michel Platini. Pour ces raisons, ou pour bien d'autres encore, il faut venir à Nancy, ab-so-lu-ment !

La situation

Cartes Michelin n°s 62 plis 4, 5, 242 plis 17, 18 ou 4054 F6 — Meurthe-et-Moselle (54). Nancy est posée sur la Meurthe, près de son confluent avec la Moselle, et sur le canal de la Marne au Rhin, au contact des côtes de Moselle et du plateau lorrain, au Sud de Metz.

🛈 *1 pl. Stanislas, 54000 Nancy,* ☎ *03 83 35 22 41.*

Le symbole

Utilisée comme marque de reconnaissance par les troupes de René II sur le champ de bataille de Nancy, la « croix de Lorraine » deviendra un symbole patriotique.

Les gens

99 351 Nancéiens (agglomération : 330 000 habitants). Saluons l'ingéniosité de deux Nancéiennes qui, pour survivre pendant la Révolution, eurent l'idée de commercialiser les macarons, jusqu'alors réservés aux couvents. Leur succès fut total. Elles se sont autoproclamées « sœurs Macarons » ; leur boutique vous attend rue Gambetta.

comprendre

La fondation de Nancy ne remonte qu'au 11ᵉ s. Développée à l'abri du château fort de Gérard d'Alsace, fondateur du duché héréditaire de Lorraine, entre deux marais de la Meurthe, Nancy ne comprend guère alors que quelques couvents et le château ducal. Après un incendie qui la

---

CLASSEMENT
La place Stanislas est inscrite depuis 1983 par l'UNESCO au patrimoine mondial de l'Humanité.

PAUVRE CHARLES
Le dernier duc de Bourgogne, Charles le Téméraire, convoite la Lorraine et enlève Nancy au duc René II en 1476 mais, l'année suivante, la ville se révolte et Charles est tué. Son corps est retrouvé dans un étang glacé, à moitié dévoré par les loups. Le lieu où fut déposé son cadavre est signalé dans la Grande-Rue (n° 30).

Symétrie parfaite, ordonnance classique idéale... La place Stanislas, aussi belle de jour que de nuit.

détruit en 1228, on rebâtit. Au 14ᵉ s., une enceinte fortifiée entoure ce qui est aujourd'hui le vieux quartier. Il subsiste de cette enceinte la porte de la Craffe.

La croix de Lorraine — La croix à double traverse (la traverse supérieure figurant l'écriteau) fait déjà partie au 15ᵉ s. du patrimoine de la maison de Lorraine : elle rappelle le souvenir d'une relique de la vraie croix conservée en Anjou depuis le 13ᵉ s. que vénérait le grand-père de René II, le « bon roi René ». En juillet 1940, les forces navales de l'amiral Muselier l'adopteront, les premières, comme emblème de la France au combat.

Les ducs de Lorraine et leur ville — René II et son successeur Antoine se construisent un nouveau palais. À la fin du 16ᵉ s., le duc Charles III crée, au Sud de la Ville Vieille, une Ville-Neuve. Ce qui n'empêche pas la guerre de Trente Ans de décimer la ville. Les « Malheurs de la guerre », illustrés par Jacques Callot, graveur nancéien, atteignent cruellement les habitants. Léopold, bénéficiant d'une ère de tranquillité, aura beaucoup à faire pour relever la cité de ses ruines.

Stanislas le Magnifique — François III, duc de Lorraine, échange son duché contre celui de Toscane. Louis XV installe à sa place, sur le trône de Nancy, son beau-père, Stanislas Leszczynski, roi détrôné de Pologne, à la mort duquel la Lorraine reviendra tout naturellement à la France. Il s'agit d'accoutumer la Lorraine à la domination française. Or, nul mieux que ce Polonais ne saura se faire aimer des Lorrains par ses largesses et les embellissements qu'il laissera à sa capitale d'adoption. Durant trente ans, Stanislas joue le rôle d'un gouverneur de province. Il consacre son temps, et la pension que lui alloue son gendre, à embellir Nancy. C'est un homme paisible qui aime sa fille, la reine de France, la paix, la bonne chère, les jolies femmes et pratique une philosophie facile et une religion indulgente.

Terre de France — De 1871 à 1918, Nancy accueille les populations réfugiées. Les arrivants sont si nombreux que toute une ville moderne s'ajoute aux trois villes existantes, la Ville Vieille, la Ville des ducs et celle de Stanislas. Le nouveau Nancy, riche de nombreuses industries, s'accroît chaque jour : de 40 000 habitants en 1850, la ville en compte 66 000 en 1876, 103 000 en 1901 !

▶

TRÉSOR
Symbole ravissant du 18ᵉ s. et suprême parure de Nancy, telle apparaît la place Stanislas, avec ses grilles, ses pavillons, ses balcons et ses fontaines.

carnet pratique

DÉCOUVRIR NANCY AUTREMENT

Visites guidées de la ville – Des visites de la ville sont organisées sam. à 16h toute l'année (sf déc.-fév.), et dim. à 10h30 en juil.-août. Des visites audioguidées avec baladeur ayant pour thème le centre historique et l'Art nouveau sont possibles tout au long de l'année.

Visite nocturne – *Juin-sept. : 21h, puis 22h, spectacle son et lumière, et 22h20, visite des grands salons de l'hôtel de ville. 30F.*

Nancy en taxi – 5 circuits commentés sur cassettes enregistrées par l'Office de tourisme.

Train touristique – *Juin-sept., circuit en petit train dans la ville vieille et la ville du 18ᵉ s. Départ place de la Carrière toutes les heures à partir de 10h.*

Promenades en calèche – *Circuit dans la ville vieille et la ville du 18ᵉ s. Départ place Stanislas toutes les demi-heures.*

Bon week-end à Nancy – Cette opération se développe dans de nombreuses villes françaises. À la deuxième nuit d'hôtel offerte s'ajoutent des cadeaux, ainsi que des réductions pour les visites de la ville et des musées. Pour obtenir la liste des hôtels et les conditions de réservation, se renseigner à l'Office de tourisme.

« Clé de la ville » – Ce pass proposé par Nancy permet de visiter les principaux musées pour un tarif forfaitaire intéressant.

L'inimitable bergamote de Nancy.

OÙ DORMIR

● À bon compte

Chambre d'hôte Ferme de Montheu – *54770 Dommartin-sous-Amance - 12 km au NE de Nancy, dir. Sarreguemines et Azincourt - ☎ 03 83 31 17 37 - ⚞ - 4 ch. : 200/250F - repas 95F.* En pleine campagne, cette ferme, qui est encore exploitée, a une vue bien dégagée... Seul petit hic : la ligne haute tension qui passe. Mais elle est vite oubliée dans le calme de ses chambres simples aux meubles anciens. Table d'hôte tous les soirs sur demande.

● Valeur sûre

Hôtel Crystal – *5 r. Chanzy - ☎ 03 83 17 54 00 - fermé 31 déc. au 2 janv. - 58 ch. : 330/450F - ⚞ 45F.* Non loin du quartier de la gare, cet hôtel entièrement rénové est maintenant une bonne adresse de Nancy. Ses chambres modernes sont spacieuses et bien aménagées. Leur décor soigné leur donne une petite touche agréablement chaleureuse en plus...

● Une petite folie !

Grand Hôtel de la Reine – *2 pl. Stanislas - ☎ 03 83 35 03 01 - 42 ch. : à partir de 600F - ⚞ 80F - restaurant 240/360F.* Sur la superbe place Stanislas, ce palais du 18ᵉ s. a gardé les fastes de son passé : moulures, parquets, superbes lustres et mobilier ancien rivalisent de luxe... Et même si certains trouvent son décor un peu suranné, il n'en reste pas moins le meilleur hôtel de la ville.

OÙ SE RESTAURER

● À bon compte

Les Nouveaux Abattoirs – *4 bd Austrasie - ☎ 03 83 35 46 25 - fermé 31 juil. au 15 août, sam. et dim. - 96/270F.* Dans un quartier excentré sans charme, derrière une façade tristoune, des salles vieillottes et sombres... Ceux qui ne s'arrêtent pas à ces quelques détails pourront se régaler des belles viandes et abats qui font la réputation de ce restaurant authentique !

Les Pissenlits – *25 bis r. des Ponts - ☎ 03 83 37 43 97 - fermé dim. et lun. - 99/125F.* On se bouscule dans ce bistrot à deux pas du marché. Et pour cause : l'ambiance est décontractée, la cuisine, pleine d'allant, est généreuse et la salle avec ses tables serrées, son mobilier Majorelle et son tableau noir est vraiment sympathique... Alors, courez-y, vous aussi !

Le Wagon – *57 r. Chaligny - ☎ 03 83 32 32 16 - fermé vacances de fév., 3 au 27 juil., sam., dim. et fêtes - 85/200F.* Drôle d'endroit pour déjeuner ! Les amateurs d'insolite apprécieront : en proche banlieue, ce restaurant aménagé dans un wagon de 1927 est très amusant avec ses banquettes de bois et son décor authentique... La cusine servie en menus est passe-partout.

● Valeur sûre

Le Gastrolâtre – *23 Grande-Rue - ☎ 03 83 35 51 94 - fermé 23 avril au 2 mai, 13 au 31 août, 24 déc. Au 1ᵉʳ janv., lun. midi et dim. - 175/195F.* Voilà un bistrot comme on les aime, juste derrière la place Stanislas. Tenu de main de maître par un chef fort en gueule et médiatique, sa belle carte est alléchante et sa cuisine de caractère, qui tourne autour des saveurs d'ici et du Sud de la France, attire les foules...

Excelsior Flo – *50 r. H.-Poincaré - ☎ 03 83 35 24 57 - 119/159F.* Un des bastions des artistes de l'école de Nancy : sollicités pour en concevoir le décor au début du siècle dernier, ils en ont fait un remarquable exemple du genre, à voir absolument... Cuisine brasserie préparée et servie avec efficacité dans la magnifique salle classée.

Décor de rêve à l'Excelsio Flo.

● **Une petite folie !**

Le Capucin Gourmand – *31 r. Gambetta - ☎ 03 83 35 26 98 - fermé dim. soir et lun. - 220/340F.* Tout près de la place Stanislas, ce restaurant a totalement changé sous l'impulsion de son jeune patron : son décor résolument contemporain est assez spectaculaire avec son superbe lustre en verreries, ses murs bleu et or et ses tables rondes... Les nancéiens chic adorent !

SPÉCIALITÉS

Maison des Sœurs Macarons – *21 r. Gambetta - ☎ 03 83 32 24 25.* Vous trouverez là deux spécialités nancéiennes : la bergamote (confiserie à base d'essence de bergamote) et le macaron à la pâte d'amande.

Lefèvre Lemoine – *47 r. Henri-Poincaré - ☎ 03 83 32 81 25 - lun.-sam. 8h30-19h30.* Dans cette confiserie, on vous composera de jolis paquets cadeaux avec des spécialités locales, dont la bergamote et le macaron à la pâte d'amande.

Adam – *3 pl. St-Epvre.* Le St-Epvre, marque déposée, se compose d'une meringue aux amandes, d'une crème vanille et de nougatine pilée.

SE DISTRAIRE

Pour connaître le programme des manifestations et des spectacles, se procurer le magazine mensuel *Spectacles à Nancy.* Informations par internet : www.spectacles-nancy.presse.fr

FESTIVITÉS D'ÉTÉ

Gastronomie en musique – Groupes musicaux les vendredis à 20h30 aux abords des terrasses dans différents quartiers de la ville.

Patrimoine en musique – Concerts gratuits de musique classique à la cathédrale et à l'église des Cordeliers, en après-midi et en soirée.

SPECTACLES

L'Opéra de Nancy et de Lorraine, le Ballet national de Nancy et de Lorraine, l'Association de musique ancienne de Nancy, l'Ensemble Stanislas, l'Orchestre symphonique et lyrique de Nancy, l'Association lorraine de musique de chambre, Gradus Ad Musicam, La Psalette de Lorraine proposent de nombreux concerts et spectacles chaque année dans différents endroits de la ville : **Opéra** *(pl. Stanislas)*,

Théâtre de la Manufacture *(10 r. Baron-Louis)*, **Ballet** *(3 r. Henri-Bazin)*, **Salle Poirel** *(r. Victor-Poirel)*, **MJC Lillebonne** *(14 r. du Cheval-Blanc)*, **Zénith** *(r. Zénith à Maxéville)*.

OÙ PRENDRE UN VERRE ?

L'Arquebuse – *13 r. Héré - ☎ 03 83 32 11 99 - mar.-jeu. et dim. 18h30-4h, ven.-sam. 18h30-5h.* Ce bar de standing au décor raffiné offre une belle vue sur la place Stanislas. Une bonne carte de cocktails, une musique d'ambiance soft et principalement disco, la formule semble plaire à une clientèle d'étudiants BCBG et d'hommes d'affaires.

Le Pierre qui mousse – *5 terrasse de la Pépinière - ☎ 03 83 30 68 79 - www.pierrequimousse.fr - dim.-lun. 15h-1h, mar.-jeu. 11h-1h, ven. 11h-2h, sam. 15h-2h.* Un dédale de petits passages dans un enchevêtrement de poutres et de vrais arbres, des tabourets rustiques... Cet établissement tient du village gaulois et de la maison de nains version Blanche Neige. Vous y trouverez une sélection impressionnante de bières du monde entier, et plus particulièrement belges. Terrasse ombragée en été, de plus de 150 places.

L'Échanson – *9 r. de la Primatiale - ☎ 03 83 35 51 58 - mar.-ven. 12h-14h30, 16h30-20h, sam. 10h-20h.* Petit bar à vin bien sympathique faisant office de bistrot de quartier. La carte compte une quinzaine de vins au verre, que vous pourrez déguster avec des assiettes de cochonnaille, et la cave une centaine de crus proposés à la vente.

Le Vertigo – *29 r. de la Visitation - ☎ 03 83 32 71 97 - lun.-jeu. 11h-4h, ven.-sam. 11h-5h - fermé août.* Bar branché où sont organisés des spectacles de café-théâtre (humoristes, imitateurs) et des concerts (hip hop, groove, rock...). L'endroit est souvent bondé et on y boit sec, principalement de la bière et des cocktails.

Le Blitz Café – *76 r. St-Julien - ☎ 03 83 32 77 20 - lun. 14h-21h, mar. 11h-21h, mer.-sam. 11h-2h - fermé août.* Du mariage morganatique d'une boutique de fripes branchées et d'un ancien café est né un endroit stupéfiant où les chaises sont au plafond et où le bar est un assemblage composite de vieilles chaussures. Subtil bric-à-brac où sont organisés des soirées animées par un DJ le vendredi et le samedi soir, des « rendez-vous acoustiques » une à deux fois par mois et autres soirées à thème.

découvrir

LA CAPITALE DE LA LORRAINE

Place Stanislas ★★★

Le joyau de cette place, ce sont les **grilles** de Jean Lamour. De l'amour, ce dernier a dû en prodiguer pour faire ce chef-d'œuvre de légèreté, d'élégance et de fantaisie ! De fer forgé rehaussé d'or, elles ornent les quatre pans coupés et les débouchés des rues Stanislas et Ste-Catherine. Les grilles du Nord composent chacune un triple portique. Elles encadrent les fontaines de Neptune et d'Amphitrite, œuvres de Guibal.

La place est entourée de cinq **pavillons** élevés et de deux réduits à un rez-de-chaussée percé d'arcades monumentales. Cette disposition, tout en donnant une impression d'espace plus grand, laisse intact le merveilleux équilibre de la place. Les façades sont d'Emmanuel Héré, les balcons en fer forgé, de Lamour.

Arc de triomphe ★

La façade principale, qui regarde la place Stanislas, est d'inspiration antique. La partie droite, consacrée aux dieux de la guerre, est dédiée au « Prince victorieux » ; la partie gauche, consacrée aux déesses de la paix, glorifie le « Prince pacifique ». L'autre façade, plus simple, donne sur la place de la Carrière. À droite, du côté du parc, monument à Héré ; à gauche, monument à Callot.

Place d'Alliance

Dessinée par Héré et entourée d'hôtels particuliers du 18e s., elle est ornée d'une fontaine par Cyfflé, commémorant l'alliance conclue le 1er mai 1756 entre Louis XV et Marie-Thérèse d'Autriche.

Hôtel de ville

1 pl. Stanislas. De juil. à fin août : visite guidée des salons (1/2h) à 22h30 (ven. et sam. guides en costume d'époque). 15F.

Il fut érigé de 1752 à 1755. Les armoiries de Stanislas ornent son fronton : aigle de Pologne, cavalier de Lituanie, buffle des Leszczynski. L'escalier magnifique à double volée s'orne d'une rampe de Jean Lamour. Il mène au salon carré, dit « de l'Académie », décoré de fresques de Girardet, toutes à la gloire de Stanislas, puis au grand salon inauguré le 17 juillet 1866 par l'impératrice Eugénie. Un petit salon, dit « salon de l'Impératrice », lui fait suite. Des fenêtres des salons, on a sous les yeux la perspective de la place Stanislas, de la place de la Carrière et du palais du Gouvernement, au fond.

Place de la Carrière ★

Cette longue place date de l'époque ducale ; elle servait aux exercices équestres mais Héré la transforma. Elle est encadrée par de beaux hôtels du 18e s. Ses angles sont décorés de fontaines. Aux deux extrémités s'ouvrent les grilles de Lamour, enrichies de potences à lanternes.

Palais du Gouverneur ★

À l'opposé de l'arc de triomphe, la place du Général-de-Gaulle est fermée par le palais du Gouverneur, ancienne résidence des gouverneurs de Lorraine. Le péristyle de l'édifice se relie aux maisons de la place par une **colonnade ★** d'ordre ionique surmontée d'une balustrade ornée de vases. Entre chaque colonne, bustes mythologiques.

Palais ducal ★★

64 Grande-Rue. Bâti dans la seconde moitié du 13e s., le palais est à demi ruiné à l'époque de René II qui le fait reconstruire après sa victoire sur le Téméraire. La façade, sobre et même nue, rend plus saisissante l'élégance et la richesse de son unique ornement : la **Porterie ★★**, achevée au 16e s. par le duc Antoine. Le style

---

EN L'HONNEUR DE QUI ?

Construite entre 1751 et 1760 entre la Ville Vieille et la Ville Neuve, elle se nommera d'abord place Royale : la statue de Louis XV, sculptée par le Nîmois Guibal et le Brugeois Cyfflé, trône au centre. Détruite sous la Révolution, la statue est remplacée en 1831 par celle de Stanislas : la place est rebaptisée du nom du Polonais.

COPIE

Construit de 1754 à 1756 en l'honneur de Louis XV, l'arc de triomphe imite l'arc de Septime Sévère, à Rome.

DÉTAILS

Au 1er étage, trois balcons à balustrade flamboyante sont soutenus par des souches de tourelles sculptées représentant des sauvages et des hommes-poissons auxquels se mêlent des amours.

flamboyant et celui de la Renaissance se mêlent pour composer cette admirable porte surmontée de la statue équestre (reconstituée) du duc Antoine de Lorraine, au-dessus de laquelle s'élève un gâble flamboyant.

Église N.-D.-de-Bon-Secours★

Pl. du Gén.-de-Castelnau. Lieu de pèlerinage renommé, sa façade est de style baroque. L'intérieur, richement orné, possède des confessionnaux sculptés, de style Louis XV, des grilles de Jean Lamour et une belle chaire rocaille. Dans le chœur se trouvent, à droite : le **tombeau de Stanislas★** et le monument du cœur de Marie Leszczynska, épouse de Louis XV, sculptés par Vassé ; à gauche : le **mausolée de Catherine Opalinska★**, épouse de Stanislas, par les Adam.

L'ÉCOLE DE NANCY

Musée de l'École de Nancy★★

36-38 r. du Sgt-Blandan. Tlj sf mar. 10h30-18h, lun. 14h-18h. Fermé 1ᵉʳ janv., 1ᵉʳ mai, 14 juil., 1ᵉʳ nov., 25 déc. 20F. ☎ *03 83 40 14 86.*

Installé dans le cadre d'une résidence cossue du début du 20ᵉ s., le musée à l'ambiance feutrée offre un panorama remarquable de l'extraordinaire mouvement de rénovation des arts décoratifs qui se développa de façon originale à Nancy, entre 1885 et 1914, et fera date dans l'histoire des arts décoratifs sous le nom d'« école de Nancy » *(voir p. 100).*

Le musée présente une abondante collection d'œuvres caractéristiques du mouvement nancéien : meubles marquetés et sculptés d'Émile Gallé, de Louis Majorelle, d'Eugène Vallin, de Jacques Gruber et d'Émile André ; reliures, affiches et dessins de Prouvé, Martin, Collin, Lurçat ; verreries de Gallé, des frères Daum et Muller ; céramiques également de Gallé, mais aussi de Bussière et de Mougin ; vitraux de Gruber.

Plusieurs ensembles mobiliers, dont une admirable salle à manger de Vallin (plafond peint et cuirs muraux au délicat décor floral de Prouvé), témoignent des changements apportés dans le style des intérieurs bourgeois au début du 20ᵉ s. Au 1ᵉʳ étage, une étonnante salle de bains en céramique de Chaplet, un exceptionnel bureau d'homme d'affaires, décoré de cuirs travaillés de motifs floraux.

Vase aux raisins de Daum, vers 1905.

Architecture 1900 à Nancy

Bâtiments commerciaux, villas, maisons, Nancy possède de nombreuses demeures influencées par l'Art nouveau dont voici quelques exemples parmi d'autres. **Brasserie Excelsior** *(70 r. Henri-Poincaré)* élevée en 1910 et décorée par Louis Majorelle. **Chambre de commerce** *(40 r. Henri-Poincaré)*, réalisation architecturale de l'école de Nancy de 1908, ornée de ferronneries de Majorelle et de vitraux de Gruber. **Maison Weissenburger** *(1 bd Charles-V)* construite en 1904 par l'architecte pour son propre compte, avec décor et ferronneries de Majorelle. **Maison** *(86 r. Stanislas)* construite en 1906 par Eugène Vallin. **Immeuble du journal L'Est Républicain** *(5 av. Foch)* construit en 1912. **BNP** *(9 r. Chanzy)*, établissement bancaire de 1910 avec ferronneries de Majorelle. **Magasin de 1900-1901** *(2 r. Bénit)*, ancienne graineterie qui fut le premier immeuble à structure métallique ; vitraux de Gruber. **Immeuble de rapport** *(42-44 r. St-Dizier)* construit en 1902 par les architectes Georges Biet et Eugène Vallin. **Crédit Lyonnais** *(7 bis r. St-Georges)* : verrière aux clématites de Jacques Gruber, 1901. **Maisons jumelles** *(92-92 bis quai Claude-le-Lorrain)* par Émile André en 1903. **Villa Majorelle** *(1 r. Louis-Majorelle — on ne visite pas)* : de son vrai nom villa « Jika », cette maison, conçue en 1899 par l'architecte parisien Henri Sauvage (1873-1932), fut

> **PRATIQUE**
> Un dépliant « École de Nancy, itinéraire Art nouveau » propose cinq itinéraires pour découvrir le patrimoine architectural. Possibilité également de visite audioguidée des quartiers Art nouveau *(s'adresser à l'Office de tourisme, 35F, caution 300F).*

NANCY

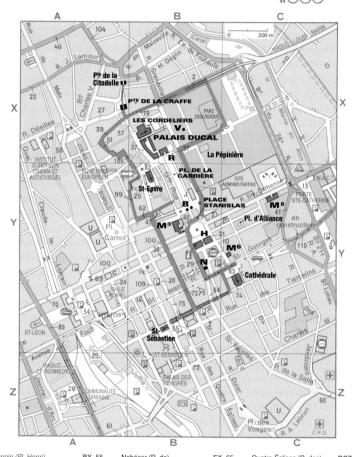

Arc de Triomphe .... BY B
Basilique St-Epvre .... BY
Cathédrale .... CY
Église et couvent
des Cordeliers .... BX

Église N.-D.-de-Bonsecours .. EX
Église St-Sébastien .... BY
Hôtel de ville .... BY H
Jardin botanique
du Montet .... DY

Maison des Adam .... BY N
Musée de l'Aéronautique ..... EV M²
Musée des Beaux-Arts .... BY M³
Musée de l'école
de Nancy .... DX M⁴

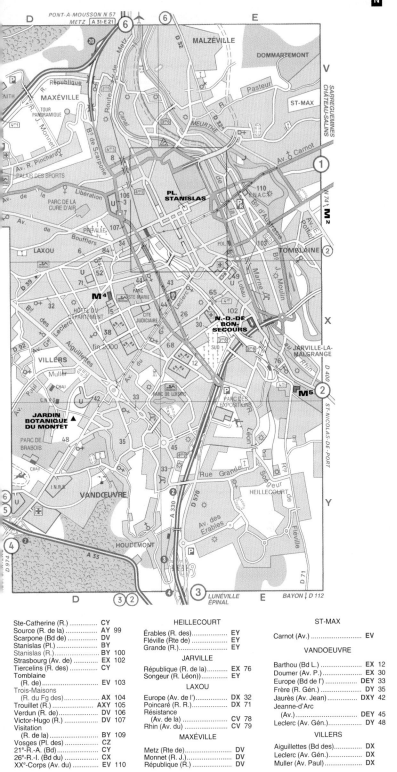

Au fond du jardin du musée de l'École de Nancy, l'aquarium, curieux édifice circulaire conçu par l'architecte Weissenburger, semble avoir été inspiré par les folies du 18ᵉ s.

construite en 1901 pour l'ébéniste nancéien Louis Majorelle. Elle s'élevait à l'origine dans un vaste parc, en bordure de la ville. On peut se promener dans le jardin entourant la villa. **Maison de l'imprimeur Bergeret** *(24 r. Linnois)* : vitraux de Gruber et de Janin.

se promener

VILLE VIEILLE ET VILLE NEUVE

La Ville Vieille, cœur historique de Nancy, forme un quadrilatère autour de la place St-Epvre. Son extension hors de ses anciennes portes donna naissance à la Ville Neuve de Charles III.

Basilique St-Epvre

Construite au 19ᵉ s. dans le style gothique, sa belle façade est précédée d'un escalier monumental (don de l'empereur d'Autriche).

Prendre à droite la rue de la Charité, puis encore à droite la rue du Cheval-Blanc.

Au nᵒ 12, rue de la Source, l'hôtel de Lillebonne, avec un bel escalier sculpté Renaissance, abrite la bibliothèque américaine et, au nᵒ 10, l'hôtel du marquis de Ville s'ouvre par un portail orné d'une tête de barbu. Par la rue de la Monnaie à gauche (au nᵒ 1, hôtel de la Monnaie construit par Boffrand), on atteint la place de La-Fayette où s'élève une statue de Jeanne d'Arc par Frémiet, réplique de celle de Paris.

Suivre la rue Callot jusqu'à la Grande-Rue : à l'angle tourelle du 17ˣ s. Revenir sur ses pas et prendre à gauche. Suivre la rue St-Dizier, puis tourner à droite place Henri-Mengin.

Église St-Sébastien

En sem. 9h-17h30.

◀ Ce chef-d'œuvre de l'architecte Jenesson, consacré en 1732, impressionne par sa spectaculaire **façade★** baroque concave, ornée de quatre grands bas-reliefs. À l'intérieur, les trois nefs en halle sont recouvertes de curieuses voûtes aplaties, portées par de majestueuses colonnes ioniques. Les autels latéraux sont de Vallin (école de Nancy).

Revenir sur ses pas et prendre en face la rue de la Primatiale pour rejoindre à gauche la place Mgr-Ruch.

Cathédrale

◀ Dans l'abside, Vierge à l'Enfant sculptée par le Nancéien Bagard (17ᵉ s.). Dans la sacristie, le **trésor** contient l'anneau, le calice, la patène, le peigne et l'évangéliaire de saint Gauzelin, évêque de Toul dans la première moitié du 10ᵉ s., un ivoire du 10ᵉ s., l'étole de saint Charles Borromée... *Visite sur demande 8h30-12h, 13h30-18h45, dim. et j. fériés 8h30-12h30, 14h-20h. Fermé 1ᵉʳ janv., lun. Pâques, 1ᵉʳ mai, lun. Pentecôte. Gratuit. ☎ 03 83 35 01 18. Suivre la rue St-Georges à gauche et tourner à droite rue des Dominicains.*

PRATIQUE
Des dépliants et des fiches thématiques sont à votre disposition pour faciliter votre découverte de la ville.

AVIS DE TEMPÊTE
La tempête qui a balayé la France en décembre 1999 est passée par Nancy : dans sa furie, elle a emporté les toitures de la basilique St-Epvre.

LUMIÈRE
Le vaisseau de l'église St-Sébastien est éclairé par huit verrières géantes.

ENCORE LUI !
Décidément, Lamour est partout ! À l'intérieur de la cathédrale, aux proportions majestueuses, les belles grilles des chapelles sont dues à cet inépuisable artiste.

Maison des Adam

57 r. des Dominicains. Élégamment décorée par les Adam, fameux sculpteurs du 18e s., qui l'habitèrent.

Gagner la place Stanislas, puis longer la Pépinière sur la droite.

Zoo

📷 La Pépinière abrite aussi un parc zoologique. Moment de détente pour les plus petits.

La Pépinière

Cette belle promenade de 23 ha comprend une terrasse, un jardin anglais et une roseraie. On y voit la statue du peintre Claude Gellée, dit le Lorrain, par Rodin.

Sortir du parc par la rue Sigisbert-Adam que l'on prend à gauche. Prendre en face la rue Braconnot et tourner à droite vers la porte de la Craffe.

Porte de la Craffe★

Elle survit aux anciennes fortifications du 14e s. et porte le chardon de Nancy et la croix de Lorraine (19e s.). La façade opposée est de style Renaissance. L'intérieur a servi de prison jusqu'après la Révolution.

La porte de la Craffe, la plus ancienne porte de Nancy, édifiée en 1336.

Porte de la Citadelle

Elle clôturait autrefois la Ville Vieille. D'architecture Renaissance, elle est ornée de bas-reliefs et de trophées d'armes par Florent Drouin.

Faire demi-tour et prendre à droite la rue Haut-Bourgeois.

Hôtels particuliers

Au n° 6, hôtel de Fontenoy par Boffrand (début 18e s.) et, au n° 29, hôtel Ferrari par le même architecte, avec balcon armorié, escalier monumental, fontaine de Neptune dans la cour. Au n° 1 de la rue des Loups, hôtel des Loups ou de Curel par Boffrand ; au n° 4, hôtel de Gellenoncourt, à portail Renaissance.

Traverser la place de l'Arsenal (au n° 9, ancien arsenal du 16e s. avec trophées d'armes) pour rejoindre la rue Mgr-Trouillet.

Au n° 9, hôtel d'Haussonville, de style Renaissance, composé de deux corps de logis en angle avec galeries extérieures et fontaine de Neptune.

Regagner la place St-Epvre dominée par la statue équestre du duc René II par Schiff.

visiter

Musée des Beaux-Arts★★

♿ *Tlj sf mar. 10h30-18h. Fermé 1er janv., 1er mai, 14 juil., 1er nov., 25 déc. 35F, gratuit 1er dim. du mois 10h30-13h30.* ☎ *03 83 85 30 72.*

Installé dans l'un des pavillons (18e s.) de la place Stanislas, le musée a été rénové, agrandi et modernisé dans la continuité des styles de l'époque par Laurent Baudouin, ex-pensionnaire de la Villa Médicis. Ses riches collections proposent un panorama de l'art en Europe du 14e au 20e s.

Finie l'habituelle cérémonie didactique par laquelle le visiteur découvrait un savoir encyclopédique en parcourant une à une les salles d'un musée de province. Dès l'entrée, on est peu à peu séduit par la mise en scène intérieure mettant en valeur l'ensemble de la collection grâce à un subtil jeu de lumière et à des rapprochements inattendus. La salle consacrée aux œuvres du tournant des 18e et 19e s. emprunte un parcours qui nous emmène jusqu'au début des années 1940, avant de retourner à la Renaissance italienne pour revenir au 18e s. La collection d'art moderne est installée dans l'extension contemporaine : Manet, Monet, Henri Edmond Cross, Modigliani, Juan Gris, Georg Grosz, Picasso... Quelques grands artistes lorrains du début du siècle sont également présentés : Jules Bastien-Lepage, Émile Friant, Étienne Cournault, Francis Gruber, fils du maître verrier

TOUT BEAU, TOUT NOUVEAU

Après 3 ans de fermeture, le musée des Beaux-Arts rouvre ses portes sur une surface totale de 9 000 m². Des œuvres nouvelles y sont exposées, présentant 540 peintures. Outre une librairie, un centre de documentation et un auditorium installé dans l'ancien bastion, un espace sur deux étages est réservé aux expositions temporaires programmées plusieurs fois par an. Courez-y !

MAÎTRES

L'école française du 17e s. est illustrée par Claude Le Lorrain (*Paysage pastoral*), Simon Vouet (*L'Amour qui se venge*), Philippe de Champaigne (*La Charité*).

nancéien Jacques Gruber. Des sculptures intéressantes accompagnent ces tableaux : Rodin, Raymond Duchamp-Villon, Jacques Lipchitz, César...

L'Italie est très présente avec, aux côtés des primitifs, des œuvres du Pérugin, du Tintoret, de Pierre de Cortone, du Caravage, de Volterrano, de Cigoli. Des paysages et des natures mortes de Joos de Momper et Jan II Bruegel, Rubens, avec une exceptionnelle Transfiguration, et Hemessen témoignent de l'importance des écoles du Nord.

La peinture du 18ᵉ s. trouve naturellement sa place dans le pavillon d'Emmanuel Héré avec notamment Jean-Baptiste Claudot, Desportes, François Boucher, Carle van Loo. Le musée possède un **fond d'art graphique** remarquable avec toute l'œuvre gravée de Jacques Callot (787 gravures) et les dessins de Grandville (1 438 dessins). Des vestiges de fortifications du 15ᵉ au 17ᵉ s., découverts lors des travaux d'extension, abritent la **collection Daum**, ensemble magnifique de près de 300 pièces permettant de découvrir l'évolution de la manufacture du début du 20ᵉ s. à nos jours.

Le Joueur de luth, gravure de Jacques Callot, enfant de Nancy.

Musée historique lorrain★★★

Dans l'ancien palais ducal, 64 Grande-Rue. Tlj sf mar. 10h-12h, 14h-17h, dim. et j. fériés 10h-12h, 14h-18h (mai-sept. : tlj sf mar. 10h-18h). Fermé 1ᵉʳ janv., dim. de Pâques, 1ᵉʳ mai, 14 juil., 1ᵉʳ nov., 25 déc. 20F, 30F donnant accès au couvent des Cordeliers. ☎ 03 83 32 18 74.

◀ Sur trois étages, une documentation d'une valeur exceptionnelle par sa qualité et sa richesse évoque l'histoire du pays lorrain. La longue galerie des Cerfs rassemble les souvenirs de la dynastie des ducs de Lorraine, du 16ᵉ s. au milieu du 18ᵉ s. Tapisseries du début du 16ᵉ s., des peintures de Jacques Bellange, de Charles Mellin et de Claude Deruet. Le pavillon au fond du jardin abrite une **galerie d'archéologie** préhistorique, celtique, gallo-romaine et franque.

Traverser le jardin. À l'entrée du bâtiment principal, vestibule et galerie aux voûtes d'ogives abritent des collections qui évoquent la Lorraine du Moyen Âge au 16ᵉ s. (sculptures). L'histoire de la Lorraine sous Charles V, Léopold et François III est évoquée par de nombreux tableaux et documents, collections de miniatures, de faïences de l'Est de la France, biscuits et terres cuites, sculptures de Clodion. La Lorraine et Nancy sous Stanislas : les fondations du roi de Pologne, la création de la place Royale, histoire politique, militaire et littéraire de la Révolution à l'Empire, la Lorraine de la Restauration à la IIIᵉ République.

Église et couvent des Cordeliers★

Mêmes conditions de visite que le Palais ducal.

◀ Composée d'une nef unique, suivant l'usage des ordres mendiants, l'**église★** a été édifiée, ainsi que le couvent adjacent, à la fin du 15ᵉ s., sur l'initiative du duc René II. Dans une chapelle à gauche, le **gisant de Philippa de**

MAÎTRES

Au musée historique lorrain, on peut admirer les peintures de Georges de La Tour *(La Femme à la puce, Découverte du corps de saint Alexis, Le Jeune Fumeur, Saint Jérôme lisant).*

À VOIR

Dans le chœur : retable sculpté du maître-autel (1522), stalles du 17ᵉ s. et lutrin de fer forgé (18ᵉ s.) aux emblèmes lorrains.

Détail de marqueterie de mobilier domestique au Musée historique lorrain.

Gueldre★★, seconde femme de René II, a été sculpté, dans un calcaire très fin, par Ligier Richier dont c'est une des plus belles œuvres. Contre le mur Sud (près du maître-autel) le **tombeau★ de René II**, dont il ne reste que l'enfeu, a été exécuté par Mansuy Gauvain en 1509. Celui-ci est aussi l'auteur d'une remarquable Cène, bas-relief inspiré du célèbre tableau de Léonard de Vinci.
À gauche du chœur de l'église, la **chapelle ducale★** s'élève au-dessus du caveau funéraire des ducs de Lorraine. De forme octogonale, la chapelle a ses murs encadrés de seize colonnes, auxquelles s'adossent sept cénotaphes en marbre noir. Ça ne vous rappelle rien ? La chapelle des Médicis à Florence bien sûr ! Celle-ci aurait servi de modèle.
Le cloître et une partie des salles de l'ancien monastère ont été restaurés pour abriter un riche **musée d'Arts et Traditions populaires**. Celui-ci comprend des reconstitutions d'intérieurs (cuisine et chambre) avec mobilier lorrain en chêne ou en bois fruitier, objets familiers, outils d'artisans ; des ustensiles domestiques destinés à la fabrication des aliments ; des appareils et objets concernant l'éclairage et le chauffage (belle collection de carreaux de poêle émaillés).

Jardin botanique du Montet★

100 r. du Jardin-Botanique — ligne autobus n° 16. ♿ Parc : 10h-12h, 14h-17h, w.-end et j. fériés 14h-17h ; serres : tlj sf 1ᵉʳ mar. du mois 14h-17h. Fermé 1ᵉʳ janv. et 25 déc. 15F serres, parc gratuit. ☎ 03 83 41 47 47.
Situé près de la faculté des Sciences, au sein d'un vallon, il couvre 25 ha dont 2 500 m² de serres tropicales. Il comprend une quinzaine de collections thématiques : plantes alpines, ornementales, médicinales, arboretum... Dans les serres sont cultivées plus de 6 500 espèces : aracées, orchidacées, insectivores, succulentes...

PROTECTION
Conservatoire botanique national, le jardin botanique du Montet contribue à la protection des plantes en voie de disparition pour la région Alsace-Lorraine, la France et les DOM-TOM.

Musée « Maison de la Communication »

34 r. Ste-Catherine. Mer.-ven. 10h-12h, 14h-18h. Fermé j. fériés. 15F. ☎ 03 83 34 85 89.
Le musée fait revivre, par des objets, des documents, des reconstitutions de scènes historiques, des démonstrations techniques..., deux siècles de l'histoire de la communication à distance. Il présente également des maquettes de mini-centraux téléphoniques en état de marche, la reconstitution d'un bureau de poste des années 1920, des jouets et des documents anciens.

Muséum-aquarium de Nancy

⊙ 10h-12h, 14h-18h. 30F (enf. : 20F). ☎ 03 83 32 99 97.
Il abrite l'**aquarium tropical★** comportant 70 bassins où nagent de nombreuses espèces de poissons, originaires, notamment, d'Asie et d'Afrique, de la mer Rouge, des océans Indien et Pacifique et du bassin de l'Amazone. Beaucoup moins vivants mais tout aussi beaux, plus de 10 000 animaux naturalisés vous attendent patiemment au 1ᵉʳ étage.

alentours

Musée de l'Aéronautique

2 km. Sortir par l'avenue Eugène-Pottier en direction de l'aérodrome de Nancy-Essey dans l'enceinte duquel est installé le musée. ⊙ Réouv. prévue printemps 2000.
Une quarantaine d'appareils, en majorité militaires, témoignent des spectaculaires évolutions technologiques intervenues depuis les années 1930 et entretiennent le souvenir de faits marquants de l'histoire contemporaine. Du Douglas DC 3, transportant dans sa version militaire les troupes aéroportées lors du débarquement de Normandie, à la Caravelle en passant par le Gloster

SPÉCIMENS RARES
Le Loockheed F 104-G Starfighter sélectionné pour l'entraînement des premiers astronautes américains, et le Fouga CM 70 Magister, dont fut dotée la patrouille de France de 1964 à 1980.

Météor, seul appareil à réaction aligné par les Alliés à la fin de la Seconde Guerre mondiale, l'avion de lutte anti-sous-marine Loockheed PV2 Neptune, le Dassault MD 450 Ouragan, premier chasseur à réaction de conception française ; on en passe, et des meilleurs...

Musée de l'Histoire du fer

1 av. du Gén-de-Gaulle, à Jarville-la-Malgrange. Lignes autobus n° 1, 31 et 41. Juil.-sept. : tlj sf mar. 14h-18h ; oct.-juin : tlj sf mar. 14h-17h, w.-end et j. fériés 10h-12h, 14h-18h. Fermé 1er janv., Pâques, 1er nov., 25 déc. 15F. ☎ 03 83 15 27 70.
Le vaste bâtiment qui l'abrite témoigne, lui-même, de l'importance de la construction métallique dans l'architecture contemporaine. Le musée présente de manière chronologique l'évolution des techniques de production du fer, de la fonte et de l'acier, des origines à nos jours. On y découvre les techniques très avancées des fabrications d'armes, dès l'époque gauloise, et les procédés — en particulier celui du damas mérovingien — permettant de concilier les qualités de résistance, de flexibilité et de tranchant. Objets d'art en fonte ou en fer.

PRATIQUE ET INTÉRESSANT
Un passeport 3 musées (jardin botanique du Montet, muséum-aquarium de Nancy et musée de l'Histoire du fer) : 45F. En vente sur place.

Chartreuse de Bosserville

5 km. Sortir par ② du plan. Dans Laneuveville, aussitôt après le pont sur le canal de la Marne au Rhin, tourner à gauche dans la D 126. La route tourne aussitôt à droite, offrant une jolie vue d'ensemble sur la chartreuse de Bosserville avant de franchir la Meurthe. Prendre à gauche la D 2. À 1 km, une allée de platanes conduit à la chartreuse de Bosserville. On ne visite pas.
Fondée en 1666 par le duc Charles IV, elle est occupée par un lycée professionnel technique. Sur une terrasse dominant la Meurthe, au centre duquel s'élève la chapelle, longue et majestueuse façade des 17e et 18e s., flanquée de deux ailes en retour. Un bel escalier en pierre mène à la terrasse.

RECONVERSION
Bosserville servit, en 1793 et 1813, d'hôpital de campagne. De nombreux militaires français ou étrangers de la Grande Armée, malades ou blessés, y succombèrent. Leurs corps étaient jetés dans l'étang proche...

Château de Fléville

9 km au Sud-Est. Quitter Nancy par ③ du plan et l'A 330 jusqu'à la sortie Fléville (à 8 km). D'avr. à mi-nov. : visite guidée (3/4h) w.-end et j. fériés 14h-19h (juil.-août : tlj). 38F (enf. : 18F). ☎ 03 83 25 64 71.
L'édifice date du 16e s. et remplace une forteresse du 14e s. dont il ne reste qu'un donjon carré. Après avoir franchi les anciens fossés dont les murs sont ornés de beaux vases du 18e s., on pénètre dans la cour d'honneur. Deux ailes en retour flanquent la belle façade Renaissance du corps de logis principal sur laquelle court un long balcon à balustrade. À l'intérieur, on visite la salle des ducs de Lorraine, la chambre de Stanislas, la chapelle du 18e s., ainsi que plusieurs chambres ornées de peintures et garnies de meubles Louis XV, Régence ou Louis XVI.

JARDIN
À l'issue de la visite intérieure, on pourra faire le tour extérieur de l'édifice et se promener dans le parc paysager.

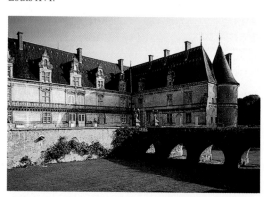

La majestueuse demeure de Fléville du 16e s. recèle des collections d'œuvres du 18e s.

Parc de loisirs de la forêt de Haye

9 km à l'Ouest. Quitter Nancy par ⑤ du plan et la D 400.
Pavillon d'information près de l'entrée, à droite.

�◉ Ce parc de loisirs a été aménagé au cœur de la forêt de Haye, vaste massif vallonné couvrant 9 000 ha, ex-réserve de chasse des ducs de Lorraine. Terrains de sport, de tennis, aires de jeu, installations de pique-nique, parcours balisés pour la marche et la course à pied.

Petite pause entre deux activités sportives, le **musée de l'Automobile** vous propose une centaine de véhicules de toutes marques, allant de 1898 à 1989. Nombreux bouchons de radiateurs et d'affiches consacrées à la voiture.

& *Mer., w.-end, j. fériés 14h-18h (juil.-août : tlj). Fermé entre Noël et Jour de l'An. 35F.* ☎ *03 83 23 28 38.*

> **RANDONNÉES**
> 🏃 Le parc de loisirs est également le point de départ pour de grandes randonnées pédestres, équestres ou à VTT (130 km) dans la forêt.

Neuf-Brisach

Le plan de la ville-forteresse construite au 17ᵉ s., à deux pas du Rhin, est incroyable : une étoile octogo-nale ! Les dessins de l'époque font penser au décor d'un jeu vidéo en 3D. Les photos aériennes sont sai-sissantes. Des remparts bastionnés tout autour, un fossé à sec aménagé en promenade, c'est, d'après ses pairs, le chef-d'œuvre d'architecture militaire de Vauban.

> **PAROLE DE ROI**
> Louis XIV l'a dit : « De tous les diamants de la couronne de France, le plus beau est la forteresse du Rhin. »

La situation

Cartes Michelin nᵒˢ 87 pli 7 ou 242 pli 32 — Haut-Rhin (68).
À 16 km à l'Est de Colmar, 39 km au Nord de Mulhouse.
🛈 *Pl. d'Armes, 68600 Neuf-Brisach,* ☎ *03 89 72 56 66.*

Le nom

Par un traité de 1697, faisant du Rhin la frontière entre la France et l'Allemagne, Louis XIV dû céder à l'empire Vieux-Brisach, construite sur le rocher de *Brisacum* (aujourd'hui Breisach am Rhein, en Allemagne). Il ordonna à Vauban de construire, en 1699, une place forte destinée à empêcher le passage du fleuve à cet endroit. La forteresse reçut, tout naturellement, le nom de Neuf-Brisach.

Les gens

2 092 Néobrisaciens. Au début, personne ne voulut s'ins-taller à Neuf-Brisach. Louis XIV, jamais à court d'idées, fit brûler un village voisin, soudoya des bourgeois pari-siens et enfin y expédia des militaires.

carnet pratique

PROMENADE EN TRAIN

En saison, le week-end, un **train à vapeur** 1900 circule entre la gare de Volgelsheim, le port rhénan de Neuf-Brisach, et l'embarcadère de Sans-Souci. Circuit pouvant être combiné avec une promenade en bateau d'époque (1933) sur le Rhin. *De Pentecôte à fin sept. : dép. à 15h, retour 18h15, w.-end et j. fériés sur demande préalable. Circuit combiné train et bateau : 90F (enf. : 45F). Secrétariat, 26 r. des Cordiers, 68280 Andolsheim,* ☎ *03 89 71 51 42.*

OÙ SE RESTAURER

La Petite Palette – ☎ *03 89 72 73 50 - fermé 1ᵉʳ au 12 août, dim. soir, mar. soir et lun. - 155/490F.* Avis aux amateurs de viande : ce restaurant est une bonne adresse... Au cœur de la ville, dans une rue commerçante, il appartient à un boucher-charcutier qui y sert les viandes de sa boutique et notamment celles de l'élevage de ses parents, en Savoie. Plusieurs menus.

se promener

Promenade des remparts★

BIEN CARRÉE
À l'intérieur de son enceinte, longue de 2,4 km, la cité est partagée en îlots réguliers : 48 carrés égaux, regroupant habitations et bâtiments officiels autour d'une immense place carrée.

◄ Il est possible de parcourir à pied les fossés de la porte de Belfort au Sud-Ouest à la porte de Colmar au Nord-Ouest, pour découvrir les principaux éléments des fortifications classiques, bastions à échauguettes, demi-lunes, et s'étonner de l'épaisseur du mur d'enceinte, 4,5 m à la base pour 5 m de haut.

Au centre de la ville se trouvent l'église St-Louis et l'immense place d'Armes avec ses quatres puits, aux quatre coins. La **porte de Belfort**, qui ne sert plus de passage, abrite le **musée Vauban** spécialisé dans l'art militaire du Grand Siècle et qui propose, en plus des plans et documents, un remarquable plan en relief de la place forte. ♿ *D'avr. à fin oct. : tlj sf mar. 10h-12h, 14h-17h. 15F.* ☎ *03 89 72 56 66.*

alentours

Biesheim

Cercle hollandais au musée de l'Instrumentation optique.

3 km au Nord par la D 468. Tout près de la frontière, deux musées sont rassemblés dans un bâtiment aux lignes contemporaines, « le Capitole ».

Pour les amateurs d'astronomie, le **musée de l'Instrumentation optique** conserve plus de 250 instruments, véritables objets d'art réalisés en laiton, ébène, ivoire, argent. ♿ *Tlj sf lun. et mar. 14h-18h, jeu. 9h-13h. 20F.* ☎ *03 89 72 01 59.*

Le **musée gallo-romain** expose le matériel trouvé sur le site gallo-romain d'Œdenbourg au Nord de Neuf-Brisach. De nombreux objets évoquent les rites funéraires (mobilier, sarcophages), la religion (temple dédié au dieu Mithra) et la vie quotidienne (céramiques, intailles, clefs...). ♿ *Tlj sf lun. et mar. 14h-18h, jeu. 9h-13h. Fermé j. fériés sf Pentecôte. 15F.* ☎ *03 89 72 01 58.*

Pont-frontière de Vogelgrun

5 km à l'Est. Du pont, superbe **vue**★ sur le Rhin, l'usine hydroélectrique *(voir p. 285)* et, sur l'autre rive, Vieux-Brisach (Breisach).

Fessenheim

12 km au Sud par la D 468. La **maison Schœlcher-musée de la Hardt** évoque l'œuvre de Victor Schœlcher qui obtint la suppression de l'esclavage le 27 avril 1848 et dont la famille est originaire de Fessenheim. Le travail de son père Marc Schoelcher, célèbre porcelainier parisien au début du 19e s, est aussi présenté. *Juin-sept. : w.-end et j. fériés 14h-18h, lun.-ven. sur demande auprès de « Les Amis de Schlœcher ». Gratuit.* ☎ *03 89 48 60 99.*

Freiburg im Breisgau★ (Fribourg-en-Brisgau)

MOYEN ÂGE
L'Augustiner Museum★★ (musée des Augustins) est consacré à l'art médiéval.

35 km en face de Neuf-Brisach, en Allemagne. Une ville unique, aux portes de la Forêt-Noire. Style purement germanique pour la **Münster**★★ (cathédrale) des 12e-17e s., sa très belle **tour**★★★ de façade du haut de laquelle la vue sur la ville, le massif du Kaiserstuhl et les Vosges, mérite bien l'ascension. Mais le must, c'est de se promener dans les rues piétonnes bordées de petits canaux : en mai pour voir la glycine courir le long des façades, en février pour se perdre dans la foule bigarrée du carnaval.

Neufchâteau

On ne trouve pas ce que l'on attend à Neufchâteau. Neuf ou vieux, il n'y a pas de château. Il y en a eu un pourtant, il y a bien longtemps mais il n'en reste rien. En revanche, autour de la place Jeanne-d'Arc, incontournable dans la région, il reste de très belles vieilles maisons des 17e et 18e s.

La situation
Cartes Michelin nos 62 pli 13 ou 242 pli 25 — Vosges (88). Neufchâteau fait encore partie des Vosges, mais le relief s'adoucit au profit de la plaine plus sage, sillonnée par la Meuse et ses affluents.
🚘 *Parking des Grandes Écuries, 88300 Neufchâteau,* ☎ *03 29 94 10 95.*

Le nom
Les révolutionnaires, considérant que le nom de Neufchâteau avait une consonance trop royaliste, le débaptisèrent en Mouzon-Meuse, du nom des deux cours d'eau qui arrosent la ville. Une trouvaille qui n'a pas duré...

Les gens
7 803 Néocastriens. Les Goncourt sont passés par là : leur maison se trouve au n° 2 de la place Jeanne-d'Arc.

La maison de la famille Goncourt accueille ses visiteurs d'un masque léonin bien particulier.

visiter

Hôtel de ville
Dans ce bâtiment de la fin du 16e s., au portail Renaissance, il faut voir le bel **escalier**★ intérieur italien, richement orné, achevé en 1594, et les caves voûtées d'ogives du 14e s.

Église St-Nicolas
De juil. à fin août : visite guidée 10h-18h30 sur demande auprès de l'Office de tourisme.
Elle se trouve sur la butte qui portait aussi le château des ducs de Lorraine et, en raison de la dénivellation, deux églises ont été superposées. Le portail et la tour de l'église haute sont modernes, mais la nef date des 12e et 13e s. Les chapelles funéraires des riches bourgeois neufchâtellois des 15e et 16e s. sont ornées d'un très luxueux mobilier dont un célèbre **groupe de pierre**★ polychrome (fin 15e s.) où se retrouvent les personnages de la Mise au tombeau.

L'église St-Nicolas, élevée à l'emplacement du château des ducs de Lorraine.

Église St-Christophe
Juil.-août : visite guidée 10h-12h, 14h-18h ; sept.-juin : visite libre 10h-12h.
Sa construction remonte à 1100 environ, mais la plus grande partie de l'édifice actuel date du 13e s. : les influences bourguignonnes s'y manifestent dans la façade aux arcatures reposant sur des colonnettes. Au début du 16e s. la chapelle funéraire de P. Woeriot, orfèvre du duc, a été rajoutée et s'ouvre dans le bas-côté droit.

▶ **LEVEZ LES YEUX**
La voûte de la chapelle funéraire de l'église St-Christophe à 12 clés pendantes, véritable dentelle de pierre, est unique en France.

alentours

St-Élophe
9 km au Nord-Est par la N 74. À l'extrémité du village, clocher du 13e s. pour cette l'**église** remaniée à plusieurs reprises. Dans la nef du début du 16e s., éclairée par les hautes fenêtres ogivales de l'abside, est exposé le gisant de saint Élophe, évangélisateur de la Lorraine, martyrisé au 4e s. Du parvis, vue sur la vallée du Vair, la basilique du Bois-Chenu, le château de Bourlémont.

▶ **POUR PERDRE LA TÊTE**
Saint Élophe se lava la tête à une fontaine après avoir été décapité ! Sa statue, monumentale (7 m), date de 1886.

RÉVISIONS

Testez vos connaissances de l'Ancien Testament en admirant les scènes sculptées sur le tympan de l'église : Massacre des innocents et Fuite en Égypte, Annonce aux bergers et Adoration des Mages, Entrée de Jésus à Jérusalem.

Saint Élophe est également évoqué dans un petit **musée** installé à la mairie. *Avr.-sept. : 9h-12h, 14h-19h ; oct.-mars : 14h-17h. Fermé pdt vac. scol. Noël. 5F.* ☎ *03 29 06 97 94.*

Domrémy-la-Pucelle★ *(voir p. 372)*

Pompierre
◄ *12 km au Sud par la D 74, et la D 1 à gauche.*

L'**église St-Martin**, rebâtie au 19e s. en bordure de la route, a toutefois conservé son **portail★** roman du 12e s. Des voussures remarquablement travaillées encadrent un tympan sculpté à trois registres. La décoration très fouillée des chapiteaux ornés de bêtes affrontées et des colonnettes complète cet ensemble.

Neuwiller-lès-Saverne★

HISTOIRE SAINTE

Les reliques de saint Adelphe, évêque de Metz, ont été transférées en 826 à l'abbaye de Neuwiller. Les pèlerins affluèrent aussitôt, recherchant la guérison sur le tombeau du saint.

C'était autrefois un but de pèlerinage ; aujourd'hui, on brûle beaucoup moins de cierges à saint Adelphe dont on a un peu oublié les miracles. Les touristes ont pris la place des pèlerins pour visiter la superbe église St-Pierre-et-St-Paul. Les évêques de Metz, qui savaient vivre, n'avaient pas choisi par hasard ce lieu pour construire une abbaye. Il était protégé des vents, au milieu des collines et des forêts. Il l'est toujours.

La situation
Cartes Michelin n°s 87 Sud-Est du pli 13 ou 242 pli 15 — Schéma Sud p. 400 — Bas-Rhin (67). Sur la D 219 à 13 km au Nord de Saverne.

Le nom
« Lès » signifie « près de ». Nous sommes donc près de Saverne.

Les gens
1 116 Neuwillerois. Depuis 1818, Henri Clarke, comte d'Hunebourg, duc de Feltre, maréchal de France (ouf !) repose dans le cimetière, parmi un certain nombre de ses collègues officiers du 1er Empire.

L'église St-Pierre-et-St-Paul, aux tours résolument romanes.

À LA FERME

Ferme-fromagerie Herrenstein - *7 r. de la Gare,* ☎ *03 88 70 31 07. Sur RDV. 20F.* Élevage de vaches laitières et production fromagère.

visiter

Église St-Pierre-et-St-Paul★
Visite : 1/2 h. Visite libre de l'église, visite guidée des tapisseries sur demande auprès du curé, 5 cour du Chapitre, ☎ *03 88 70 00 51.*

La partie la plus ancienne de cette abbatiale renommée est la crypte. Le chœur, le transept et une travée de la nef sont du 12e s. Le flanc gauche, donnant sur une grande place entourée des maisons des chanoines, est percé de deux portes : à droite, une porte du 13ᵉ s., de chaque côté de laquelle se dressent les statues de saint Pierre et de saint Paul ; à gauche, une porte du 12ᵉ s. dont le tympan représente un Christ bénissant.

Au bas du collatéral droit, tombeau de saint Adelphe (13ᵉ s.) sur huit colonnes élevées, disposition permettant autrefois aux fidèles de passer sous le tombeau du saint. En remontant le bas-côté droit jusqu'au croisillon, on verra une **Vierge**★ assise du 15ᵉ s. Dans le bras gauche du transept, St-Sépulcre polychrome de 1478. Au-dessus du groupe formé par les trois saintes femmes portant des vases de parfums, autour du corps de Jésus, une niche abrite une Vierge du 14ᵉ s.

Les **chapelles superposées**★ sont toutes les deux du 11ᵉ s. et de même plan. Si les bases sont les mêmes, les chapiteaux cubiques, complètement nus dans la chapelle inférieure, sont décorés de beaux motifs dans la chapelle supérieure. La chapelle haute contient quatre panneaux de remarquables **tapisseries**★★.

> **REMARQUER**
> Au fond de la nef, une tribune et de belles orgues de 1773-1777.

> **RARE**
> Les tapisseries de la fin du 15ᵉ s. représentent la vie et les miracles de saint Adelphe.

Église St-Adelphe

D'avr. à fin oct. : 8h-18h.
Église de transition romano-gothique (12ᵉ-13ᵉ s.).

TOUS SOUS LE MÊME TOIT

Au moment de la Réforme, en 1562, la collégiale St-Adelphe a été la première en Alsace a pratiquer le « simultaneum », c'est-à-dire un partage, entre les catholiques et les protestants, du lieu de culte, en l'occurrence ici, le chœur aux catholiques et la nef aux protestants. Aujourd'hui, seul le culte protestant y est célébré.

Niederbronn-les-Bains ♨♨

On ne vous le cachera pas plus longtemps, Niederbronn-les-Bains est bien une station thermale, comme son nom a pu vous le laisser supposer. Ce sont les Romains qui, vers 48 avant J.-C., ont découvert la première source et ses vertus curatives. Autrefois on venait prendre les eaux, aujourd'hui, la Celtic est mise en bouteilles et expédiée aux 4 coins de la France.

Remis en forme, grâce à l'une ou l'autre des deux sources, vous pourrez tenter l'ascension du modeste point culminant des Vosges du Nord, le Grand Wintersberg (581m), tout proche.

La situation

Cartes Michelin nᵒˢ 87 pli 3 ou 242 pli 16 — Schéma p. 401 — Bas-Rhin (67). Niederbronn est situé dans le Parc naturel régional des Vosges du Nord ; c'est le point de départ d'un circuit des Châteaux décrit p. 397.

🚏 *2 pl. de l'Hôtel-de-Ville, 67110 Niederbronn-les-Bains,* ☎ *03 88 80 89 70.*

La spécialité

La spécialité locale, le *Keschtewurscht* (entraînez-vous pour le prononcer !) est un boudin aux châtaignes très apprécié. Pendant tout l'automne, vous en trouverez sur la carte de la plupart des restaurants de la région.

Les gens

4 372 Niederbronnois. Au 18ᵉ s., les barons de Dietrich, premiers de la fameuse dynastie d'industriels, s'employèrent à faire connaître la station thermale. L'entreprise métallurgiste de Dietrich reste aujourd'hui le principal employeur de la ville.

carnet pratique

OÙ DORMIR

• À bon compte

Hôtel Cully – *R. de la République* - ☎ *03 88 09 01 42* - 🅿 *- 40 ch. : 200/330F - ⌷ 48F - restaurant 60/250F.* Dans une rue passante non loin du centre, cet hôtel est installé dans deux bâtiments séparés par une belle terrasse fleurie. Ses chambres, spacieuses et bien tenues, sont plus agréables dans la maison principale. Cuisine alsacienne servie dehors en été.

OÙ SE RESTAURER

• Valeur sûre

Anthon – *67510 Obersteinbach - 14 km au N de Niederbronn par D 653 puis D 53 -* ☎ *03 88 09 55 01 - fermé janv., mar. et mer. - 130/370F.* Cette jolie maison rouge est une charmante étape, dans un petit village pittoresque des Vosges. Sa belle salle à manger en rotonde ouvre ses grandes fenêtres sur le jardin où s'installent quelques tables en été... Deux chambres amusantes avec leurs « lits-clos » alsaciens.

THERMALISME

Les eaux sont débitées par deux sources : la source romaine qui jaillit en plein cœur de la ville, devant le casino municipal (traitement des affections rhumatismales, arthrosiques et inflammatoires, des séquelles de traumatisme, de l'artérite) ; la source Celtic, une des moins minéralisées en France, commercialisée depuis 1989, a des vertus bienfaisantes sur les maladies rénales.

Établissement thermal – *16-18 r. du Mar.-Leclerc -* ☎ *03 88 80 88 80.*

Établissement thermal saisonnier – *Pl. des Thermes -* ☎ *03 88 80 30 70.*

LOISIRS SPORTIFS

Ferme Charles Dangler – *Lieu dit Haul - 67110 Gundershoffen - 6 km au SE de Niederbronn en dir. d'Haguenau par D 662 -* ☎ *03 88 72 85 73 - tlj accueil : 10h-12h, 14h-20h.* Malgré les 360 km de chemins balisés qui s'étendent autour de la ville, vous ne trouverez ici aucun loueur de vélo. C'est l'occasion d'essayer l'équitation sur l'un des dix chevaux de cette ferme. Promenades accompagnées de une à huit heures, quel que soit votre niveau.

DISTRACTIONS

Le Parc – *Pl. des Thermes -* ☎ *03 88 80 84 84 - ven.-mer., tlj en juil.-août 12h-0h - fermé fév.* Tous les jours en été, la terrasse de ce restaurant est animée de groupes folkloriques et de thés dansants. Un espace réservé à la brasserie permet de venir s'y détendre et de profiter du spectacle à toute heure.

Casino – *10 pl. des Thermes -* ☎ *03 88 80 84 88 - dim.-jeu. 11h-2h, ven.-sam. 11h-3h.* Le seul casino d'Alsace compte 135 machines à sous et une salle de jeux traditionnels. Celui-ci gère également la petite salle de cinéma adjacente où sont programmés deux fois par semaine des films récents et grand public.

Le casino

visiter

Maison de l'Archéologie des Vosges du Nord

44 av. Foch. ♿ *Mars-oct. : tlj sf mar. 14h-18h ; nov.-fév. : dim. et j. fériés 14h-17h. Fermé entre Noël et Jour de l'An. 15F.* ☎ *03 88 80 36 37.*
Collection archéologique provenant des fouilles effectuées dans la proche région. Une salle est consacrée aux poêles de fonte, spécialité de Niederbronn depuis plus de trois siècles.

Château de Wasenbourg

🚶 *À l'Ouest. 1h1/4 à pied AR.* Partir de la gare SNCF et suivre l'allée des Tilleuls. Après être passé sous la voie de contournement, à hauteur du lieu dit Roi de Rome, tourner à gauche dans le sentier « promenade et découvertes » qui mène aux ruines du château (13ᵉ s.). Au Nord-Est, vestiges d'un temple romain.

Obernai ★★

On ne risque pas de mourir de soif à Obernai, route des Vins oblige. En plus, c'est un peu le pays de la « Kro » (les brasseries Kronenbourg y sont installées). L'Alsace est là tout entière, avec ses cigognes, ses vieilles maisons aux toits polychromes, ses petites rues fleuries, ses enseignes, ses remparts, son puits et la statue de sainte Odile.

La situation

Cartes Michelin n°s 87 pli 15 ou 242 plis 23 et 24 — Bas-Rhin (67). Obernai se trouve au Nord du vignoble alsacien, à 27 km au Sud-Ouest de Strasbourg. Enserrée par les hauteurs du mont Ste-Odile qui se trouve à 13 km à l'Ouest *(voir ce nom)*, la ville est aussi desservie par l'A 35 qui file au Sud vers Colmar à 50 km, Mulhouse et Bâle.
🛈 *Pl. du Beffroi, 67210 Obernai,* ☎ *03 88 95 64 13.*

Le nom

En 778, Obernai est connu sous le nom d'Ehineim du nom du ruisseau qui le traverse, l'Ehn. C'est la propriété du farouche Étichon, duc d'Alsace, père cruel de sainte Odile.

Les gens

9 610 Obernois. Beaucoup d'entre eux sont des vignerons au fait des dernières techniques vinicoles, avec leurs cuves en inox, leurs pressoirs pneumatiques et leurs vendangeoirs informatisés. À Obernai, on n'arrête pas le progrès !

RENDEZ-VOUS
À la mi-juillet pour l'« Hans em Schnokeloch », grande fête folklorique. À la mi-octobre pour la fête des vendanges.

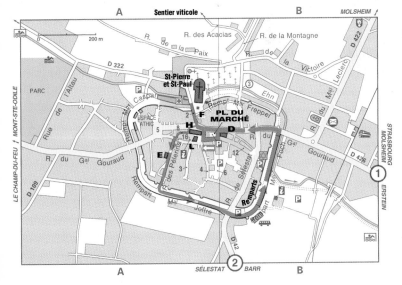

carnet pratique

OÙ DORMIR

● Valeur sûre

Hôtel La Diligence – 23 pl. de la Mairie - ☎ 03 88 95 55 69 - 41 ch. : 258/418F - ☐ 50F. Cette jolie maison alsacienne à colombage est bien située sur la place principale d'Obernai. Ses chambres plutôt spacieuses sont assez agréables avec leur style rustique alsacien. Une formule de petite restauration est proposée dans le cadre cosy de son salon de thé...

OÙ SE RESTAURER

● À bon compte

La Cour des Tanneurs – Ruelle du Canal-de-l'Ehn - ☎ 03 88 95 15 70 – Fermé 20 déc. au 5 janv., mardi soir et mer. - 95/185F. Dans une toute petite ruelle du centre, ce restaurant au décor propret et récent sert une cuisine régionale, concoctée et servie en famille... Une étape simple qui satisfera votre appétit, sans doute creusé par la balade, avec ses formules à prix doux.

● Valeur sûre

Winstub Régina – 46 r. du Gén.-Gouraud - ☎ 03 88 95 53 77 - fermé 15 j. en fév., mer. soir et lun. - 130/150F. Dans la rue principale d'Obernai, au fond d'une cour où sont dressées quelques tables, cette maison est une bonne adresse pour déjeuner à moindre coût. Avant de vous attabler, jetez un œil sur les clés de tonneaux au-dessus de l'entrée. Décor et cuisine typiques.
Visite de caves

Blanck R – 167 r. du Gén.-Gouraud - ☎ 03 88 95 58 03.

Seilly J.P et M – 18 r. du Gén.-Gouraud - ☎ 03 88 95 55 80.

Strohm H – 8 r. des Pèlerins - ☎ 03 88 95 54 02.

Strub A – 14A r. de Bernardswiller - ☎ 03 88 95 39 83.

Weibel M – 18 r. de la Colonne - ☎ 03 88 95 67 43.

OÙ ACHETER DU VIN

Aux Caves d'Obernai – 14 r. du Marché - ☎ 03 88 95 36 94 - lun. 14h-18h30, mar.-sam. 9h30-12h, 14h-18h30 - fermé 10 janv.-1er fév. Tous les crus du Clos Ste-Odile, dont les vignes s'étendent au-dessus de la ville, sont en vente dans ce magasin : riesling, tokay, gewurztraminer, pinot noir, liqueurs, eaux-de-vie de framboise, de mirabelle...

Maison du Vin – Seilly – 1 r. de la Paille - ☎ 03 88 95 46 82 / 55 80 - tlj 8h30-12h, 14h30-19h - fermé janv.-Pâques, sf parfois le w.-end. Sise dans une maison de 1628, cette ancienne échoppe de drapiers est à présent la boutique du viticulteur Seilly. Entre autres agapes, vous pourrez y déguster le « vin du pistolet » qui doit son nom à l'amusante rencontre entre l'empereur Ferdinand Ier, grand amateur de vin, et l'« effronté » maire d'Obernai... Anecdote qui vous est abondamment commentée sur place.

RANDONNÉE

Sentier viticole du Schenkenberg – Circuit de 3,6 km (1h30 à pied) permettant de découvrir le vignoble sur 250 ha. Parking au mémorial ADEIF, repérable par la grande croix de 12 m de haut. En été, visite guidée hebdomadaire suivie d'une visite de cave. Voir l'Office de tourisme. ☎ 03 88 95 64 13.

OÙ PRENDRE UN VERRE

L'Athic – 6 pl. de l'Étoile - ☎ 03 88 95 50 57 - Pâques-nov. : tlj 11h-3h - le reste de l'année : 15h-3h. Cet élégant bar à cocktails, meublé de fauteuils en velours et d'un piano à la disposition de la clientèle, ménage différents espaces : une salle de billards à l'étage et une autre plus intime avec un comptoir en étain et de vieilles tables en marbre.

se promener

Place du Marché★★
Centre de la ville, elle est bordée de maisons aux teintes dorées tirant parfois vers le carmin, nuances qui donnent aux rues d'Obernai cette lumière si particulière.

Ancienne halle aux blés★
Elle date de 1554 et abritait autrefois les boucheries municipales.

Tour de la Chapelle★
Ce beffroi du 13e s. était le clocher d'une chapelle dont ne subsiste que le chœur. La flèche gothique culmine à 60 m. Flanquée de quatre échauguettes ajourées, elle date du 16e s.

Hôtel de ville★
Quelques vestiges du 14e au 17e s. (oriel et beau balcon sculpté de 1604 en façade) sont intégrés à la reconstruction de 1848.

Image de l'Alsace traditionnelle : la place du Marché ornée en son centre d'une fontaine dédiée à sainte Odile.

Puits aux six seaux
Trois rouelles dont chacune porte deux seaux pour ce ▶ puits Renaissance.

Église St-Pierre-et-St-Paul
Imposante, elle a été construite au 19ᵉ s. dans le style néogothique. Dans le bras gauche du transept, autel du St-Sépulcre (1504) et châsse contenant le cœur de Mgr Freppel, évêque d'Angers, mort en 1891. Quatre fenêtres portent des vitraux du 15ᵉ s. attribués à Pierre d'Andlau ou à son élève Thibault de Lyxheim.

Maisons anciennes★
Elles sont très nombreuses dans le quartier de la place du Marché (notamment ruelle des Juifs) et jusque vers la place de l'Étoile. Rue des Pèlerins, remarquez une maison en pierre de trois étages, du 13ᵉ s.

Remparts
C'est au 12ᵉ s lorsqu'elle est possession du Saint Empire romain germanique, que la ville décide de se protéger par une double enceinte fortifiée. Remaniée à plusieurs occasions, c'est une promenade agréable aujourd'hui, dont la partie la mieux conservée est le rempart Maréchal-Foch.

Revenir à la place du Marché par la rue du Gén.-Gouraud.

DANS LE VENT
Le puits d'Obernai est l'un des plus beaux d'Alsace même s'il a connu au cours du temps quelques avatars qui ont entraîné des rénovations. La date de sa création est apposée sur la girouette : 1579.

Val d'**Orbey** ★★

Bois et pâturages, lacs d'altitude, forêts de sapins au pied de la ligne bleue des Vosges, c'est le paradis des randonneurs. Ici, vous serez surpris par la consonance française des noms des villages et des lieux. Nous sommes en pays Welche où l'on a toujours ignoré le dialecte alsacien et où le parler a une origine romane et non pas germanique : Les Trois-Épis, Le Bonhomme, Fréland, Lapoutroie...

La situation
Cartes Michelin nᵒˢ 87 pli 17 ou 242 pli 31 — Schémas p. 123 et 147 — Haut-Rhin (68).
Entre Kaysersberg, Munster et le col du Bonhomme. Accès possible par Colmar, St-Dié ou Gérardmer.

Le nom
Le terme « pays Welche » signifie le pays des étrangers de l'Ouest, allusion à l'exception linguistique qui fait qu'ici on ne parle pas le dialecte germanique.

PARLEZ-VOUS WELCHE ?
Certains anciens, nés avant-guerre, le parlent encore. C'est une langue romane, datant de l'occupation romaine en Gaule, issue du latin populaire. Elle a hérité du latin une grammaire rigoureuse et des modes de conjugaison particuliers.

carnet d'adresses

Où dormir

● *Valeur sûre*

Gîte rural La Forêt – *3 la Forêt - 88230 Plainfaing - 14 km au N du col de la Schlucht par D 23, puis D 23H - ☎ 03 29 50 38 90 - ✉ - jusq. 6 pers. : sem. 2000F, w.-end 600F.* Peut-être serez vous réveillé par les moutons qui paissent dans la prairie arborée en contrebas. Aménagé dans une ferme vosgienne de la fin du 19ᵉ s., ce gîte très bien équipé au milieu d'un jardin domine la vallée et les montagnes. Cheminée dans la salle à manger spacieuse.

Chambre d'hôte Ferme du Busset – *33 r. du Busset - 68370 Orbey - ☎ 03 89 71 22 17 – 1 km à l'E d'Orbey par rte secondaire - ✉ - 6 ch. : 260/280F.* Une ferme d'élevage dans la campagne au-dessus d'Orbey. Vous profiterez tranquillement de l'air vivifiant et du calme environnant dans ses chambres lambrissées ou ses gîtes. Avant de repartir, achetez fromages, charcuteries et confitures maison...

Où se restaurer

● *Valeur sûre*

La Maison du Pays Welche – *2 r. de la Rochette - 88240 Fréland - ☎ 03 89 71 90 52 - fermé mi-fév. à mi-mars et mer. - 150F.* Après la visite du musée, qui vous en dira long sur le pays Welche, attablez-vous dans cette ancienne maison. Elle est amusante avec ses outils agricoles anciens, son soufflet de forge et sa charrette suspendue dans la charpente... Cuisine classique.

Gourmandise

Confiserie des Hautes-Vosges – *Habeaurupt - 88230 Plainfaing - ☎ 03 29 50 44 56 - lun.-sam. 10h-12h, 14h-18h.* Du sucre, du miel des Vosges, des arômes naturels, parfois même des huiles essentielles, et tout cela qui cuit à feu nu dans des chaudrons en cuivre sous vos yeux. Il ne vous reste plus alors qu'à goûter... et acheter ces friandises aux saveurs d'autrefois : bonbons des Vosges, bergamotes de Nancy, myrtilles, violettes, coquelicots...

circuit

57 km — environ 4h

Les Trois-Épis★★

Admirablement située, cette station climatique est le centre d'inépuisables excursions à pied ou en auto.

🚶 En parlant de randonnée pédestre, celle du **Galz★★** *(1h à pied AR)* vous procurera une vue sur la plaine d'Alsace, la Forêt-Noire, le Sundgau et le Jura. Au sommet, un gigantesque monument commémore le retour de l'Alsace à la France en 1918.

🚶 Pour apprendre à reconnaître la flore qui couvre les versants, suivez plutôt le **sentier de la forêt de St-Wendelin** *(1h1/2 à pied ; livret-guide à l'Office de tourisme. Départ du parking, place des Antonins ; balisage vert symbolisé par un écureuil).*

Au départ des Trois-Épis, la D 11 vers Orbey puis la D 11ⱽᴵ longent la crête qui sépare les vallées d'Orbey et de Munster et offrent, tantôt sur l'une, tantôt sur l'autre, de jolies vues. Tracée en forêt, la route contourne le Grand Hohneck et atteint bientôt la région du Linge.

Le Linge *(voir p. 238)*

Prendre à droite au Collet du Linge, puis, après avoir laissé à gauche le chemin de Glasborn, prendre encore à droite au col du Wettstein (cimetière militaire des Chasseurs).

Lac Noir★

Alt. 954 m. Il occupe le fond d'un cirque glaciaire. Une moraine, à laquelle s'appuie un barrage, retient ses eaux vers l'Est ; de hautes falaises granitiques forment, sur le reste du pourtour, un cadre vraiment grandiose que l'on découvrira en faisant le **tour du lac** (🚶 *1h à pied AR par un sentier jalonné de croix jaunes).* Laisser la voiture au point de stationnement indiqué sur le schéma. Prendre à gauche un sentier qui s'élève vers un promontoire rocheux d'où la **vue★** est belle sur le lac, la vallée de Pairis et la plaine d'Alsace. En poursuivant, le sentier s'élève dans les falaises, belles vues en particulier à hauteur de l'usine hydroélectrique.

Apparition

C'est l'apparition de la Vierge, en 1491, à un forgeron d'Orbey, qui a donné son nom au lieu. Elle tenait dans une main trois épis symbolisant le pardon, la miséricorde et la surabondante bénédiction de Dieu, et dans l'autre un glaçon, symbole du cœur endurci.

Loisirs

Il est possible de pêcher sur les deux lacs. Se renseigner à l'Office de tourisme.

Lac Blanc★

Situé à 1 054 m d'altitude, ce lac, d'une superficie de
29 ha et profond de 72 m, est encastré dans un cirque
glaciaire et dominé par un étrange rocher en forme de
forteresse, le « **château Hans** ». De hautes falaises granitiques en partie boisées l'entourent, ce qui n'adoucit pas
le décor encore rude.

Au col du Calvaire, on atteint la route des Crêtes que
l'on prend à droite. De la route, jolis points de vue sur
la vallée de la Béhine, dominée par la Tête des Faux,
avant d'atteindre le col du Bonhomme.

> **À VOIR**
> La route qui longe le lac
> Blanc offre des vues de
> plus en plus belles sur le
> cirque rocheux qui
> enserre le plan d'eau.

Col du Bonhomme

Alt. 949 m. Entre le col de Ste-Marie (au Nord) et le col
de la Schlucht (au Sud), il fait communiquer l'Alsace et
la Lorraine, de Colmar à Nancy.

En descendant, jolie vue sur la vallée de la Béhine dominée, en avant et au loin, par le Brézouard et, à droite et
plus près, par la Tête des Faux.

> **À GUETTER**
> La route passe ensuite au
> pied des rochers qui
> portent les vestiges du
> château de Gutenburg.

Le Bonhomme

On entre ici en pays Welche. Les ruisseaux dévalent de
partout pour former la Béhine.

Lapoutroie

Ce village possède un petit **musée des Eaux-de-Vie,** installé dans un ancien relais de poste 18ᵉ s. On peut y assister à une démonstration de fabrication des eaux-de-vie
et liqueurs. Dégustation et possibilité d'achat. & *9h-12h,
14h-18h. Fermé 25 déc. Gratuit.* ☎ *03 89 47 50 26.*

*Continuer sur la N 415 vers Kaysersberg, puis tout de suite à
gauche sur la D 11ᴵⱽ, route verdoyante menant à Fréland.*

Fréland

C'est le « pays libre » où les mineurs de Ste-Marie-aux-
Mines *(voir ce nom)* bénéficiaient de privilèges locaux. À
la **maison du Pays Welche** *(2 rue de la Rochette)*, les habitants des environs ont rassemblé des objets qui évoquent
les traditions du pays dans un ancien presbytère datant
du 18ᵉ s. Le cadre et la reconstitution de la vie du pays
sont particulièrement soignés. Présentation des métiers
d'autrefois, four à pain, roue d'eau, four à lin... *Juin-
sept. : visite guidée (1h1/2) tlj sf mer. à 10h, 15h, 16h30 ;
oct.-mai : sur demande. Fermé de mi-fév. à mi-mars. 15F.*
☎ *03 89 71 90 52.*

Une ancienne forge hydraulique en état de marche, avec
sa roue à aube est visible au **musée de la Forge**. *Visite
toute l'année sur rendez-vous.* ☎ *03 89 47 58 30.*

*Revenir à la N 415, puis au rond-point prendre à gauche la
D 48 vers Orbey.*

> **FESTIVITÉS**
> Le pays Welche fait la
> fête à la mi-mai et un
> marché de la St-Nicolas
> s'y tient mi-décembre.

Orbey

Composé de nombreux hameaux, Orbey s'allonge dans
la verdoyante vallée de la Weiss entre des hauteurs sil-
lonnées de sentiers d'une fraîcheur agréable.

*Le lac Blanc se niche entre
le col du Calvaire et le
rocher observatoire
Belmont, au pied de la
route des Crêtes.*

Après Orbey, la route s'élève dans le vallon de Tannach, puis continue, sinueuse et en corniche, offrant de jolies vues sur la vallée de la Weiss dominée par le piton du Grand Faudé. Plus loin, elle change de versant et offre une belle vue en avant et à gauche sur la vallée du Walbach, le Galz et son monument, la plaine d'Alsace. Laissant le hameau de **Labaroche** à gauche, on voit bientôt en avant le Grand Hohneck et, plus à droite et tout proche, le piton conique du Petit Hohneck, avant d'atteindre la route qui ramène aux Trois-Épis.

Ottmarsheim

Lorsqu'elle fut consacrée par Léon IX, vers 1049, l'église carolingienne d'Ottmarsheim n'était éclairée que par des cierges. Neuf cents ans plus tard, la très moderne centrale hydroélectrique construite sur le Grand Canal d'Alsace a complètement bouleversé la physionomie de la ville. Deux éclairages donc pour une lumineuse visite au bord du Rhin : la lumière divine dans cette église carolingienne unique en Alsace et la lumière électrique grâce à la seconde des huit usines qui jalonnent le Canal d'Alsace.

La situation
Cartes Michelin n°s 87 pli 9 ou 242 pli 40 — Schéma p. 284 — Haut-Rhin (68). En bordue de la A 36-E 54 Mulhouse-Bâle-Fribourg-en-Brisgau.

Le symbole
L'église octogonale, très rare exemple de l'architecture carolingienne, copie réduite de la chapelle palatine de Charlemagne à Aix-la-Chapelle, est une référence en matière d'architecture romane dans le monde entier.

Les gens
1 897 Ottmarsheimois. En 1770, l'empereur d'Autriche Joseph II est venu se recueillir dans l'abbaye d'Ottmarsheim.

visiter

> **À VÉRIFIER**
> Toutes les mesures du bâtiment sont divisibles par 3, chiffre de la Sainte Trinité.

Église★
◀ Ce très curieux édifice octogonal (24 m de diamètre) est l'église d'une abbaye de bénédictines fondée au milieu du 11e s. Le clocher, dans sa partie supérieure, est du 15e s., ainsi que la chapelle rectangulaire accolée au Sud-Est, alors que la chapelle gothique fut construite en 1582 à gauche de l'abside.

L'intérieur est un octogone régulier couvert d'une cou-
◀ pole. À gauche de l'abside carrée, une porte, avec une grille en fer forgé donne accès à la chapelle gothique. En

> **À VOIR**
> Peintures murales restaurées du 15e s. : vie de saint Pierre, Christ en majesté présidant au Jugement dernier.

Un octogone régulier inspiré du style carolingien, tel apparaît l'intérieur de la belle église d'Ottmarsheim.

1991, un incendie a causé d'importants dégâts à l'église. L'orgue a été détruit et certaines fresques très endommagées. Elles ont fait l'objet d'une savante restauration.

Centrale hydroélectrique★

Visite guidée (2h) tlj sf w.-end 8h-12h, 14h-16h30, ven. 8h-12h sur demande écrite 3 sem. av. à EDF, Énergie Est, 54, av. Robert-Schuman, BP 1007, 68050 Mulhouse Cedex. ☎ 03 89 35 20 00.

L'usine d'Ottmarsheim, le bief et les écluses constituent le 2e tronçon du Grand Canal d'Alsace contribuant à l'aménagement du Rhin entre Bâle et Lauterbourg. La fermeture des **écluses** est assurée à l'amont par des portes busquées et à l'aval par des portes levantes qui coulissent dans leurs parois. Seul le poste de commande domine les deux sas. À l'intérieur de l'**usine**, la salle des machines est très claire et très vaste. Ses quatre groupes, d'une puissance totale maximale de 156 MW, produisent en moyenne 980 millions de kWh par an.

> **POUR LES BATEAUX**
> La montée ou la descente du plan d'eau permet un éclusage rapide : 11 mn dans le petit sas et 18 dans le grand.

Massif du **Petit Ballon**★

Il ne s'agit pas d'un terrain de football, mais du domaine des « chaumes », ces prairies naturelles au sommet des monts chauves, où les troupeaux viennent à la belle saison fabriquer le bon lait, matière première de l'odorant et néanmoins savoureux munster. Vous pourrez tester les différents crus à l'occasion d'étapes dans les fermes-auberges qui reçoivent les randonneurs pendant l'été.

La situation

Cartes Michelin nos 87 plis 17, 18 ou 242 plis 31, 35 — Schéma p. 123 — Haut-Rhin (68). Un peu au Sud de Munster, le massif appartient logiquement au Parc naturel régional des Ballons des Vosges *(voir ce nom).*

Le nom

Le nom de « ballons » a été donné aux sommets arrondis et chauves des Vosges. Il s'agit, bien évidemment, davantage d'une ressemblance avec les ballons de football qu'avec les ballons de rugby.

Les gens

Plus de 200 000 personnes habitent sur le territoire des Ballons des Vosges, au plus près de la nature. Parmi eux, les « marcaires ». Leur nom vient de l'alsacien *malker :* « celui qui trait ».

De la St-Urbain, 25 mai, à la St-Michel, 29 septembre, le marcaire s'installe avec ses troupeaux, dans sa ferme d'altitude, la marcairie. Il y produit du beurre et du fromage, le fameux munster. Du 30 septembre au 24 mai, il retrouve sa ferme dans la vallée. Il paraîtrait que les zwargala, les lutins des montagnes, occupent les marcairies pendant l'hiver.

itinéraires

On peut enchaîner les deux itinéraires suivants l'un après l'autre et prendre pour le retour à partir du Markstein un tronçon du circuit rattaché à Munster *(voir ce nom).*

DE MUNSTER AU PETIT BALLON

17 km — environ 2h. Quitter Munster par la D 417 vers Colmar que l'on abandonne après 5 km pour tourner à droite dans la D 40.

Après Soultzbach-les-Bains *(voir p. 240),* prendre à droite la D 43 qui remonte la vallée verdoyante du Krebsbach, où alternent les pâturages et les forêts.

> **OÙ DORMIR ET SE RESTAURER**
> **Ferme-auberge Kahlenwasen** — *68380 Metzeral - au pied du Petit Ballon -* ☎ *03 89 77 32 49 - fermé 2 nov. au 30 avr. et mer.* 🚫 *- 88F.* Cette ferme a bonne réputation. La maison des années 1920 est simple, mais sa salle décorée d'outils agricoles est sympathique et l'été, la terrasse offre une belle vue sur la plaine d'Alsace. Spécialité de fromages. Quelques chambres simples.

> **RECETTE**
> La recette du munster est connue depuis le 9e s. L'appellation apparaît au 16e s. Pour une livre de fromage, faire chauffer 5 litres de lait dans un grand chaudron en cuivre. Lorsque la température atteint 38°, ajouter la présure. Le caillé obtenu est découpé en cubes que l'on fait égoutter après les avoir disposés dans des formes en bois.

À **Wasserbourg**, on emprunte une route forestière et on atteint les prairies où, à hauteur de l'auberge du Ried, on a une vue superbe sur la crête du Hohneck. Après un court passage sous bois, ce sont de nouveau les pâturages, au milieu desquels s'élève la ferme-restaurant du Kahler Wasen. La **vue★** s'étend sur Turckheim, au débouché de la vallée de la Fecht, sur la vallée elle-même et les hauteurs qui la dominent et, au-delà, par temps clair, sur la plaine d'Alsace.

Petit Ballon★★

Alt. 1 267 m. 🚶 *De la ferme-restaurant du Kahler Wasen, 1h1/4 à pied AR.*

Superbe **panorama** à l'Est, sur la plaine d'Alsace, les collines du Kaiserstuhl et la Forêt-Noire ; au Sud, sur le massif du Grand Ballon ; à l'Ouest et au Nord, sur le bassin des deux Fecht.

DU PETIT BALLON AU MARKSTEIN

23 km — environ 2h1/2. Descendre par le col et la route forestière du Boenlesgrab.

La route, en forte descente, offre une belle vue à droite sur la vallée de la Lauch. Attention aux deux lacets avant l'arrivée à Lautenbach.

Lautenbach★ *(voir p. 173)*

Prendre à droite la D 430 qui, après quelques kilomètres devient très sinueuse en montée puis change de versant.

Le Markstein *(voir p. 148, 174)*

SOMMETS VOSGIENS
Le Donon : 1 009 m ;
Champ du Feu : 1 100 m ;
Ballon de Servance :
1 216 m ; Ballon d'Alsace :
1 250 m ; Petit Ballon ou
Kahler Wasen : 1 267 m ;
Le Hohneck : 1 362 m :
Grand Ballon ou Ballon de
Guebwiller : 1 424 m,
point culminant.

La Petite-Pierre★

Des pierres, il y en a à Petite-Pierre... et pas que des petites... Il y a celles qui restent des fortifications de Vauban, celles d'une ancienne tour romaine, celles du château du 12ᵉ s., celle de l'église... Petite-Pierre est le point de départ de plus de 100 km de sentiers balisés : autrement dit, inutile de jouer au Petit Poucet et de semer vos cailloux pour vous orienter !

La situation

Cartes Michelin nᵒˢ 87 pli 13 ou 242 pli 15 — Schéma p. 400 — Bas-Rhin (67). À 55 km au Nord-Ouest de Strasbourg, 22 km au Nord de Saverne.
🛈 *67290 La Petite-Pierre, ☎ 03 88 70 42 30.*

Le nom

Le bourg doit son nom au comte Walther de Parva Petra, premier propriétaire, en 1180, du château fort. En version alsacienne, on l'appelle « Lützelstein ».

Les gens

623 Parva-Pétriciens, qui s'accommodent de porter un nom aussi peu commun...

se promener

VILLE ANCIENNE

On y accède par un chemin en forte montée, puis on suit la rue principale.

Église

Elle est décorée de **peintures murales** du 15ᵉ s. représentant, entre autres, le Couronnement de la Vierge, la Tentation d'Adam et Ève, le Jugement dernier, etc. La

---

OÙ DORMIR ET SE RESTAURER
Auberge d'Imsthal - *À l'étang d'Imsthal - 3,5 km au SE de la Petite-Pierre par D 178 -* ☎ *03 88 01 49 00 - fermé janv. -* 🅿 *- 23 ch. : 240/660F -* 🍽 *50F - restaurant 80/235F.* Une jolie étape pour le week-end : au bord d'un étang, cette maison à colombage jouit de la tranquillité paisible de la campagne qui l'entoure. Préférez les chambres les plus récentes, elles sont plus spacieuses et plus agréables. Sauna, hammam et solarium.

tour et la nef ont été rebâties au 19ᵉ s., mais le chœur gothique remonte au 15ᵉ s. Elle sert depuis 1737 aux cultes catholique et protestant.

Maison des Païens

Dans les jardins de la mairie, cette maison Renaissance (1530) a été construite sur les fondations d'une ancienne tour de garde romaine.

visiter

Musée du Sceau alsacien

W.-end et j. fériés 10h-12h, 14h-18h (juil.-sept. : tlj sf lun.). Fermé en janv. Gratuit. ☎ *03 88 70 48 65.*

Construite en 1684 et jadis réservée à la garnison (monuments funéraires de gouverneurs ou commandants d'armes), la **chapelle St-Louis** abrite désormais le curieux musée du Sceau alsacien. On y découvre l'histoire de l'Alsace par de nombreuses reproductions de sceaux de villes ou de seigneuries, de grands personnages ou de vieilles familles, de métiers ou de corporations, d'ordres religieux ou de chapitres.

Le musée du Sceau alsacien recèle des milliers de pièces médiévales, un trésor historique unique en son genre.

Château et maison du Parc

Ce château du 12ᵉ s. subira de nombreuses transformations, notamment sous l'impulsion du comte palatin du Rhin, Georges Jean de Veldenz, au 16ᵉ s. Aujourd'hui, la maison du Parc a investi les lieux. Grâce à une présentation astucieuse (reconstitutions, jeux, diaporamas...), l'exposition permanente « Nouveaux Espaces » permet, en six salles thématiques et multimédias, de découvrir les richesses historiques, culturelles et techniques de la région, ainsi que l'important patrimoine naturel du Parc naturel régional des Vosges du Nord (végétation, faune). *10h-12h, 14h-18h. Fermé en janv., 24-25 et 31 déc. 25F.* ☎ *03 88 01 49 59.*

Revenir par la rue des Remparts.

Points de vue sur la campagne et les sommets boisés.

« Magazin »

♿ *W.-end et j. fériés 10h-12h, 14h-18h (juil.-sept. : tlj sf lun.). Fermé en janv. Gratuit.* ☎ *03 88 70 48 65.*

Cet ancien entrepôt du 16ᵉ s., situé sur les remparts, abrite un petit **musée des Arts et Traditions populaires.** Curieuse collection de positifs de moules à gâteaux, dits *springerle* (gâteaux à l'anis) et *lebkuche* (pains d'épice).

Continuer à suivre la rue des Remparts qui rejoint la rue Principale.

> **CONSEIL**
> 🏃 La Petite-Pierre est le point de départ de très nombreux sentiers balisés (tableau indicateur à la mairie).

alentours

Parc animalier du Schwarzbach

▣ *Accès sur la D 134, au niveau de la maison forestière de Loosthal, entre La Petite-Pierre et Neuwiller.*

Dans son cadre naturel évolue l'une des espèces les plus prestigieuses de la grande faune des Vosges du Nord : le cerf élaphe. Dans une clairière, un mirador permet une bonne observation des animaux et de leur comportement.

Pour vous dégourdir plus amplement les jambes, un intéressant **sentier botanique** fait découvrir la diversité du milieu forestier des Vosges du Nord (arbres, écologie forestière, géologie, traces d'animaux...).

Berg

13,5 km à l'Ouest par D 9 et D 95. Dans le village, suivre les flèches « Kirchberg ». Depuis la chapelle de Kirchberg, point de vue intéressant sur Berg et, vers l'Est, sur les premiers reliefs boisés des Vosges du Nord. 🏃 Du parking, on peut emprunter un sentier botanique *(1h)* présentant les arbres les plus communs de la région.

> **PROMENADES**
> 🏃 Deux circuits sont possibles, l'un de 1,8 km (45 mn) et l'autre de 4 km (2h) avec de superbes points de vue sur la région.

Pfaffenhoffen

Dans le pays de Hanau aux collines douces et aux rivières chantantes, Pfaffenhoffen est ceint d'une ancienne fortification au milieu desquelles subsistent encore de jolies maisons ornées de colombages. Un extraordinaire musée de l'Imagerie peinte et populaire y conserve une des plus vieilles traditions picturales d'Alsace. Pour être sages... comme des images.

La situation

Cartes Michelin n°s 87 Ouest du pli 3 ou 242 pli 16 — Bas-Rhin (67). 15 km à l'Ouest de Haguenau, 27 km au Nord de Saverne, 37 km au Nord-Ouest de Strasbourg, 50 km à l'Est de Sarrebourg.

Les gens

À l'époque, la photographie n'existait pas, les imagiers-peintres itinérants ou sédentaires travaillaient à la demande pour enregistrer les moments importants de la vie des habitants. Une collection exceptionnelle de leurs œuvres est rassemblée au musée de l'Imagerie peinte et populaire alsacienne.

« Souvenir du 11e régiment d'artillerie », une des innombrables peintures sous verre du musée.

visiter

Musée de l'Image populaire★

17 r. du Dr-Albert-Schweitzer (au 1er étage). Mai-sept. : tlj sf lun. 14h-18h, mer. 10h-12h, 14h-18h ; oct.-avr. : tlj sf lun. 14h-17h, mer. 10h-12h, 14h-17h, w.-end 14h-18h. Fermé 1er janv., 1er mai, Ven. saint, 1er nov., 24 déc. 25F (enf. : 16F). ☎ 03 88 07 70 55.

ART NAÏF

Datant du Second Empire, les « églomisés », peintures sur fond noir où se détachent des motifs d'or, étaient conçus pour décorer les pièces éclairées par des bougies ou des lampes à pétrole dont la lumière vacillante faisait scintiller les dorures.

Ce musée perpétue la tradition alsacienne des images peintes à la main par les gens du peuple ou par les peintres imagiers de la région. Ce sont soit des images religieuses (de saints protecteurs) destinées à favoriser la prière ou à protéger la maison, le bétail, les récoltes, soit des images-souvenirs illustrant les événements marquants de la vie. Sont présentées des peintures sous verre aux couleurs éclatantes malgré leur grande ancienneté. Les images-souvenirs (17e-19e s.) côtoient des actes notariés décorés. On découvre également de splendides canivets, dentelles de papier aux fines miniatures, des ex-voto, des bannières de procession, des petites images de piété dont certaines datent du 17e s., des reliquaires. D'autres salles gardent les témoignages de l'une des plus anciennes et des plus longues traditions de la province, celle des « Goettelbrief » ou « souhaits de baptême », qui dura près de quatre cents ans.

Hôtel de ville

Sur la façade est représenté en médaillon un buste du
docteur Schweitzer, citoyen d'honneur de la ville. Le hall
abrite les œuvres (sculptures, peintures figuratives dans
le goût de l'impressionnisme) d'un artiste strasbourgeois,
Alfred Pauli (1898-1988).

> **À VOIR**
>
> Nombreuses maisons
> anciennes rue du
> Dr.-Schweitzer et rue du
> Marché.

Synagogue

Bien que l'édifice, datant de 1791 mais restauré, garde
une discrète façade, ce lieu communautaire témoigne de
l'importance de la société juive de l'époque. L'ensemble
est orné d'un remarquable encadrement d'arche sainte,
une Kahlstub (salle communautaire) et une chambre
pour l'hôte de passage.

alentours

Cimetière juif d'Ettendorf

*6 km au Sud-Ouest par les D 419^A et D 25, 1re route à droite.
Traverser le village et prendre une petite route parallèle à la
voie ferrée, qui conduit en 500 m au cimetière.* Les stèles
levées de ce cimetière juif, le plus ancien d'Alsace,
s'égrènent à flanc de colline sur un vaste espace, s'inté-
grant parfaitement au paysage.

> **ADRESSE**
>
> Visite d'atelier d'orgues
> ven. et sam. sur
> rendez-vous :
> *M. Mahler, 1 pl. du
> Marché,* ☎ *03 88 07
> 75 91.*

Buswiller

2 km à l'Ouest d'Ettendorf par la D 735. Le village conserve
de plaisantes maisons à colombage. Au n° 17 de la rue
Principale, on peut admirer le pignon ouvragé au traditionnel badigeon bleu cobalt, d'une ferme datée de 1599,
épargnée par la guerre de Trente Ans.

Plombières-les-Bains ♨ ♨

Ici pas de frime, la cure thermale, c'est du sérieux.
Les plus grands de ce monde ont fait confiance aux
eaux de Plombières découvertes par les Romains,
grands inventeurs de sources magiques. Tous souf-
fraient probablement de problèmes digestifs ou de
rhumatismes. Si l'eau vous lasse et si ces petits maux
ne vous concernent pas, rattrapez-vous sur la glace
« plombières ».

La situation

Cartes Michelin n°s 62 pli 16 ou 242 pli 34 — Vosges (88). Plombières est aujourd'hui un peu isolé, dans la vallée sauvage de l'Augronne ; mais Plombières fait partie des stations thermales des Vosges avec Contrexéville et Vittel,
à l'Ouest. En raison de l'étroitesse des rues, garez-vous
sur les parkings gratuits : promenades Mesdames, pl.
Beaumarchais, parterre de l'ex-hôtel du Parc, pl. Napo-
léon-III. **i** *16 r. Stanislas, 88370 Plombières-les-Bains,*
☎ *03 29 66 01 30.*

La spécialité

C'est à Plombières que Napoléon III décida avec Cavour
du rattachement de la Savoie et du comté de Nice à la
France, le 21 juillet 1858. La légende veut que la crème-
dessert préparée par le pâtissier lors de la réception qui
suivit, ait tourné. Alors, pour la récupérer, il eut l'idée
d'y ajouter du kirsch et des fruits confits. Le dessert est
resté dans l'histoire sous le nom de glace « plombières ».

Les gens

2 084 Plombinois. Après les Romains, les ducs de Lorraine, Montaigne en 1580 , Voltaire, à plusieurs reprises ,
mesdames Adélaïde et Victoire, les filles de Louis XV,
l'impératrice Joséphine et la reine Hortense, puis Mus-
set, Lamartine, Berlioz et Napoléon III, tous sont venus
prendre les eaux à Plombières.

*Kirsch et fruits confits : si
l'on va à Plombières, une
spécialité à ne pas
manquer...*

carnet pratique

VISITES GUIDÉES

Visite guidée de la ville, tous les mercredis et samedis. Départ à 15h de l'Office de tourisme. Un **circuit historique** *(durée : 2h environ ; livret-guide à l'Office de tourisme)* fait découvrir l'architecture de la station et les célébrités qui l'ont fréquentée.
Petit train touristique, en saison d'avril à octobre.

OÙ DORMIR ET SE RESTAURER

● **À bon compte**
Hôtel Fontaine Stanislas – *4 km à l'O de Plombières par D 20 -* ☎ *03 29 66 01 53 - fermé 16 oct. au 31 mars -* 🅿 *- 16 ch. : 165/330F -* ☕ *39F - restaurant 98/200F.* Repos assuré dans cet hôtel qui surplombe la vallée de Plombières, à l'orée d'une forêt.

Entourée d'un jardin, cette maison du début du 20e s., vous l'aurez compris, vaut surtout par sa situation... Son décor, un rien désuet, est néanmoins bien entretenu. Salle à manger en véranda.

CURES THERMALES ET REMISE EN FORME

La compagnie des Thermes créée en 1874 a assuré la gestion des établissements pendant un siècle. Depuis 1974, l'État a concédé la station à la société **Therma-France** qui gère aussi les stations de Bourbonne et Bourbon-Lancy.
Thermes – *BP 30 - 88370 Plombières-les-Bains -* ☎ *03 29 30 07 00.*

séjourner

LA VILLE THERMALE

Bain Stanislas

ASTUCIEUX
Des hublots, dans le sol, éclairent la galerie réalisée par Jutier. Elle canalise les eaux thermales et les conduit aux thermes Napoléon, à 600 m.

◄ Construit de 1733 à 1736, c'est l'ancienne maison des Dames du chapitre de Remiremont, ordre réservé aux jeunes filles de la haute noblesse lorraine.

Étuve romaine

De juil. à fin sept. : visite guidée (2h) jeu. à 15 h. Dép. de l'Office de tourisme. 30F.
Elle se visite comme les gradins du Bain romain *(escalier à l'extrémité de la place)*. Vestiges des fouilles entreprises par Jutier en 1856.

Maison des Arcades

Parmi les maisons du 18e s., celle-ci présente les armes sculptées en façade du roi Stanislas de Pologne. Il y recevait ses petites filles, Adélaïde et Victoire. Sous les arcades du rez-de-chaussée, la source du Crucifix a servi longtemps de buvette publique.

Bain national

Mêmes conditions de visite que l'étuve romaine.
Il fut reconstruit en 1935 par Franck Danis qui a réalisé la buvette lumineuse. La façade du Premier Empire a été conservée. Elle s'inspire des thermes de Lutèce.

PLOMBIÈRES-LES BAINS

Musée Louis-Français **M**

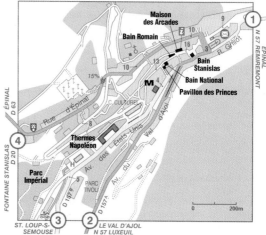

La rue Stanislas qu'embellit la perpective de la maison des Arcades du 18ᵉ s. aux balcons en fer forgé.

Thermes Napoléon
Mêmes conditions de visite que l'étuve romaine.
La statue de Napoléon III, à l'entrée, ouvre le vaste hall de 55 m de longueur, construit à partir de 1857. Il rappelle l'architecture des thermes de Caracalla à Rome. En face de l'établissement, parc Tivoli et villas du 19ᵉ s.

Parc impérial
À la sortie Sud de la ville, très beaux arbres d'essences rares, plantés sous Napoléon III. Le parc a été dessiné par Haussmann.

Fontaine Stanislas
À 3,5 km au Sud-Ouest de la ville par la D 20. À 1 km, tourner à gauche deux fois de suite.
Les sous-bois de cette belle forêt de hêtres sont magnifiques.
À 1 500 m de la dernière bifurcation, prendre à gauche le chemin de la Fontaine Stanislas.
La petite source jaillit d'un rocher couvert d'inscriptions datant du 18ᵉ s. et du début du 19ᵉ s. De la terrasse de l'hôtel, belle vue sur la vallée.

visiter

Musée Louis-Français
De mi-avr. à mi-oct. : tlj sf mar. 14h-18h. 20F. ☎ 03 29 30 06 74.
Œuvres du peintre Louis Français, né à Plombières en 1814, et de ses amis de l'école de Barbizon : Corot, Courbet, Diaz, Harpignies, Monticelli, Troyon...

Pavillon des Princes
De mai à fin oct. : tlj sf lun. 14h30-18h30. 20F. ☎ 03 29 66 01 30.
Construit sous la Restauration pour les membres de la famille royale, il surprend par sa modestie. Il abrite des expositions temporaires.

circuits

VALLÉES DE L'AUGRONNE ET DE LA SEMOUSE★
33 km — environ 1h. Quitter Plombières par la D 157bis.

Vallée de l'Augronne
La route suit la rivière, rapide et aux eaux claires, au milieu des prairies et des forêts.
Par la D 19, à Aillevillers-et-Lyaumont, rejoindre à la Chaudeau, au Nord, la D 20 pour remonter la vallée de la Semouse.

> **SECRET DE PRINCES**
> Dans le pavillon des Princes, Napoléon III, empereur des Français, rencontra secrètement le comte de Cavour, président du Conseil du Piémont. Ils décidèrent d'une stratégie militaire contre les Autrichiens qui avaient envahi l'Italie du Nord. En avril 1859, ils remportèrent ensemble les victoires de Magenta et de Solferino.

Vallée de la Semouse★

Elle est magnifiquement boisée, fraîche et calme. On l'appelait autrefois « vallée des Forges » à cause de ses petites usines métallurgiques. Très encaissée et sinueuse, elle est juste assez large pour contenir la rivière, la route et parfois d'étroites prairies.

Revenir à Plombières par la D 63, en descente très rapide qu'il convient d'emprunter avec prudence.

Très jolie vue sur la ville.

VALLÉE DES ROCHES

47 km — environ 2h. Quitter Plombières par la N 57 en direction de Luxeuil.

La route quitte rapidement la vallée de l'Augronne pour escalader le plateau qui marque le partage des eaux entre le bassin Méditerranée et celui de la mer du Nord. On descend ensuite vers la Moselle qu'on rejoint à Remiremont.

Remiremont *(voir ce nom)*

Quitter Remiremont par la D 23. La montée est pittoresque dans un beau vallon. À 3,5 km, prendre à gauche la D 57.

Peu après la Croisette d'Hérival, prendre à droite une route forestière goudronnée, étroite et sinueuse qui s'engage dans la forêt accidentée d'Hérival : beaux sous-bois hérissés de rochers.

Peu après avoir laissé à gauche le chemin de Girmont et une auberge, on atteint la cascade de Géhard.

Cascade de Géhard★

Située en contrebas de la route, à gauche, elle bondit et bouillonne en une série de cascades tombant dans des marmites de géants. En période de pluies, elle est magnifique.

Après avoir laissé à gauche la maison forestière du Breuil et, à droite, le chemin d'Hérival, prendre à gauche la route qui suit la vallée de la Combeauté ou vallée des Roches.

Vallée des Roches

C'est un beau et profond défilé resserré entre deux magnifiques versants boisés.

Peu après l'entrée de Faymont, près d'une scierie, tourner à droite. 50 m plus loin, laisser la voiture et prendre à pied un chemin forestier qui, après un parcours de 300 m, aboutit à la cascade de Faymont.

Cascade de Faymont

Le site est remarquable avec ses rochers, et les résineux.

Le Val-d'Ajol

Chef-lieu d'une des communes les plus étendues de France, le Val-d'Ajol est constitué de plus de 60 hameaux disséminés dans les vallées de la Combeauté et de la Combalotte où plusieurs entreprises (métallurgie, tissage, scieries) maintiennent une activité industrielle.

Tourner à droite en direction de Plombières.

1 800 m après un lacet à droite, la route offre une jolie vue à droite sur la vallée.

S'arrêter peu après. Un chemin en montée derrière vous conduit à La Feuillée Nouvelle, à 100 m.

La Feuillée Nouvelle

Depuis la plate-forme, on découvre une belle **vue**★ en balcon sur le Val-d'Ajol.

Laisser la piscine du Petit-Moulin sur la gauche et revenir à Plombières par la N 57.

Pont-à-Mousson ★

Le nom évoque plutôt des climats lointains, la moiteur et les pluies chaudes du bout du monde... pourtant Pont-à-Mousson est en Lorraine et souvent associé à des images de fonderie beaucoup moins exotiques que celles suggérées par son nom. Ici se trouve le siège de l'administration du Parc naturel régional de Lorraine, la nature n'est donc pas loin, les randonnées dans les grands espaces non plus.

La situation

Cartes Michelin n°s 57 pli 13 ou 242 pli 13 ou 4054 E5 — Meurthe-et-Moselle (54) À mi-chemin sur l'axe Nord-Sud (A 31) entre Metz et Nancy, la ville ne se trouve qu'à 30 km de chacune d'elles. Elle occupe les deux rives de la Moselle, reliées par le pont Gélot.

🖪 *52 pl. Duroc, 54700 Pont-à-Mousson,* ☎ *03 83 81 06 90.*

POINT DE VUE
Pour avoir une bonne vue d'ensemble de Pont-à-Mosson, monter au **signal de Xon** : *sortir de la ville par la N 57, puis à 200 m, prendre à droite la D 910 et, 3 km plus loin, tourner à gauche vers Lesménils. Au sommet de la côte, tourner encore à gauche. Après 1 km, laisser la voiture et poursuivre à pied.*

Le nom

Pont-à-Mousson doit son nom et son origine au pont qui, dès le 9e s. franchissait la Moselle au pied de la butte féodale de Mousson. Cette position de tête de pont lui a d'ailleurs valu d'être bombardée à de nombreuses reprises pendant les deux dernières guerres mondiales.

Les gens

14 647 Mussipontains. Entre jésuites et militaires, le caractère des Mussipontains est fortement trempé. Lorsque l'université a été transférée à Nancy, une école royale militaire l'a remplacée d'où est sorti le général Duroc (1772-1813). Il participa avec Bonaparte au siège de Toulon, puis combattit à Austerlitz et à Wagram.

visiter

Ancienne abbaye des Prémontrés★

Visite 1h. 9h-19h. Fermé 1er janv. et 25 déc. 25F. ☎ *03 83 81 10 32.*
Depuis 1735, l'abbaye montre sa façade à trois étages soulignés de frises d'une rare élégance. Elles sert désormais de **centre culturel de rencontre**.

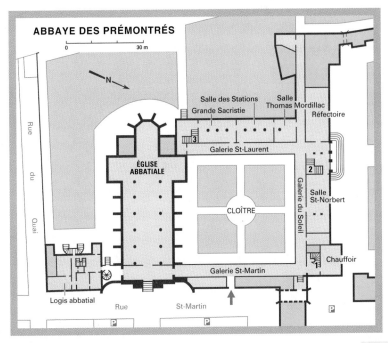

ABBAYE DES PRÉMONTRÉS

0   30 m

N

Salle des Stations
Grande Sacristie
Salle Thomas Mordillac
Réfectoire

Rue

du

Quai

3

Galerie St-Laurent

ÉGLISE ABBATIALE

2

Galerie du Soleil

Salle St-Norbert

CLOÎTRE

Chauffoir
1

Galerie St-Martin

Logis abbatial

Rue   St-Martin

P

P   P

Un petit escalier rond *(ci-dessous)*, au coin du cloître, près du chauffoir **(1)** ; l'escalier de Samson **(2)**, ovale, est une des plus belles pièces de l'abbaye. Quant au grand escalier carré **(3)**, à droite en sortant de la sacristie, sa vaste cage monte jusqu'au 2ᵉ étage.

Bâtiments conventuels — Les trois galeries du cloître, vitrées de grandes fenêtres classiques, ouvrent sur le jardin clos. Salle capitulaire, chauffoir, réfectoire, grande sacristie et salle St-Norbert (ancienne chapelle) sont autant de lieux de circulation et d'exposition. Trois merveilleux **escaliers**★ conduisent aux salles de réunions, chambres ou bibliothèque.

Ancienne abbatiale Ste-Marie-Majeure — L'intérieur de facture baroque a été conservé, comme les colonnes légèrement galbées qui soutiennent les voûtes.

Musée de Pont-à-Mousson

13 r. Magot-de-Rogéville. Mai-sept. : tlj sf mar. 14h-18h, dim. 10h-12h, 14h-18h ; oct.-avr. : tlj sf mar. 14h-17h. 30F (enf. : 15F). ☎ *03 83 87 80 14.*

L'université de Lorraine, installée à Pont-à-Mousson de 1572 à 1768 a entraîné l'implantation d'imprimeurs, d'imagiers ou de libraires. Le musée montre leurs différentes productions et présente même une étonnante collection d'objets réalisés en papier mâché.

se promener

Le circuit commence sur la rive gauche de la Moselle.

Place Duroc★

Cette place est tout à fait exceptionnelle avec son plan triangulaire et ses côtés bordés de maisons à arcades. Parmi ces belles constructions du 16ᵉ s., la **maison des Sept Péchés capitaux**, où séjournaient les ducs de Lorraine, avec ses jolies cariatides et sa tourelle Renaissance.

Prendre la rue Clemenceau, à l'arrière de la maison des Sept Péchés capitaux.

Maisons anciennes

Au n° 6, petite cour intérieure reconstituée, avec puits Renaissance, balcon et meubles lorrains.

Poursuivre dans la rue Fabvier, puis continuer dans la rue en parallèle, la rue St-Laurent.

Au n° 9, balcon dans la cour ; au n° 11, façade de brique avec chaînages de pierre ; au n° 19, maison Renaissance construite en 1590 ; au n° 39, maison natale du général Duroc.

Revenir vers l'église St-Laurent.

GESTE D'ALLIANCE
La fontaine du centre de la place Duroc date de 1931, même si ses formes rappellent celles de la Renaissance. Elle perpétue le souvenir des ambulanciers américains lors de la Première Guerre mondiale.

PONT-À-MOUSSON

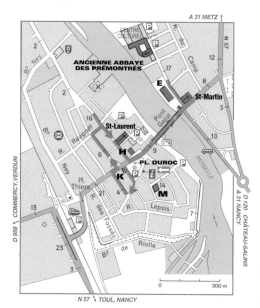

carnet d'adresses

Où SE RESTAURER

• À bon compte

Ferme-auberge des Verts Pâturages – 14 r. St-Christophe - 54610 Éply - 14 km à l'E de Pont-à-Mousson par D 910, D110^L et D 70 - ☎ 03 83 31 30 85 - fermé en sem. sf saison - ⌷ - réserv. obligatoire - 95/150F. Et pourquoi ne pas faire une petite halte dans ce village tranquille : le temps d'un déjeuner simple autour des produits de cette ferme ou d'une nuit dans une des chambres aménagée dans une maison à part, avec son petit jardin. Celle qui est mansardée est plus grande.

• Valeur sûre

Ferme-auberge de la Petite Suisse – 124 r. de l'Église - 54380 Martincourt - 12 km au SO de Pont-à-Mousson par D 958, puis D 106 - ☎ 03 83 23 10 70 - ouv. sam. et dim. midi - ⌷ - réserv. obligatoire - 100/140F. Un petit village dans une campagne verdoyante : c'est là que vous pourrez vous arrêtez pour déguster, à la table de cette ferme, les agneaux de l'élevage grillés au barbecue, accompagnés des légumes du jardin. Décor rustique et vieux objets.

Église St-Laurent

De style flamboyant pour le chœur et le transept, le portail central et les deux 1ers étages de la tour sont du 18e s., le reste de la façade date de 1895. À l'intérieur, triptyque en bois polychrome du 16e s., statue du Christ portant sa croix de Ligier Richier. Belles boiseries du 18e s.

Rejoindre la place Duroc.

Hôtel de ville

Pour visiter les salons, se renseigner 2 ou 3 j. av. auprès du Secrétariat général. ☎ 03 83 81 10 68.

Construction de style Louis XVI décorée d'un fronton et surmontée d'une horloge monumentale que soutiennent deux aigles dont l'un porte en sautoir la croix de Lorraine. À l'intérieur, belles tapisseries.

Emprunter le pont Gélot jusqu'à l'église St-Martin.

Église St-Martin

Possibilité de visite guidée sur demande auprès de l'Office de tourisme. ☎ 03 83 81 06 90.

Flanquée de deux tours, la façade est du 15e s. Des chapelles latérales ont agrandi l'édifice aux 17e et 18e s. Deux gisants du Moyen Âge se trouvent sous l'enfeu flamboyant dans le bas-côté droit.

Prendre à droite en sortant, la rue St-Martin.

Ancien collège des Jésuites

L'ancienne université de Pont-à-Mousson a été créée en 1572 pour contrecarrer la Réforme. Dirigée avec grand succès par des jésuites, elle recevait des subsides des abbayes de Metz, Toul et Verdun. Lorsqu'elle a été transférée à Nancy à la fin du 18e s., la ville l'a remplacée par une école royale militaire. La belle cour d'honneur a retrouvé son aspect primitif des 16e et 17e s. et accueille aujourd'hui le lycée J.-Marquette.

Revenir place Duroc en traversant la Moselle ou poursuivre vers l'ancienne abbaye des Prémontrés.

INSPIRATION DIVINE
Des influences champenoise et germanique sont notables dans la Mise au tombeau de la première moitié du 15e s., située dans le bas-côté gauche de l'église St-Martin. Ligier Richier, en fin connaisseur, se serait inspiré des 13 personnages sculptés pour le sépulcre de St-Mihiel, qu'il a réalisé un demi-siècle plus tard.

alentours

Butte de Mousson★

7 km à l'Est, puis 1/4h à pied. Sortir de la ville par la N 57, puis à 200 m, prendre à droite la D 910 et, 3 km plus loin, tourner à gauche vers Lesménils pour rejoindre la D 34 et le village de Mousson. Une chapelle moderne occupe le sommet de la butte. À proximité, ruines du château féodal des comtes de Bar. **Panorama★** sur le pays lorrain et sur la Moselle.

Vallée de l'Esch

17 km au Sud-Ouest. Quitter la ville par la N 57 au Sud. Dans Blénod, prendre la route de Jezainville (2e à droite après l'église). À l'entrée de Jézainville, s'arrêter et regarder en arrière. Dans l'axe de la route, on voit la butte de Mousson et

DANS LA VALLÉE

L'Esch coule, sinueuse, à travers les pâturages. Sa vallée est aussi nommée « Petite Suisse lorraine », et la route étroite, tantôt s'abaisse au niveau de la rivière, tantôt monte au sommet d'une colline d'où la vue est charmante.

◄ sur la droite, la **centrale thermique de Blénod**, à charbon, avec ses quatre cheminées en ligne, hautes de 125 m. Ses groupes fournissent chacun 250 MW. *Visite (2h1/2) tlj sf dim. sur demande préalable pour groupe à partir de 7 pers. Âge minimum : 14 ans. Bonnes chaussures de marche, ne pas avoir le vertige. Gratuit. EDF- CPT de Blénod, BP 15, 54700 Pont-à-Mousson.* ☎ *03 83 80 37 24.*

circuit

VALLÉE DU RUPT DE MAD

48 km — environ 1h. Quitter la ville par la D 958, puis emprunter à droite la D 952. À Pagny-sur-Moselle, prendre à gauche la D 82.

Prény

D'importantes ruines d'un château féodal du 13e s. dominent le village. Ce lieu, principale résidence des ducs de Lorraine avant Nancy, fut démantelé par Richelieu et définitivement abandonné au 18e s. Belle vue.

Continuer sur la D 952, puis tourner à gauche vers Arnaville. Après Villecey-sur-Mad, prendre à gauche la D 28.

Château de Jaulny

D'avr. au 11 nov. : w.-end et j. fériés 14h30-17h (juil.-août : tlj sf lun.). 30F (enf. : 15F). ☎ *03 83 81 93 04.*
Ce château féodal des 11e et 12e s. possède encore donjon, tour du pont-levis, tour de la poterne, remparts. À l'intérieur, beau plafond du 15e s., grilles et rampes d'escalier attribuées à Jean Lamour, mobilier lorrain, souvenirs militaires.

Poursuivre 4 km sur la D 28.

Thiaucourt-Regniéville

C'est un lieu de souvenir de la Première Guerre mondiale. À l'Ouest de ce bourg, cimetière américain de 4 153 soldats tombés lors de la réduction du « saillant de St-Mihiel » en 1918. Sur l'autre versant, cimetière allemand de la même époque.

Rejoindre Pont-à-Mousson à l'Est par la D 3 puis la D 958.

Remiremont

Il est bien question d'un mont dans l'histoire de Remiremont. Celui sur lequel un certain Amé et son collègue Romaric, disciple du célèbre saint Colomban (déjà rencontré à Luxeuil-les-Bains et à Marmoutier), ont fondé, en 629, leur monastère. En 910, un couvent de femmes au recrutement très élitiste, le célèbre chapitre des Dames de Remiremont, choisit aussi de s'installer dans cette haute vallée de la Moselle, au milieu de forêts profondes. Aujourd'hui, on s'attarde dans les rues de Remiremont pour profiter des arcades et des fleurs, en recherchant quelques signes des riches abbesses du passé.

La situation

Cartes Michelin nos 62 plis 16, 17 ou 242 plis 30, 34 — Vosges (88). Vue sur la ville et la vallée de la Moselle vers le Nord depuis la **promenade du Calvaire**.
🛈 *2 r. Charles-de-Gaulle, 88200 Remiremont,* ☎ *03 29 62 23 70.*

Le nom

Anciennement, *Romaric mons,* du nom du fameux Romaric qui s'installa sur le mont Habend et lui donna son nom. Son compagnon Amé eut sans doute moins d'influence. Heureusement, « Amémont » aurait été un moins joli nom.

Les gens
9 068 Romarimontains. Parmi les fiertés de la ville, Jules Méline est né à Remiremont en 1838. Il fut plusieurs fois ministre et même chef du gouvernement en 1896 ; c'est lui qui créa le Mérite agricole.

se promener

Abbatiale St-Pierre
Cette ancienne abbatiale est en majeure partie gothique même si la façade et le clocher ont été rebâtis au 18ᵉ s. Belle décoration de marbre du 17ᵉ s. dans le chœur orné d'un retable monumental, spécialement conçu pour l'exposition des châsses de reliques.
Dans la chapelle à droite du chœur, statue de N.-D.-du-Trésor (11ᵉ s.).

SÉLECTION SANS PITIÉ
Pour être admises au chapitre des Dames de Remiremont, les jeunes filles devaient faire preuve de 16 quartiers de noblesse. Elles ne prononçaient pas de vœux, sauf l'abbesse, et n'avaient comme obligations que d'assister à l'office et d'élire... l'abbesse.

L'abbatiale St-Pierre, coiffée d'un clocher à bulbe, donne toute sa majesté séculaire à la ville.

Au-dessous du chœur, **crypte★** du 11ᵉ s. à voûtes d'arêtes que supportent des colonnes monolithes.
Accolé à l'église, l'**ancien palais abbatial**, de style classique, présente une belle façade. Autour de l'église et du palais subsistent quelques maisons de chanoinesses, des 17ᵉ et 18ᵉ s.

Rue Charles-de-Gaulle★
Avec ses arcades aux piliers fleuris de géraniums, c'est un sympathique témoin de l'urbanisme du 18ᵉ s.

carnet pratique

OÙ SE RESTAURER
● À bon compte
Le Clos Heurtebise – 13 chemin des Capucins par r. Capit.-Flayelle - ☎ 03 29 62 08 04 - fermé 3 au 17 janv., 7 au 21 juin, dim. soir et lun. - 95/260F. Dans l'ancienne maison d'un industriel du textile, sur les hauteurs de la ville, ce restaurant ouvre sa terrasse sur la vallée et la forêt aux beaux jours. C'est là que vous pourrez goûter les poissons du patron et ses menus qui déclinent saveurs régionales et traditionnelles.

ARTISANAT
Distillerie Lecomte-Blaise – 10 r. de la Gare, Nol - 88120 Le Syndicat - au Syndicat, prendre la D43 (direction La Bresse) sur 4 km, tourner à droite pour Nol - ☎ 03 29 24 71 04 - mar.-sam. 8h-12h, 14h-18h. Fondée en 1820, cette entreprise familiale élabore une gamme étendue d'eaux-de-vie de fruits (poire, abricot, framboise, quetsche...) et de baies sauvages (églantier, myrtille, sureau, alisier, aubépine...) récoltés dans les forêts et les vergers vosgiens. Vous pourrez visiter les installations, déguster et bien sûr acheter.

Moulin à huile – 68470 Storckensohn - ☎ 03 89 82 75 50. Moulin restauré de 1732 avec presse à pomme, céréales, noix : démonstration et participation au pressage. Possibilité de fabriquer son huile. Restauration primée par la Caisse nationale des monuments historiques et des sites.

REMIREMONT

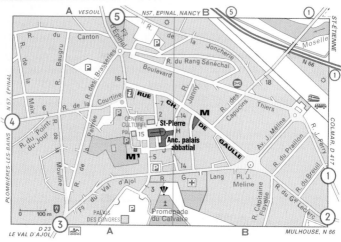

visiter

Musée municipal

*Avr.-sept. : tlj sf mar. 10h-12h, 14h-18h (19h en juil.-août) ;
nov.-déc. : tlj sf mar. 14h-18h ; janv.-mars : tlj sf dim. et
mar. 14h-18h. Fermé en oct., 1ᵉʳ janv., 1ᵉʳ mai, Ascension,
1ᵉʳ nov., 25 déc. 10F, gratuit dim.* ☎ *03 29 62 42 17.*

Fondation Charles-de-Bruyère — *70 r. Ch.-de-Gaulle.* Histoire de Remiremont et artisanat lorrain : bois, dentelles,
« fixés » (peintures sur verre). Sont exposés notamment
des manuscrits précieux, des tapisseries provenant de
l'ancienne abbaye, des sculptures gothiques lorraines, de
belles faïences du 18ᵉ s. et des tableaux de la peinture
nordique du 17ᵉ s. (élèves de Rembrandt).

◀ **Fondation Charles-Friry** — *12 r. du Gén.-Humbert.* Cet
ancien hôtel des Chanoinesses contient des collections
de documents, statues, objets d'art, hérités des Dames
de Remiremont ou se rapportant à l'histoire locale et
régionale, ainsi que de nombreuses peintures des 17ᵉ et
18ᵉ s., des gravures (Goya, Callot) et des pièces de mobilier, d'époques et de provenances diverses.
Dans le jardin, qui reconstitue en partie le « Grand Jardin » de l'abbaye, on trouve deux fontaines ornementales
et quelques autres vestiges anciens.

> **CHEF-D'ŒUVRE**
> La fondation
> Charles-Friry abrite aussi
> *Le Veilleur à la sacoche*
> par Georges de La Tour.
> L'auteur du *Tricheur à l'as
> de carreau*, exposé au
> Louvre, est né à
> Vic-sur-Seille, près de
> Marsal *(voir ce nom)*.

itinéraires

LA MOSELLE EN AVAL★

◀ *27 km — environ 1/2h. Sortir de Remiremont par* ① *du plan
et la D 42 qui longe la rive droite de la Moselle.*

Forêt de Fossard

De l'autre côté de la Moselle, la proche forêt de Fossard,
occupée dès la préhistoire, conserve sur le Saint Mont
des vestiges des fondations religieuses qui s'y succédè-
rent après le 7ᵉ s. 🚶 Elle est sillonnée de chemins forestiers balisés pour la randonnée pédestre.

Tête des Cuveaux★

🚶 *1/2h à pied AR. Suivre la route qui se dirige vers la crête
marquée par une forêt d'épicéas et laisser la voiture au parking
(aire de pique-nique). En prenant à droite sur la crête, on*

> **EXCURSION**
> Remonter la Moselle, de
> Remiremont jusqu'à
> Bussang où elle prend sa
> source, est l'un des
> meilleurs itinéraires de
> pénétration dans les
> Vosges.

atteindra un belvédère (table d'orientation). De là, beau
panorama★ sur la vallée de la Moselle, le plateau lorrain
et les Vosges.

Eloyes
Ce petit bourg est un centre d'industries textile et agro-
alimentaire.

Arches
Son renom est dû à une célèbre papeterie. Un moulin à
papier y tournait déjà en 1469.

Épinal★ *(voir ce nom)*

LA MOSELLE EN AMONT★
50 km — environ 2h.

La Beuille
*Prendre, après avoir parcouru environ 6 km sur la D 57, le
chemin goudronné qui s'amorce à gauche et conduit au parking
surplombant le chalet de la Beuille.*
De la terrasse-belvédère du chalet, jolie **vue★** sur la vallée de la Moselle et, dans l'axe, le Ballon d'Alsace.
*Au col des Croix, prendre la direction du Thillot, laissant la
route qui passe à proximité du Ballon de Servance (voir p. 124)
et descend sur Plancher-les-Mines.*

Le Thillot
Cette localité industrielle active voit passer les touristes
attirés par le charme des environs et la proximité des
Hautes-Vosges.

St-Maurice-sur-Moselle *(voir p. 118)*

Bussang
Joli site dans la vallée de la Moselle naissante, villégiature estivale, c'est aussi un centre de sports d'hiver. Le
théâtre du Peuple (fondé en 1895 par Maurice Potte-
cher) comportant une scène mobile à laquelle la nature
sert de fond, y joue diverses pièces.

Petit Drumont★★
🚶 *1/4h à pied AR. La route forestière d'accès s'embranche sur
la D 89 à proximité du col de Bussang et à 100 m à peine de la
source de la Moselle. Prudence recommandée. Quitter la voiture
près de l'auberge et prendre le sentier qui s'élève à travers les
chaumes.*
Table d'orientation au sommet (1 200 m). Le **panora-
ma★★** s'étend du Hohneck au Ballon d'Alsace.

Col de Bussang
Alt. 727 m. Au col se trouve le monument de la source
de la Moselle. Le petit ruisseau encombré de mousses
deviendra grand et arrosera bientôt Épinal, Metz,
Trèves. Mais, ici, il se grossit du superflu des sources
minérales de Bussang. Le torrent ne devient rivière
qu'aux environs de Rupt-sur-Moselle. Son cours assagi
décrit de beaux méandres entre des collines boisées, puis
coule tranquillement vers Remiremont et Épinal.

**BEAUMARCHAIS
IMPRIMEUR**
Beaumarchais acheta en
1779 le moulin d'Arches
pour y fabriquer le papier
nécessaire à l'édition des
œuvres de Voltaire.
Comme celles-ci étaient
censurées en France, il installa une imprimerie à
Kehl, en territoire étranger. C'est de là que sortirent les deux éditions dites
de Kehl, recherchées des
bibliophiles.

ADRESSE
Les acteurs du théâtre
du Peuple de Bussang,
souvent des amateurs,
gens du pays, jouent
des pièces folkloriques
écrites par son
fondateur, et aussi des
œuvres de
Shakespeare, Molière,
Labiche, etc.
Renseignements,
☎ 03 29 61 50 48.

Vallée du **Rhin**★★

Le Rhin : un large fleuve qui marque la frontière franco-allemande entre les coteaux de la route des Vins et les sapins de la Forêt-Noire. Très tôt dans leur histoire, les hommes ont tenté de maîtriser ses eaux tumultueuses et sauvages. D'abord avec des digues de fortune. Ensuite avec des techniques plus élaborées. On lui a fait un lit unique, on lui a coupé les bras, on l'a comprimé entre des digues pour diminuer les crues. Et pourtant, le « Vater Rhein » est toujours là, prêt à vous convier à un fabuleux voyage au fil de l'eau.

La situation

CARTE D'IDENTITÉ
1 298 km, dont 190 à la frontière franco-allemande. C'est le 7ᵉ plus long fleuve d'Europe.

Cartes Michelin nᵒˢ 87 plis 3 à 10 ou 242 plis 16, 20, 24, 28, 32, 36, 40 — Haut-Rhin (68), Bas-Rhin (67). Que dire pour atteindre le Rhin sinon qu'on a l'embarras du choix ? Strasbourg, Colmar ou Mulhouse peuvent en être les points de départ principaux, à moins de leur préférer le charme rural d'un bourg rhénan, sur une ou l'autre rive. Accès rapide par les autoroutes A 35 Karlsruhe-Strasbourg et E 35-E 52/A 5-E 35 Karlsruhe-Bâle.

Le nom

Pour désigner un fleuve, les Grecs disaient *rheein*, « couler », les Latins écrivaient *renes*, les Gaulois prononçaient *renos*, les Germains préféraient *rhein*. C'est devenu le Rhin.

Le symbole

Fleuve de légende et inspirateur de légendes. Celles des sirènes — la plus célèbre étant la Lorelei — qui attiraient les marins par leurs chants mélodieux, puis les entraînaient par le fond. Le nain Alberich, personnage de l'*Or du Rhin* (premier épisode de la *Tétralogie* de Richard Wagner), a réussi, lui, à dérober aux ondines qui en avaient la garde l'or du Rhin pour s'en forger un anneau tout puissant.

comprendre

Histoire d'un fleuve — Les crues du Rhin étaient autrefois redoutables et aucune ville, pas même Strasbourg, ne s'est établie immédiatement sur ses bords. En cas de montée des eaux, les riverains prenaient la garde jour et nuit auprès des digues. Malgré cela, les catastrophes étaient fréquentes et on ne compte plus les villages alsaciens engloutis. À Strasbourg même, l'un des bras du fleuve pénétrait dans les murs de la ville.

Le Rhin, une artère européenne au flux incessant de péniches descendantes et montantes.

carnet pratique

Où se restaurer

● À bon compte

Les Écluses – *8 r. Rosenau - 68680 Kembs-Loechlé - ☎ 03 89 48 37 77 - fermé vacances de fév., lun. soir, mar. soir et mer. - 90/250F.* Ce petit restaurant familial a bonne réputation dans le coin... Installé dans une maison entièrement rénovée, sa salle n'est pas très grande, mais agréablement décorée, avec un mobilier récent. À la carte, cuisine classique et poissons font bon ménage. Jolie terrasse en été.

Visite des centrales hydroélectriques

Elles se visitent dans les mêmes conditions que celle d'Ottmarsheim. Dans le Haut-Rhin : Fessenheim, Kembs, Vogelgrun ; dans le Bas-Rhin : Gamsheim, Gerstheim, Marckolsheim, Rhinau, Strasbourg.
Les ouvrages de Fessenheim, Rhinau et Vogelgrun disposent d'un balcon de visite, ouvert au public sans autorisation préalable *de 8h à 19h (17h d'octobre à mars).*
Les huit écluses et les barrages sur le Rhin sont équipés de panneaux d'information expliquant l'histoire du Rhin, le fonctionnement des centrales hydroélectriques, des écluses et le rôle des barrages. Enfin, les barrages de Kembs, Rhinau et Strasbourg ont été aménagés en passage transfrontalier entre l'Allemagne et la France pour les cyclistes et les piétons.

Croisières sur le Rhin

Excursion sur le Rhin Sonal – *22 r. du Ruisseau - 68680 Kembs-Loechlé - ☎ 03 89 48 33 36.* À bord du *Cigogne.* De 1h à la journée. Excursion sur le Rhin à la demande. Promenade nocturne possible.

Croisières à thèmes – Au départ de Huningue, ou croisières à thème à Rheinfelden, Augst, Bâle. Une demi-journée ou une journée. Différents tronçons du Rhin possibles. **Maison de Haute-Alsace**, *81 r. Vauban - 68128 Village-Neuf - ☎ 03 89 70 04 49.* **Office de tourisme-Timonerie,** *3 quai du Maroc - 68332 Huningue Cedex - ☎ 03 89 67 36 74.*

Petit train à vapeur et croisière sur le Rhin – Circuit de 11 km le long du Rhin, de la gare de Volgelsheim, par le port rhénan de Neuf-Brisach à l'embarcadère de Sans-Souci. Le tracé du chemin de fer traverse le « Ried » ou « Petite Camargue alsacienne ». *Sam., dim. et fêtes, du dim. de Pentecôte à fin sept.* Peut être combiné à une petite croisière sur le Rhin jusqu'à Vieux-Brisach en Allemagne (même point de départ), ou sur le Rhin canalisé avec passage de l'écluse de Marckolsheim (départ : embarcadère de Sasbach, en Allemagne, en face de Colmar). ☎ 03 89 20 68 92 et sur place.

Port autonome de Strasbourg – La visite des **installations portuaires★** et des promenades sur le Rhin y sont organisées. Plus de 10 forfaits de croisière sur 12 bâtiments différents de 40 à 78 cabines, avec restaurants, pont soleil, téléphone, pension complète. **CroisiEurope** – ♿ *De juil. à fin août : visite guidée (2h1/2) à 10h30 et 14h30. 50F (enf. : 25F).* ☎ 03 88 84 13 13.

Alsace Croisières, *12 r. de la Div.-Leclerc – 68000 Strasbourg - ☎ 03 88 76 44 44.*

Aux 8e et 9e s, les bateliers strasbourgeois empruntaient le Rhin jusqu'à la mer du Nord pour vendre du vin aux Anglais, aux Danois et aux Suédois. À la fin du Moyen Âge, ces mêmes bateliers dominaient le Rhin, de Bâle à Mayence. Leur corporation était la plus importante des corps de métiers strasbourgeois. 5 000 rouliers, disposant de 20 000 chevaux, transportaient vers l'intérieur les marchandises débarquées à Strasbourg.

L'aménagement du Rhin — Sous le Premier Empire, la navigation connut une ère de prospérité considérable. En 1826, les premières lignes régulières de vapeurs sur le Rhin font escale à Strasbourg. Mais les travaux de correction du lit du Rhin par endiguement exécutés dans la plaine d'Alsace au 19e s. provoquent un approfondissement du lit du Rhin. Des fonds rocheux se découvrent et rendent difficile, sinon impossible en période de basses eaux, la navigation. C'est la décadence du trafic. Pour ramener bateaux, chalands et péniches sur le Rhin alsacien, la France conçoit en 1920 un nouveau projet. On dérive une part importante du débit du fleuve entre Bâle et Strasbourg dans un canal latéral, à pente et à vitesse très faibles. Le creusement du canal d'Alsace, commencé en 1928 et achevé au début des années 1960, permettra en outre d'exploiter les importantes réserves d'énergie électrique du fleuve.

▶

> **Un fleuve envahissant**
> L'actuelle rue d'Or à Strasbourg marque l'emplacement d'une ancienne crue et l'Ancienne Douane (reconstruite) rappelle le temps, pas très éloigné, où la batellerie marchande passait à travers la ville.

itinéraires

① LE GRAND CANAL D'ALSACE ET L'AMÉNA-GEMENT DU RHIN★★

De Kembs à Strasbourg, sur la rive française.

Barrage de Kembs

9 km au Sud de Kembs, près de Bâle. Construit dans le lit du fleuve, c'est l'unique ouvrage de retenue sur le Rhin pour les quatre premiers biefs. Il dérive l'essentiel des eaux du Rhin dans le canal. Un groupe hydroélectrique utilise le débit conservé dans le lit du Rhin.

HUMEURS CHANGEANTES

Encore alpestre en Alsace, le fleuve s'assagit en terre allemande après le confluent avec le Main. Gonflés de la fonte des neiges, ses hautes eaux de mai-juin et ses nombreux faux bras drainés par le cours latéral du canal, contrastent avec les basses eaux de septembre, parfois gelées en hiver par le rude climat alsacien.

Usine hydroélectrique★

4 km au sud par la D 468 et la première route à gauche. Réalisée de 1928 à 1932, c'est la première usine du canal. Elle possède 7 groupes d'une puissance totale maximale de 157 500 kW, dont la production annuelle moyenne est de 938 millions de kWh.

Bief de Kembs★

En aval du barrage, il comprend le canal latéral proprement dit et une double écluse de navigation.

CONSEIL

Pour avoir une idée de l'importance du trafic rhénan et de la beauté du fleuve, placez-vous sur la berge. Un quart d'heure est vite écoulé à observer cette belle voie mouvante et - là où le Rhin n'est pas doublé par le grand canal d'Alsace - les bateaux montants et descendants.

ÉCHANGES FLUVIAUX

Les chalands du Rhin mesurent 60 à 125 m de long, 8 à 13 m de large. Ce sont surtout des automoteurs de 3 000 t (transport de gaz) et des pousseurs. Navigable de Bâle à Rotterdam, le Rhin voit passer plus de 10 000 bateaux par an, transportant 190 millions de tonnes de fret. Le remorquage ou la propulsion sur le canal d'Alsace se fait avec une puissance de traction inférieure au quart de celle qui est nécessaire sur le Rhin. Après Paris, Strasbourg est le 2ᵉ port fluvial le plus fréquenté, avant Ottmarsheim et Mulhouse.

La Petite Camargue alsacienne

9 km au Sud de Kembs par la D 468. Parking près du stade à St-Louis-la-Chaussée. Trois sentiers balisés, dont le circuit du grand marais (3 km), permettent d'observer une faune et une flore variées à travers roselières, bosquets, étangs, marais et landes sèches.

Le canal entre Niffer et Mulhouse, ainsi que l'écluse d'accès ont été élargis et constituent aujourd'hui le premier tronçon du canal Rhin-Rhône à grand gabarit, achevé en 1995. Chacun des biefs suivants échelonnés sur le canal comprend également une usine hydroélectrique et une écluse de navigation à doubles sas indépendants : les opérations d'éclusage sont généralement spectaculaires.

Bief d'Ottmarsheim★ *(voir Ottmarsheim)*

Bief de Fessenheim★

À moins de 1 km de l'écluse de Fessenheim, on verra la première **centrale nucléaire** française du type « réacteur à eau pressurisée » à forte puissance (2 unités de 900 MW). *Centre d'Information : tlj sf dim. 9h-12h, 14h-18h. Visite guidée (3h) sur demande préalable (15 j. av.) tlj sf dim. 9h-12h, 14h-17h (âge mini. 10 ans si accompagnés des parents, passeport ou pièce d'identité obligatoire). S'adresser à EDF - Centre nucléaire de production d'électricité, BP 15, 68740 Fessenheim, ☎ 03 89 83 51 23.*

Peu avant la centrale, la **Maison de l'hydraulique** présente des maquettes de différents ouvrages hydrauliques, ainsi qu'une exposition de turbines et matériels hydrauliques. &. *Juil.-août : 14h-18h ; sept.-juin : visite guidée sur demande préalable 15 j. av. à EDF - Énergie Est, 54 av. Robert-Schuman, 68050 Mulhouse Cedex.*

FESSENHEIM

Le bief de Fessenheim mesure environ 17 km de longueur et comporte des écluses qui, comme celles d'Ottmarsheim, ont la même longueur, 185 m, et des largeurs différentes, 23 et 12 m.

Bief de Vogelgrun★

Les caractéristiques de l'usine sont sensiblement les mêmes que celles d'Ottmarsheim et de Fessenheim : bief de 14 km comportant des écluses identiques à celles de Fessenheim. En aval de Vogelgrun, l'aménagement du fleuve comporte quatre autres biefs construits selon une technique dite « en feston » qui substitue au canal latéral, pour chacun d'eux : une retenue dans le fleuve, créée par un barrage, un canal dérivant les eaux jusqu'à l'usine hydroélectrique et les écluses de navigation, un canal restituant les eaux dans le Rhin.

Deux façades de la centrale (côté route nationale et côté Rhin) sont ornées d'une immense fresque de 1 500 m², *Les Nixes de Vogelgrun*, et d'une sculpture en bronze de 12 m de long appelée *Électricité*, œuvre allégorique due à Raymond Couvègnes.

LES NIXES DE VOGELGRUN

Cette œuvre de l'artiste mulhousien Daniel Dyminski fait référence aux légendaires sirènes du Rhin. La fresque raconte comment ces nixes cultivent les isolateurs, éléments en verre qui, arrivés à maturité, sont récoltés et installés sur les pylônes pour transporter le courant électrique. L'une d'elles est choisie pour apporter l'étincelle qui fera fonctionner les machines produisant l'électricité.

Bief de Gerstheim

Il fut construit à la même époque que la Rance. Les groupes à bulbe équipent pour la première fois une centrale rhénane.

Bief de Strasbourg

Un bassin de compensation forme un plan d'eau de 650 ha. Un centre nautique est aménagé à Plobsheim.

Cet aménagement du Rhin, mené à bien par la France, est prolongé en aval de Strasbourg par une réalisation complémentaire, franco-allemande cette fois. Les deux États se partagent par moitié l'énergie produite : celle des deux biefs de **Gambsheim**, en territoire français, et d'**Iffezheim**, en territoire allemand.

2 EXCURSION EN FORÊT-NOIRE

De Bâle à Karlsruhe, sur la rive suisse et allemande. Pour plus de précisions sur les sites, voir LE GUIDE VERT Forêt-Noire, Alsace, Vallée du Rhin.

Basel★★★ (Bâle)

En Suisse. Bâle est au cœur du pays suisse des Trois-Frontières. Lors d'une balade à travers la **vieille ville**★, on ira admirer la **Münster**★★ (cathédrale), voir les fresques sur la façade du **Rathaus**★ (hôtel de ville), visiter le **Kunstmuseum**★★ (musée des Beaux-Arts) et enfin dire bonjour aux animaux du **Zoologischer Garten**★★★ (🖾 jardin zoologique). À Riehen, faubourg de Bâle, ne pas manquer la **fondation Beyeler**★★ consacrée à l'art du 20e s. *(tramway n° 6, arrêt Weilstrasse).*

PRATIQUE

Outre la promenade conseillée au pont de l'Europe *(p. 350)* à Strasbourg, il est facile, entre Lauterbourg et Strasbourg, d'accéder au Rhin par l'une des routes qui le relient à la D 468.

La somptueuse façade de l'hôtel de ville de Bâle abrite une horloge ancienne encadrée de deux hallebardiers.

Schloß (château) Bürgeln★

En Suisse. C'est un château fort du Moyen Âge néanmoins reconstruit au 18e s. Résultat, l'intérieur est décoré à la mode rococo.

Blauen★

En Allemagne. 1/4h à pied. De la tour-belvédère, **panorama**★★ sur la plaine du Rhin et les Alpes suisses.

Badenweiler★

En Allemagne. Vergers et vignoble enserrent cette station thermale dont le **Kurpark**★★, parc thermal planté de cèdres, est particulièrement agréable.

Belchen★★★

Dans la haute Forêt-Noire. 🔼 *Gagner la table d'orientation ; 1/2h à pied.* À 1 414 m d'alt., **panorama**★★★ sur la plaine du Rhin, les Hautes Vosges et les Alpes.

Münstertal★

En Allemagne. Il faut aller visiter la **mine d'argent** « **Teufelsgrund** » (Besuchsbergwerk), l'abbaye St-Trudpert et, non loin, le **Bienenkunde-Museum** (musée de l'Apiculture), unique en Europe.

Freiburg im Breisgau★★ *(voir p. 256)*

Burkheim★

Village de vignerons étagé, réplique de ceux que l'on peut voir sur la route des Vins, côté Alsace.

Europa-Park★

Près de la petite ville de Rust (Allemagne), proche du Rhin au niveau de Sélestat. ⌖ *De Pâques à oct. : 9h-18h (ouverture prolongée en juil.-août). 38DM.* ☎ *0 78 22/77 66 77.*

Comme son nom l'indique, c'est le parc d'attractions de l'Europe : 9 quartiers à thème symbolisent l'Allemagne, l'Autriche, l'Espagne, la France, la Grande-Bretagne, l'Italie, la Russie, la Suisse et la Scandinavie. Huit restaurants proposent les spécialités culinaires des différentes nationalités. Grand huit, bobsleigh suisse, fjord rafting ou promenades plus paisibles sous les arbres centenaires qui ornent le château du parc, au milieu de vastes massifs de fleurs : de quoi rêver !

Gengenbach★

Charmante cité médiévale (vieille ville) et baroque (église Ste-Marie), au milieu des forêts et des vignobles.

Durbach★

Joli village au milieu des vignes s'étalant à perte de vue sur les vallons. Le centre-ville est dominé par le château de Staufenberg (11ᵉ s.).

Oberkirch★★

Deux records pour cette ville placée sur la route badoise du Vin : celui du plus grand marché de fraises d'Allemagne et celui du plus grand nombre de bouilleurs de cru. L'eau-de-vie de cerise, de mirabelle et de framboise est en effet une spécialité.

Burg (château) Alt-Windeck★

Vieux château fort de plan circulaire transformé en hôtel-restaurant. **Vue★** sur la plaine du Rhin.

Ruine d'Yburg★

De la tour, vaste **panorama★★** sur la plaine du Rhin et au premier plan sur le vignoble badois.

Baden-Baden♨♨♨

Entre la Forêt-Noire et le vignoble badois, c'est l'une des plus luxueuses villes thermales d'Allemagne. La **Lichtentaler Allee★★** évoque ce temps où les dames en crinoline et leurs messieurs en haut-de-forme se promenaient en calèche.

Schloß Favorite★★ (château de la Favorite)

Au Nord de Baden-Baden. De mi-mars à fin sept. : visite guidée (3/4h) tlj sf lun. 9h-17h ; d'oct. à mi-nov. : 9h-16h. 8DM. ☎ *0 72 22/4 12 07.*

Fastueux château baroque du 18ᵉ s., à la **décoration intérieure★★** particulièrement précieuse.

Rastatt★

Magnifique **château** baroque de Louis des Turcs, inspiré de modèles italiens.

Karlsruhe★

Ville nouvelle du 18ᵉ s. construite en éventail autour du **château★**. À la **Staatliche Kunsthalle★** (musée des Beaux-Arts), collection de **primitifs allemands★★** et **collection moderne★** (expressionnistes allemands, mouvement Die Brücke, Max Ernst, Otto Dix...).

À ESSAYER

Le parc propose un grand nombre de spectacles et d'animations avec effets électroniques : revue internationale sur glace, programme de variétés, tournoi et joute espagnols dans une arène, spectacles de danse avec effet laser, films en trois dimensions...

EXCENTRICITÉS

Cette allée en vit de belles ! À la suite d'un pari, un duc d'Hamilton y promena en laisse un veau attaché à un ruban bleu ; le prince de Galles la parcourut en voiture, enveloppé dans des draps de lit, pour se présenter à un spectacle de fantômes !

Ribeauvillé ★

Au cours de votre périple sur la route des Vins, faites donc un arrêt à Ribeauvillé, petite ville étalée le long de sa rivière, au pied de la chaîne des Vosges. Puisqu'on parle de vin, sachez qu'ici, trois grands crus sont à l'honneur : le riesling, le tokay pinot gris et un gewurztraminer particulièrement fin.

Joueur de fifre dont la tradition musicale anime les rues lors de la Fête des ménétriers.

La situation

Cartes Michelin n°s 62 plis 18, 19 ; 87 pli 17 ou 242 pli 31 — Schéma p. 387 — Haut-Rhin (68). Entre Sélestat, à 16 km au Nord, et Colmar, à 14 km au Sud. Deux parkings pour vous dépanner : r. du Rempart-de-la-Streng et rte de Bergheim.

🛈 *1 Grand'Rue, 68150 Ribeauvillé,* ☎ *03 89 73 62 22.*

Le nom

Au 11e s., le seigneur Reinbaud est venu ici construire son château. Débordant d'imagination, il l'a appelé Reinbaupierre, qui s'est simplifié en Ribeaupierre. Une puissante famille d'Alsace vient s'installer là et prend le château et le nom de Ribeaupierre. La ville, qui petit à petit se développe autour du château, s'appellera Ribeauvillé à partir du 13e s.

Les gens

4 774 Ribeauvilléens. Les comtes de Ribeaupierre s'étaient vu attribuer au Moyen Âge la juridiction sur la confrérie des ménétriers d'Alsace. Les musiciens de la région s'y réunissaient une fois par an, le 8 septembre. Depuis, on a gardé la tradition d'une fête des musiciens.

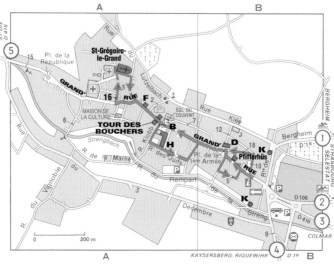

Fontaine Renaissance	A B	
Halle au Blé	B D	
Hôtel de ville	A H	
Maison ancienne	A F	
Nids de cigognes	B K	

carnet pratique

PETIT TRAIN TOURISTIQUE
Visite commentée de Ribeauvillé en français, anglais ou allemand. *Tlj de Pâques à fin oct.*
Circuit « Vieille Ville » – *Ttes les heures de 10h à 19h ; circuit nocturne en juil. et août - 35mn.*
Circuit « Grand'Rue et Hunawihr » par le vignoble (sur réservation) – *Circuit nocturne en juillet et août - 45mn - départ parking à l'entrée de la ville -* ☎ *03 89 73 74 24 ou 77 60 - Internet www.petit-train.com*

OÙ DORMIR
● *À bon compte*
Camping municipal Pierre-de-Coubertin – *À l'E de Ribeauvillé par D 106, puis r. de Landau à gauche -* ☎ *03 89 73 66 71 - ouv. mars au 15 déc. - 260 empl. : 63F.* Un camping spacieux pour profiter en toute quiétude du magnifique village de Ribeauvillé. Les allées sont larges et même si les emplacements ne sont pas encore délimités, ils sont agréables. Belle vue et tranquillité assurée.

● *Valeur sûre*
Hôtel de la Tour – *1 r. de la Mairie -* ☎ *03 89 73 72 73 - fermé 1ᵉʳ janv. au 15 mars -* ☐ *- 35 ch. : 320/440F -* ☐ *42F.* Dans une maison ancienne aux volets bleu clair, en pleine ville, cet hôtel est pourtant très calme. La plupart de ses chambres, sobrement aménagées, donnent sur une rue tranquille ou sur la cour. Une petite salle fitness pour les accros de la forme.

OÙ SE RESTAURER
● *Valeur sûre*
Winstub Zum Pfifferhüs – *14 Grand'rue -* ☎ *03 89 73 62 28 - fermé 1ᵉʳ au 20 mars, 1ᵉʳ au 10 juil., mer. et jeu. - 170/230F.* Pour un repas dans les règles de l'art de la winstub, arrêtez-vous dans cette jolie maison de village du 14ᵉ s. Avec son décor de bois sombre, ses fleurs séchées et ses meubles alsaciens, elle a gardé son authenticité. Quant à sa table, simple et très soignée, elle séduira les gourmets...
Chez Norbert – *68750 Bergheim - 4 km au NE de Ribeauvillé par D 1ᴮ et rte secondaire -* ☎ *03 89 73 31 15 - fermé 1ᵉʳ au 30 mars et 15 au 23 nov. - 180/320F.* Au cœur du village, derrière un porche, vous serez ravi de découvrir cette charmante cour fleurie encadrée de deux jolies maisons à colombage datant du 14ᵉ s., et de vous attabler entre bouteilles ventrues, vitraux et poutres, pour un repas aux accents du terroir.

FÊTE
Le Pfifferdaj – *Le 1ᵉʳ dimanche de septembre,* la musique et le vin coulent à flots à Ribeauvillé ! Pour l'une des dernières fêtes traditionnelles alsaciennes, la Fête des ménétriers, ou Pfifferdaj (jour des fifres), la fontaine de la place de l'Hôtel-de-Ville déverse des litres et des litres de vin d'Alsace ! À fêter, tout de même, avec modération.

VISITE DE CAVE
De nombreux vignerons et coopératives agricoles reçoivent des groupes. Se renseigner auprès d'eux pour vous recevoir : maison Bott Frères *(13 r. de-Gaulle),* Robert Faller et Fils *(36 Grand'Rue),* domaine du Moulin de Dusenbach *(25 rte de Ste-Marie-aux-Mines),* Schwach Paul *(30-32 rte de Bergheim),* domaine Jean Sipp *(60 r. de la Fraternité),* Louis Sipp *(5 Grand'Rue).*

se promener

GRAND'RUE★★
Partir de l'Office de tourisme installé dans l'ancien corps de garde (1829).
La Grand'Rue, à demi piétonne, traverse toute la ville avec ses maisons à colombage et ses géraniums. ▶

NIDS DE CIGOGNES
Aux entrées Sud et Est de la ville, deux vieilles tours sont surmontées de nids de cigognes.

Pfifferhüs (restaurant des Ménétriers)
Nº 14. Sur une loggia, au-dessus de la porte, deux statues représentant l'Annonciation.

Halle au Blé
Pl. de la 1ʳᵉ-Armée. Une fois par semaine s'y tenait le marché aux grains. Passage sous le porche.

Fontaine Renaissance
Cette construction en grès rouge et jaune de 1536 est surmontée d'un lion héraldique.

Tour des Bouchers★
Cet ancien beffroi séparait autrefois la ville haute de la ville moyenne. La partie inférieure date du 13ᵉ s.

Belle maison à colombage du 17ᵉ s. au nº 78 de la Grand'Rue.

POUR LES ESTIVANTS
Ribeauvillé organise une fête des vins l'avant-dernier week-end de juillet.

Place de la Sinne
Charmante petite place entourée de maisons à colombage avec, au centre, une fontaine de 1860.

Église St-Grégoire-le-Grand

Le tympan du portail Ouest date des 13ᵉ et 15ᵉ s. Belles ferrures de la porte. Dans le bas-côté droit, Vierge à l'Enfant en bois peint et doré du 15ᵉ s. portant la coiffe de la région ; orgues baroques de Rinck.

Reprendre la Grand'Rue en sens inverse et prendre la rue Klobb et la rue des Juifs.

Maisons anciennes

En flânant dans les rues des Juifs, Klobb, Flesch et des Tanneurs (au nᵒ 12, le toit possède des ouvertures typiques qui servaient à sécher les peaux), on verra des maisons des 16ᵉ et 17ᵉ s.

Hôtel de ville

Un petit **musée** y est installé : pièces d'orfèvrerie (17ᵉ s.) et hanaps en vermeil des seigneurs de Ribeaupierre. *De mai à fin oct. : visite guidée (1h) tlj sf lun. et sam. 10h-12h, 14h-15h. Gratuit. ☎ 03 89 73 20 00.*

Revenir par la rue Flesch et celle des Tanneurs.

Les vignobles de Ribeauvillé, une terre généreuse sous un climat conciliant.

randonnée

Quitter Ribeauvillé par ⑤ du plan. Laisser la voiture sur une aire de stationnement située en bordure de la D 416, à 800 m environ de la sortie de Ribeauvillé. Monter à pied par le chemin des stations (20 mn), ou par le chemin « Sarassin » (40 mn).

N.-D.-de-Dusenbach

◄ Ce lieu de pèlerinage groupe une **chapelle de la Vierge**, un couvent, une église néogothique (1903), ainsi qu'un abri des pèlerins (1913). À l'intérieur de la chapelle, peintures murales de Talenti (1938), et, au-dessus de l'autel, petite **statue miraculeuse de Notre-Dame**, émouvante Pietà du 15ᵉ s. en bois polychrome.

Prendre le chemin « Sarassin », puis le sentier qui conduit aux châteaux.

À mi-parcours, faire halte au **Rocher Kahl**, éboulis granitique d'où l'on a une belle vue sur la vallée du Strengbach.

Le chemin aboutit à un important carrefour de sentiers forestiers : prendre, en face, celui, étroit et montant, qui est signalé « Ribeauvillé par les châteaux » pour atteindre les ruines du Haut-Ribeaupierre.

ÉQUILIBRE
La chapelle de la Vierge occupe une situation impressionnante, au flanc d'un promontoire à pic sur le ravin au fond duquel coule le petit torrent de Dusenbach.

Château du Haut-Ribeaupierre

Du haut de son donjon *(accès fermé)*, magnifique **panorama★★** sur les ballons du Grand Taennchel et du Hochfelsen au Nord-Ouest, le Haut-Kœnigsbourg au Nord, Ribeauvillé et la plaine d'Alsace au Sud-Est.

Faire demi-tour (éviter le sentier direct, abrupt, reliant le Haut-Ribeaupierre à St-Ulrich) et revenir au carrefour forestier, prendre alors le chemin balisé qui descend au château de St-Ulrich.

Le puissant château de St-Ulrich fièrement campé sur les hauteurs de Ribeauvillé.

Château de St-Ulrich★

Au pied du donjon, à gauche, escalier d'accès au château. L'escalier qui passe sous la porte d'entrée du château donne accès sur une petite cour d'où la vue plonge sur les ruines de Girsberg et la plaine d'Alsace. Au fond de cette cour (citerne) s'ouvre la porte de la grande salle romane qui prend jour par neuf belles arcades géminées. *Revenir à la cour de la citerne et prendre l'escalier qui s'y amorce ; laisser à droite l'entrée de la tour du 12ᵉ s. et gagner la chapelle.* À l'Ouest de la chapelle s'élève une énorme tour quadrangulaire où l'on monte par un escalier extérieur. Revenir sur ses pas pour visiter les parties les plus anciennes : corps d'habitation roman aux fenêtres ornées de fleurs de lys, cour et donjon. Du sommet du donjon *(escalier de 64 marches)*, **panorama★★** sur la vallée du Strengbach, les ruines du château de Girsberg, Ribeauvillé et la plaine d'Alsace.

> **SAM'SUFFIT**
> Le château de St-Ulrich n'était pas seulement une forteresse, comme la plupart de ceux des Vosges, mais une habitation luxueuse, digne des comtes de Ribeaupierre, la plus noble famille d'Alsace après l'extinction de celle d'Eguisheim.

circuits

COL DE FRÉLAND

Environ 5h. Quitter Ribeauvillé par ⑤ du plan, D 416. À 7 km, prendre à gauche la route d'Aubure, en corniche.

Aubure

Station bien située sur un plateau ensoleillé, encadrée par de belles forêts de pins et de sapins.
Prendre, à gauche, la D 11ᴵᴵᴵ. Au cours de la belle descente du col de Fréland, à 1,5 km après le col, prendre à gauche une petite route étroite.
On longe une très belle **forêt de pins★**.
Sortir de la forêt (belle vue à droite sur le val d'Orbey) pour faire demi-tour, 1 km plus loin, à hauteur d'une maison. Revenir à la D 11ᴵᴵᴵ.
La vue se dégage à gauche sur la vallée de la Weiss et une partie du Val d'Orbey.
Après Fréland, et 1,5 km après avoir laissé à droite la route d'Orbey, tourner à gauche dans la N 415. ▶

> **NOS BEAUX SAPINS**
> À proximité du col de Fréland se trouve une des plus belles sapinières de France. Les fûts de 60 cm de diamètre, hauts de 30 m, s'élancent droit, au-dessus d'un sous-bois de bruyères.

Kayserberg★★ *(voir ce nom)*

On atteint la route des Vins que l'on suivra jusqu'à Ribeauvillé, traversant des petites cités qui s'égrènent sur les coteaux, au milieu des vins aux crus réputés : entre autres, Kientzheim, Sigolsheim, Bennwihr et Mittelwihr *(voir la route des Vins)*.

Beblenheim

Le village, orné d'une fontaine gothique de la fin du 15ᵉ s., est adossé à un coteau célèbre, le Sonnenglanz (éclat de soleil). Les 35 ha de son vignoble produisent des vins de très haute qualité : pinot gris, muscat et gewurztraminer.

Riquewihr★★★ *(voir ce nom)*

Hunawihr *(voir ce nom)*

Retour à Ribeauvillé.

SENTINELLES DE L'ALSACE ★★

Circuit de 46 km — environ 2h. Quitter Ribeauvillé par ① du plan, D 1ᴮ.

Ce circuit permet d'apercevoir les châteaux construits en bordure de la ligne des Vosges.

Bergheim *(voir la route des Vins)*

St-Hippolyte

Nombreuses fontaines fleuries en été, jolie église gothique des 14ᵉ et 15ᵉ s.

Prendre à gauche, à l'entrée du village, la direction du Haut-Kœnigsbourg. À 4 km de St-Hippolyte, tourner à droite, puis, 1 km plus loin, à gauche pour prendre la route à sens unique qui contourne le château.

Château du Haut-Kœnigsbourg ★★ *(voir ce nom)*

Rejoindre la D 1ᴮ¹ que l'on prend à droite, puis prendre, encore à droite, la D 48¹.

De Schaentzel à Lièpvre ★

De cette jolie route en descente rapide, bordée de sapins, vues superbes sur la vallée de la Liepvrette et sur ses châteaux ruinés.
Revenir à la D 1ᴮ¹ et prendre à droite la D 42.

Thannenkirch

Charmant village dans un site reposant, environné de forêts. La descente vers la plaine s'effectue par la **vallée du Bergenbach**, profondément encaissée entre des hauteurs boisées. Après Bergheim, où l'on reprend la route de l'aller, on aperçoit à nouveau les trois châteaux étagés de St-Ulrich, de Girsberg et du Haut-Ribeaupierre.

Riquewihr ★★★

Les envahisseurs de tous les temps ont échoué devant Riquewihr, sauf les touristes. Hordes pacifistes, ils sont chaque année plus de 2 millions à franchir ses remparts. C'est parce que la ville est passée miraculeusement à travers toutes les guerres, toutes les destructions, que les ruelles, les murailles et les vieilles maisons ont conservé, pratiquement intacte, leur splendeur du 16ᵉ s. À cette époque, c'était le riesling qui lui assurait sa prospérité. C'est toujours lui qui attire les connaisseurs.

La situation

Cartes Michelin nᵒˢ 62 limite plis 18, 19 ; 87 pli 17 ou 242 pli 31 — Schéma p. 387 — Haut-Rhin (68).
Utiliser les parkings à l'extérieur de la ville : pl. des Charpentiers, r. de la Piscine, rocade Nord et près de la Poste.
🄱 *2 r. de la 1ʳᵉ-Armée, 68340 Riquewihr, ☎ 03 89 49 08 40.*

Le symbole

Le riesling. C'est le cépage rhénan par excellence, la variété blanche la plus prestigieuse (avec le chardonnay).

Les gens

1 075 Riquewihriens, mais 10 à 20 fois plus de visiteurs par jour pendant l'été !

CONSEIL

Avec 2 millions de visiteurs annuels, Riquewihr est l'un des cinq villages les plus visités de France. Si vous avez le choix, c'est l'époque des vendanges avec ses effluves de vin nouveau, qui est la plus agréable.

se promener

Passer sous l'hôtel de ville et prendre la rue du Gén.-de-Gaulle.

Château

Terminé en 1540, il a gardé ses fenêtres à meneaux, son pignon couronné de bois de cerf et sa tourelle d'escalier. Devant le côté Est du château, petit musée lapidaire de plein air et autel de la liberté de 1790.

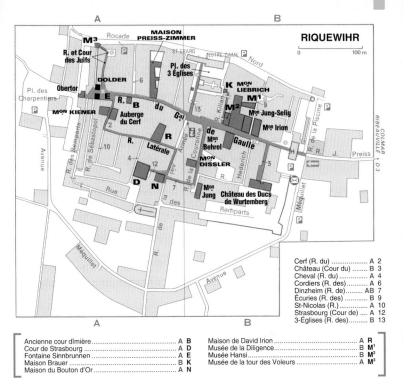

Cerf (R. du)	A	2
Château (Cour du)	B	3
Cheval (R. du)	A	4
Cordiers (R. des)..........	A	6
Dinzheim (R. de)........	AB	7
Écuries (R. des)	B	9
St-Nicolas (R.)..............	A	10
Strasbourg (Cour de)	A	12
3-Églises (R. des).........	B	13

Ancienne cour dîmière..............................	A B	Maison de David Irion	A R
Cour de Strasbourg...................................	A D	Musée de la Diligence...................................	B M¹
Fontaine Sinnbrunnen................................	A E	Musée Hansi	B M²
Maison Brauer..	B K	Musée de la tour des Voleurs	A M³
Maison du Bouton d'Or..............................	A N		

Suivre la rue du Général-de-Gaulle.

Au nº 12, la **maison Irion** date, avec son oriel d'angle, de 1606 ; en face, vieux puits du 16ᵉ s. À côté, **maison Jung-Selig** de 1561, avec pans de bois ouvragés.

Maison Liebrich★ (cour des cigognes)

Datant de 1535, avec sa pittoresque cour à galeries de bois à balustres (milieu du 17ᵉ s.), avec un puits de 1603 et un énorme pressoir (1817). En face, **maison Behrel** avec un joli oriel de 1514 surmonté d'une partie ajoutée en 1709.

Prendre la rue Kilian, 1ʳᵉ à droite.

Tout au fond de la rue, belle porte (1618) de la **maison Brauer**.

Emprunter ensuite la rue des Trois-Églises.

carnet pratique

Où DORMIR

● *Valeur sûre*

Hôtel L'Oriel – 3 r. des Écuries-Seigneuriales - ☎ 03 89 49 03 13 - 19 ch. : 360/480F - ☐ 48F. Vous reconnaîtrez facilement ce joli hôtel, sis dans une maison du 16ᵉ s., avec son enseigne en fer forgé à l'ancienne. Un peu biscornu, il est très accueillant et son décor simple avec meubles alsaciens campagnards et poutres dénudées, ne manque pas de romantisme...

Où SE RESTAURER

● *À bon compte*

Auberge St-Alexis – 6 km à l'O de Riquewihr par rte secondaire et chemin - ☎ 03 89 73 90 38 - fermé ven. - 64/99F. Il faut s'enfoncer dans la forêt et prendre un chemin de terre pour arriver dans cet ancien ermitage du 17ᵉ s.

La récompense est dans l'assiette : avec une cuisine, simple comme le décor mais authentique, préparée à partir des produits des fermes voisines.

● *Valeur sûre*

Le Sarment d'Or – 4 r. du Cerf - ☎ 03 89 47 92 85 - fermé 1ᵉʳ janv. au 6 fév., 27 juin au 4 juil., dim. soir et lun. - 120/320F. Boiseries blondes, lustres en cuivre et poutres massives donnent à ce restaurant une belle ambiance chaleureuse. On s'y attable donc avec plaisir pour découvrir une cuisine qui se veut originale, préparée avec de bons produits. C'est un peu cher mais le cadre est agréable...

SPECTACLE

Au pied du Dolder a lieu chaque année un spectacle « son et lumière » évoquant l'histoire mouvementée de la ville depuis la construction de la tour.

Place des Trois-Églises

Elle est encadrée par les anciennes églises St-Érard et Notre-Dame, converties en maisons d'habitation, et un temple protestant du 19ᵉ s.

Revenir dans la rue du Général-de-Gaulle.

Maison Preiss-Zimmer★

Après avoir franchi plusieurs cours successives, on arrive sur l'avant-dernière cour qui donne sur la maison qui appartenait à la corporation des vignerons.

Plus loin sur la gauche se trouve l'ancienne cour dîmière des sieurs de Ribeaupierre.

Rue et cour des Juifs

La petite rue des Juifs débouche sur la curieuse cour des Juifs, ancien ghetto, au fond de laquelle un étroit passage et un escalier de bois conduisent aux remparts et au **musée de la tour des Voleurs** (*voir description dans « visiter »*).

Au bout de la rue du Général-de-Gaulle, sur la place de la Sinn, à droite, jolie **fontaine Sinnbrunnen** qui date de 1580.

Dolder★

Élevée en 1291, cette porte fut renforcée aux 15ᵉ et 16ᵉ s.

Passer sous le Dolder pour accéder à l'Obertor.

Obertor (porte supérieure)

Remarquer sa herse et la place de l'ancien pont-levis de 1600. Sur la gauche, rempart de la cour des Bergers avec sa tour de défense.

Faire demi-tour, repasser sous le Dolder et descendre la rue du Général-de-Gaulle pour tourner à droite dans la rue du Cerf.

Maison Kiener★

N° 2. La porte en plein cintre est taillée en biais pour faciliter l'entrée des voitures. La cour est typique avec son escalier tournant, ses étages en encorbellement et son puits de 1576. En face, l'ancienne auberge du Cerf date de 1566.

Continuer la rue du Cerf, puis tourner à gauche dans la rue Latérale.

Rue Latérale

Elle possède de belles maisons, parmi lesquelles, au n° 6, la **maison David-Irion** qui a gardé un oriel de 1551 et dans la cour une belle porte Renaissance.

Tourner à droite dans la rue de la 1ʳᵉ-Armée.

Maison du Bouton d'Or

N° 16. Elle remonte à 1566. À l'angle de la maison, une impasse conduit à l'ensemble dit **cour de Strasbourg** (1597).

Revenir sur ses pas. Prendre ensuite la rue Dinzheim qui s'amorce devant la maison du Bouton d'Or. On arrive ainsi dans la rue de la Couronne.

Maison Jung

N° 18. De 1683 avec, en face, un vieux puits, le **Kuhlebrunnen**.

Maison Dissler★

N° 6. Construite en pierre, avec ses pignons à volutes et sa loggia, c'est un intéressant témoin de la Renaissance rhénane (1610).

On regagne ensuite la rue du Général-de-Gaulle que l'on prend à droite vers l'hôtel de ville.

COMMENT RÉGLER SES DETTES.
Au 15ᵉ s., les habitants de Riquewihr, dans une mauvaise passe financière, empruntèrent tout ce qu'ils purent aux financiers juifs du ghetto. Puis, décidant unilatéralement d'annuler leurs dettes, ils massacrèrent leurs créanciers.

MACABRE !
La maison Kiener, qui remonte à 1574, est surmontée d'un fronton présentant une inscription et un motif en bas-relief où l'on voit la Mort saisir le fondateur de la maison.

Dans les rues médiévales se profilent ici ou là les vestiges du passé séculaire de Riquewihr.

Les toits de la ville : une palette en demi-teintes dessinant l'âme d'une cité vigneronne.

visiter

Musée d'histoire des PTT d'Alsace

Château des ducs de Wurtemberg. D'avr. à mi-nov. : tlj sf mar. 10h-12h, 14h-18h. 20F. ☎ 03 89 47 93 80.

Les salles retracent l'évolution des moyens de communication utilisés en Alsace de l'époque gallo-romaine au 20ᵉ s. : histoire des messagers à pied, de la poste aux lettres, de l'aviation postale, du télégraphe et du téléphone.

Musée de la Diligence

♿ *D'avr. à mi-nov. : tlj sf mar. 10h-12h, 14h-18h. 20F. ☎ 03 89 47 93 80.*

Dans les anciennes écuries seigneuriales (16ᵉ s.) appelées aussi Marstall sont exposés des véhicules allant du 18ᵉ s. (turgotine de 1775, première malle-poste en osier de 1793) au début du 20ᵉ s. Uniformes, plaques et bottes de postillon, livres de poste et enseignes complètent l'ensemble.

> **AMUSANT**
> Une diligence à trois compartiments (modèle 1835) stationne à l'entrée du musée d'Histoire des PTT d'Alsace.

Musée Hansi

Avr.-déc. : tlj sf lun. 10h-18h (juil.-août : tlj) ; fév.-mars : tlj sf lun. 14h-18h ; janv. : w.-end et j. fériés 14h-18h. Fermé 25 déc. 10F. ☎ 03 89 47 97 00.

Aquarelles, lithographies, eaux-fortes, faïences décorées, affiches publicitaires, histoire de tout connaître du talentueux dessinateur et caricaturiste colmarien J.-J. Waltz, dit Hansi.

Musée de la Tour des Voleurs

D'avr. à fin oct. : 10h-12h, 13h30-18h15. 10F.

Salle de torture, oubliette, salle de garde et habitation du gardien de cette ancienne prison. À éviter si vous avez le cafard.

Musée du Dolder

Accès par l'escalier à gauche de la porte du Dolder. D'avr. à mi-oct. : w.-end et j. fériés 10h-12h, 13h30-18h15 (juil.-août : tlj). 10F.

Il renferme des souvenirs, gravures, armes, ustensiles se rapportant à l'histoire locale (outils, meubles, serrures...).

« *Ribambelle d'enfants* », dessin tiré du livre L'Alsace heureuse, par l'oncle Hansi.

Petite ville de vignerons, incontournable pour les fanas d'architecture. C'est ici que se cache, au milieu des vignes, entre les ruines des remparts, un modèle de l'architecture romane, une église du 12e s. dédiée aux apôtres Pierre et Paul. Encore du roman dans la rue principale, une maison en grès rouge de 1170, peut-être la plus ancienne construction civile d'Alsace. Après le plaisir des yeux, attablez-vous pour des dégustations de munster et de vins d'Alsace.

La situation
Cartes Michelin n°s 87 pli 15 ou 242 pli 23 — Schéma p. 387 — Bas-Rhin (67). À 8 km au Sud de Molsheim, 27 km à l'Ouest de Strasbourg, 30 km au Nord de Sélestat.
🅱 Pl. de la République, 67560 Rosheim, ☎ 03 88 50 75 38.

Le nom
Des documents datant de 778 portent le nom précurseur de « Rodashaim » désignant alors la ville qui deviendra au Moyen Âge un bastion impérial âprement disputé par les seigneurs de la région.

Les gens
4 016 Rosheimiens dont la plupart sont vignerons.

se promener

Église St-Pierre-et-St-Paul ★
Construite en grès jaune au 12e s., en forme de croix latine, elle présente un clocher octogonal, au-dessus de la croisée du transept, qui date du 14e s. Des bandes lombardes reliées par des arcatures courant le long des parties hautes de la nef et des bas-côtés décorent la façade et les murs. Sur le pignon de la façade Ouest, des lions dévorent des humains. Aux quatre angles de la fenêtre absidale sont figurés les symboles des évangélistes.
À l'intérieur, alternance de piles fortes et de piles faibles surmontées de chapiteaux sculptés. Orgues Silbermann de 1733 (restaurées).

Porte du Lion, porte Basse et porte de l'École
Ce sont des vestiges de l'ancienne enceinte de Rosheim.

Puits à chaîne et Zittgloeckel
Sur la place de la Mairie, puits à six seaux de 1605 qui servit aux Rosheimiens jusqu'en 1906, et tour de l'Horloge.

OÙ SE RESTAURER
Auberge du Cerf - 120 r. du Gén.-de-Gaulle - ☎ 03 88 50 40 14 - fermé 28 juin au 4 juil., dim. soir et lun. - 85/195F. Vous trouverez cette auberge sur la route qui traverse le village de Rosheim. Certes, elle est toute simple, mais c'est propret et l'ambiance familiale est plutôt sympathique. Comme en plus, la carte de spécialités régionales n'est pas chère, on vous la recommande.

VISITE DE CAVES
Caves à vins - Six vignerons vous ouvrent leurs caves (dégustation et vente). Voir l'Office de tourisme.
Cave fromagère - Affinage de munster et autres spécialités. Fromagerie Siffert, 35 rte de Rosenwiller, ☎ 03 88 50 20 13.

Chapiteau sculpté d'une des piles de l'église St-Pierre-et-St-Paul, chef-d'œuvre de l'école rhénane du 12e s.

Maisons anciennes

Nombreuses, elles longent la rue du Général-de-Gaulle et les petites rues adjacentes.

Maison païenne

Située rue du Général-de-Gaulle entre les n°s 21 et 23, c'est la plus ancienne construction en pierre d'Alsace (seconde moitié du 12e s.), sur deux étages percés de minuscules ouvertures.

AGENDA
À Rosheim, fête de la musique, de l'art, de l'artisanat et de la gastronomie le week-end autour du 21 juin ; corso fleuri le 2e dimanche de septembre.

Rouffach ★

Atmosphère chargée... Il s'en est passé des choses à Rouffach, à l'abri de ses coteaux couverts de vignes... Villa royale sous les Mérovingiens (le roi Dagobert serait passé par là), Rouffach sera, en 1106, le théâtre de l'une des premières manifestations féministes qui aura pour conséquence l'expulsion de l'empereur Henri V. Ajoutons à cela une histoire de gibet, des sorcières et Madame Sans-Gêne... et toujours de belles maisons anciennes.

La situation

Cartes Michelin n°s 87 pli 18 ou 242 pli 35 — Schéma p. 387 — Haut-Rhin (68). À 15 km au Sud de Colmar, 28 km au Nord de Mulhouse.

🛈 *8 pl. de la République, 68250 Rouffach,* ☎ *03 89 78 53 15.*

AGENDA
À Rouffach, foire écobiologique le week-end de l'Ascension.

La phrase

Tout le monde ne le sait peut-être pas mais les Rouffachois ne sont pas prêteurs. « Le gibet de Rouffac est fait de bon bois de chêne : prends garde au gibet de Rouffac... », dit-on. Un jour, les habitants du village voisin, Pfaffenheim, devant une urgence (pendre un malfaiteur) tentèrent d'emprunter le gibet de leurs voisins. Lesquels répondirent : « Notre gibet nous appartient, il est payé de notre argent. Il est fait pour nous et pour nos enfants, et non pour les étrangers... »

Les gens

4 303 Rouffachois. « M. Sans-Gêne » est un enfant du pays. Le maréchal d'Empire Lefebvre, et néanmoins duc de Dantzig, revenait souvent visiter sa vieille mère à Rouffac après avoir épousé Madame Sans-Gêne (surnom donné à la maréchale Lefebvre par Sardou et Moreau en 1898 dans leur pièce *Madame Sans-Gêne*).

▶ **GLOIRE**
Sur la place Clemenceau s'élève le monument du Maréchal-Lefebvre.

carnet d'adresses

OÙ DORMIR

● *Valeur sûre*

Hôtel Relais du Vignoble – *68420 Gueberschwihr - 6 km au N de Rouffach par N 83, puis rte secondaire -* ☎ *03 89 49 22 22 - fermé 1er fév. au 5 mars -* 🅿 *- 30 ch. : 260/450F -* ⌑ *45F - restaurant 80/250F.* Dans les vignes, cet hôtel est tenu par une famille de viticulteurs. Installé dans une grande maison datant de 1985, juste derrière le restaurant Bellevue, il est orienté vers la plaine. Au 2e étage, ses chambres sont plus grandes et froufrouteuses à souhait !

OÙ SE RESTAURER

● *À bon compte*

Auberge au Vieux Pressoir – *68250 Bollenberg - 6 km au SO de Rouffach par N 83, puis rte secondaire -* ☎ *03 89 49 60 04 - fermé 20 au 27 déc. - 89/368F.* Au milieu des vignes, cette grosse maison de vigneron est assez typique. Son pittoresque décor alsacien est souligné par des meubles campagnards, de vieux objets et une collection d'armes anciennes. Caveau de dégustation et cuisine du cru.

VISITE DE CAVES

Earl Bannwarth et Fils – *19 r. du 4e-Spahi -* ☎ *08 89 49 62 37.*

Bruno Hunold – *29 r. aux Quatre-Vents -* ☎ *03 89 49 60 57.*

Meyer Clos Ste-Apolline – *Domaine du Bollenberg -* ☎ *03 89 49 60 04.*

Les éminences de Rouffach : les tours et le clocher de l'église Notre-Dame et la tour des Sorcières.

se promener

Église N.-D.-de-l'Assomption
Possibilité de visite guidée. Office de tourisme.
Cette église date, pour son gros œuvre, des 12ᵉ et 13ᵉ s. La partie la plus ancienne est le transept (11ᵉ-12ᵉ s.). La tour Nord et la tour Sud, inachevée en raison de la guerre de 1870, sont du 19ᵉ s.
Comme il est d'usage dans le style rhénan du 12ᵉ s. les grandes arcades intérieures alternent les piles fortes et les piles faibles. Toutes les colonnes sont surmontées de beaux chapiteaux à crochets. Dans le croisillon droit, fonts baptismaux octogones (1492). Dans le chœur *(contre les piles du carré du transept)*, d'élégants escaliers sont ce qui reste d'un jubé du 14ᵉ s. À gauche du maître-autel, joli tabernacle du 15ᵉ s. Contre un des piliers de la nef, à gauche, une Vierge à l'Enfant surmontée d'un dais, sculptée vers 1500.

Tour des Sorcières
Datant des 13ᵉ et 15ᵉ s., couronnée de mâchicoulis, elle est surmontée d'un toit à quatre pans terminé par un nid de cigognes. On y enfermait jusqu'au 18ᵉ s. les femmes accusées de sorcellerie. On ignore si la proportion de sorcières était plus élevée qu'ailleurs.

Maisons anciennes
Sur la place de la République, ancienne halle au blé (fin 15ᵉ s.-début 16ᵉ s.) ; au fond de la place, à gauche de la tour des Sorcières, maison de l'Œuvre Notre-Dame, gothique, et ancien hôtel de ville qui possède une belle façade Renaissance à double pignon. On peut voir également trois autres maisons intéressantes aux nᵒˢ 11, 17 et 23 de la rue Poincaré.

Église des Récollets
Visite guidée sur demande auprès de la mairie. ☎ 03 89 78 03 00.
Elle fut construite de 1280 à 1300. Les bas-côtés ont été remaniés au 15ᵉ s. À l'un des contreforts est accolée une chaire à balustrade ajourée.

alentours

Pfaffenheim
3 km au Nord par la N 83. C'est un village viticole, ancienne cité de la fin du 9ᵉ s. dont elle garde encore de vieilles maisons vigneronnes. L'abside de l'**église** (13ᵉ s.) décorée de frises à motifs floraux, a une galerie aveugle et de fines colonnettes.

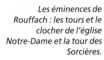

FÉMINISTES AVANT L'HEURE
En 1106, l'empereur Henri V fait enlever une jeune fille qu'il installe dans son château de Rouffac. Les femmes du village n'apprécient pas le geste du macho. Elles prennent les armes, entraînent leur mari et attaquent le château. Henri V, terrorisé, s'enfuit en abandonnant sa couronne, son sceptre et son manteau impérial qui finirent en offrandes à l'autel de la Vierge.

REMARQUER
Les entailles visibles sur les pierres de l'abside (partie basse), laissent supposer que les vignerons aiguisaient là leurs serpettes.

Saint-Avold

St-Avold est en plein pays minier et pourtant, rien ne laisse insinuer l'idée un peu rebutante de ce que peut être l'environnement à proximité des puits de charbon. Il faut dire que la petite ville a tout pour plaire : le château d'Henriette de Lorraine, les bulbes de l'abbatiale St-Nabor, des vieilles maisons, des pavés, des fontaines.

La situation
Cartes Michelin n°s 57 pli 15 ou 242 pli 10 — Moselle (57). À 44 km à l'Est de Metz, 29 km à l'Ouest de Sarreguemines.
🛈 *Hôtel de ville, 57500 St-Avold, ☎ 03 87 91 30 19.*

Le nom
En 765, le couvent de bénédictins installé ici depuis plus d'un siècle reçut les reliques d'un martyr, saint Nabor. Il faudra 8 siècles pour que saint Nabor se mue en saint Avold, on ne sait pas bien par quel miracle...

Les gens
16 533 Saint-Avoldiens (ou aussi Naboriens). Saint-Avoldiens malgré eux, 10 489 soldats et aviateurs américains reposent ici, dans la plus grande nécropole américaine en Europe.

OÙ DORMIR
Camping Le Felsberg - *Au N du centre-ville, près N 3, accès par r. en Verrerie, face à station service Record -* ☎ *03 87 92 75 05 - réserv. conseillée en été - 33 empl. : 60F. Sur les hauteurs boisées de la ville, ce terrain est agréable et bien entretenu. En terrasses, ses emplacements sont bien délimités par de petits arbustes. Service de petits déjeuners sur commande et possiblité de dîner sur le pouce au bar.*

se promener

Ancienne église abbatiale St-Nabor
En grès rosé, cette abbatiale de style classique à nefs en halle est éclairée par de lumineux vitraux modernes dus à un artiste naborien. Épargnée par la Révolution, l'église a gardé ses boiseries du 18ᵉ s. : stalles et panneaux du chœur, buffet d'orgues. Elle abrite également un retable de la Vierge, en pierre, de la seconde moitié du 15ᵉ s.

DÉTAIL
Au fond du bas-côté gauche, un **groupe sculpté★** du 16ᵉ s. représente une pathétique Mise au tombeau.

Cimetière américain
Au Nord de la ville, c'est le plus grand cimetière de la Seconde Guerre mondiale en Europe. Ses 45 ha accueillent les sépultures de soldats et d'aviateurs rigoureusement alignées. Dans la chapelle-mémorial, sur le mur Sud, une carte en céramique retrace les différentes opérations militaires.

alentours

Zimming
10 km à l'Ouest, entre la N 3 et l'autoroute A 4. À Zimming, prendre la petite route se dirigeant vers Hallering.
L'énorme **chêne de St-Gengoulf**, au bord de la route, près d'une source et d'une croix, porte encore les traces des scies mécaniques destinées à l'abattre. Les soldats américains qui s'y essayèrent en 1945 durent abandonner leur projet, l'arbre étant plus résistant que leurs lames !

circuit

LE PAYS MINIER
96 km — environ 2h1/2. Quitter St-Avold par la N 33 vers Carling.

Carling
Cité ouvrière comprenant plusieurs usines dépendant d'une part du groupe Charbonnages de France (centrale Émile-Huchet et cokerie), et d'autre part du groupe Elf

POINT DE VUE
Après Carling, en prenant à droite la route de Merlebach, on a sur la droite une vue générale sur les aménagements de Carling.

La centrale Émile-Huchet de Carling est dotée de 4 turboalternateurs d'une puissance thermique de 1 200 MW.

Atochem. La **centrale Émile-Huchet**★ est dotée d'une chaudière à lit fluidisé circulant de 330 MW. Une partie du charbon qui alimente cette centrale est amenée en carboduc.

On traverse L'Hôpital et Ste-Fontaine.

L'Hôpital et Ste-Fontaine
On est sur la « route des puits », en plein pays du charbon, impressionnant avec ses chevalements, ses cheminées d'usines, ses cités industrielles, ses terrils, appartenant aux Houillères du Bassin de Lorraine.

Freyming-Merlebach
Ce centre houiller très important exploite de magnifiques couches verticales, les dressants. Cette méthode d'exploitation est unique en Europe. Sur la place de l'Hôtel-de-Ville, le petit **Musée historique et militaire** évoque l'armée du Second Empire et les régiments français et allemands en garnison dans la région entre 1871 et 1939. ⅃ *9h-12h, 14h-17h, w.-end sur demande. Fermé j. fériés. 7F.* ☎ *03 87 29 69 63.*

La **mine-image Cuvelette**★ est une mine-école destinée à former aux métiers du fond les jeunes embauchés et les techniciens. Toutes les situations de taille que rencontrait le mineur, depuis les veines proches de l'horizontale jusqu'aux semi-dressants et dressants qui font la particularité du bassin, sont reconstituées dans les galeries (1,8 km). (*Visite sur demande préalable.* ☎ *03 87 87 08 54.*)

À la sortie de Freyming-Merlebach, prendre la N 3 en direction de Forbach.

À gauche, la frontière allemande longe la route : les maisons du côté Nord sont sarroises, celles du côté Sud font partie de la commune française de Cocheren. Après le pont SNCF, on voit, sur la gauche, la cokerie de Marienau.

Par la D 31, gagner Petite-Rosselle.

Petite-Rosselle
Ancien centre d'extraction et de traitement du charbon exploité de 1856 à 1986, le **carreau Wendel** produisait plus de 10 000 t par jour et employait 5 000 mineurs. La plupart des installations ont été restaurées pour donner le jour au **musée du Bassin houiller lorrain.** *Tlj sf sam. (hors j. fériés) 14h-17h, dim. et j. fériés 14h-18h. Fermé de mi-déc. à déb. janv. 20F.* ☎ *03 87 87 08 54.*

Revenir en direction de Forbach.

Forbach
En quittant la N 3 à l'entrée de Forbach, en direction de Grosbliederstroff, on atteint l'église puis, derrière celle-ci, le Schlossberg, colline boisée et couronnée par les ruines d'un château fort : vue étendue sur la ville et les environs.

ÉNERGIE NOIRE

La houille est transformée sur place en énergie électrique, pour le compte de EDF notamment, en coke, ou livrée à la clientèle (industrie, ensembles résidentiels, réseaux de chaleur urbains...) dans le quart Est de la France, Paris compris.

Par la rue Ste-Croix et la D 31, on arrive à **Behren**, cité de mineurs.
Emprunter ensuite la N 61, puis la D 910.

Sarreguemines *(voir ce nom)*
Au Sud de Sarreguemines, prendre à gauche la D 33 qui suit le cours de la Sarre.

Zetting
Village dont le site verdoyant est dominé par une petite église à tour ronde préromane (9e ou 10e s.) et abside gothique encadrant la nef (ancien sanctuaire rural transformé au 15e s.). À l'intérieur, un remarquable buffet d'orgues Renaissance, une Mise au tombeau des 14e et 15e s., aux six personnages polychromes, et, surtout, des **vitraux**, du 15e s., qui éclairent le chœur.
Faire demi-tour et quitter la D 33 pour prendre à gauche la D 910, puis la D 31^C en direction de Gaubiving.

Aussitôt, des pentes du **Kelschberg**, on a une vue intéressante sur le puits du bassin houiller, les installations annexes et la cokerie de Marienau.
Revenir à St-Avold par les D 30^C, D 30, puis N 3.

Cette dernière passe par **Hombourg-Haut** *(voir ce nom)* en longeant la vallée de la Rosselle, verdoyante et boisée.

LES GISEMENTS DE LORRAINE
Les Houillères du Bassin de Lorraine ont produit en 1997, avec près de 9 000 personnes, 4,7 millions de tonnes de houille, soit les 3/4 de la production nationale. La production est assurée par trois unités d'exploitation souterraine où sont mises en œuvre les techniques d'extraction les plus modernes. Aujourd'hui, les mines de charbon sont entièrement mécanisées et automatisées.

Saint-Dié ★

Raccourci historique rare à St-Dié. On passe d'un camp celtique vieux de 4 000 ans à une tour de la Liberté en forme de vaisseau spatial. Tout ça au milieu des montagnes de grès rouge couvertes de sapins. Pour tous ceux qui seraient encore à la recherche de la sérénité, tout est prévu : le plus beau jardin botanique de Lorraine collectionne les azalées, les rhododendrons, les bruyères et des centaines de fleurs, à regarder et à sentir.

La situation
Cartes Michelin n°s 62 pli 17, 87 pli 16 ou 242 pli 27 —Vosges (88). Parkings au centre-ville : quai Jeanne-d'Arc, r. d'Alsace et r. du 11-Novembre. ⌂ *8 quai du Mar.-de-Lattre-de-Tassigny, 88100 St-Dié,* ☎ *03 29 56 17 62.*

Le nom
Saint Dieudonné ou Déodat, évêque de Nevers, a fondé ici au 7e s. un monastère bénédictin. Dieudonné fut abrégé en Dié, sans doute pour gagner du temps.

Les gens
22 635 Déodatiens. Le deuxième inventeur de l'école (après Charlemagne), Jules Ferry (1832-1893), est né ici. Il a rendu l'école primaire laïque et obligatoire et s'est préoccupé ensuite de promouvoir l'expansion coloniale française.

VILLE MARRAINE DE L'AMÉRIQUE
En 1507, dans la *Cosmographiae Introductio,* ouvrage imprimé et publié à St-Dié dans l'une des plus vieilles imprimeries du monde (fondée en 1495) par le Gymnase vosgien (assemblée de savants), le continent découvert par Christophe Colomb fut, pour la première fois, dénommé America en hommage au navigateur Amerigo Vespucci.

visiter

Cathédrale St-Dié ★
De juil. à mi-sept. : 10h-12h15, 14h-18h15, dim. 14h-18h15 ; de mi-sept. à fin juin : tlj sf mer. 10h-12h, 14h30-16h30, dim. 14h30-16h30. ☎ *03 29 56 12 88.*
Deux tours carrées solennelles (18e s.) contrastent, sur le flanc Sud, avec un beau portail roman. Dynamitées en novembre 1944, ses voûtes et parties orientales ont été reconstruites à l'identique.

La cathédrale s'est enrichie en 1987 d'un bel ensemble de **vitraux** ★ non figuratifs réalisés par une équipe d'artistes animée par Jean Bazaine.

Du cloître de la cathédrale se dégage une sérénité confortée par le bel équilibre des baies flamboyantes et des voûtes sur croisées d'ogives.

La nef romane montre une alternance de piles fortes et faibles couronnées de **chapiteaux★** sculptés, du 14ᵉ s. Les doubleaux et voûtes de la nef sont du 13ᵉ s. Sur la colonne à droite de la croisée du transept, Vierge à l'Enfant, en pierre, du 14ᵉ s. Des vitraux de la fin du 13ᵉ s., dans la deuxième chapelle à gauche, racontent des épisodes de la vie de saint Déodat.

Cloître gothique★

Entre la cathédrale et l'église N.-D.-de-Galilée, et faisant communiquer ces deux édifices, cet ancien cloître de chanoines est demeuré inachevé depuis les 15ᵉ et 16ᵉ s. À un contrefort de la galerie s'adosse une chaire extérieure du 15ᵉ s.

Église N.-D.-de-Galilée

Mêmes conditions de visite que la cathédrale.
Exemple typique de l'architecture romane de la Lorraine Sud : la façade est précédée d'un clocher-porche aux frustes chapiteaux. L'originalité de la nef consiste en ses voûtes d'arêtes, fait très rare pour un vaisseau aussi large.

carnet pratique

Où DORMIR ET SE RESTAURER

● **Valeur sûre**

Hôtel Haut Fer – *88100 Rougiville - 6 km à l'O de St-Dié par N 420, puis rte secondaire - ☎ 03 29 55 03 48 - fermé 1ᵉʳ au 15 janv. et dim. soir -* 🅿 *- 16 ch. : 280/300F -* 🍽 *35F - restaurant 72/200F.* En dehors du village, cet hôtel des années 1960 est construit sur le site d'une scierie : son nom est d'ailleurs celui d'une lame avec laquelle on débitait les troncs d'arbres... Chambres au décor désuet, bien tenues. Préférez celles qui ouvrent sur la campagne.

VISITES TECHNIQUES

Papeteries de Clairefontaine – *19 r. de l'Abbaye - 88480 Étival-Clairefontaine - ☎ 03 29 52 22 11.* Pour tout savoir sur la fabrication de vos cahiers d'écolier.

Domaine Ste-Odile – *27 r. Ste-Odile - 88480 Étival-Clairefontaine - 10 km NE de St-Dié en dir. de St-Remy par D 424 - ☎ 03 29 41 40 83 - mar.-dim. à partir de 9h.* Domaine piscicole où l'on élève truites arc-en-ciel et truites fario, ombles chevalier et carpes, et où l'on décline

tous ces jolis poissons en une infinité de mets : terrine de truite royale aux mirabelles, mousse de truite aux herbes, boudin blanc de carpe à l'aneth, truite en gelée Muguette... Et pour ceux qui les préfèrent frétillants et visqueux dans la main, il est possible de louer une canne et de les pêcher soi-même.

Où PRENDRE UN VERRE

Billard's Club – *33 r. de la Prairie - ☎ 03 29 56 07 14 - lun.-jeu. 15h-1h, ven.-sam. 15h-2h.* C'est l'un des établissements les plus fréquentés de la ville, et il y a au moins trois bonnes raisons d'y aller : 19 billards, 8 pools et un bar cossu qui s'anime en fin de semaine lors de concerts ou de soirées à thème.

Le FBI – *82 r. d'Alsace - ☎ 03 29 55 09 81 - tlj à partir de 11h.* Bar dans le style pub orné de cuivres rutilants, de boiseries d'acajou et de banquettes tendues de velours rouge. Un endroit intime à souhait qui semble faire l'unanimité quel que soit l'âge de la clientèle.

Musée Pierre-Noël / musée de la Vie dans les Hautes Vosges

 ♿ *Mai-sept. : tlj sf lun. 10h-12h, 14h-19h, dim. 14h-19h ; oct.-avr. : tlj sf lun. 14h-18h, mer. 10h-12h, 14h-18h. Fermé j. fériés. Gratuit.* ☎ *03 29 51 60 35.*

Construit à l'emplacement de l'ancien palais épiscopal dont subsiste la porte d'entrée monumentale, il comprend des sections consacrées à l'archéologie (fouilles du site de la Bure), à l'ornithologie, à la forêt vosgienne, aux métiers du bois et du textile, à l'agriculture et à l'élevage, à la faïence de l'Est et à la verrerie. Collection militaire franco-allemande : importante vitrine évoquant René Fonck, as de l'aviation militaire pendant la guerre 1914-1918, né près de St-Dié. Collection Goll (art moderne).

> **CE CHER JULES**
> Une vaste salle est consacrée à Jules Ferry et à sa famille : manuscrits, photographies, mobilier, peintures, armes d'Afrique et d'Asie.

Bibliothèque

Tlj sf dim. et lun. 10h-19h, sam. 10h-18h ; vac. scol. : tlj sf dim. et lun. 10h-12h, 14h-18h. Fermé 1ᵉʳ janv., 1ᵉʳ et 8 mai, Ascension, 14 juil., 15 août, , 11 nov., 25 déc. Gratuit. ☎ *03 29 51 60 40.*

Elle possède 230 000 ouvrages (!) dont 600 manuscrits et 140 incunables (premiers livres imprimés). Dans la salle du Trésor sont présentés un exemplaire de la rarissime Cosmographiae Introductio et un Graduel enluminé (début 16ᵉ s.) comprenant notamment des miniatures qui évoquent le travail dans les mines au Moyen Âge.

Tour de la Liberté

10h-12h, 14h-19h (été : 10h-12h, 14h-21h). Gratuit. ☎ *03 29 56 17 62.*

Cet édifice d'acier, de câbles et de verre abrite une **collection de 52 bijoux** créés par Heger de Lœwenfeld d'après l'œuvre du peintre Georges Braque, père du cubisme avec Picasso. Un escalier en hélice conduit à un belvédère d'où la **vue** sur la ville et la ligne bleue des Vosges est magnifique.

Érigée au jardin des Tuileries, à Paris, en 1989, la tour de la Liberté a été rebâtie ici l'année suivante.

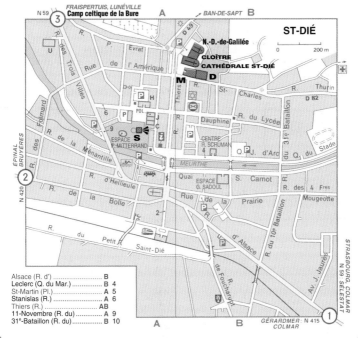

Alsace (R. d')	B		
Leclerc (Q. du Mar.)	B	4	
St-Martin (Pl.)	A	5	
Stanislas (R.)	A	6	
Thiers (R.)	AB		
11-Novembre (R. du)	A	9	
31ᵉ-Bataillon (R. du)	B	10	

Bibliothèque .... B **D** Musée Pierre-Noël .... B **M** Tour de la Liberté .... A **S**

alentours

Camp celtique de la Bure

FOUILLES CELTIQUES

Plusieurs bassins étaient consacrés à des divinités gauloises (Taranis et déesses mères), à côté d'un grand atelier sidérurgique. Deux enclumes de 11 kg et de 23,5 kg ont été découvertes ainsi que 450 kg de scories de fer. Le matériel archéologique mis au jour est exposé au musée de St-Dié.

7,5 km, puis 3/4h à pied AR. Quitter St-Dié par ③ du plan, N 59. À 4 km, prendre à droite vers la Pêcherie puis, encore à droite, la route forestière de la Bure, enfin, à gauche, la route forestière de la Crenée. Au col de la Crenée, laisser la voiture et gagner, par le sentier de crête, l'entrée principale du camp. Le site archéologique de la Bure a conservé les traces d'une occupation humaine remontant à quelque 2 000 ans avant J.-C. et ne prenant fin qu'au 4ᵉ s. de notre ère. Belles **vues**★ (table d'orientation) à l'Ouest sur la vallée de la Meurthe, au Sud sur le bassin de St-Dié.

ASTÉRIX EN ALSACE

Établi sur l'extrémité Ouest (582 m) de la crête de la Bure, le camp celtique révèle une terrasse d'enceinte émergeant de 40 à 60 cm par endroits, et épaisse de 2,25 m (3 pas gaulois), qui supportait une palissade interrompue par deux portes et deux poternes. L'accès Est, côté crête, fut barré dès le 1ᵉʳ s. avant J.-C. par un mur dit *murus gallicus* de 7 m d'épaisseur précédé d'un fossé et, vers 300, par un second rempart d'inspiration romaine.

Les Jardins de Callunes

À Ban-de-Sapt, 10 km au Nord-Est de St-Dié. Sortir de la ville par la D 49, prendre la D 32 à St-Jean d'Ormont. De fin juin à fin sept. : 10h-19h ; de mai à fin juin : 10h-12h, 14h-19h ; de fin sept. au 11 nov. : 10h-12h, 14h-18h ; de fin mars à fin avr. : 14h-17h30. Fermé du 12 nov. à fin mars. ☎ 03 29 58 94 94.

Ce parc paysager et botanique étale sur 4 ha 230 variétés de bruyères, des collections de rhododendrons, d'azalées, de plantes vivaces, d'érables. À voir en particulier au printemps et à l'automne.

itinéraire

DE ST-DIÉ AU COL DU DONON

43 km — environ 2h1/2. Quitter St-Dié par ③ du plan, N 59.

Étival-Clairefontaine

Cette petite ville de la vallée de la Meurthe est située sur la Valdange, affluent de la Meurthe. Sur les bords de la rivière, on peut voir les restes du moulin à papier de Pajaille qui date de 1512. Restes d'une ancienne abbaye, bâtie en grès des Vosges. Dans l'**église**★, la nef centrale et les bas-côtés sont de l'époque de transition du roman au gothique. *Possibilité de visite guidée dim. 14h-17h et sur demande. ☎ 03 29 41 52 08.*

AGENDA

À Étival-Clairefontaine, foire aux fromages, le 1ᵉʳ week-end d'octobre.

Moyenmoutier

De très vastes dimensions, l'**église** baroque, rebâtie au 18ᵉ s., est un des plus beaux monuments religieux de cette époque dans les Vosges. *Été : possibilité de visite guidée. Mairie. ☎ 03 29 42 09 09.*

Senones

Un amphithéâtre de montagnes boisées sert de cadre à cette petite ville qui fut, à partir de 1751, la capitale de la principauté de Salm, État souverain de 100 km² rattaché à la France en 1793. Elle possède encore quelques constructions princières : châteaux et hôtels particuliers du 18ᵉ s. L'escalier de pierre (18ᵉ s.) de l'**ancienne abbaye**, orné d'une rampe de fer ouvré, menait à l'appartement que Voltaire habita lors de son séjour en 1754.

Senones est le théâtre chaque année, certains dimanches matin en juillet et août, de reconstitutions historiques de la garde des princes de Salm.

Quitter Senones par la D 424 au Nord. Dans la Petite-Raon, à 2 km, prendre à gauche la D 49 qui s'engage dans le VAL de Senones et la vallée du Rabodeau, puis traverser Moussey, bourg qui s'étire sur 4 km.

La route forestière qui succède à la D 49 suit la vallée encaissée et déserte du Rabodeau. Le **col de Prayé**, situé sur la crête des Vosges, marquait l'ancienne frontière allemande. On atteint le **col du Donon** *(voir ce nom)*.

Saint-Mihiel ★

Croisières fluviales sur la Meuse, expéditions-pèlerinages sur les zones de combats de la Première Guerre mondiale, excursions aérées dans le Parc naturel régional de Lorraine, découverte studieuse de l'architecture religieuse particulièrement riche, tout est possible au départ de St-Mihiel. Mais deux trésors culturels sont absolument incontournables... l'immense bibliothèque bénédictine débordant de manuscrits et le Sépulcre de l'église St-Étienne sculpté par Ligier Richier.

La situation
Cartes Michelin n°s 57 plis 11, 12 ou 241 pli 27 — Meuse (55). Au croisement de la D 901 et de la D 964, au Sud de Verdun. Parkings r. des Abasseaux, au pied des bâtiments abbatiaux, et r. de Verdun.
🛈 *Pl. Jacques-Bailleux, 55300 St-Mihiel, ☎ 03 29 89 04 50.*

Le nom
Une prononciation sans doute légèrement accélérée de « St-Michel ».

Les gens
5 367 Sammiellois, dont, au 16e s., des drapiers et des orfèvres réputés. L'école sammielloise de sculpture avait pour chef de file Ligier Richier, né en 1500 à St-Mihiel.

se promener

Partir de l'Office de tourisme.

Bâtiments abbatiaux
Attenante à l'église St-Michel et à son curieux chevet arrondi, la très vaste abbaye, dont la reconstruction fut réalisée au 17e s., est restée à peu près intacte.
Se rendre place Bérain.

Église St-Michel

Possibilité de visite guidée sur demande auprès de l'Office de tourisme.

Cette église abbatiale, au clocher carré et au porche roman du 12ᵉ s., a été rebâtie à la fin du 17ᵉ s., dans le style bénédictin de l'époque. Dans la première chapelle du bas-côté droit, un chef-d'œuvre de Ligier Richier : la **Pâmoison de la Vierge soutenue par saint Jean★**. Ce groupe en noyer fut exécuté en 1531. Il faisait partie d'un calvaire comprenant le Christ — dont la tête est aujourd'hui au musée du Louvre —, saint Longin, Marie-Madeleine et quatre anges. Le magnifique buffet d'orgues a été sculpté entre 1679 et 1681.

Prendre la rue Notre-Dame.

Maison du Roi

Cette maison gothique du 14ᵉ s. fut propriété, au siècle suivant, du roi René d'Anjou, duc de Bar.

Falaises

Sept blocs de roches calcaires, hauts de plus de 20 m, sont adossés aux coteaux de la rive droite. Dans la première roche, dite le Calvaire, a été creusé en 1772 un St-Sépulcre, œuvre de Mangeot, sculpteur sammiellois. Du haut de ces rochers, vue sur St-Mihiel et la vallée de la Meuse.

Revenir en ville par la promenade des Capucins et la rue Poincaré à gauche.

Église St-Étienne

Possibilité de visite guidée sur demande auprès de l'Office de tourisme.

Le vaisseau actuel de cette originale église-halle fut construit de 1500 à 1545. Le clou de la visite est sans conteste le **Sépulcre★★** ou Mise au tombeau, exécuté par Ligier Richier de 1554 à 1564 *(dans la travée centrale du collatéral droit)*. C'est un groupe de treize personnages grandeur nature représentant un des épisodes de la Mise au tombeau : pendant que Salomé prépare la couche funèbre, Joseph d'Arimathie et Nicodème soutiennent le corps du Christ, dont Marie-Madeleine, à genoux, baise les pieds et dont Jeanne la Myrrophore, debout, tient la couronne d'épines.

DE GRAND-PÈRE EN PETIT-FILS

Dans la chapelle des fonts baptismaux, au début du bas-côté droit, on voit l'*Enfant aux têtes de morts*, œuvre sculptée en 1608 par Jean Richier, petit-fils de Ligier Richier.

Au second plan, la Vierge défaillante est soutenue par saint Jean et Marie Cléophée ; à gauche, un ange tient les instruments du supplice ; à droite, le chef des gardes médite profondément, tandis que deux de ses hommes jouent aux dés la tunique du Christ.

Le Sépulcre de Ligier Richier. On attribue aussi à Richier le retable d'autel en pierre polychrome de l'église d'Hattonchâtel, la pietà de l'église d'Étain, le calvaire installé dans le chœur de l'église de Briey et beaucoup d'autres œuvres.

visiter

Bibliothèque bénédictine

Dans l'ancienne abbaye. De mi-avr. à mi-oct. : w.-end et j. fériés 14h-18h (juil.-août : tlj sf mar.). 25F (enf. : 5F). ☎ 03 29 89 06 47.

Aux murs, des boiseries, au ciel, des plafonds de style Louis XIV, et dans les vitrines, quelque 9 000 ouvrages dont 74 manuscrits du 9ᵉ au 16ᵉ s. et 86 incunables. La star : le premier livre imprimé en Lorraine.

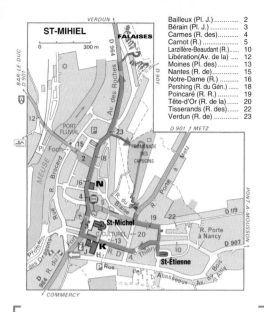

Musée départemental d'Art sacré

1ᵉʳ étage de l'aile Sud de l'ancienne abbaye. Mêmes conditions de visite que la bibliothèque.
Plus de 800 objets d'art religieux (peintures, sculptures, orfèvrerie, ornements liturgiques) du 13ᵉ au 20ᵉ s. proviennent de communes et de paroisses meusiennes.

alentours

Bois d'Ailly

7 km au Sud-Est par la D 907 et une route forestière signalée.
Ce bois, dont le terrain est encore bouleversé, fut l'objet de combats acharnés en septembre 1914. Du monument commémoratif, une ligne de tranchées avec abris et boyaux d'accès conduit à la tranchée de la Soif où quelques soldats résistèrent durant trois jours à d'importants éléments de la garde impériale allemande.

Musée Raymond-Poincaré

À Sampigny, 9 km au Sud par la D 964. De mai à mi-nov. : tlj sf sam. 14h-18h, ven. 14h-17h (juil.-août : 14h-18h, ven. 14h-17h). 12F. ☎ 03 29 90 70 50.
L'ancienne résidence d'été de ce Meusien qui fut président de la République (1860-1934) a été bâtie en 1906 par l'architecte nancéien Bourgon. Du parc et des jardins d'agrément, vue sur la vallée de la Meuse.

Génicourt-sur-Meuse

L'**église**, de style flamboyant, recèle de beaux vitraux de ► l'école de Metz, du 16ᵉ s., un maître-autel surmonté d'un retable de la Passion. Des fresques du 16ᵉ s. ont été mises au jour en juin 1981. *Visite guidée sur demande auprès de Mme Mangin. ☎ 03 29 87 75 15.*

WEEK-END FLUVIAL
Croisière en famille sur le canal de l'Est et le canal de la Marne au Rhin à bord du *Meuse-Ville de St-Mihiel*. Le programme peut être personnalisé : visite de sites, activités sportives (tir à l'arc, VTT), pilotage, etc. *Forfait 2 jours + 1 nuit. Possibilité de location du bateau. Base de plein air - chemin du Gué Rappeau - 55300 St-Mihiel - ☎ 03 29 89 03 59.*

TOUJOURS LUI
Les statues de bois du Calvaire de l'église de Génicourt sont attribuées à Ligier Richier.

Saint-Nicolas-de-Port ★★

Étape importante sur la route de la bière Lorraine. C'est sans doute l'« or blanc » des salines des environs qui a attisé la soif et justifié l'établissement d'une brasserie à St-Nicolas-de-Port. Elle n'existe plus, mais le musée qui a investi ses murs après avoir tout expliqué sur la bière, propose, en fin de visite, une ultime dégustation. St-Nicolas s'intéresse aussi au cinéma, à la photographie et aux cigognes. Mais ce qui a d'abord attiré les pèlerins, et ensuite les touristes, depuis près de dix siècles, c'est sa formidable basilique flamboyante, monumental reliquaire d'une phalange de St-Nicolas.

La situation
Cartes Michelin n°s 62 pli 5, 242 pli 22 ou 4054 F 7 — Meurthe-et-Moselle (54). À 12 km au Sud-Est de Nancy, 19 km à l'Ouest de Lunéville. ☐ *13 bis r. Anatole-France, 54210 St-Nicolas-de-Port,* ☎ *03 83 46 81 50.*

Le nom
L'arrivée au 11e s. d'une relique de saint Nicolas, évêque de Myre, rapportée par un croisé, bouleverse la cité de Port (appelée ainsi à cause de son activité fluviale sur la Meurthe). Une église va se construire autour de la phalange de saint Nicolas, attirer des pèlerins et accroître, presque miraculeusement, le développement commercial de la ville, désormais appelée « St-Nicolas-de-Port ».

AGENDA
Depuis le Moyen Âge, toute la Lorraine célèbre, le 6 décembre, saint Nicolas. À St-Nicolas-de-Port, un pèlerinage attire des milliers de fidèles catholiques venus rendre hommage au patron des Lorrains.

Les deux hautes tours de la basilique, telles deux phalanges, affichent un superbe gothique flamboyant.

découvrir

LA BASILIQUE ★★
De juil. à mi-sept. : visite guidée (1h) dim. et j. fériés 14h-18h. 20F, 10F les tours. Visite avec baladeur toute l'année tlj sf dim. et lun. 14h-18h, baladeur à retirer 1 r. des 3-Pucelles, parvis de la Basilique. ☎ *03 83 46 81 50.*
◀ Depuis 1983 le sanctuaire (fin 15e-début 16e s.) est aux mains des compagnons tailleurs de pierre, des sculpteurs et des maçons chargés de le restaurer. Un véritable chantier de cathédrale en plein 20e s., ouvert sans doute pour de longues années et partiellement accessible aux visiteurs.

Extérieur
La façade comprend trois portails surmontés de gâbles flamboyants. Le portail central a conservé la statue qui figure le miracle de saint Nicolas (niche de la pile

POINTS DE VUE
Belle vue de la basilique depuis la route qui longe la rive droite de la Meurthe. De la rue Anatole-France, beau coup d'œil sur le chevet.

carnet d'adresses

OÙ SE RESTAURER

● *Valeur sûre*

Auberge de la Mirabelle – *6 rte de Nancy - 54210 Ferrières - 12 km au S de St-Nicolas-de-Port par D 115 et D 112 - ☎ 03 83 26 62 14 - fermé le soir sf sam. - 120F. Dans la ferme de Léon, la spécialité, c'est évidemment la mirabelle... Mais dans son* ancienne étable, transformée en auberge, *on déguste une cuisine simple de « grand-mère » préparée et servie en famille. Une adresse bien connue des gens du coin.*

VISITE TECHNIQUE

Compagnie des salins du Midi et des salines de l'Est – *6 r. Gabriel-Péri - 54110 Varangéville - ☎ 03 83 18 73 00.*

centrale) attribuée à Claude Richier, frère de Ligier, le célèbre sculpteur lorrain.

Les tours s'élèvent à 85 et 87 m. Sur le flanc gauche de la basilique, à hauteur du transept et du chœur, six niches en anse de panier abritaient les boutiques lors des pèlerinages.

Intérieur

La nef est un lumineux vaisseau extrêmement élancé, ▶ couvert de belles voûtes à liernes et tiercerons culminant à 32 m comme à Strasbourg et dont les ogives retombent sur de hautes colonnes. Les bas-côtés relèvent d'une architecture analogue ; dans le transept, leurs voûtes soutenues par des piliers extrêmement hardis (les plus hauts de France : ils mesurent 28 m) s'élèvent à la hauteur des voûtes de la nef centrale et déterminent un transept inscrit, à la mode champenoise.

En contrebas du chœur, la **chapelle des Fonts** (*accès derrière l'autel de la Vierge*) abrite des fonts baptismaux du 16ᵉ s. et un beau retable de la première Renaissance française surmonté par des pinacles ajourés. Le **trésor** comprend notamment un bras-reliquaire de saint Nicolas en vermeil (19ᵉ s.), le nautile, un vais- ▶ seau dit « du cardinal de Lorraine » (1579), un reliquaire de la vraie croix en argent (15ᵉ s.), le crucifix de Voltaire en ivoire, une grande croix processionnelle du 19ᵉ s.

> **VITRAUX**
> Les magnifiques vitraux de l'abside ont été exécutés entre 1507 et 1510 par un verrier lyonnais, Nicole Droguet, ceux du collatéral et des chapelles Nord par le verrier strasbourgeois Valentin Bousch, de la même époque. Les inventions décoratives de la Renaissance transparaissent déjà.

> **DÉTAIL**
> Dans la chapelle, une série de délicats panneaux peints sur bois (16ᵉ s.) illustrent des scènes de la vie de saint Nicolas.

visiter

Musée français de la Brasserie

62 r. Charles-Courtois. De mi-juin à mi-sept. : 14h30-18h30 ; de mi-sept. à mi-juin : tlj sf lun. 14h-18h. Fermé de mi-déc. à déb. janv. 25F. ☎ 03 83 46 95 52.

Cela va de soi, il est installé dans l'ancienne brasserie de St-Nicolas-de-Port qui cessa toute activité en 1985. Deux beaux vitraux de Jacques Gruber, créés pour la salle de dégustation de la brasserie de Vézelise, éclairent la salle Moreau, ainsi nommée en hommage à Paul Moreau qui joua un rôle déterminant dans l'image de marque de la société. Dans la tour de brassage, de style Art déco, éclairée par de larges baies vitrées, on visite les différentes installations : le laboratoire, le grenier à malt, la chambre à houblon, la salle de brassage (belles cuves en cuivre), la salle des machines frigorifiques et la salle des glacières, avec les cuves de fermentation.

Ancienne affiche, comme on peut en voir au musée français de la Brasserie.

Musée du Cinéma, de la Photographie et des Arts audiovisuels

10 r. Georges-Rémy. 📷 Lun., ven., sam. 14h-18h, dim. 14h30-18h30. ☎ 03 83 45 18 32.

Histoire des techniques de l'image animée et photographique, depuis leurs tâtonnements au début du 19ᵉ s., aux origines de la cinématographie puis à leur évolution. Anamorphose, folioscope, kaléidoscope, chromolithographie : des mots barbares dont l'explication vous sera désormais lumineuse. Lanterne magique et autres procédés oubliés font revivre la féerie de l'image animée.

alentours

Varangéville

Au Nord de St-Nicolas, entre la Meurthe et le canal de la Marne au Rhin. Commencée à la fin du 15ᵉ s., de style gothique flamboyant, l'église présente à l'intérieur une superbe « forêt » de piliers à nervures palmées et d'intéressantes statues, dont une Vierge à l'Enfant de la première moitié du 14ᵉ s. et une Mise au tombeau du 16ᵉ s.

Dombasle-sur-Meurthe

5 km à l'Ouest. Située entre la Meurthe et le canal de la Marne au Rhin, la ville est le siège d'une importante usine chimique du groupe belge **Solvay**, première soudière française.

Rosières-aux-Salines

8 km au Sud-Est par la D 400, puis la D 116 à droite après Dombasle-sur-Meurthe. Les bâtiments des anciennes salines, qui fermèrent en 1760 sur ordre du roi Stanislas suite à la concurrence des fabricants de la vallée de la Seille, furent affectés au haras. L'effectif du celui-ci se monte à plus de 30 étalons de sang : pur-sang, anglo-arabe, arabe et, en majorité, selle français.

L'« OR BLANC »

Le sel, matière première de cette industrie chimique, est extrait depuis 1904 du plateau d'**Haraucourt**, à raison de 1 400 000 t par an. L'extraction utilise la technique de sondage et de dissolution par injection d'eau douce dans le sol. Cette exploitation intensive sur 200 ha produit, par foudroiement des sols, d'énormes cratères visibles depuis la D 80 et la D 81.

Sainte-Marie-aux-Mines

Le mot « mines » ne doit pas faire peur. Ici pas de corons, les façades Renaissance ne sont pas noircies par le charbon. De toute façon, les mines en question étaient des mines d'argent, de plomb et de cuivre, exploitées du 9ᵉ au 18ᵉ s. Les filons d'argent épuisés, les manufactures de fil d'argent se sont reconverties en filatures de coton, puis la ville s'est spécialisée dans le tissage des lainages légers, du cachemire. Il y a 25 ans, la ville vivait encore au rythme des métiers à tisser. Elle n'a rien effacé de son passé : Fête des tissus, exposition annuelle consacrée au patchwork et Foire aux minéraux sont là pour le rappeler.

La situation

Cartes Michelin nᵒˢ 87 pli 16 ou 242 pli 27 — Haut-Rhin (68). À 22 km à l'Ouest de Sélestat, 32 km au Nord-Ouest de Colmar, 24 km à l'Est de St-Dié. 🛈 *Pl. du Prensureux, 68160 Ste-Marie-aux-Mines,* ☎ *03 89 58 80 50.*

Le nom

Ste-Marie-aux-Mines doit son nom... aux mines, bien sûr. Ce sont des moines, dépendant du monastère de Moyenmoutier, qui auraient découvert les premiers filons d'argent au 9ᵉ s.

Les gens

5 767 Sainte-Mariens. Parmi eux, au 17ᵉ s., Jacob Amman, un anabaptiste expulsé de Suisse pour puristanisme excessif, à l'origine du mouvement amish. Les amish, à nouveau expulsés de France (au début du 18ᵉ s.), toujours pour les mêmes raisons d'extrémisme, se réfugièrent alors en Pennsylvanie, où ils vivent toujours.

AGENDA

Le dernier week-end de juin, la Bourse internationale des minéraux, gemmes et fossiles attire les passionnés du monde entier.

INVENTION DU PATCHWORK

Fondé en 1693 à Ste-Marie, le mouvement amish est connu aujourd'hui pour son austérité et son opposition à la civilisation moderne. Ce qui est peut-être moins connu, ce sont les couvertures (quilts) que les femmes fabriquaient avec des bouts de tissu qu'elles découpaient et assemblaient. Certains quilts sont de véritables œuvres d'art.

découvrir

LES MINES

Au Moyen Âge, le val d'Argent était un véritable eldorado européen où étaient exploitées plus de 300 mines avec 300 km de galeries, entretenant une ruée vers l'argent dont la valeur était alors huit fois supérieure à celle d'aujourd'hui.

Exemple de patchwork fabriqué à Ste-Marie.

Maison de Pays

Pl. du Prensureux. De juin à fin sept. : tlj sf mar. 10h-12h, 14h-18h. 25F. ☎ 03 89 58 56 67.

Dans le **Musée minéralogique**, riche collection de minéraux d'origine vosgienne et d'ailleurs. Dans le **musée du Textile**, atelier où l'on peut suivre les étapes de la fabrication du tissu avec différents métiers à bras et mécaniques. Enfin, le **musée du Patrimoine minier** est consacré à l'histoire des mines et des techniques minières avec, notamment, une reconstitution grandeur nature d'une galerie de mine du 16e s.

Mine St-Barthélemy

R. St-Louis. ☒ De juil. à fin août, Pentecôte, 2 derniers w.-end juin : visite guidée (3/4h) 9h30-12h, 14h-18h. 30F (enf. : 23F). ☎ 03 89 58 72 28.

Après un commentaire sur l'historique des mines, on visite différentes galeries taillées au marteau et à la pointerolle par les mineurs au 16e s.

Mine d'argent St-Louis-Eisenthür

Visite guidée (3h) sur demande préalable à l'ASEPAM, centre du patrimoine minier, 4, r. Weisgerber, à Ste-Marie-aux-Mines. ☎ 03 89 58 62 11 ou à l'Office de tourisme.

carnet pratique

OÙ DORMIR
● *Valeur sûre*
Gîte rural La Maison Bleue – *36 Fertrupt - 1,5 km à l'E de Ste-Marie, dir. Ribeauvillé - ☎ 03 89 58 89 74 - bachouchec@minitel.net - ⌨ - 4 pers. : sem. 2000F, w.-end 800F.* « C'est une maison bleue adossée à la colline... ». Un air de Maxime Le Forestier qui nous revient quand on découvre cette maisonnette, formidable pour un séjour en famille. Dans un jardin clos, ce gîte douillet, très bien équipé et joliment aménagé, est fait pour vous plaire !

OÙ SE RESTAURER
● *À bon compte*
Auberge La Canardière – *88490 Provenchères-sur-Fave - 21 km au NE de Ste-Marie par rte du Col et dir. Schirmeck - ☎ 03 29 51 27 81 - fermé vacances de fév., mar. soir et mer. - 70/165F.* Ici, les canards ne gambadent plus dans la basse-cour... Pourtant, dans cette ancienne ferme à la façade jaune, on continue de les savourer en foie gras, en confit, en aiguillettes (de mulard) ou en magret, dans un cadre simple, avec vue sur la forêt et la campagne.

TOUT SUR LE PATCHWORK
Carrefour européen du patchwork – Chaque année a lieu en septembre une exposition historique et artistique consacrée au patchwork et à la communauté amish, indissociable de cette activité. Cours d'initiation et de perfectionnement au patchwork, conférences sur l'histoire amish et les techniques de patchwork, présentation de quilts anciens et contemporains se déroulent dans différents sites de la vallée : églises, villa Burrus, théâtre...

Fête du tissu – Au printemps et à l'automne, une Fête du tissu présente des collections, propose à des acheteurs des étoffes tissées en grande partie à Ste-Marie et des textiles plus variés, surtout destinés à la haute couture. Pensez aux coupons pour confectionner ensuite votre patchwork.

Panorama complet des sites miniers et des techniques utilisées au 16ᵉ s.

Sentier minier et botanique de Ste-Croix-aux-Mines

◀ 🚶 *2h1/2. À la sortie de Ste-Marie, 100 m avant le panneau « les halles », départ du circuit sur la gauche de la route. Le bois de St-Pierremont recelait de riches filons argentifères exploités au 16ᵉ s. Tout au long du parcours, des panneaux sur les arbres indiquent les essences de la forêt.*

circuits

④ VAL D'ARGENT
◀ *65 km — environ 1h1/2. Voir p. 120.*

VALLÉE DE STE-MARIE
57 km — Environ 3h. Quitter Ste-Marie-aux-Mines par la D 416, direction Ribeauvillé.

Col du Haut-de-Ribeauvillé
Alt. 742 m. Beaux points de vue sur les deux vallées. Le petit col sépare la vallée de St-Blaise de celle du Strengbach dans laquelle on descend ensuite. La route serpente à travers la forêt où les hêtres se mêlent aux résineux.

Ribeauvillé★ *(voir ce nom)*

Sélestat★ *(voir ce nom)*
Prendre la N 59, puis la D 459 à Lièpvre.

Vallée de la Liepvrette★
Le Rombach qui jaillit de la terre au-dessus de La Hingrie, vient y alimenter la Liepvrette, charmant ruisseau courant entre les deux routes avant de traverser Ste-Croix-aux-Mines.

CIRCUIT HISTORIQUE
*Durée : 1h1/2,
livret-guide à l'Office de
tourisme.* Le parcours fait
découvrir les maisons de
mineurs et celles de
maîtres, témoins de
l'exploitation minière,
florissante au 16ᵉ et au
début du 17ᵉ s.

FUTUR PARC
Un parc minier du Val
d'Argent ouvrira ses
portes en 2001. Est
prévue une promenade
en train électrique dans
les galeries datant de la
Renaissance.

Mont **Sainte-Odile**★★

Attention, lieu mythique ! Nous sommes sur le territoire de la sainte patronne de l'Alsace. Comme d'habitude, c'est un ordre religieux qui, pour se rapprocher du ciel, a investi un superbe emplacement au sommet du mont Ste-Odile. À plus de 750 m, les falaises de grès rose, couvertes de forêts, avancent au-dessus de la plaine d'Alsace. Un million de touristes en font chaque année l'ascension pour le panorama, pour la sainteté des lieux ou pour percer le mystère du fameux Mur païen.

La situation
Cartes Michelin nᵒˢ 87 est pli 15 ou 242 pli 23 — Bas-Rhin (67). Nombreux parkings aménagés aux abords du mont. Pour les plus courageux, le GR 5 passe tout près.

Le nom
Au 7ᵉ s., le cruel duc Étichon, propriétaire du château d'Hohenbourg (premier nom du mont Ste-Odile) qui lui sert de résidence d'été, rejette sa fille Odile, née aveugle et débile. Enlevée par sa nourrice, elle retrouve la vue le jour de son baptême et décide de consacrer sa vie à la religion. Après bien des péripéties, son père lui fait don du château dans lequel

elle établira son couvent. On lui attribue quelques miracles et son tombeau devient rapidement un lieu de pèlerinage.

Le symbole
De 1870 à 1914, sainte Odile incarnera la résistance de l'Alsace à l'occupant prussien.

visiter

LE COUVENT

Un unique porche, sous l'ancienne hôtellerie, permet de pénétrer dans la grande cour plantée de tilleuls et encadrée à gauche par la façade de l'hôtellerie actuelle, au fond par l'aile Sud du couvent, et à droite par l'église.

Église conventuelle
L'intérieur de l'église, reconstruite en 1692, est composé de trois nefs. Belles boiseries au chœur et confessionnaux du 18ᵉ s. richement sculptés.

Chapelle de la Croix★
Accès par une porte à gauche dans l'église conventuelle.
Les quatre voûtes d'arêtes sont soutenues par une seule colonne trapue, de style roman (11ᵉ s.), au chapiteau décoré de palmettes et de figures. Un sarcophage contenait les ossements d'Étichon, père de la sainte.
À gauche, une porte basse aux sculptures carolingiennes communique avec la petite chapelle Ste-Odile.

Chapelle Ste-Odile
Ici reposent, dans un sarcophage de pierre du 8ᵉ s., les reliques de la sainte. Cette chapelle aurait été édifiée au 12ᵉ s. sur l'emplacement de celle où mourut Odile. La nef est romane et le chœur gothique.

Terrasse
Deux tables d'orientation y ont été installées. L'une à l'angle Nord-Ouest d'où l'on découvre le Champ du Feu et la vallée de la Bruche. L'autre à l'extrémité Nord-Est qui offre un splendide **panorama**★★ sur la plaine d'Alsace et la Forêt-Noire.

Chapelle des Larmes
C'est la première des chapelles qui s'élèvent à l'angle Nord-Est de la terrasse. Elle est bâtie sur l'ancien cimetière mérovingien (plusieurs tombes taillées dans le rocher sont conservées). La mosaïque (1935) représente le tombeau entouré de Léon IX et de sainte Eugénie, sous la voûte le Christ et les vertus chrétiennes, et au-dessus de la porte, Odile en prière.

PORTRAITS DE FAMILLE
Dans la chapelle Ste-Odile, deux bas-reliefs du 17ᵉ s. représentent l'un le baptême de sainte Odile et l'autre Étichon délivré des peines du Purgatoire grâce aux prières de sa fille.

OPHTALMOLOGIE
La route de descente vers St-Nabor (D 33) passe devant la source (**fontaine Ste-Odile**), protégée par une grille, que sainte Odile fit jaillir du rocher pour calmer la soif d'un homme épuisé de fatigue, et aveugle de surcroît. Cette source est un but de pèlerinage pour ceux qui souffrent des yeux.

Le couvent du mont Ste-Odile, haut lieu de pèlerinage alsacien.

Chapelle des Anges (chapelle St-Michel)

Bordée par un étroit passage dominant le précipice, elle présente une belle mosaïque de 1947. Selon une croyance, la jeune fille qui en faisait neuf fois le tour était assurée de trouver un mari dans l'année. Avis aux candidates !

randonnées

Le Mur païen

⚑ *1/2h à pied AR. Prendre à gauche, à la sortie du couvent, un escalier de 33 marches ; au bas de celui-ci, suivre le sentier qui le prolonge directement.*

La simple vue d'une partie de cet ouvrage colossal est impressionnante. Il faudrait quatre ou cinq heures de marche pour faire le tour entier de ses vestiges, enceinte mystérieuse, courant à travers forêts et éboulements.

Revenir au couvent par le même chemin.

Un sentier (partant du parc de stationnement Sud) offre une belle promenade le long du Mur païen.

Château de Landsberg

⚑ *4 km au Sud-Est par la D 109, puis 1h à pied environ AR par le chemin, en descente, indiqué par un panneau.*

Agréable promenade en forêt. On passe devant l'ancienne auberge du Landsberg et on suit un sentier jusqu'à un terre-plein en contrebas du château qui apparaît entre les arbres. Ce château du 13e s. n'est plus qu'une ruine.

> **QUERELLES D'EXPERTS**
> Personne n'est d'accord sur la date de construction de cette étrange muraille. Certains affirment qu'elle serait du 10e s. avant J.C., d'autres du 4e s. Les plus nombreux penchent pour l'hypothèse d'un ouvrage celtique du 2e s. avant notre ère. Pour ce qui est de son objectif, débat encore. Était-ce un enclos pour les animaux, une fortification contre les envahisseurs ? Le mystère demeure...

Sarrebourg

Les souffleurs de verre de la région ont apprivoisé le feu et donné naissance à un cristal presque magique. C'est sans doute cette tradition de transparence, de pureté et de lumière qui a attiré, ici, dans l'église des Cordeliers, Marc Chagall et son immense vitrail consacré à la paix. Sarrebourg, « porte des Vosges et des étangs lorrains » s'ouvre aussi sur de très belles excursions dans les boucles de la Sarre à la rencontre d'un artisanat exceptionnel consacré aux arts de la table. On ne se mettra plus à table de la même façon après avoir visité les cristalleries et les faïenceries de Hartzviller et Niderviller.

La situation

Cartes Michelin nos 87 pli 14 ou 242 pli 19 — Moselle (57). À 27 km à l'Ouest de Saverne, 73 km au Nord-Ouest de Strasbourg, 54 km au Sud de Sarreguemines.
🛈 *Chapelle des Cordeliers, 57400 Sarrebourg,* ☎ *03 87 03 11 82.*

Le nom

Le gué sur la Sarre, à l'époque romaine, avait été baptisé *Pons saravi* (pont sur la Sarre). On retrouve, datant de 713, la mention d'un nom germanique, *Saraburg*. La déformation est donc, cette fois, minime.

Les gens

13 311 Sarrebourgeois. Sarrebourg est la patrie d'un héros de 1918, le gén. Mangin (1866-1925) et du sculpteur Dominique Labroise (1728-1808) à qui l'on doit boiseries, chaires et autels d'un certain nombre d'églises de la région.

> **AGENDA**
> À Sarrebourg, en mai, Festival international de musique; en juillet, Fête du fromage blanc.

visiter

Chapelle des Cordeliers

♿ *Mai-sept. : 10h-12h, 13h30-18h30, dim. et j. fériés 14h30-17h30 ; oct.-avr. : lun. 14h-18h, mar.-mer. et ven. 8h-12h, 14h-18h, jeu. 9h12h, 14h-18h, sam. 9h-12h. 18F.* ☎ *03 87 03 11 82.*

Du 13ᵉ s., reconstruite au 17ᵉ s., la chapelle est éclairée, sur sa façade Ouest, par l'immense **vitrail**★ de Chagall, haut de 12 m et large de 7,50 m. L'immense bouquet central, aux vifs coloris bleus, rouges et verts, symbolise l'Arbre de vie de la Genèse. Adam et Ève en occupent le cœur, entourés du serpent, de la croix du Christ, du prophète Isaïe, de l'agneau, du chandelier, d'anges accompagnant Abraham, de Jésus entrant à Jérusalem... autant de thèmes que l'auteur transmet au monde comme des messages bibliques.

▶

<aside>
AU POIDS
Les 13 000 pièces de verre qui composent le vitrail pèsent 900 kg.
</aside>

Musée du Pays de Sarrebourg

13 av. de France. Tlj sf dim. et mar. 8h-12h, 14h-18h, sam. 8h-12h, 14h-17h (de déb. juil. à déb. août : tlj sf mar. 10h-12h, 14h-18h, dim. 14h-18h). Fermé j. fériés, Ven. saint, 26 déc. 18F. ☎ *03 87 03 27 86.*

Importantes collections archéologiques de la région : objets provenant de la villa gallo-romaine de St-Ulrich et des nécropoles et sanctuaires des sommets vosgiens, statuettes et bas-reliefs en céramique du 14ᵉ s. découverts à Sarrebourg, sculpture médiévale (beau Christ en croix du 15ᵉ s.).

▶

<aside>
FAÏENCES
Le musée du Pays de Sarrebourg présente également une remarquable collection de faïences et de porcelaines (18ᵉ s.) de Niderviller.
</aside>

Cimetière national des Prisonniers

À la sortie de la ville, à droite de la rue de Verdun (D 27). Ce cimetière de 1914-1918 contient environ 13 000 tombes. Face à la grille, un monument, le Géant enchaîné, fut exécuté par le statuaire Stoll durant sa captivité.

alentours

Réding

2 km au Nord-Est par la N 4. Dans Petit-Eich, tourner à gauche. En 1977, la restauration de la **chapelle Ste-Agathe** a fait découvrir, sous le plâtre de la voûte du chœur, des fresques du 13ᵉ s. représentant les symboles des évangélistes. Leur couleur terre s'harmonise aux tons ocre et brun de l'ensemble du chœur.

Villa gallo-romaine de St-Ulrich

4 km au Nord-Ouest. De juil. à fin août : mer.-sam. 11h-13h, 13h30-18h30, lun. et dim. 13h30-18h30. Fermé 14 juil. et 15 août. Gratuit. ☎ *03 87 03 27 86.*

La villa était la résidence d'un riche propriétaire et le cœur d'un vaste domaine d'une superficie probable de 2 000 ha. Construite dès le début du 1ᵉʳ s., elle connaît son extension maximum au 2ᵉ s.

<aside>
ADRESSE
Location de bateaux habitables tout équipés sans permis pour une croisière sur la canal de la Marne au Rhin.
Crown Blue Line, *port, 57400 Hesse,* ☎ *03 87 03 61 74.*
</aside>

Cristallerie de Hartzviller

10 km. Quitter Sarrebourg au Sud par la D 44. À la sortie de Hesse, prendre à gauche la D 96ᴰ qui mène à Hartzviller. Tlj sf w.-end 9h-11h, 13h-14h. Magasin d'usine 13h30-17h30. Fermé 3 sem. en août, entre Noël et Jour de l'An, j. fériés. Gratuit. ☎ *03 87 25 10 55.*

On y verra 80 artistes verriers façonnant à la bouche ou à la main verres, carafons, coupes...

Fénétrange

15 km. Quitter Sarrebourg au Nord par la D 43. Ce village fortifié a gardé ses ruelles médiévales bordées de belles maisons à oriel, fenêtres à meneaux et pignons pointus (maison des Limbourg, maison des Fers). Élevé au 16ᵉ s., puis remanié au 18ᵉ s., le **château** donne accès à une cour circulaire où l'on peut découvrir un curieux escalier hélicoïdal dans l'une des tourelles, et dans les caves un musée d'Art et Traditions populaires. La **collégiale St-Remi** a été reconstruite au 15ᵉ s. avec une courte mais haute nef voûtée d'ogives et une vaste abside polygonale inondée de lumière par des verreries partiellement du 15ᵉ s.

<aside>
BOTANIQUE
🚶 Des promenades circulaires de l'Arboretum *(2h1/2)* et du Gros-Chêne *(1h)* sont organisées dans la forêt de Fénétrange.
</aside>

Sarreguemines

La spécialité de Sarreguemines, c'est la faïence, depuis 1790. Le moulin sur la Blies sera le point de départ d'un circuit de la faïence et de la porcelaine. Mais ces beaux objets ne feront pas oublier le port de Sarreguemines qui accueille les plaisanciers, ni les berges de la Sarre et de la Blies propices à la promenade, ni enfin les forêts et les étangs alentours qui ravissent randonneurs et pêcheurs.

La situation
Cartes Michelin n°s 57 plis 16, 17 ou 242 pli 11 — Moselle (57). À 9 km à l'Est de Metz, 91 km au Nord-Est de Nancy, 105 km au Nord-Ouest de Strasbourg.
🖪 *R. du Maire-Massing, 57200 Sarreguemines,* ☎ *03 87 98 80 81.*

Le nom
L'ancien *Saargemund* rappelle la situation géographique qui lui a donné son nom : la confluence entre la Sarre et la Blies.

Les gens
23 117 Sarregueminois, parmi lesquels la famille de Geiger qui a géré la faïencerie durant tout le 19e s. et une partie du 20e, en collectionnant belles pièces et succès commerciaux.

découvrir

LA FAÏENCE
La faïencerie de Sarreguemines oriente sa production vers les faïences fines à décor imprimé ou lustrées, grès fins... Parmi d'autres techniques se développe la majolique, forme de faïence le plus souvent à motifs décoratifs en relief, recouverte d'émaux de couleur.

Musée
17 r. Poincaré. Tlj sf mar. 10h-12h, 14h-18h. Fermé 1er janv., dim. Pâques, 1er mai, dim. Pentecôte, 1er nov., 25 déc. 15F. ☎ *03 87 98 93 50.*

◄ Installé dans l'ancienne maison du directeur de la faïencerie, le musée retrace le passé ancien de la région. La **collection de céramiques**★ présente l'histoire et les principales productions de Sarreguemines depuis près de deux siècles. Sur le mur, face à l'entrée, une fontaine monumentale en majolique d'inspiration Renaissance mélange les jaune, vert, ocre et marron. De chaque côté, des panneaux représentent le petit pavillon (à gauche) et les bâtiments de l'usine (à droite).

OÙ SE RESTAURER
Casino des Sommeliers - *4 r. du Col.-Cazal* - ☎ *03 87 02 90 41 - fermé dim. soir et lun. - 75F.* Au bord de la Sarre, l'ancien casino des faïenceries qui date de 1890 est une belle maison en brique rose. Son décor de fresques et de belles boiseries d'époque s'accorde fort bien avec la cuisine alsacienne et joliment présentée que l'on sert dans son restaurant.

BILAN
La production atteint son apogée à la fin du 19e et au début du 20e s. Près de 3 000 ouvriers fabriquent alors des porcelaines, majoliques, services de table et panneaux. Rachetée en 1979 par le groupe Lunéville-St-Clément, la faïencerie produit surtout des carrelages. En 1982, elle prend le nom de Sarreguemines-Bâtiment.

À VOIR
Au musée, admirer le splendide **jardin d'hiver**★★, décoré de carreaux de faïence, aménagé par Paul de Geiger en 1882.

Au centre de la salle du musée, services de table et objets décoratifs permettent de rendre compte des techniques liées à l'évolution des goûts et de la société.

Musée des Techniques faïencières

125 av. de la Blies (moulin de la Blies). &. Tlj sf mar. 10h-12h, 14h-18h. Fermé 1er janv., dim. Pâques, 1er mai, dim. Pentecôte, 1er nov., 25 déc. 25F.

Un musée d'ambiance pour comprendre le processus de fabrication de la faïence. Les machines et les outils exposés sont d'époque. Prochainement, un espace d'animation présentera les gestes et les techniques utilisées et sera complété par un atelier pédagogique.

Circuit de la Faïence de Sarreguemines

🏃 *3 km environ. S'adresser à l'Office de tourisme.*

Une balade touristique qui permet de retracer en une ▶ journée deux siècles de savoir-faire et de talent entre les principaux sites de production de la faïence. En fin de parcours, il est possible d'acheter des souvenirs dans le magasin de vaisselle des faïenceries.

> **FOURS**
> Derrière l'hôtel de ville, ancien four de fabrique. Il y en avait une trentaine de ce type vers 1860, en brique et en forme de cône.

alentours

Parc archéologique européen de Bliesbruck-Reinheim

9,5 km à l'Est par Bliesbruck. Avr.-oct. : tlj sf lun. 10h-18h, dim. 10h-19h ; nov.-mars : 10h-17h. Fermé de mi-déc. à mi-janv. ☎ 03 87 02 25 79 ou ☎ 03 87 02 22 32. Pour la visite de la reconstruction muséographique de la tombe princière celtique, ☎ 00 49/ 6843 9002 11.

De part et d'autre de la frontière séparant la Sarre de la Moselle s'étend le territoire d'une cité antique. L'occupation, qui remonterait au néolithique, devint importante à l'époque celtique. De cette période date la tombe dite « de la princesse de Reinheim » (vers 400 avant J.-C.) dont les bijoux en or et le service à vin sont présentés dans un tertre funéraire reconstitué à proximité des vestiges d'une vaste villa du 2e s.

À Bliesbruck, on découvre les **thermes publics**★, dont l'ensemble est protégé par une immense structure de verre. Le long de la voie antique s'étirent deux quartiers artisanaux, l'un présenté au public, l'autre en cours de fouilles. La reconstitution de techniques d'artisanat gallo-romain complète à certaines époques de l'année la visite du site. Reinheim recèle de son côté les vestiges d'une vaste villa contemporaine de la cité antique.

> **SOUVENIRS**
> Près des thermes, la boutique du parc propose des répliques de vases, d'amphores, de poterie et de masques de scène.

Saverne ★

Les roses de Saverne ont poussé à l'endroit même où s'est terminée tragiquement la révolte des Rustauds au 16e s. Le duc de Lorraine a massacré ici 20 000 paysans, à qui il avait promis la vie sauve contre leur reddition. On est pourtant en pays de communication puisque Saverne est au pied des Vosges, au débouché des voies qui franchissent le massif, à l'entrée du passage qui conduit en Lorraine. Une écluse, sur le canal de la Marne au Rhin, et un port de plaisance conduisent droit au centre de la ville, juste devant le célèbre château des cardinaux de Rohan.

La situation

Cartes Michelin nos 57 pli 18 ; 87 pli 14 ou 242 pli 19 — Schéma ▶ p. 400 — Bas-Rhin (67). Saverne est le point de départ d'un circuit de 141 km appelé **« pays de Hanau »**, en plein Parc naturel régional des Vosges du Nord *(voir ce nom)*. Parkings en centre-ville : pl. du Gén.-de-Gaulle, pl. du Château et pl. des Dragons.

🛈 *37 Grand'Rue, 67700 Saverne, ☎ 03 88 91 80 47.*

> **LIVRE D'OR**
> Des hôtes prestigieux ont été accueillis au château des Rohan : Louis XIV et Louis XV, Marie Leszczynska et Goethe.

carnet d'adresses

OÙ DORMIR

● *Valeur sûre*

Chez Jean – *3 r. de la Gare -* ☎ *03 88 91 10 19 - fermé 21 déc. au 10 janv. - 25 ch. : 328/468F -* ☕ *50F - restaurant 90/220F.* Cet hôtel est une étape agréable de la ville de Saverne. Ses chambres rénovées sont douillettes et chaleureuses avec leurs boiseries. Côté cuisine, vous aurez le choix entre les plats du terroir de la winstub et une carte plus élaborée au restaurant...

OÙ SE RESTAURER

● *À bon compte*

Le Caveau de l'Escale – *10 quai du Canal -* ☎ *03 88 91 12 23 - fermé Noël au Jour de l'An, 10 j. fin juin, 2 sem. en oct., sam. midi et mer. - 78/139F.* Tout près du canal et du point de départ des bateaux-péniches de location, ce restaurant est caché dans une maison discrète... Il faut descendre dans sa cave voûtée pour s'attabler autour de plats régionaux et de tartes flambées, servies le soir. Accueil cordial.

Le nom

Il y a longtemps, Saverne, ville étape dans l'Antiquité, était nommée *Tres tabernae* (les trois tavernes). Le « t » s'est visiblement transformé en « s » pour donner « Saverne ».

La spécialité

DES ROSES PAR MILLIERS
Depuis 1923, chaque année en juin a lieu le Concours international des roses nouvelles et la très populaire Fête des roses.

Pour perpétuer l'image de la ville, un jeune maître pâtissier a eu l'idée de créer une spécialité. C'est ainsi qu'un nouveau bouton de rose est né, un petit bonbon au chocolat en forme de losange au sublime parfum de rose. Il se compose d'une gelée de rose surmontée d'un massepain, enrobé d'un chocolat noir, au goût amer et fruité. La gelée est obtenue à partir du pétale de la rose Luberon, choisie dans la roseraie pour son parfum et sa résistance. Le sablé à la rose, délicieux petit biscuit au beurre parsemé de pétales de roses non traitées, a été créé spécialement pour le centenaire de la roseraie.

visiter

Château★

L'ancien château fort du 12ᵉ s. s'est métamorphosé en palais Louis XVI, bâti en grès rouge, entouré d'un beau parc que limite le canal de la Marne au Rhin. Incendié en 1779, il fut reconstruit par le cardinal Louis de Rohan (celui de l'Affaire du collier de la reine) qui y vécut dans un faste prodigieux. De 1870 à 1944, il fut transformé en caserne. C'est sa façade Sud que l'on voit de la place.

Pilastres cannelés et péristyle soutenu par 8 colonnes corinthiennes ornent la façade du château.

Pour voir la **façade★★** Nord, la plus belle, passer à droite du château après avoir franchi la grille.

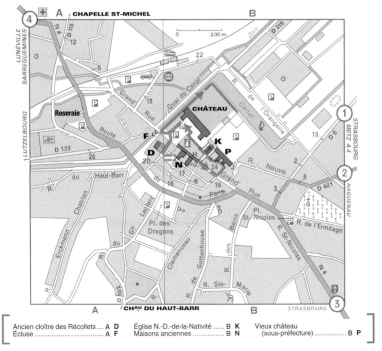

SAVERNE

Musée

Mars-déc. : tlj sf mar. 14h-17h (de mi-juin à mi-sept. : tlj sf mar. 10h-12h, 14h-18h) ; janv.-fév. : dim. 14h-17h. Fermé 1er janv., 1er mai, Ven. saint, 1er nov., 25-26 déc. 16F. ☎ *03 88 91 06 28.*

Dans l'aile droite du château, le sous-sol abrite les collections archéologiques, surtout gallo-romaines. Le 2e étage est consacré à l'art et à l'histoire de Saverne : sculptures religieuses médiévales ; vestiges lapidaires et objets provenant des fouilles des châteaux forts environnants (Haut-Barr, Geroldseck, Wangenbourg) ; souvenirs des Rohan. À voir aussi la donation Louise Weiss.

Roseraie

& *De juin à fin sept. : 9h-19h. 15F.* ☎ *03 88 71 83 33.*
7 500 rosiers de plus de 550 variétés y sont cultivés, en bordure de la Zorn.

se promener

Détails de la façade de la maison Katz, dans la Grand'Rue.

Maisons anciennes à colombage★

Les deux plus jolies (17e s.) dont la **maison Katz** encadrent l'hôtel de ville. D'autres maisons anciennes sont visibles au n° 96 de la Grand'Rue (maison Mitterspach de 1569), à l'angle des rues des Pères et Poincaré, à l'angle des rues des Églises et des Pères.

Prendre à gauche la rue du Tribunal.

Vieux château

Ancienne résidence des évêques aux 16e et 17e s., c'est maintenant la sous-préfecture. Une belle porte de style Renaissance orne la tour d'escalier.

Église paroissiale

On y entre par un clocher-porche roman du 12e s. À l'intérieur, dans la nef du 15e s., chaire de 1495, œuvre de Hans Hammer, maître d'œuvre de la cathédrale de

VOIR AUSSI
Les vitraux de la chapelle, datant des 14e, 15e et 16e s., représentent l'Adoration des Mages, ainsi que des scènes de la Passion.

Strasbourg. À gauche, dans un enfeu, Christ au tombeau du 15e s. En haut du collatéral gauche, dans la chapelle du St-Sacrement, se trouvent une pietà du 16e s., ainsi qu'un grand bas-relief en bois peint et doré du 16e s. également, représentant l'Assomption. Des vestiges de monuments funéraires gallo-romains et francs sont rassemblés dans le jardin attenant à l'église.

Poursuivre rue Dagobert-Fischer.

Flâner sur les quais du port de plaisance jusqu'à la capitainerie qui se trouve de l'autre côté du canal permet d'admirer toute la façade du château. Sinon, aller directement rue Poincaré.

Ancien cloître des Récollets

Il s'ouvre à gauche de l'église des Récollets (franciscains réformés) édifiée par les frères de Steigen en 1303. En pur style gothique, le cloître présente de belles arcades ogivales en grès rouge et, dans la 1re galerie à droite de l'entrée, une série de neuf peintures murales ajoutées en 1618 (restaurées). Le retable date de 1736.

alentours

Jardin botanique du col de Saverne

3 km, puis 1/4h à pied AR. Quitter Saverne par la N 4. À 2,5 km, parking à droite de la route. Traverser la N 4 et suivre le panneau indicateur. De mai à mi-sept. : tlj sf sam. 9h-17h, dim. et j. fériés 14h-18h (juil.-août : 9h-17h, w.-end et j. fériés 14h-19h ; juin : tlj sf sam. 9h-17h, dim. et j. fériés 14h-19h). 15F. ☎ 03 88 91 31 09.

À DÉCOUVRIR
Aux mois de mai et de juin, la floraison de 16 espèces d'orchidées poussant à l'état sauvage y est exceptionnelle.

Situé à 335 m d'altitude, dans une boucle formée par la route nationale, ce jardin de 2,5 ha réunit entre autres un arboretum, un alpinum, une petite tourbière avec des plantes insectivores et de nombreuses espèces de fougères.

Saut du Prince-Charles

En sortant du parc botanique, continuer tout droit en forêt.
D'après la légende, ce prince (non, pas celui d'Angleterre) fit faire un bond au-dessus du rocher à son cheval. De cette falaise de grès rouge, on a une jolie vue sur les contreforts des Vosges et la plaine d'Alsace.

Château du Haut-Barr★

5 km — 1/2h de visite. Voir ce nom.

St-Jean-Saverne

NE PAS MANQUER
À l'entrée du chœur, très beaux chapiteaux cubiques à feuillages stylisés.

5 km au Nord. L'**église** de ce village est le dernier vestige d'une abbaye bénédictine de femmes, fondée au début du 12e s. par le comte Pierre de Lutzelbourg et dévastée successivement par les Armagnacs et par les Suédois. À l'extérieur, elle est dominée par une tour, ne datant que du 18e s., mais sous laquelle une porte romane offre des pentures remarquables.

Chapelle St-Michel★

2 km, puis 1/2h à pied AR au départ de l'église St-Jean. Prendre la route du Mont-St-Michel qui s'élève en sous-bois puis, 1,5 km plus loin, un chemin à gauche à angle aigu. Ouv. dim. Fermé janv.-fév. Presbytère. ☎ 03 88 91 13 88.

La **chapelle** est contemporaine de l'abbaye de St-Jean-Saverne, mais remaniée au 17e s. et restaurée en 1984 par le Club vosgien.

SABBAT
La surface de cette plate-forme est évidée circulairement et le trou ainsi formé est appelé « École des sorcières ». La légende dit que des sorcières s'y rassemblaient la nuit pour se communiquer leurs maléfices.

En prenant à droite de la chapelle on atteint, à 50 m, l'extrémité du rocher, constituant une plate-forme d'où la **vue★** (table d'orientation) est très étendue sur les coteaux d'Alsace et, au loin, sur la Forêt-Noire.
Revenir à la chapelle.
Devant son flanc droit, descendre un escalier de 57 marches, puis suivre à gauche le chemin longeant le pied de la falaise rocheuse en partie en surplomb. Il per-

met d'atteindre une grotte dont la paroi du fond communique avec l'air libre par une étroite ouverture, le *Trou des sorcières*.

Phalsbourg

11 km à l'Ouest de Saverne. **Porte de France** et **porte d'Allemagne**, voilà deux vivants témoins des fortifications que Vauban a apportées à la ville au 17e s. Pour rester dans l'histoire, allez visiter le **musée historique et Erckmann-Chatrian**. Installé au 1er étage de l'hôtel de ville, ancien corps de garde de la forteresse (17e s.), il consacre à la dimension militaire de la cité une bonne partie de ses collections : uniformes français et étrangers, armes blanches et à feu, équipements de toute nature. Des œuvres d'artistes locaux, des costumes traditionnels et des objets usuels font revivre les arts et traditions populaires de la contrée. D'intéressants documents retracent le cheminement littéraire d'Erckmann et de Chatrian. *9h-12h, 14h-17h. 12F.* ☎ *03 87 24 41 20.*

> **QUATRE MAINS**
> Émile Erckmann (1822-1899) né à Phalsbourg, a écrit à quatre mains, avec Alexandre Chatrian (1826-1890), nombre de contes, de romans et d'œuvres dramatiques (*l'Ami Fritz, Histoire d'un conscrit de 1813...*).

Schirmeck

Si toutes les routes mènent à Rome, toutes les excursions dans la vallée de la Bruche partent de Schirmeck. Vous y croiserez des blaireaux, des hiboux, des chats sauvages et il y sera question d'une chatte pendue, d'un pasteur philanthrope, de bière et de l'inventeur du fusil Chassepot. Harmonie, symbiose même, entre les hommes, les petites industries et les forêts environnantes, tel est le visage qu'offre Schirmeck, entre les Vosges du Nord et les Ballons des Vosges.

> **VESTIGES**
> Schirmeck possédait une église néoclassique (1754) dont il reste une façade encore belle et un clocher octogonal encadré par 4 statues baroques.

La situation

Cartes Michelin n°s 87 pli 15 ou 242 pli 23 — Bas-Rhin (67). À 53 km au Sud-Ouest de Strasbourg, 39 km au Nord-Est de St-Dié, 47 km au Sud de Saverne, 45 km au Nord-Ouest de Sélestat. ▯ *Mairie, 67130 Schirmeck,* ☎ *03 88 49 63 80.*

Le symbole

La Bruche prend son cours près du col de Saales et se jette dans l'Ill, tout près de Strasbourg. Elle alimente quelques usines textiles et des scieries. C'est en partie à elle que la région de Schirmeck et de Rothau doit son activité industrielle.

La rue principale de Schirmeck, dans la vallée de la Bruche.

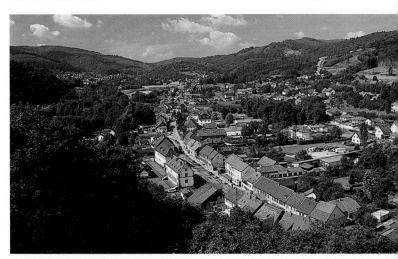

randonnée

SE RESTAURER
Ferme-auberge du Pâtre - *67190 Grendelbruch - 12 km au NE de Schirmeck par D 204 - ☎ 03 88 97 55 71 - ouv. sam. midi et dim. et en juil. - août mar. midi, mer. midi et jeu. midi - 🍴 - réserv. - 85/108F. Sur les hauteurs du village, cette maisonnette de 1924 reçoit ses convives dans une salle ornée d'une fresque d'époque. Sur ses tables en bois, vous goûterez fromages et viandes de la ferme, bien sûr... Et pourrez repartir avec produits laitiers et charcuteries !*

Rocher de la Chatte pendue

🚶 *2h à pied AR. Au Sud-Ouest de Rothau, 5 km jusqu'aux Quelles, puis 1 km par une route de terre (direction de La Falle) ; sur la droite un panonceau indique le départ du sentier balisé vers la Chatte pendue ; parking possible dans le virage suivant.* Le sentier grimpe dans un sous-bois déjà montagneux. À 900 m d'altitude, au sommet en plateau de la Chatte pendue, beau **belvédère**★.

itinéraire

SUR LES TRACES D'OBERLIN
41 km de Schirmeck à Saales — environ 2h

Fouday
Le pasteur Oberlin y repose dans le petit cimetière attenant au temple luthérien. Celui-ci, à l'intérieur, présente une simple nef carrée que des galeries de bois ceignent sur trois côtés, mais conserve l'abside à voûte d'arêtes qui constituait le chœur de l'ancienne église romane.
Prendre à gauche la D 57.

Vallon du Ban de la Roche
L'aspect encore sauvage de ce vallon est adouci par la présence de quelques jolies habitations isolées. En face se dresse le Champ du Feu à 1 100 m d'altitude.

Waldersbach
Dans ce hameau charmant et bien exposé, aux maisons couvertes de grandes toitures de tuiles, l'ancien presbytère protestant abrite le musée Oberlin. ♿ *D'avr. à fin oct. : mer., jeu., w.-end, j. fériés 14h-18h (juil.-août : tlj sf mar.). 15F.* ☎ *03 88 97 30 27.*
Revenir sur la N 420.

MARCHÉ
Sous les halles de l'hôtel de ville de Saales se tient le vendredi après-midi, de mi-juin à mi-septembre, le marché des produits de montagne de la haute Bruche.

St-Blaise-la-Roche
Ce petit bourg est un important carrefour routier. À ses environs, la Bruche, étroite et calme, bordée de trembles et de bouleaux, coule entre les prés.

Saales
Située à l'origine de la vallée de la Bruche, Saales commande le col du même nom qui procure un passage facile d'un versant des Vosges à l'autre.

VALLÉE DE LA BRUCHE★
29 km — environ 1/2h.
Promenade rafraîchissante le long de la Bruche depuis sa source jusqu'à Molsheim, par un court crochet vers Niederhaslach et son église.

Wisches
Ce petit village marque la limite entre les pays de langue française et de dialectes alsaciens.
À la sortie d'Urmatt à droite, gigantesque scierie.

Église de Niederhaslach★ *(voir p. 406)*
La vallée se resserre entre des versants boisés, en vue du village d'Heiligenberg que l'on aperçoit sur un promontoire de la rive gauche.

LE BON PASTEUR
Pasteur à Waldersbach, Jean-Frédéric Oberlin (1740-1826) ouvre des écoles maternelles et prolonge la scolarité des enfants jusqu'à 16 ans. Il dote le vallon de routes, fonde des caisses de prêts, développe l'agriculture et l'artisanat. Il crée enfin une petite activité industrielle en faisant venir des métiers à tisser. Oberlin, précurseur de toutes les œuvres sociales, demeure, en Alsace, l'objet d'une vénération justifiée.

Mutzig
Cette charmante petite ville, autrefois fortifiée, abrite depuis des siècles une garnison. Elle s'orne d'une jolie fontaine et d'une porte du 13e s., surmontée d'une tour. C'est à Mutzig qu'en 1833 naquit Chassepot, l'inventeur du fusil qui armait l'infanterie française en 1870. Près de la Bruche, l'ancien **château des Rohan** (17e s.), évêques de Strasbourg, fut converti en manufacture d'armes après la Révolution. Il abrite aujourd'hui un centre cultu-

rel et le musée régional des Armes (armes à feu — histoire du fusil Chassepot — et armes blanches). *De mai à mi-oct. : tlj sf lun. et mar. 14h-17h30, dim. et j. fériés 14h-18h. 13F.* ☎ *03 88 38 31 98.*

Molsheim★ *(voir ce nom)*
La route (N 420) suit la rive gauche de la Bruche qu'elle longera presque constamment. Vignes et arbres fruitiers font leur apparition.

BIÈRE

C'est à Mutzig, en 1812, que l'industriel Wagner créa sa célèbre brasserie. Elle a fermé ses portes en 1990. Mais il y a toujours une fête de la bière le 1ᵉʳ dimanche de septembre.

Sélestat★

À mi-chemin entre Colmar et Strasbourg, l'étape est plus secrète. À cause de ses remparts, Sélestat ne s'est pas beaucoup développé. Il fallait choisir entre les inondations et l'extension. C'est finalement l'intimité qui a gagné. La Renaissance a laissé à Sélestat plus que des traces... elle lui a légué un trésor, la bibliothèque humaniste, une des plus riches bibliothèques du monde...

La situation
Cartes Michelin nᵒˢ 62 pli 19, 87 plis 6, 16 ou 242 pli 27 — Schéma p. 387 — Bas-Rhin (67). À mi-chemin entre les deux départements du Rhin, la ville est signalisée par un panneau vert sur les grands axes routiers. Parkings au centre-ville : quai de l'Ill, r. du Prés.-Poincaré, r. du Babil et bd du Gén.-Leclerc.
🛈 *Commanderie St-Jean, bd du Gén.-Leclerc, 67600 Sélestat,* ☎ *03 88 58 87 20.*

Le nom
En 737, on repère, dans une charte, le nom de *Scladistat,* « lieu des marécages ». Ce qui semble assez bien vu puisque Sélestat est au beau milieu du Grand Ried, terres régulièrement inondées par le Rhin avant sa domestication.

Les gens
15 538 Sélestadiens. En 775, Charlemagne a passé son réveillon de Noël à Sélestat. On ne connaît pas le menu, mais cela a du inspirer les sélestadiens qui, quelques années plus tard, inventèrent le sapin de Noël.

MON BEAU SAPIN

Depuis quelques années, Sélestat organise en décembre une exposition qui retrace l'histoire du sapin de Noël à travers les siècles.

se promener

LA VIEILLE VILLE★
Visite : 2h. Partir du boulevard du Général-Leclerc et prendre à droite la rue du Vieux-Marché-aux-Vins. Au bout de la place Gambetta, prendre à gauche la rue des Serruriers.

Sur la place du Marché-aux-Pots, l'ancienne **église des Récollets** est reconvertie aujourd'hui en temple protestant. De l'ancien couvent des franciscains ne subsiste que le chœur de l'église.
Tourner à gauche dans la rue de Verdun.

Maison de Stephan Ziegler
Cette maison Renaissance fut construite au 16ᵉ s. par un maître maçon de la ville.
La rue de Verdun mène à la place de la Victoire.

Ancien arsenal Ste-Barbe
Très jolie façade du 14ᵉ s. ornée d'un escalier à double pente conduisant à un petit dais qui précède la porte d'entrée. Le toit porte deux nids de cigognes.

Suivre en avant la rue du 17-Novembre et tourner à droite dans la rue du 4ᵉ-Zouave pour prendre le boulevard du Maréchal-Joffre à gauche.

carnet pratique

OÙ DORMIR

● Valeur sûre

Chambre d'hôte La Romance – *67220 Dieffenbach-au-Val - 12 km au NO de Sélestat par N 59 et D 424, dir. Villé - ☎ 03 88 85 67 09 - corinne@la-romance.net - 4 ch. : 360/420F.* Ne vous découragez pas ! C'est vrai que cette maison, sur les hauteurs du village, n'est pas facile à trouver, mais vous apprécierez son calme et son confort. Les chambres modernes sont décorées avec soin, le jardin agréable et le sauna idéal pour la détente...

OÙ SE RESTAURER

● Valeur sûre

Les Deux Clefs – *67600 Ebermunster - 8 km au N de Sélestat par N 83, dir. Strasbourg - ☎ 03 88 85 71 55 - fermé fin déc. à fin janv., 10 j. en juil., lun. soir et jeu. - réserv. conseillée le w.-end - 150/200F.* Juste en face de la très jolie église d'Ebersmunster, cette maison typique abritait autrefois les abattoirs du couvent. Dans sa salle, style bistrot de campagne, goûtez la matelote et la friture, deux classiques du pays, préparés par la maman comme tous les plats ici...

Auberge de l'Illwald – *67600 Le Schnellenbuhl - 8 km au S de Sélestat par D 159 et D 424 - ☎ 03 88 85 35 40 - fermé 24 juin au 8 juil., 24 déc. au 6 janv., mar. soir et mer. - 120/160F.* Une auberge de campagne sympathique, sur la route de l'Allemagne : tenue par un jeune couple, elle sert une cuisine aux accents régionaux, simple et bien tournée, dans une salle joliment décorée de fresques. Ambiance familiale et prix sages.

FÊTES DE NOËL

Fidèle à la tradition alsacienne de la Nativité, Sélestat, berceau du sapin de Noël, organise en décembre des animations en ville destinées aux petits et aux grands. Exposition de sapins géants décorés sur les différentes places ; cortège de saint Nicolas sur son char traversant la ville avec marché St-Nicolas. Marché de Noël. Visites guidées musicales de Noël avec conteur et musiciens costumés ; récitals, concerts, etc. Se renseigner à l'Office de tourisme pour le calendrier des festivités.

ACHATS

Benoît Wach – *7 r. des Chevaliers - ☎ 03 88 92 12 80 - mar.-ven. 8h-19h, sam.-dim. 8h-18h - fermé fév.* Dans une jolie bâtisse décorée de moulures en trompe l'œil et d'une belle niche au-dessus de l'entrée, cette pâtisserie-salon de thé propose toutes les spécialités de la région : œufs de cigogne, pains d'épice...

Marché du terroir – *Sq. Ehm - sam. matin.*

LOISIRS SPORTIFS

Office de tourisme – *Bd. Leclerc - ☎ 03 88 58 87 23 - oct.-avr. lun.-ven. 8h30-12h, 13h30-18h, sam. 9h-12h - fermé dim. et j. fériés - mai-sept. lun.ven. 9h-12h30, 13h30-19h, sam. 9h-12h, 14h-17h, dim. et j. fériés 9h-15h.* Sélestat ayant reçu un « Guidon d'Or » pour ses 85 km de pistes cyclables, l'Office de tourisme s'est associé à un loueur de vélos pour vous proposer des VTC récents, révisés chaque semaine.

SUR LE POUCE

L'Ami Fritz – *3 r. des Bateliers - ☎ 03 88 92 88 07 / 82 01 01 - mer.-dim. 19h-1h30.* À peine franchi le seuil, vous éprouverez un étrange sentiment de bien-être dans cet univers chargé de livres que vous feuilletterez tandis que l'ami Fritz (tout le monde l'appelle ainsi) vous préparera une assiette de soupe ou de fruits frais selon la saison. Grand collectionneur de vinyles, le patron de ce petit bistrot vous dégotera quelques vieux morceaux de jazz, blues ou rock sur simple demande ! Et si vous engagez la conversation avec lui, ne lui dites pas qu'il est bavard, il le sait !

La tour de l'Horloge, rehaussée d'une scène de la Passion.

Promenade des Remparts

Depuis ces anciennes fortifications de Vauban, on a une belle vue sur les collines sous-vosgiennes et le Haut-Kœnigsbourg.

Suivre le boulevard Vauban, puis la rue Poincaré.

Tour de l'Horloge

Elle date du 14ᵉ s., sauf les parties hautes qui ont été restaurées en 1614.

Passer sous la tour de l'Horloge, puis suivre la rue des Chevaliers pour atteindre la place du Marché-Vert.

Église Ste-Foy★

Cette belle église romane du 12ᵉ s., en grès rouge et granit des Vosges, est un ancien prieuré bénédictin. Les chapiteaux de la nef possèdent un beau décor floral

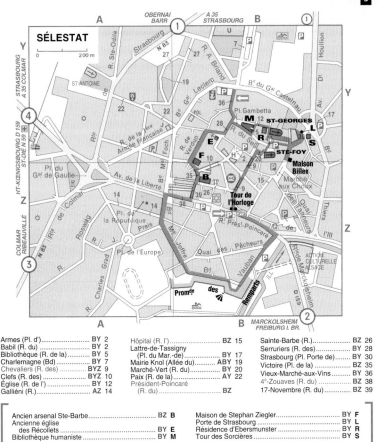

emprunté aux églises lorraines. Le porche est joliment décoré d'arcatures, de corniches et de chapiteaux historiés.

Sortir de l'église par la petite porte derrière la chaire et prendre à droite la ruelle qui mène à la place du Marché-aux-Choux.

Maison Billex
Bel oriel Renaissance à deux étages. C'est dans cette demeure que la ville de Strasbourg signa en 1681 sa reddition à Louis XIV.

Gagner l'église St-Georges.

Au passage, on aperçoit à droite la **tour des Sorcières**, vestiges des anciennes fortifications démolies par Louis XIV, puis la **porte de Strasbourg** (1679), construite par Tarade selon les plans de Vauban.

Église St-Georges★
Cette importante église gothique construite du 13e au ▶ 15e s. a subi des restaurations considérables, notamment au 19e s. Elle comporte un narthex (sorte de vestibule) original, très allongé, qui occupe toute la largeur de la façade et s'ouvre au Sud sur la place St-Georges par une porte élégante. Trois des portes ont conservé leurs vantaux primitifs avec leurs pentures. La chaire, en pierre sculptée et dorée, date de la Renaissance.

Prendre la rue de l'Église.

Résidence d'Ebersmunster
N° 8. C'est la résidence urbaine des moines bénédictins, construite en 1541. Le portail Renaissance, surmonté de coquilles, est décoré de motifs italiens.

Quelques mètres plus loin, prendre à gauche la petite rue de la Bibliothèque.

VITRAUX
Des anges musiciens peuplent les vitraux de la façade. La rose de la porte Sud du narthex illustre les Commandements du décalogue. Trois vitraux du chœur représentent des épisodes de la vie des saintes Catherine, Agnès et Hélène. Les nouveaux vitraux du chevet et du chœur ont été exécutés par Max Ingrand.

visiter

TRÉSOR DE PAPIER
La Bibliothèque humaniste recèle pas moins de 450 manuscrits, 530 incunables (livres imprimés avant 1500) et 2 000 imprimés du 16ᵉ s., le Lectionnaire mérovingien (ouvrage le plus ancien conservé en Alsace — 7ᵉ s.) et la fameuse *Cosmographiae Introductio*, imprimée en 1507 à St-Dié, contenant l'« acte de baptême de l'Amérique ».

Bibliothèque humaniste★

Tlj sf mar. et dim. 9h-12h, 14h-18h, sam. 9h-12h (juil.-août : tlj sf mar. 9h-12h, 14h-18h, w.-end et j. fériés 9h-12h, 14h-17h). Fermé Ven. saint, Pâques, Pentecôte, 1ᵉʳ et 8 mai, 11 nov. 20F. ☎ 03 88 92 03 24.

Installée dans l'ancienne halle aux Blés (1843), elle est constituée de deux fonds : la bibliothèque latine fondée en 1542 et le legs de la « libraria rhenana », quelque 500 volumes de l'humaniste Beatus Rhenanus. Vous y ferez la découverte de l'évolution des techniques du livre, du 7ᵉ au 16ᵉ s.

Une des riches salles de la bibliothèque humaniste.

alentours

Châteaux de Ramstein et d'Ortenbourg

🚶 *7 km, puis 1h1/4 à pied. Quitter Sélestat par ④ du plan et N 59. À 4,5 km, tourner à droite dans la D 35 vers Scherwiller. À 2 km, prendre à gauche le chemin de terre. Laisser la voiture à Huhnelmuhl près de l'auberge. Suivre le sentier qui mène aux deux châteaux, distants de 300 m.* Ruines intéressantes pour la belle vue qu'elles offrent sur le Val de Villé et la plaine de Sélestat.

Château de Frankenbourg

🚶 *11 km, puis 1h3/4 à pied. Quitter Sélestat par ④ du plan, N 59. À Hurst prendre la D 167 vers la Vancelle. À 2 km, laisser la voiture et prendre le sentier à droite.*

Des ruines, belles vues sur les vallées de la Liepvrette et de Villé.

Parcs animaliers de Kintzheim

8,5 km. Quitter Sélestat par ④ du plan et la D 159.

◀ **RAPACES SHOW**
Certains rapaces (aigles, condors, vautours, milans, serpentaires) de la volerie des Aigles participent aux spectaculaires **démonstrations de dressage★** organisées durant la visite (sauf par mauvais temps).

Une excursion passionnante auprès des animaux agrémentée d'une visite dans deux centres expérimentaux d'acclimatation d'espèces différentes : rapaces et singes.

La **volerie des Aigles** est installée dans la cour du château féodal ruiné. Sous des auvents sont logés environ 80 rapaces, diurnes et nocturnes. 🚶 *1/2h à pied AR.* 📷 *Juil.-août : 14h-17h, démonstration à 15h, 16h, 17h (de mi-juil. à mi-août : 10h-11h15, 14h-17h, démonstration à 11h15, 14h30, 15h45, 17h) ; juin : 14h-17h, démonstration à 14h30, 16h, 17h, w.-end à 15h, 16h, 17h ; ; avr.-mai et sept.-oct. : 14h-16h, démonstration à 15h (14h30 en mai) et 16h, w.-end et j. fériés 15h, 16h, 17h ; de déb. nov. au 11 nov. : mer. et w.-end 14h-16h, démonstration mer. 15h et 16h, w.-end 15h, 16h, 17h. 45F (enf. : 30F). ☎ 03 88 92 84 33.*

Reprendre la voiture et continuer la route forestière, puis la D 159. À 2 km, prendre à droite un chemin qui aboutit aux clôtures électrifiées ceinturant la « Montagne des singes ».

La **Montagne des singes** est un parc de 20 ha, planté de pins, où vivent en liberté 300 magots de l'Atlas, bien adaptés au climat alsacien. *Mai-sept. : 10h-12h, 13h-18h (juil.-août : 10h-18h) ; avr. et oct. : 10h-12h, 13h-17h ; de déb. nov. au 11 nov. : mer. et w.-end 10h-12h, 13h-17h. Fermé du 12 nov. à fin mars. 40F (enf. : 25F).* ☎ *03 88 92 11 09.*

Mémorial et musée de la Ligne Maginot du Rhin

15 km au Sud-Est. Quitter Sélestat par ② du plan, D 159, puis D 424. 1,5 km après Marckolsheim, la casemate du mémorial apparaît sur le côté droit de la N 424. Voir Ligne Maginot.

Benfeld

20 km au Nord-Est. Quitter Sélestat par ① du plan, N 83. Construit au 16ᵉ s., l'**hôtel de ville** montre une jolie porte sculptée qui donne accès à la tourelle polygonale ornée d'un écusson aux armes de la ville. L'horloge à jaquemart comprend trois personnages : la Mort, un chevalier revêtu d'une armure et le Stubenhansel, traître qui, en 1331, aurait livré la ville aux Bavarois et aux Wurtembourgeois, pour une bourse d'or qu'il tient dans la main.

Ebersmunster

8 km au Nord-Est par N 83. Quitter Sélestat par ① du plan. Jadis siège d'une abbaye bénédictine célèbre qui aurait été fondée par le duc Étichon et sa femme, les parents de sainte Odile.

Édifiée vers 1725, l'**église abbatiale**★ se signale de loin par ses trois clochers à bulbe. L'**intérieur**★★ passe pour la plus belle réalisation du baroque en Alsace, au début du 18ᵉ s. Sa luminosité, la gaieté du décor peint et stuqué composent un cadre raffiné au mobilier élégamment sculpté. *Possibilité de visite guidée sur demande.* ☎ *03 88 85 72 66.*

Château du Haut-Kœnigsbourg★★ *(voir ce nom)*

> **ENTENDRE**
> Dans l'église abbatiale d'Ebersmunster, chaque dimanche de mai à 17h, ont lieu les « Heures musicales d'Ebersmunster » : concerts d'orgue et de chorales.

Par un sens aigu de la mise en scène chère au baroque, c'est vers le maître-autel (1728) de l'église d'Ebersmunster que le regard est attiré. Coiffée d'une immense couronne en baldaquin, cette monumentale composition toute en sculptures et en dorures s'élève jusqu'à la voûte du chœur.

Sierck-les-Bains

Sierk est, bien que tout cela reste une histoire d'eau, davantage réputée pour sa foire à la grenouille (en mai) que pour ses bains. Et d'ailleurs, la Moselle quitte ici la France et s'enfonce entre de hautes collines couvertes de vignes et de vergers. Eau, forêt, montagne... Des croisières sur la Moselle amènent au Grand-Duché, des chemins traversent la forêt de l'Altenberg, des sentiers conduisent au sommet du Stromberg.

La situation

Cartes Michelin n°s 57 pli 4 ou 242 pli 6 — Moselle (57).
À 17 km au Nord-Est de Thionville, 32 km au Sud-Est de Luxembourg, 45 km au Nord de Metz. 🚩 *R. du Château, 57480 Sierck-les-Bains, ☎ 03 82 83 74 14.*

Le nom

« les-Bains » ont été ajoutés à Sierck au 19e s. à l'époque où l'on exploitait ici les vertus curatives des eaux des trois sources qui jaillissent au pied du Stromberg. Ne cherchez plus les bains, c'est la gare qui, à la suite d'une surprenante reconversion, a pris la place de l'établissement thermal !

visiter

Château

De mars à fin nov. : 10h-12h, 14h-17h, dim. et j. fériés 10h-17h (mai-nov. : 10h-19h, dim. et j. fériés 10h-20h). 20F. ☎ 03 82 83 67 97.
◄ Le château fort, construit sur un promontoire rocheux, a conservé une bonne partie de ses fortifications du 11e s. : murs d'enceinte, casemates, tours de l'Artillerie, du Guet, de la Redoute et des Pères récollets. Impressionnante collection d'armes des 15e et 16e s. dans l'arsenal du château.
Non loin de là, la **chapelle de Marienfloss**, dernière trace d'une chartreuse autrefois florissante et important lieu de pèlerinage, a été restaurée et agrandie.

alentours

Rustroff

1 km au Nord-Est. L'**église** de ce village se dresse à l'extrémité de l'abrupte rue principale. Refaite au 19e s., elle abrite un beau retable en bois peint du 15e s. et une petite pietà du début du 16e s.

OÙ SE RESTAURER
Auberge de la Klauss
- *57480 Montenach -
3,5 km au SE de Sierck
par D 956 -* ☎ *03 82
83 72 38 - fermé
24 déc. au 5 janv. et
lun. - 160/280F.*
Ambiance *Le Bonheur
est dans le pré*
d'Étienne Chatilliez
dans cette auberge de
campagne où l'on élève
des oies, des canards et
des cochons... Plats du
terroirs, bons vins,
gibier en saison et
surtout foie gras
maison, voilà de quoi
régaler les gourmands !
Terrasse en été.

POINT DE VUE
Du château, **vue★** sur la
vallée de la Moselle,
dominée par le
Stromberg aux pentes
couvertes de vignes.

Après huit années de restauration, le légendaire château fort de Malbrouck et ses quatre tours d'une hauteur de 20 m, a rouvert ses portes.

Château de Malbrouck★

8 km au Nord-Est par la N 153 et la D 64 à droite. À l'entrée du village de Manderen, prendre le chemin en montée à gauche. 📷 *De mai à fin déc. : tlj sf mar. 10h-18h (19h le w.-end). 35F (visite guidée théâtralisée : 55F).* ☎ *03 82 82 42 92.*

Plus de ruines aujourd'hui : le château de Malbrouck est à nouveau sur pied, imposante forteresse du 15ᵉ s. au sommet de la colline boisée dominant le Luxembourg et l'Allemagne à un jet de flèche de ses tours. Maquette animée, son et lumière, dioramas, bornes interactives, animations : tout est là pour faire revivre le château et son histoire.

circuit

COTEAUX DE LA MOSELLE

45 km — environ 1h1/2. Sortir de Sierck par la D 64 .

L'itinéraire parcourt les coteaux de la rive gauche de la Moselle, puis se termine par une incursion au Luxembourg.

Haute-Kontz

De la terrasse de l'église (tour du 11ᵉ s.), belle **vue** sur un méandre de la rivière et le bourg de Rettel en face.

Prendre la D 1 à Fixem.

Centre nucléaire de production d'électricité

À Cattenom. Visite sur demande préalable auprès du CNPE de Cattenom, Mission Communication, BP 41, 57570 Cattenom. ☎ *03 82 51 70 41. Centre d'information : tlj sf dim.*

Il comprend 4 tranches relevant de la filière à eau pressurisée. Chaque unité, équipée d'une tour de refroidissement d'une hauteur de 165 m, fournit une puissance électrique de 1 300 MW.

Prendre à droite la D 56.

Usselkirch

Dans le cimetière jouxtant la route, à droite, tour romane solitaire, vestige d'une église du 12ᵉ s.

Gagner Boust par la D 57.

Boust

Bâtie en pierre de taille, sur une éminence, l'église St-Maximin (1962), œuvre de l'architecte Pingusson, est remarquable par sa nef circulaire que prolonge un long pédoncule flanqué d'un campanile.

Revenir sur la D 56.

Roussy-le-Village

L'église St-Denis (1954), en pierre et béton, est surtout intéressante pour les sculptures de Kaeppelin et les vitraux de Barillet qu'on peut voir à l'intérieur.

Revenir à Usselkirch et suivre la D 57.

Contz-les-Bains et ses coteaux baignés par les eaux nonchalantes de la Moselle.

> #### « MALBROUCK S'EN VA-T-EN GUERRE »
> Lors de la guerre de Succession d'Espagne (1705), le duc de Malborough, vient envahir la Lorraine, fixant son quartier général au château. Il attend du renfort, mais ses hommes sont anéantis dans les Ardennes. « Malbrouck » lève donc le camp sans combattre. Le récit de cet illustre fait d'armes fera le tour de l'Europe, immortalisé par la chanson populaire.

> #### BONNES BOUTEILLES
> Avant d'atteindre Haute-Kontz, la route file entre les pentes du Stromberg couvertes de vignobles (vin blanc réputé) et la Moselle en traversant **Contz-les-Bains** qui abrite un musée du Vin. Possibilité de visiter une cave : **Simon**, *16 r. du Pressoir,* ☎ *03 82 83 74 81.*

ARCHITECTURE
Les maisons de
Rodemack, au crépi gris
et aux fenêtres cintrées,
les entrées de caves et
celles des granges sont
typiques de la Lorraine.

Rodemack

◄ À 5 km de la frontière luxembourgeoise, cette ancienne cité conserve du temps de sa splendeur une imposante forteresse, restaurée au 17ᵉ s., et une porte fortifiée, au Sud, au bord de la rivière, marquée par deux tours rondes. L'église (1783) frappe par la simplicité de son architecture, sa statuaire et son mobilier.

Rejoindre la D 1. On traverse la frontière luxembourgeoise.

Mondorf-les-Bains★

Dans l'église, les orgues
sur balcon sculpté
d'emblèmes musicaux
côtoient des stucs et
fresques peints en
trompe l'œil par Weiser
(1766).

Belle ville d'eau dont les deux sources à 24° conviennent surtout aux affections hépatiques, intestinales et rhumatismales. Près de l'établissement thermal, **parc★** de 36 ha, aux belles frondaisons et aux parterres fleuris ;
◄ jolies vues sur le paysage luxembourgeois. Élevée en 1764 sur une colline dominant le vieux bourg, l'**église St-Michel**, de crépi rose et entourée d'un cimetière, possède un riche **mobilier★** Louis XV.

Revenir à Sierck par la CR 152.

Colline de **Sion-Vaudémont**★★

Sa forme en fer à cheval suggère l'idée de porte-bonheur. C'est un des plus célèbres belvédères sur le pays lorrain en même temps qu'un de ces hauts lieux historiques « où souffle l'esprit » selon la formule de Maurice Barrès qui lui donna le nom de « colline inspirée ». Véritable sanctuaire de la Lorraine, la colline, depuis des siècles, rassemble ici des foules de pèlerins.

La situation

Cartes Michelin nᵒˢ 62 pli 4, 242 pli 25 ou 4054 E 8 — Meurthe-et-Moselle (54). Sous Nancy, à 15 km au Nord de Mirecourt, près de Vaudémont, sur la D 50. Parkings aménagés à Vaudémont, près du monument à Barrès et aux abords du sanctuaire. Alt. 497 m.
🛈 *5 r. Notre-Dame, 54330 Saxon-Sion,* ☎ *03 83 25 14 85.*

Le nom

Au Moyen Âge, on priait sur la colline pour les croisés qui guerroyaient en Terre sainte. La colline prendra donc, tout naturellement, le nom d'une des hauteurs de Jérusalem.

Les gens

Maurice Barrès (1862-1923), écrivain et homme politique né à Charmes, aimait souvent gravir les pentes de Sion. C'était, en quelque sorte, sa roche de Solutré. Son attachement pour sa patrie lorraine est omniprésent dans son œuvre et plus particulièrement dans *La Colline inspirée* (1913) qui est, bien sûr, celle de Sion.

ADRESSE
Le domaine de Sion est
une exploitation
fruitière et une
distillerie où l'on peut
goûter, visiter, se
restaurer et acheter les
produits locaux :
primeurs, fruits,
légumes. *Ouv. tte
l'année (11h30-22h).
Visite gratuite pour les
clients du restaurant.
Visite et dégustation :
15F. R. de la
Cense-Rouge,*
☎ *03 83 26 24 36.*

comprendre

La colline inspirée — Les Celtes, les premiers, il y a 2 000 ans, viennent adorer sur la colline les dieux de la Guerre et de la Paix. Les Romains, eux, préféreront Mercure. Les divinités païennes, jugées impies par la nouvelle foi, sont remplacées au 4ᵉ s. par le culte de la Vierge. Au 10ᵉ s., saint Gérard, évêque de Toul, fixe cette dévotion d'une façon définitive. Les comtes de Vaudémont et les ducs de Lorraine l'imposeront à toute la région.

Plus tard, sous la bannière de N.-D.-de-Sion, le duc René II défait devant Nancy Charles le Téméraire qui convoitait la Lorraine.

Enfin, à une époque plus récente, lorsque par trois fois la guerre s'éloigne, les foules se pressent pour venir remercier Notre-Dame.

Trois guerres, trois dates, trois pèlerinages sont évoqués à l'intérieur de la basilique. En 1873, la Lorraine est rattachée à l'Allemagne ; les pèlerins viennent déposer une croix de Lorraine brisée avec l'inscription en patois « Ce n'a me po tojo » (ce n'est pas pour toujours). En 1920, la Lorraine est à nouveau française : cette fois, les pèlerins cachent la brisure de la croix sous une palmette d'or et inscrivent ces mots : « Ce n'ato me po tojo » (ce n'était pas pour toujours). Enfin, en 1946, les conflits mondiaux sont bel et bien terminés : une nouvelle croix est posée sur l'autel, portant cette conclusion « Estour inc po tojo » (maintenant c'est pour toujours).

RÉCONCILIATION
Dernier épisode : le 9 septembre 1973, une « fête de la Paix » rassemble 10 000 pèlerins, dont les invalides et ex-prisonniers de guerre allemands. Une banderole de marbre portant le mot « Réconciliation » est apposée sur l'autel, à côté des autres inscriptions.

Sion-Vaudémont semble avoir été un haut lieu de culte depuis toujours. Aujourd'hui, sa colline attire, chaque année, des milliers de pèlerins, surtout de Pâques à octobre.

découvrir

SION★

Visite : 1/2h. Laisser la voiture au parc de stationnement et monter jusqu'à l'hôtel Notre-Dame. Prendre à gauche en longeant le cimetière, pour gagner l'esplanade plantée de tilleuls séculaires.

Basilique

Elle date, pour l'essentiel, du milieu du 18e s., et semble être le piédestal de la tour monumentale (1860) qui se dresse au-dessus du porche.

L'abside, restaurée dans sa pureté originelle (début du 14e s.), abrite la statue de N.-D. de Sion : Vierge couronnée, en pierre dorée, du 15e s.

Un **musée** archéologique et missionnaire a été aménagé à l'extrémité du préau : vestiges des âges de la pierre et du bronze (vases, pierre), sarcophage mérovingien. Toute l'histoire de la Colline inspirée. *15h-17h.* ☎ *03 83 25 12 22.*

À VOIR
Au-dessus de l'autel du bas-côté gauche, les plaques apposées lors des quatre pèlerinages de 1873, 1920, 1946 et 1973, dont on vous a parlé plus haut.

Panorama★

À la sortie de l'église, prendre à droite, longer le préau et tourner à droite, à l'angle du mur du couvent.

À hauteur d'un calvaire, le panorama atteint toute son ampleur (table d'orientation). C'est là qu'on découvre ce « vaste paysage de terre et de ciel » dont parle Barrès.

POINT DE VUE
Un autre point de vue est aménagé à l'Ouest du plateau. On y accède par une allée d'arbres à gauche, à l'entrée du parking.

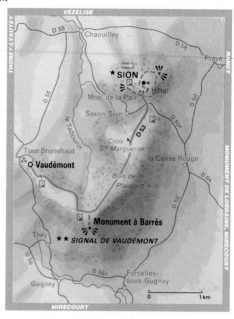

SIGNAL DE VAUDÉMONT★★

Visite : 1/2h. 2,5 km au Sud de Sion. En quittant Sion, laisser à droite le chemin en descente sur Saxon-Sion et, à hauteur d'un calvaire, prendre tout droit la D 53, route de crête qui traverse toute la colline.

Après avoir dépassé, à droite, une croix de mission érigée vers 1622 par Marguerite de Gonzague, épouse de Henri II de Lorraine, la route traverse le bois de Plaimont. Au sommet du signal de Vaudémont (541 m) s'élève le **monument à Barrès** haut de 22 m, en forme de lanterne des morts, érigé en 1928. **Panorama**★★ superbe sur le plateau lorrain.

On peut poursuivre jusqu'au village de Vaudémont, pointe opposée de la colline.

Vaudémont

Près de l'église s'élève la « tour Brunehaut », vestige du château de Vaudémont, berceau de la famille des ducs de Lorraine. Le village a gardé son aspect traditionnel. La Grand'Rue est bordée de maisons ou de fermes mitoyennes dont la grande porte charretière, donnant accès à la grange, est généralement cintrée.

alentours

Monument de Lorraine

23 km au Sud-Est de Sion par les D 50 E, D 64, D 413, D 33, D 28 puis à gauche la D 28 C, étroite et en montée jusqu'au terre-plein situé devant le monument de Lorraine. Derrière le monument commémorant la victoire de la « trouée de Charmes » (Première Guerre mondiale), une table d'orientation en céramique reproduit le champ de bataille et l'emplacement des armées en présence. Des abords du monument, la vue est étendue sur le théâtre des combats et la vallée de la Moselle.

Charmes

3,5 km au Nord-Est du monument de Lorraine. Cette petite ville au bord de la Moselle fut plusieurs fois détruite au cours des siècles. En août-septembre 1914, elle fut sauvée grâce à la bataille de la « trouée de Charmes » (*voir ci-dessus*). Elle a malgré tout conservé son église des 15e et 16e s. avec l'intéressante chapelle des Savigny, datée de 1537.

ÉTONNANT

Les habitations de Vaudémont n'ont pas d'étage, mais un grenier sous les combles et une cave accessible depuis la rue. Construites en moellons, elles comportent peu d'éléments décoratifs, mais des inscriptions, des statues ou des reliefs.

LA « TROUÉE »

Les troupes du général de Castelnau repoussèrent ici les Allemands qui, vainqueurs à Morhange, voulaient prendre à revers les défenses du camp retranché de Nancy.

Le nom de Charmes reste lié à celui de **Maurice Barrès** qui y est né *(plaque au nº 7 rue des Capucins)* et y demeura attaché sa vie durant.

Chamagne
4,5 km au Nord de Charmes. Claude Gellée dit **Le Lorrain** (1600-1682) y est né. Dans sa **maison natale** est évoquée son œuvre. *d'avr. à fin oct. : mer., jeu. (uniquement en période scol.), w.-end et j. fériés 14h30-18h30. Gratuit.* ☎ *03 29 38 86 07.*

Thorey-Lyautey
6 km à l'Ouest de Sion par la D 58. Le Maréchal Lyautey (1854-1934), grand nomade qui parcourut le monde du Tonkin au Maroc, choisit d'établir à Thorey ses derniers quartiers. Le **château** avait été construit par ses soins, au début du 20ᵉ s., pour jouxter la maison de famille du 18ᵉ s. qu'il possédait ici. La visite permet de pénétrer dans le cadre familial où le maréchal Lyautey passa les dernières années de sa vie : son bureau attenant à la bibliothèque riche de 16 000 volumes, sa chambre, le salon d'Indochine et de Madagascar et le **salon marocain**★ (réalisé par les artisans venus spécialement du Maroc) ; au passage admirer l'escalier d'honneur orné d'une rampe en fer forgé de Jean Lamour. *De mai à fin sept. : tlj sf mar. 14h-18h. 27F.* ☎ *03 83 56 20 00.*

> **TOUJOURS PRÊT !**
> Installé dans une aile du château, le **musée national du Scoutisme** rappelle que Lyautey fut président d'honneur de toutes les fédérations du scoutisme français.

Soultz-Haut-Rhin

Les enclos de réintroduction des cigognes ont bien fonctionné à Soultz ; ces dernières fréquentent à nouveau les cheminées de la ville. Les visiteurs fréquentent plutôt les petites rues, le nez en l'air, guettant les cigognes, mais aussi les dates inscrites aux porches des vieilles maisons des 16ᵉ, 17ᵉ et 18ᵉ s.

La situation
Cartes Michelin nᵒˢ 87 pli 18 ou 242 pli 35 — Haut-Rhin (68). Une vaste zone commerciale lie la ville à la sous-préfecture voisine de Guebwiller. Mais le centre de la vieille cité est préservé par une double enceinte de remparts partiellement conservée. ❿ *Pl. de la République, 68360 Soultz-Haut-Rhin,* ☎ *03 89 76 83 60.*

Le nom
C'est bien sûr le sel de la source qui est à l'origine du nom de Soultz, autrefois appelée *Soulza.*

Les gens
5 867 Soultziens. C'est au petit matin d'un jour de 1837 que le baron d'Anthès, diplomate en poste en Russie et originaire de Soultz, tua à St-Pétersbourg, le grand poète et dramaturge Pouchkine.

> **OÙ SE RESTAURER**
> Metzgerstuwa — ☎ *03 89 74 89 77 - fermé 3 sem. fin juin à déb. juil., Noël au Jour de l'An, sam. et dim. - ⬚ - réserv. conseillée - 100/130F.* Voilà une maison où l'on mange bien ! Sa façade, rouge côté boucherie, est verte côté restaurant et le chef qui dirige les deux boutiques fait tout lui-même : plats du terroir, pain, glaces... De quoi ravir les gourmands qui s'y attableront joyeusement !

se promener

Maisons anciennes
Dans le centre historique, belles maisons anciennes, et parmi elles, l'Office de tourisme avec un oriel en façade sur deux étages qui date de 1575.

Église St-Maurice
Construite entre 1270 et 1489. Le tympan du portail Sud représente un Saint Maurice équestre du 14ᵉ s., dominant une Adoration des Rois mages. À l'intérieur, relief en bois polychrome du 15ᵉ s., immense peinture murale représentant saint Christophe et grandes orgues de 1750 signées Silbermann.

Promenade de la citadelle
À l'Ouest de la ville, elle permet de suivre une partie des remparts avec, notamment, la tour des Sorcières.

> **BELLES MAISONS**
> Maison Litty (1622), *15 r. des Sœurs.* Maison vigneronne (1656), *5 r. du Temple.* Maison Horn (1588), *42 r. de Lattre-de-Tassigny.* Maison Hubschwerlin (16ᵉ s.), *6 r. des Ouvriers.* Château de Heeckeren-d'Anthès (1605), *r. Jean-Jaurès.*

À la Nef des jouets, le cheval, dompté et transformé en tricycle, est « la plus grande conquête de l'enfant ».

visiter

La Nef des jouets

🔲 ♿ *Tlj sf mar. 14h-18h. Fermé 1er janv., 1er mai, 25 déc. 30F (enf. : 10F).* ☎ *03 89 74 30 92.*

C'est une belle collection de jouets de tous les temps, modestes ou sophistiqués, de toutes matières et de tous les pays. Elle a été rassemblée dans l'ancienne commanderie de l'ordre de St-Jean-de-Jérusalem par deux passionnés qui soutiennent que « le jouet est le premier dialogue et l'apprentissage de la vie, le reflet intime d'une civilisation. »

Musée du Bucheneck

De mai à fin sept. : tlj sf mar. 14h-18h. 15F. ☎ *03 89 76 02 22.*

Il est installé dans un bâtiment du 11e s., siège du bailli depuis 1289 jusqu'à la Révolution. Les collections concernent l'histoire de la ville (maquette de 1838, galerie des portraits des grandes familles locales).

Stenay

Au Nord de la Meuse, sur une boucle du fleuve doublé par le canal de l'Est, nous sommes ici en pays de bouche. Plus précisément au royaume de la mirabelle et de la bière. Tout ce que vous avez toujours voulu savoir sur cette boisson mousseuse, vous l'apprendrez ici. Mis à part la bière, des vins de pays plutôt subtils et des eaux-de-vie plutôt puissantes se plaisent sur les terres de la vallée de la Meuse. Cette vallée qui est aussi parcourue de milliers sentiers qui pénètrent, à travers des haies de peupliers, aux abords des écluses, le long d'églises fortifiées, dans les forêts rafraîchissantes de Belval et de Wœvre.

La situation

Cartes Michelin nos 56 pli 10 ou 241 pli 15 — Meuse (55).
À 30 km au Sud-Est de Sedan, 46 km au Nord-Ouest de Verdun. 🛈 *Maison de pays, 5 pl. Raymond-Poincaré, 55700 Stenay,* ☎ *03 29 80 64 22.*

Le symbole

On ne se lassera pas de vous parler de la bière. Pétillante et mousseuse, l'antique cervoise requiert quatre ingrédients fondamentaux : la terre, l'eau, l'air et le feu, auxquels il convient d'ajouter bien sûr l'amour de l'artisan et son savoir-faire. Une alchimie que symbolise l'étoile souvent présente sur les bouteilles de bière.

visiter

Musée européen de la Bière

R. de la Citadelle. De mi-avr. à mi-oct. : 10h-12h, 14h-18h (de mi-juin à mi-sept. : 10h-18h) ; de mars à mi-avr. et de mi-oct. à fin nov. : 14h-18h. 30F (enf. : 15F). ☎ *03 29 80 68 78.*

Passionnant et très vaste, le musée européen de la Bière est installé dans l'ancien magasin aux vivres de la citadelle du 16e s., transformé en malterie au 19e s. On y découvre comment, à partir de matières premières simples, eau de source, orge transformée en malt et houblon indispensable à l'amertume si particulière à la bière, le brasseur obtient ce breuvage. Dégustation à la taverne du musée. ▶

PÉDAGOGIE

Des panneaux, cartes, maquettes, objets, outils, initient à l'histoire et à la technique du brassage de la bière depuis l'Antiquité.

Musée du pays de Stenay

Fermé provisoirement.
En lisière de la ville, l'hôtel du gouverneur de la citadelle abrite des collections d'archéologie, d'arts et traditions populaires.

alentours

Dun-sur-Meuse

À l'endroit où la Meuse se dégage du plateau lorrain, la partie la plus ancienne de cette petite ville s'élève sur une butte. De l'esplanade devant l'église (16e s.), vue étendue sur la vallée de la Meuse.

Mont-devant-Sassey

Le village est bâti au pied d'un coteau de la rive gauche de la Meuse. Commencée au 11e s., l'**église** subit de nombreuses modifications. Au cours des guerres du 17e s., des bandes armées la transformèrent même en forteresse. C'est un édifice de plan rhénan, avec des tours carrées sur le transept. Le chevet, posé sur une vieille crypte, est très élevé. Un porche gothique, s'ouvrant par une porte classique et décoré de naïves statues, précède le portail, ensemble monumental du 13e s. consacré à la Vierge qui symbolise ici l'Église universelle. *Juil.-août : 14h-19h ; sept.-juin : possibilité de visite guidée sur demande auprès de M. Fétus.* ☎ *03 29 80 90 92.* ▶

STYLE

Le portail reproduit l'ordonnance des portails des grandes cathédrales gothiques : un trumeau mutilé supporte un tympan à 3 registres, encadré de 4 voussures garnies de personnages sculptés.

La chaude atmosphère du musée de la Bière à Stenay se reflète dans les cuivres de ses cuves de fermentation.

Strasbourg ★★★

Strasbourg, voilà une ville qui devrait attirer bien du monde... Comme vous le savez, c'est la capitale de l'Europe, siège du Parlement européen et du Conseil de l'Europe. Mais si elle a l'ampleur et l'atmosphère d'une capitale, elle n'en a pas la démesure. C'est une ville d'avant-garde : son tramway a réussi le pari de l'esthétique et de la protection de l'environnement. Au cœur de l'Alsace, Strasbourg se doit de montrer l'exemple en matière de gastronomie : foies gras, vins d'Alsace, chocolats et eaux-de-vie attirent les « fines gueules » du monde entier.

La situation

CLASSEMENT

Le centre historique de Strasbourg, dont fait partie la cathédrale Notre-Dame, est classé par l'UNESCO, depuis 1988, au Patrimoine mondial de l'humanité.

Cartes Michelin n°s 62 pli 10 ; 87 plis 4, 5 ; 242 plis 22, 24 ou 3067 — Bas-Rhin (67). Ville desservie par de nombreux trains qui la relient à Paris en 4h, par des vols à partir des grandes villes. Nombreux parkings en centre-ville et tramway tout neuf vous permettant d'aller sans souci d'un bout à l'autre de la ville. ⌷ *17 pl. de la Cathédrale, 67000 Strasbourg, ☎ 03 88 52 28 28 ; pl. de la Gare, ☎ 03 88 32 51 49 ; Pont de l'Europe, ☎ 03 88 61 39 23.*

Le nom

En 12 avant J.-C., le village de chasseurs et de pêcheurs qui côtoie le camp militaire romain d'Argentoratum devient rapidement une cité prospère en même temps qu'un carrefour entre les peuples : *Strateburgum*, la « ville des routes ». Cette position vaudra à Strasbourg de servir de cible ou de passage à toutes les invasions d'outre-Rhin et d'être maintes fois détruite, brûlée, pillée et reconstruite. Destin qui la mènera à devenir, plusieurs siècles plus tard, la capitale de l'Europe.

Les gens

252 338 Strasbourgeois (agglomération : 388 483 habitants). Le 24 avril 1792, Frédéric de Dietrich, premier maire constitutionnel de Strasbourg, offre un dîner d'adieu aux volontaires de l'armée du Rhin. Il est question de la nécessité pour les troupes d'être entraînées par un chant digne de leur enthousiasme. « Voyons, Rouget, vous qui êtes poète et musicien, faites-nous donc quelque chose qui mérite d'être chanté. » dit Dietrich. Le *Chant de guerre pour l'Armée du Rhin*, immédiatement adopté par les volontaires de Marseille, devint la *Marseillaise*.

comprendre

Un serment fameux — En 842, par le serment de Strasbourg, deux des fils de Louis le Débonnaire et leurs soldats se jurent fidélité. Ce serment est resté célèbre parce qu'il représente le premier texte officiel connu en langues romane et germanique.

Célébrités à Strasbourg — Devenue ville libre d'Empire, Strasbourg est alors le foyer d'un humanisme influent, notamment avec Gutenberg, et d'une profonde réforme religieuse avec Calvin aux 15e et 16e s. En 1725, Louis XV épouse Marie Leszczynska dans la cathédrale Notre-Dame. En 1770, Marie-Antoinette, arrivant de Vienne pour épouser le futur Louis XVI, est reçue à la cathédrale par Louis de Rohan. La ville est le témoin de grandes réalisations artistiques : concerts de Mozart, séjour de Goethe, alors étudiant à la célèbre université, floraison d'hôtels particuliers sur le modèle parisien, édification du prestigieux palais Rohan.

Française ? — Quand la Révolution éclate, il y a plus d'un siècle que Strasbourg est française. Prise en 1870 par les Allemands après un long siège émaillé de durs

Rue du Vieux-Marché-aux-Poissons, un médaillon de Goethe rappelle le souvenir de l'illustre visiteur.

carnet pratique

SE DÉPLACER

En tram – Au départ de la gare, l'accès direct au tramway est possible par la galerie à l'En-Verre. La ligne de tramway, ultramoderne et silencieuse, desservant 18 stations, relie le centre commercial du Baggersee, à Illkirch-Graffenstaden (au Sud), au centre culturel du Maillon à Hautepierre (au Nord), en passant par la place de l'Étoile, la place Kléber et la gare centrale. Le tram fonctionne tlj de 4h30 à 0h30. Les stations sont équipées de distributeurs automatiques de titres de transport et de colonnes d'information. Le ticket, acheté à l'unité, par 5 ou 10, est valable pendant 1h pour un trajet bus ou tram simple ou en correspondance. Le tourpass (20F) est un ticket valable 24h pour un nombre illimité de voyages. Le Familipass (25F) est un ticket valable 24h pour un nombre illimité de voyages en famille de 2 à 5 personnes, en bus et en tramway.

En autobus – 26 lignes d'autobus parcourent l'agglomération strasbourgeoise.

À vélo – Strasbourg, première ville de France avec son réseau cyclable de 180 km, propose le service « vélocation » (☎ 03 88 52 01 01).

Le célèbre tramway de Strasbourg.

DÉCOUVRIR STRASBOURG AUTREMENT

Pour connaître le programme des théâtres, concerts, conférences, expositions, manifestations sportives... se procurer le mensuel *Strasbourg actualités* ou l'*Hebdoscope*, hebdomadaire sur les arts et les spectacles.

Visites guidées – Classée Ville d'art et d'histoire, Strasbourg met à la disposition des visiteurs des guides agréés par les Monuments Historiques pour des visites de la ville à pied, selon différents thèmes. *Avr.-juin, sept.-déc. : sam. 14h30 ; juil., août et déc. : se procurer le dépliant ou se renseigner à l'Office de tourisme.*

Balades strasbourgeoises – Ce guide (en vente à l'Office de tourisme) propose 5 circuits balisés pour découvrir les périodes architecturales majeures : Strasbourg médiéval, Strasbourg et la Renaissance (16e et 17e s.), Strasbourg au 18e s., Strasbourg romantique (1800-1870), Strasbourg impérial (1870-1918). Départ et retour à l'Office de tourisme. *Durée : 2h30.*

Mini-train – Visite commentée du Vieux Strasbourg, avec arrêt au barrage Vauban. *De déb. avr. à déb. nov. Dép. pl. du château, à côté de la cathédrale, toutes les 1/2h.* ☎ 03 88 77 70 03.

Bicyclette – « Escalatours Bike » propose une visite véloguidée sur un circuit de 8 km (environ 2h) par les pistes cyclables et les zones piétonnes. Départ des Ponts couverts, traversée du centre historique, cathédrale, quartier allemand, quartier européen. Vélos équipés d'une sonorisation et commentaires enregistrés. ☎ 03 88 22 59 19.

Taxi 13 – Cette association propose un circuit (1h environ) présentant les principaux sites touristiques (cassette-vidéo). ☎ 03 88 36 13 13.

Promenades commentées en vedette sur l'Ill ★ – Départ de l'embarcadère du Palais Rohan : promenade dans la Petite France avec passage devant le barrage Vauban, puis sur le fossé du Faux Rempart jusqu'au Palais de l'Europe. *Mai-sept. : dép. toutes les 1/2h 9h30-22h ; oct. : 9h-21h ; nov.-avr. : 10h30, 11h15, 13h, 13h45, 14h30, 15h15 et 16h. 40F (enf. : 20F). De mai à fin sept. « flânerie nocturne » sur l'Ill illuminée à 21h30 et 22h ; oct. entre 19h et 21h. 42F (enf. : 21F).* ☎ 03 88 84 13 13.

Visite du port autonome – Visite des installations portuaires et promenades sur le Rhin. Plus de 10 forfaits de croisière sur 12 bâtiments différents de 40 à 78 cabines, avec restaurants, pont soleil, téléphone, pension complète.

Promenades en avion – Abords de Strasbourg, survol du château du Haut-Kœnigsbourg, de la plaine du Rhin. *Tarifs variables selon la durée, entre 1/4h et 3/4h. Renseignements à l'Aéro-Club d'Alsace. Aérodrome du Polygone (BX), Strasbourg-Neudorf.* ☎ 03 88 34 00 98.

Strasbourg Pass – Proposé par l'Office de tourisme, il donne droit à plusieurs visites gratuites ou à demi-tarif. *Durée de validité : 3 jours. En vente dans les bureaux d'accueil de l'Office de tourisme et chez les hôteliers. 58F.*

OÙ DORMIR

● *Valeur sûre*

Hôtel de la Cathédrale – 12 pl. de la Cathédrale - ☎ 03 88 22 12 12 - 50 ch. : 450/790F - ☲ 55F. Formidablement bien situé, juste en face de la cathédrale et de la maison Kammerzell, cet hôtel moderne met le Vieux Strasbourg à vos pieds. Bien équipées et soignées, ses chambres sont particulièrement romantiques du côté de la place...

Hôtel des Rohan – 17 r. Maroquin - ☎ 03 88 32 85 11 - 36 ch. : 410/795F - ☲ 52F. Ce petit hôtel qui porte le nom du magnifique palais des Rohan, à deux pas de là, est aussi tout près de la cathédrale... Ses chambres agréablement feutrées sont décorées de meubles de style Louis XV et climatisées côté Sud.

Hôtel Pax – *24 r. du Fg-National -* ☎ *03 88 32 14 54 - fermé 24 déc. au 3 janv. - 106 ch. : 370/410F -* ☐ *40F - restaurant 90/130F.* Cet hôtel familial sur un axe très passant de Strasbourg est à la lisière de la cité ancienne. Ses chambres sobres sont bien tenues et son restaurant, qui sert des plats régionaux simples, s'installe en été dans une courette ombragée par les vignes.

● *Une petite folie !*

Hôtel Beaucour – *5 r. des Bouchers -* ☎ *03 88 76 72 00 - 49 ch. : à partir de 550F -* ☐ *65F.* Quel délice ! Au cœur de Strasbourg, cet hôtel installé dans plusieurs maisons anciennes plaira aux amateurs d'adresses de charme. Sa cour fleurie, ses chambres cosy, son cadre chaleureux décoré de meubles d'inspiration régionale... Tout ici devrait vous séduire.

OÙ SE RESTAURER

● *À bon compte*

Gurtlerhof – *13 pl. de la Cathédrale -* ☎ *03 88 75 00 75 - 89/135F.* Descendez dans les belles caves du 14e s. de cet ancien hôtel canonial, aux voûtes admirables et piliers massifs, vous y dégusterez plats régionaux ou traditionnels... Menus alléchants et formule-déjeuner, servis sans précipitation à deux pas de la cathédrale.

Les 3 Brasseurs – *22 r. des Veaux -* ☎ *03 88 36 12 13 - 99/110F.* Ici, vous boirez de la vraie bière fraîche, brassée sur place et non pasteurisée... Juste derrière la cathédrale, cette brasserie qui est probablement une des dernières du genre dans la ville, propose plusieurs menus « à volonté ». Soirées dans le caveau tous les week-ends sauf en été.

À l'Ancienne Douane – *6 r. de la Douane -* ☎ *03 88 15 78 78 - 92/170F.* Cette grande brasserie strasbourgeoise, au cœur de la cité ancienne, déploie sa terrasse le long de l'Ill aux beaux jours. Là ou dans une des salles de style alsacien, vous goûterez la flammekueche, le Baeckeoffe et autres spécialités locales servies en costumes.

Zum Strissel – *5 pl. de la Gde-Boucherie -* ☎ *03 88 32 14 73 - fermé 2 au 29 juil., vacances de fév., dim. et lun. - 64/135F.* Pour déjeuner dans une winstub au décor authentique ! Tenu depuis trois générations par la même famille, ce restaurant sert une cuisine

Une des nombreuses winstubs de la ville.

traditionnelle dans un cadre très amusant avec boiseries et vitraux dédiés à Bacchus. Bon rapport qualité/prix.

● *Valeur sûre*

Oberjägerhof – *Rte de l'Oberjägerhof - 10 km au S de Strasbourg par rte de Neuhof et r. de la Ganza -* ☎ *03 88 39 63 84 - fermé lun. et mar. - 120/140F.* Cette maison nichée dans la forêt de Neuhof est un peu difficile à trouver... Mais quel bonheur de s'y attabler ! Cadre champêtre, belle terrasse, plats alsaciens et grillades à la carte : de quoi prendre des forces pour une promenade alentour...

Au Renard Prêchant – *34 r. de Zürich -* ☎ *03 88 35 62 87 - fermé sam. midi et dim. midi - 132/190F.* Dans une zone piétonne, cette chapelle du 16e s. doit son nom aux peintures murales qui la décorent et racontent l'histoire du Renard Prêchant... Une légende à découvrir en s'attablant dans sa salle rustique. Jolie terrasse en été et formule-déjeuner intéressante.

La Choucrouterie – *20 r. St-Louis -* ☎ *03 88 36 52 87 - fermé le midi - 140/160F.* Ce relais de poste du 18e s. fut la dernière fabrique de chou en saumure de Strasbourg : dans un décor de bric et de broc, on ripaille et on rit à la fois... Repas animés, dîners-spectacles ou repas et théâtre, à vous de choisir... Autour des menus alsaciens ou d'un verre de blanc.

Hailich Graab « Au Saint-Sépulcre » – *15 r. des Orfèvres -* ☎ *03 88 32 39 97 - fermé 1er au 14 juil., dim. et lun. - 170F.* Voilà une winstub, une vraie ! Derrière sa façade usée, son décor inouï, qui date des années 1950-1960 avec plancher brut, rideaux à carreaux alsaciens et tables étroites, est aussi authentique que sa cuisine copieuse... Le patron a ses têtes et les clients adorent !

L'Arsenal – *11 r. de l'Abreuvoir -* ☎ *03 88 35 03 69 - fermé août, sam. midi et dim. - 140/260F.* Dans le quartier de la Krutenau, tout près des facultés, ce restaurant sert une cuisine régionale appétissante à prix tout à fait raisonnables. Connu des habitants du coin, il propose une formule intéressante au déjeuner. Banquettes de bois et murs crépis.

Le Clou – *3 r. du Chaudron -* ☎ *03 88 32 11 67 - fermé mer. midi, dim. et j. fériés - 170/300F.* Dans une ruelle près de la cathédrale, cette petite winstub marche fort : dans sa salle au décor typique, l'ambiance est conviviale et la cuisine alsacienne – comme il se doit dans pareil lieu – est bien tournée... Une adresse courue des Strasbourgeois.

Maison Kammerzell et Hôtel Baumann – *16 pl. de la Cathédrale -* ☎ *03 88 32 42 14 - fermé fév. - 177/295F.* À l'angle de la place de la cathédrale, vous ne pourrez pas rater cette maison pittoresque du 16e s. Certes, l'ambiance est à la bousculade et on y mange la choucroute Baumann (marque déposée) sur des tables serrées, mais le décor de fresques vaut le coup d'œil.

● *Une petite folie !*

La Maison des Tanneurs dite « Gerwerstub » – *42 r. du Bain-aux-Plantes -* ☎ *03 88 32 79 70 - fermé 19 juil. au 9 août, 30 déc. au 20 janv., dim. et lun. - 260/350F.* Décor de carte postale pour cette maison typique au bord de l'Ill, dans une rue pavée de la Petite France. À l'intérieur, les salles aux boiseries sombres sont meublées à l'alsacienne et la cuisine est typiquement régionale, comme il se doit.

PETITES ET GRANDES EMPLETTES

Marchés – Les marchés sont ouverts en général de 7h à 13h. Marché traditionnel le mercredi et le vendredi place Broglie et quai de Turckeim, le mardi et le samedi boulevard de la Marne, le mercredi rue de Zurich. Marché de producteurs le samedi, place du Marché-aux-Poissons. Marché aux puces et brocante (9h-18h) le mercredi et le samedi, rue du Vieil-Hôpital et place de la Grande-Boucherie. Marché aux livres (9h-18h) le mercredi et le samedi, place et rue Gutenberg. Marché de Noël en décembre.

FESTIVITÉS

Manifestations – Spectacles folkloriques au square Louise-Weiss mi-juillet à mi-août à 18 h ; festival de musique (juin), festival de jazz (juillet), Musica, festival des musiques d'aujourd'hui (fin septembre à début octobre).

Strasbourg, capitale de Noël –Très nombreuses animations et spectacles en ville : marché de Noël (Christkindelsmärik), illuminations, grand sapin, grand bal viennois, promenade aux flambeaux, expositions, crèche et concerts. Un programme est disponible à l'Office de tourisme.

Le traditionnel marché de Noël.

OÙ SORTIR

Le Chalet – *376 rte de la Wantzenau -* ☎ *03 88 31 18 31 - mar.-sam. à partir de 21h.* Grand complexe de loisirs comprenant 3 restaurants, 3 bars et 2 discothèques (Planète Fête le et le Solitair's Club) qui ont obtenu le grand prix de la meilleure animation de France. *And last but not least*, un karaoké géant est proposé aux stars d'un soir.

Le Bateau Ivre – *Quai des Alpes -* ☎ *03 88 61 27 17 - jeu.-sam. à partir de 22h30.* Ce bar-discothèque a été aménagé avec luxe dans une énorme barge. Les tarifs et la clientèle sont à la mesure de cette décoration ostentatoire : très chers et très classe. Si l'on en croit les heureux élus qui fréquentent cet endroit en vogue, le DJ est un grand maître de la platine.

Opéra national du Rhin – *19 pl. Broglie -* ☎ *03 88 75 48 23 - www.opera-national-du-rhin.com - ouv. billetterie lun.-ven. 11h-18h, sam. 11h-16h, et 45mn avant le début de chaque représentation pour les réservations du jour - fermé de mi-juil. à mi-août.* Créé en 1972, l'Opéra du Rhin est un organisme culturel intercommunal gérant les scènes lyriques de Strasbourg, Mulhouse et Colmar. Outre le grand répertoire lyrique classique, la programmation fait la part belle à la musique de chambre, à la danse et aux récitals (Thomas Hampson, Peter Seiffert, Gwyneth Jones...).

OÙ PRENDRE UN VERRE

Key West – *9 quai des Pêcheurs -* ☎ *03 88 37 03 03 - mar.-dim. 19h-3h.* Bar au décor tropical où vient se divertir une clientèle soignée, jeune et moins jeune. Les soirées y sont réputées un peu folles : plage en hiver, Noël en août... À moins que ces mirages ne soient l'effet de la Margarita, une spécialité de la maison. Restauration le week-end.

Le Festival – *4 r. Ste-Catherine -* ☎ *03 88 36 31 28 - tlj 20h-4h.* Bar américain chic et *hype* où la tenue BCBG est de rigueur. Pour les consommations, il est de bon ton de s'en remettre aux conseils du barman réputé être un maître en matière de cocktails. Pour briser la glace d'un premier rendez-vous, commandez par exemple un « Écho des savanes ». Effet garanti !

Bar des Glacières – *5 r. des Moulins -* ☎ *03 88 76 43 43 - www.regent-hotels.com - tlj 15h-1h.* Bar de l'hôtel de luxe Régent Petite France, qui fut un moulin pendant huit siècles, puis une glacière jusqu'à la fin des années 1980. Ici tout a été savamment étudié pour vous faire passer une soirée relax : le beau cadre contemporain, la terrasse au bord de l'Ill, de nombreux cocktails et les meilleurs whiskies... À déguster en écoutant d'une oreille distraite les mélopées jazzy en sourdine.

Les Aviateurs – *12 r. des Sœurs -* ☎ *03 88 36 52 69 - dim.-jeu. 20h-4h, ven. et sam. à partir de 18h.* Il est deux bonnes raisons d'aller au moins une fois aux « Aviat' » : un décor surprenant dédié, comme il se doit, à l'aviation ; et une animation qui en fait l'un des bars les plus branchés de Strasbourg... Mais il vous faudra jouer des coudes pour accéder au bar.

L'Opéra-café – *Pl. Broglie -* ☎ *03 88 75 48 26 - tlj 11h-4h.* Logé à l'intérieur du théâtre municipal, l'Opéra-café avec ses ors et ses tentures pourpres évoque l'univers du spectacle. Un cadre prestigieux pour un rendez-vous galant autour d'un whisky ou d'un verre de vin... Ou pour un chocolat chaud en famille.

bombardements, la nouvelle capitale du Reichsland d'Alsace-Lorraine continue de grandir sous l'influence cette fois du style architectural prussien plus rigoureux mais exubérant à la fois.

Européenne avant tout — Avant même la fin du dernier conflit mondial, l'idée prit corps qu'une réconciliation définitive des anciens belligérants devait s'enraciner au cœur d'une ville symbole, Strasbourg, au bord d'un grand fleuve jadis hérissé d'ouvrages militaires et à présent lien privilégié de communication, le Rhin. Le 5 mai 1949 fut créé le Conseil de l'Europe, qui regroupe aujourd'hui 41 pays membres. Le travail de cet organisme consultatif se traduit par des recommandations aux gouvernements, mais aussi par l'établissement de conventions qui engagent les États signataires, harmonisant leur législation dans divers domaines d'intérêt commun. La plus connue est la Convention européenne de sauvegarde des droits de l'Homme (1950).

Le Conseil de l'Europe est différent du Parlement européen, importante institution de l'Union européenne. Ce dernier est composé de députés, élus au suffrage universel direct depuis 1979 par les citoyens de chaque État membre. Il exerce un pouvoir consultatif, budgétaire et de contrôle.

> **PARTAGE**
> Strasbourg partage avec Bruxelles et Luxembourg le privilège d'accueillir les principaux organes de l'Union européenne. À Luxembourg siègent la Cour de justice, ainsi que le secrétariat général du Parlement européen. À Bruxelles se tiennent le Conseil, qui détient les pouvoirs exécutif et législatif, et la Commission, aux pouvoirs de contrôle et de gestion.

découvrir

CATHÉDRALE NOTRE-DAME★★★

Sur l'emplacement d'un temple d'Hercule, le chantier de la cathédrale débute en 1015 selon le style roman. L'art gothique, nouveau venu en Alsace, influencera ensuite les architectes. En 1365, les tours à peine terminées, on les réunit entre elles, jusqu'au niveau de la plate-forme. Puis la tour Nord seule est surélevée. Enfin, en 1439, Jean Hültz, de Cologne, prolonge cette tour par la célèbre flèche.

Pendant de longues années, catholicisme et protestantisme luttent pied à pied dans la cathédrale, à la porte de laquelle les propositions de Luther ont été affichées. Le culte protestant finit par l'emporter. La cathédrale ne redevient catholique que sous Louis XIV, en 1681, lorsque le roi prend possession de la ville.

> **AFFRONTS**
> Durant la Révolution, on donne l'ordre d'abattre toutes les statues : 230 sont détruites. L'administrateur des Biens publics parvient à cacher 67 statues de la façade. Mais la flèche offense l'égalité... Un habitant a l'idée de coiffer l'aiguille de pierre d'un immense bonnet phrygien, en tôle peinte d'un rouge ardent, sauvant ainsi le chef-d'œuvre d'Hültz. Les obus prussiens de la guerre de 1870 et les bombardements alliés de 1944 endommageront plusieurs parties de l'édifice qui seront restaurées.

Extérieur

Façade★★★

Erwin de Steinbach en dirigea la construction jusqu'au-dessus de la galerie des Apôtres qui surmonte la grande rose. Le **portail central**, surmonté d'un magnifique rose de 15 m de diamètre, est le plus richement décoré de la façade. Son tympan comprend quatre registres : les trois premiers, du 13e s., sont remarquables par leur réalisme. Le quatrième est moderne. On peut y lire des scènes de l'Ancien (création du Monde ; histoire d'Abraham, Noé, Moïse, Jacob, Josué, Jonas et Samson...) et du Nouveau Testament (baiser de Judas ; Jésus crucifié, au-dessus du cercueil d'Adam, entre la Synagogue et l'Église qui recueille son sang ; miracles...).

Au **portail de droite**, la Parabole des Vierges sages et des Vierges folles est illustrée par de célèbres statues, dont certaines ont dû laisser place à des copies (originaux au musée de l'Œuvre Notre-Dame).

Au **portail de gauche**, les statues (14e s.) représentent les Vertus : sveltes et majestueuses dans leurs longues tuniques flottantes, elles terrassent les Vices.

> **VUE !**
> Pour mieux voir la façade, rendez-vous rue Mercière. La cathédrale doit une grande part de son charme à ce grès rose des Vosges dont elle est faite.

La flèche★★★

328 marches. Avr.-sept. : 9h-18h30 (juil.-août : 8h30-19h) ; oct.-mars : 9h-16h30 (mars et oct. : 9h-17h30). 20F. ☎ 03 88 43 60 32.

Détail du portail de droite de la cathédrale : les Vierges folles.

La plate-forme qui surmonte la façade est à 66 m de hauteur. La tour s'élève encore de 40 m, puis se termine par une flèche dont le sommet est à 142 m au-dessus du sol (9 m de moins que la flèche en fonte de la cathédrale de Rouen). De cette plate-forme, **point de vue spectaculaire★** sur Strasbourg, en particulier sur la vieille ville, dont les toits percés de plusieurs étages de lucarnes présentent un aspect très pittoresque, sur les faubourgs et la plaine rhénane limitée par la Forêt-Noire et les Vosges.

Flanc droit

Le flanc droit offre les beautés du **portail de l'Horloge**, le plus ancien de la cathédrale (13ᵉ s.). Il est composé de deux portes romanes accolées. Entre les deux portes, statue de Salomon, appuyée sur un socle qui rappelle son fameux jugement. Dans le tympan de la porte de gauche se trouve l'admirable **Mort de la Vierge★★** dont le peintre Delacroix, mourant, se plaisait à contempler le moulage. La figurine que Jésus tient dans sa main gauche représente l'âme de Marie.

On voit, au-dessus des deux portes, le cadran extérieur de l'horloge astronomique.

Flanc gauche

Le **portail St-Laurent★**, de la fin du 15ᵉ s., a pour sujet principal le groupe du martyre de saint Laurent (refait au 19ᵉ s.). À gauche de la porte se voient les statues de la Vierge, des trois Rois mages et d'un berger ; à droite, cinq statues, dont celle de saint Laurent (originaux au musée de l'Œuvre Notre-Dame).

Intérieur

Nef et bas-côté droit

La nef, commencée au 13ᵉ s., comprend 7 travées. Les vitraux des fenêtres hautes datent des 13ᵉ et 14ᵉ s., ainsi que ceux des bas-côtés. Dans la nef, on pourra détailler la cinquantaine de statuettes mises en scène sur le corps hexagonal de la **chaire★★ (1)**, type parfait de gothique flamboyant, qui fut dessinée par Hans Hammer pour le prédicateur Geiler de Kaysersberg. L'**orgue★★ (8)** accroché en nid d'hirondelle au triforium, dans la nef, déploie sur la largeur d'une travée son buffet gothique (14ᵉ-15ᵉ s.). De part et d'autre de sa tribune en pendentif ornée d'un Samson sculpté, deux statues représentent un héraut de la ville et un marchand de bretzels en costumes d'époque. Ces personnages articulés s'animaient parfois pendant les sermons pour distraire les fidèles. La chapelle Ste-Catherine occupe les deux travées du bas-côté droit touchant au transept. On y voit une épitaphe décorée de la Mort de la Vierge **(2)**, datée de 1480.

CHEF-D'ŒUVRE
Octogonale à la base, la flèche de Jean Hültz élève ses six étages de tourelles ajourées qui contiennent les escaliers, et se termine par une double croix. C'est un chef-d'œuvre de grâce et de légèreté.

EXPLICATIONS
De part et d'autre de la statue de Salomon : à gauche, l'Église, puissante et fière sous sa couronne, tient d'une main la croix et de l'autre le calice. À droite, la Synagogue s'incline, triste et lasse, essayant de retenir les débris de sa lance et les Tables de la Loi qui s'échappent de ses mains. Le bandeau qui couvre ses yeux symbolise l'erreur.

L'orgue et son superbe buffet gothique en bois sculpté polychrome.

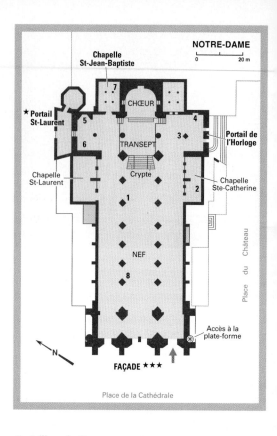

NOTRE-DAME

0   20 m

Chapelle St-Jean-Baptiste

★ Portail St-Laurent

CHŒUR

5

4

6

3 ◆

Portail de l'Horloge

TRANSEPT

Chapelle St-Laurent

Crypte

2

Chapelle Ste-Catherine

1

NEF

8

Place du Château

Accès à la plate-forme

N

FAÇADE ★★★

Place de la Cathédrale

SYNCHROS

Une série d'automates frappent deux coups tous les quarts d'heure. Les heures sont sonnées par la Mort. Au dernier coup, le second ange de la galerie aux Lions retourne son sablier.

Croisillon droit

Au centre se trouve le **pilier des Anges** ou du **Jugement dernier★★ (3)**, élevé au 13e s.

◀ L'**Horloge astronomique★ (4)**, œuvre du Strasbourgeois Schwilgué, constitue la grande curiosité populaire de la cathédrale. Elle date de 1838. Les sept jours de la semaine sont représentés par des chars que conduisent des divinités, apparaissant dans une ouverture au-dessous du cadran : Diane le lundi, puis Mars, Mercure, Jupiter, Vénus, Saturne et Apollon. À 12 h 30 un grand défilé se produit dans la niche, au sommet de l'horloge. Les apôtres passent devant le Christ en le saluant, Jésus les bénit, tandis que le coq, perché sur la tour de gauche, bat des ailes et lance trois fois son cocorico en souvenir du reniement de saint Pierre. *Sonnerie à 12h30. 5F. Possibilité de fermeture en cas de cultes exceptionnellement longs ou de répétitions de concerts.* ☎ 03 88 52 28 28.

Croisillon gauche

RECORD

À gauche de l'horloge, un vitrail du 13e s. représente un gigantesque Saint Christophe. C'est le plus grand personnage de vitrail connu. Il mesure 8 m de haut.

◀ On y voit de magnifiques fonts baptismaux **(5)** de style gothique flamboyant. En face, contre le mur, un groupe en pierre, très curieux, représente Jésus au mont des Oliviers **(6)**. Les vitraux des 13e et 14e s. représentent des empereurs du Saint Empire romain germanique.

Chapelle St-Jean-Baptiste et crypte

La chapelle (13e s.) contient le tombeau de l'évêque Conrad de Lichtenberg **(7)** qui fit commencer la façade. L'œuvre est attribuée à Erwin.

Tapisseries★★

La cathédrale possède 14 magnifiques tapisseries du 17e s. que l'on suspend le long de la nef entre les piliers pendant l'octave de la Fête-Dieu. Elles représentent des scènes de la Vie de la Vierge, exécutées d'après les cartons de Philippe de Champaigne, Ch. Poerson et J. Stella.

LE PALAIS ROHAN ET SES MUSÉES

Palais Rohan★

C'est le cardinal Armand de Rohan-Soubise, prince-évêque de Strasbourg en 1704, qui fit construire ce palais. Construit au 18ᵉ s. sur les plans de Robert de Cotte, premier architecte du roi, il présente, au fond de la cour d'honneur, une belle façade classique avec fronton central. Il contient de très riches musées *(accès au fond de la cour à gauche)*.

MAJESTUEUX
Le long de la terrasse bordant l'Ill, majestueuse façade, de pur style classique, ornée, sur le corps central, de colonnes corinthiennes.

Musée des Arts décoratifs★★

Au rez-de-chaussée et dans la partie droite (aile des écuries et pavillons Hans-Hang). ♿ *Tlj sf mar. 10h-12h, 13h30-18h, dim. 10h-17h. Fermé 1ᵉʳ janv., ven. Saint, 1ᵉʳ mai, 1ᵉʳ et 11 nov., 25 déc. 30F (enf. : 20F).* ☎ 03 88 52 50 00.

Les **grands appartements** comptent parmi les plus beaux intérieurs français du 18ᵉ s. La salle du Synode, la chambre du Roi, le salon d'assemblée, la bibliothèque des cardinaux, le salon du matin et la chambre de l'Empereur sont particulièrement remarquables par leur décor, leur mobilier d'apparat, leurs tapisseries (tenture de Constantin d'après Rubens, vers 1625) et leurs tableaux du 18ᵉ s. Consacré aux **arts et à l'artisanat de Strasbourg et de l'Est de la France**, depuis la fin du 17ᵉ s. jusqu'au milieu du 19ᵉ s., ce secteur comporte notamment la célèbre **collection de céramiques★★**, l'une des plus importantes de France. Celle-ci groupe essentiellement les faïences et porcelaines de la manufacture de Strasbourg et Haguenau, fondée et dirigée par la famille **Hannong** de 1721 à 1781, ainsi que de celle de Niderviller, fondée en 1748 par le baron de Beyerlé, directeur de la Monnaie royale de Strasbourg.

ADMIRABLES
Le musée des Arts décoratifs abrite les pièces de céramique de la période « bleue », celles au décor polychrome « de transition », les terrines en forme d'animaux ou de végétaux et surtout ces magnifiques décorations florales aux pourpres dominants.

Musée des Beaux-Arts★

Aux 1ᵉʳ et 2ᵉ étages du corps de logis principal. Mêmes conditions de visite que le musée des Arts décoratifs.

Intéressante collection de tableaux, du Moyen Âge au 18ᵉ s. essentiellement. La **peinture italienne** *(primitifs et peintres de la Renaissance : Filippino Lippi, Botticelli, de Cima da Conegliano un magnifique Saint Sébastien et l'un des premiers tableaux du Corrège, Judith et la servante). Quelques tableaux illustrent l'*école espagnole, *parmi lesquels des œuvres de Zurbaran, Murillo, Goya, et surtout une célèbre Vierge de douleur par le Greco.*

L'**école des anciens Pays-Bas** du 15ᵉ au 17ᵉ s. occupe aussi une place de choix : très beau *Christ de pitié* par Simon Marmion, les *Fiancés* par Lucas de Leyde, plusieurs tableaux de Rubens, un *Saint Jean* (portrait de l'artiste) de Van Dyck, le *Départ pour la promenade* par Pieter de Hooch.

Autre richesse du musée : une importante collection de **natures mortes**, du 16ᵉ au 18ᵉ s., dont le très célèbre *Bouquet de fleurs* de Bruegel de Velours.

Parmi les toiles représentant des noms des écoles française et alsacienne du 17ᵉ au 19ᵉ s., on retiendra celle de *La Belle Strasbourgeoise* (ci-dessus) par Nicolas de Largillière (1703).

Musée archéologique★★

Au sous-sol. ♿ *Mêmes conditions de visite que le musée des Arts décoratifs.*

Collections d'archéologie régionale couvrant l'histoire de l'Alsace de 600 000 ans avant J.-C. à 800 après J.-C. La section de préhistoire comporte des collections néolithiques illustrant la vie des premiers agriculteurs implantés en Alsace dès 5500 avant J.-C. Des civilisations de l'âge du bronze, puis du fer, céramiques, armes et outils, objets de parure, vaisselles d'apparat importées de Grèce ou d'Italie, char funéraire d'Ohnenheim. L'époque mérovingienne est illustrée par des armes et des bijoux, ainsi que quelques pièces insignes, tels le casque de Baldenheim ou les phalères décorées d'Ittenheim. Vestiges du sanctuaire du Donon.

OBJETS ROMAINS
Remarquable section romaine avec ses collections lapidaires et épigraphiques ainsi que son bel ensemble de verreries, associés à de très nombreux objets de la vie quotidienne des Gallo-Romains.

Le palais des Droits de l'homme : un style résolument moderne pour partager l'avenir de l'Europe.

LA CAPITALE DE L'EUROPE

Palais de l'Europe★

Quitter le centre-ville par le quai des Pêcheurs. Entrée allée Spach. ♿ *Visite guidée (1h) sur réservation tlj sf w.-end, j. fériés et pdt les sem. de sessions plénières.* ☎ *03 88 17 20 07.*
Siège du Conseil de l'Europe, le palais de l'Europe abrite le Comité des ministres, l'Assemblée parlementaire et le Secrétariat international. Les bâtiments sont l'œuvre de l'architecte français Henri Bernard. À l'intérieur, le palais, qui comprend notamment 1 350 bureaux, possède l'hémicycle le plus vaste d'Europe.

> **DÉTENTE**
> En face du palais de l'Europe, le parc de l'**Orangerie** est le plus vaste de la ville : lac, cascade, zoo hébergeant des cigognes.

Palais des Droits de l'homme

Au bord de l'Ill, conçu dans un style futuriste par l'architecte Richard Rogers, le nouveau palais des Droits de l'homme abrite la Cour européenne des droits de l'homme relevant du Conseil de l'Europe. Imposants, les bâtiments, avec au centre la tour de l'hémicycle, épousent la courbe de l'Ill. La Cour européenne des droits de l'homme, désormais unique, y siège de façon permanente.

se promener

LA CITÉ ANCIENNE★★★

La cité ancienne s'étend autour de la cathédrale, sur l'île formée par les deux bras de l'Ill. Compter une journée et se munir de chaussures confortables !

Place de la Cathédrale★

Elle se trouve devant la cathédrale et sur le côté Nord. À l'angle de la rue Mercière, la **pharmacie du Cerf** de 1268 serait la plus ancienne pharmacie de France. À gauche de la cathédrale se dresse la maison **Kammerzell★** (1589), décorée de fresques. Seule sa porte date de 1467.

Place du Château

Joyau de la sculpture sur bois, la maison Kammerzell est occupée par un restaurant.

Sur cette place, où s'est installé le musée de l'Œuvre Notre-Dame *(voir description dans « visiter »)* s'élève le **palais Rohan★**.
Prendre la rue de Rohan puis, à droite, la petite rue des Cordiers conduisant à la charmante **place du Marché-aux-Cochons-de-Lait★** bordée de maisons anciennes dont la plus intéressante est une maison du 16ᵉ s., à galeries de bois.
La place de la Grande-Boucherie, qui s'ouvre du même côté, est d'un aspect très alsacien.
Tourner à gauche dans la rue du Vieux-Marché-aux-Poissons.
À droite, l'**Ancienne Douane**, édifice reconstruit en 1965, était primitivement l'entrepôt de commerce fluvial de la ville. Elle abrite des expositions temporaires. En face se trouvent les bâtiments de la Grande Boucherie (1586) abritant le Musée historique *(voir description dans « visiter »)*.

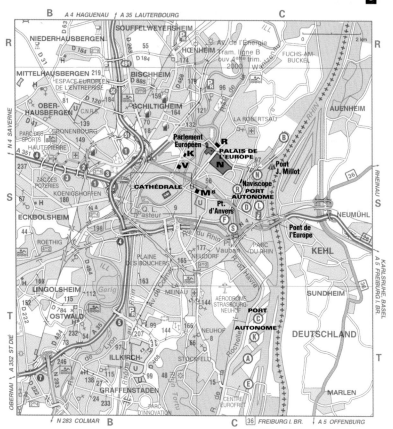

Brasserie 🍺
Bassin

Répertoire des rues des plans de Strasbourg

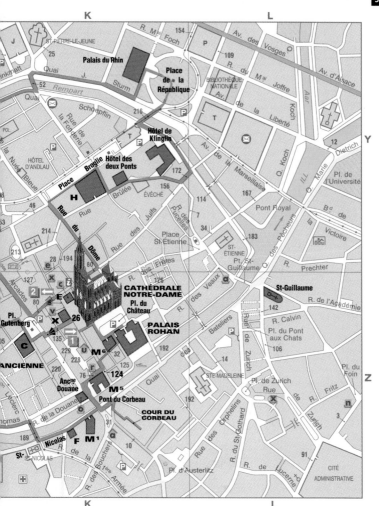

Répertoire des sites des plans de Strasbourg

Hébergement

Lieu de restauration

CLIENTS DE MARQUE

Dans la maison de la cour du Corbeau, hostellerie célèbre au 16ᵉ s., résidèrent Turenne, le roi Jean-Casimir de Pologne, Frédéric II et l'empereur Joseph II.

Pont du Corbeau

C'est l'ancien pont des Supplices d'où l'on plongeait dans la rivière, jusqu'à ce que mort s'ensuive, les infanticides et les parricides enfermés dans des sacs cousus.

Au nᵒ 1, quai des Bateliers, une porte cochère donne accès à la cour du Corbeau.

Cour du Corbeau★

◄ Cette cour pittoresque remonte au 14ᵉ s. À droite, on voit un puits de 1560.

Quai St-Nicolas

Agrémenté de belles maisons anciennes dont trois ont été transformées en musée *(voir la rubrique « visiter »)*. Pasteur habita au nᵒ 18.

Traverser le pont St-Nicolas et suivre le quai St-Thomas.

Église St-Thomas

Fermé en janv.-fév. ☎ *03 88 32 14 46.*

◄ Cette église à cinq nefs, reconstruite à la fin du 12ᵉ s., est devenue cathédrale luthérienne en 1529. Elle est surtout célèbre pour son **mausolée du maréchal de Saxe★★**, l'une des œuvres maîtresses de Pigalle, du 18ᵉ s.

Par la rue de la Monnaie, gagner le pont St-Martin.

SYMBOLISME

Sur le mausolée, la France en larmes, tenant le maréchal par la main, s'efforce d'écarter la Mort. La Force, symbolisée par Hercule, s'abandonne à sa douleur, tandis que l'Amour pleure, éteignant son flambeau. À gauche, un lion (la Hollande), un léopard (l'Angleterre) et un aigle (l'Autriche) sont rejetés vaincus sur des drapeaux froissés.

Pont St-Martin

Du pont, **vue★** plaisante sur le quartier des tanneurs. La rivière se divise à cet endroit en quatre bras (on voit encore des moulins à eau, des barrages et des écluses).

Prendre la rue des Dentelles (belles demeures au nᵒ 12, du 18ᵉ s., et au nᵒ 10, du 16ᵉ s.). On atteint la place Benjamin-Zix, puis le quai où s'ouvre la rue du Bain-aux-Plantes.

La « Petite France » était autrefois le quartier des pêcheurs, des tanneurs et des meuniers. Une des façons les plus agréables de découvrir ce quartier est d'emprunter une vedette de croisière sur l'Ill et d'admirer les jeux de lumière sur les façades des maisons médiévales.

La Petite France★★

C'est un des coins les plus curieux et les mieux conservés du Vieux Strasbourg, avec ses maisons qui se reflètent dans l'eau du canal. Au jour finissant, tout cet ensemble est d'un charme prenant.

Rue du Bain-aux-Plantes★★

Elle est bordée de vieilles maisons de la Renaissance alsacienne (16ᵉ-17ᵉ s.) à encorbellement, pans de bois, galeries et pignons. De belles demeures à voir : à gauche, au nᵒ 42, la maison des tanneurs (Gerwerstub) de 1572, au bord du canal ; à droite, à l'angle des rues du Fossé-des-Tanneurs et des Cheveux, le nᵒ 33, extraordinairement étroit ; ainsi que les nᵒˢ 31, 27 et 25 (1651).

Ponts couverts★

C'est une enfilade de trois ponts enjambant les bras de l'Ill, gardés chacun par une tour carrée et massive, reste des anciens remparts du 14ᵉ s., et autrefois reliés par des ponts de bois couverts.

Entre le dernier de ces ponts et la dernière tour, tour du Bourreau, prendre à droite le quai de l'Ill, seul accès pour monter à la terrasse du barrage Vauban.

L'un des trois ponts couverts qui enjambent les bras de l'Ill.

Barrage Vauban

60 marches. 9h-19h (de mi-mars à mi-oct. : 9h-20h). Gratuit.
☎ *03 88 60 90 90.*

De la terrasse panoramique *(table d'orientation ; longue-vue)* aménagée sur toute la longueur du pont-casemate, dit « barrage Vauban » (reste de l'enceinte de Vauban), impressionnant **panorama**★★ sur les ponts couverts et leurs quatre tours au premier plan, le quartier de la Petite France et ses canaux en arrière, la cathédrale à droite.

Traverser à nouveau les ponts couverts.

Prendre le quai de la Petite-France, longeant le canal de navigation, qui offre un **coup d'œil**★ romantique sur les vieilles maisons qui se reflètent dans l'eau.

Franchir le pont du Faisan et rejoindre la Grand'Rue.

Église St-Pierre-le-Vieux

Deux églises sont ici juxtaposées, l'une catholique, l'autre protestante. Dans le transept gauche de l'église catholique (reconstruite en 1866), panneaux en bois sculpté (16ᵉ s.), œuvres de Veit Wagner, montrant des scènes de la vie de saint Pierre et de saint Valère. Au fond du chœur, **scènes**★ de la Passion (fin 15ᵉ-début 16ᵉ s.) attribuées au peintre strasbourgeois Henri Lutzelmann. Dans le bras droit du transept, **panneaux peints**★ de l'école de Schongauer (15ᵉ s.) sur le thème de la Résurrection et des apparitions du Christ.

Reprendre la Grand'Rue bordée de maisons du 16ᵉ au 18ᵉ s. ; elle se prolonge par la rue Gutenberg qui conduit à la place du même nom.

Sur la **place Gutenberg** on voit l'hôtel de la **chambre de commerce**, belle construction de la Renaissance, et la statue de Gutenberg, par David d'Angers.

La rue Mercière ramène à la place de la Cathédrale.

LA CITÉ ANCIENNE PAR LA PLACE BROGLIE

Du parvis de la cathédrale, remonter la rue des Grandes-Arcades.

Place Kléber

Elle est bordée au Nord par « l'Aubette », bâtiment du 18ᵉ s. ainsi nommé parce que, à l'aube, les corps de la garnison venaient y chercher les ordres. Au centre de la place, la statue de Kléber, glorieux enfant de la cité. Le socle de la statue, illustré de deux bas-reliefs qui représentent ses victoires d'Altenkirchen et d'Héliopolis, énumère ses titres de gloire.

Église St-Pierre-le-Jeune

De mars à fin oct. : 10h-12h, 13h-18h. ☎ *03 88 32 41 61.*
Trois églises furent construites au même endroit. De celle du 7ᵉ s., il reste un caveau avec cinq niches funéraires attribué à la fin de l'époque romaine (4ᵉ s.), et de l'église de 1031 un très joli petit cloître. Servant au culte protestant, l'église actuelle date de la fin du 13ᵉ s. À l'intérieur, un beau **jubé** gothique, orné de peintures de 1620, côtoie des orgues de 1780.

Suivre le quai Schoepfin jusqu'au pont de la Fonderie qu'on traverse.

Place de la République

C'est un vaste carré dont la partie centrale a été aménagée en jardin circulaire, planté d'arbres, au centre duquel s'élève le monument aux morts dû au sculpteur Drivier (1936). À gauche, le **palais du Rhin**, ancien palais impérial (1883 à 1888) ; à droite, le Théâtre national, occupant l'ancien palais du Landtag d'Alsace-Lorraine, et la Bibliothèque nationale.

Traverser le pont du Théâtre.

RACCOURCI
Par le passage, au rez-de-chaussée du barrage Vauban, on peut gagner le musée d'Art moderne et contemporain *(voir description dans « visiter »)*.

MAISON NATALE
Au nº 52 de la rue du Vieux-Marché-aux-Poissons, on aperçoit la maison natale du sculpteur Jean Arp.

La place Kléber, la plus célèbre de Strasbourg.

À VOIR

Place Broglie, à droite se dresse l'**hôtel de ville★** du 18ᵉ s., élevé par Massol, ancien hôtel des comtes de Hanau-Lichtenberg, puis des landgraves de Hesse-Darmstadt.

Place Broglie

C'est un long rectangle planté d'arbres, ouvert au 18ᵉ s. par le maréchal de Broglie, gouverneur d'Alsace. Au fond, le théâtre municipal est orné de colonnes et de muses sculptées par Ohmacht (1820). À droite, le quai est bordé par la majestueuse **façade** de la résidence du préfet (1736), ancien **hôtel de Klinglin** (« prêteur royal »), qui donne aussi sur la rue Brûlée (nᵒ 19 : beau portail).

Rue du Dôme et rues voisines

Le quartier avoisinant la place Broglie (rue des Pucelles, du Dôme, des Juifs, de l'Arc-en-Ciel) était habité par la haute noblesse et la grande bourgeoisie. On peut y admirer plusieurs hôtels du 18ᵉ s., en particulier rue Brûlée, l'ancien **hôtel des Deux-Ponts** (1754) au nᵒ 13, l'évêché au nᵒ 16 et l'entrée secondaire de l'hôtel de ville au nᵒ 9. De l'autre côté de la place, rue de la Nuée-Bleue, au nᵒ 25, hôtel d'Andlau, de 1732.

LES QUARTIERS DU 19ᵉ SIÈCLE

ART PRUSSIEN

Après 1870, les Allemands ont élevé un grand nombre d'édifices publics aux proportions monumentales, d'une architecture souvent gothico-Renaissance. Tout un ensemble, au Nord-Est de la ville ancienne, englobant l'université et l'Orangerie, a été construit dans l'intention d'y déplacer le centre de la ville. Ces quartiers aux larges artères restent de nos jours un exemple rare d'architecture prussienne.

Parc des Contades

Ce parc, situé au nord de la place de la République, porte le nom du maréchal gouverneur de l'Alsace qui le fit réaliser. En bordure du parc s'élève la synagogue de la Paix, construite en 1955 pour remplacer l'ancienne détruite en 1940.

Orangerie★

Ce très beau parc dessiné par Le Nôtre en 1692 a été aménagé en 1804 en vue du séjour de l'impératrice Joséphine. Le pavillon Joséphine (1805), incendié en 1968 et reconstruit, sert aux expositions temporaires, aux représentations théâtrales et aux concerts.

Maison de la Télévision FR3-Alsace

Construite en 1961, elle porte sur la façade concave de l'auditorium une monumentale composition sur céramique de Lurçat, symbolisant la création du monde.

LE PORT AUTONOME ET LE RHIN

Situé à l'un des principaux points de jonction des grandes voies de communication qui unissent les diverses parties de l'Europe, le port de Strasbourg se classe parmi les premiers ports rhénans. Il constitue pour la région de l'Est l'équivalent d'un grand port maritime grâce aux qualités de navigabilité exceptionnelles du Rhin (aujourd'hui canalisé entre Bâle et Iffezheim) comparable à un bras de mer international de 800 km de longueur.

AVANTAGES

Cette promenade offre les points de vue les plus intéressants sur les installations portuaires et le Rhin.

Circuit de 25 km — environ 1h1/2. Suivre la route du Rhin (N 4) au Sud, au départ du pont d'Austerlitz. Peu avant le pont Vauban, emprunter à droite la rue du Havre qui est parallèle au bassin René-Graff.

Dans son prolongement, la rue de La-Rochelle conduit à la zone Sud, partie la plus moderne du port avec les trois bassins Auguste-Detœuf (centre céréalier), Gaston-Haelling, Adrien-Weirich (conteneurs et colis lourds) et la darse IV. Entre ces deux derniers bassins est implanté le centre Eurofret-Strasbourg *(accès par les rues de Rheinfeld et de Bayonne).*

Rebrousser chemin par la rue de La-Rochelle et la rue du Havre. À l'extrémité de cette dernière, bifurquer à droite et traverser le pont Vauban qui franchit le bassin Vauban. L'avenue du Pont-de-l'Europe conduit au bord du Rhin.

Le fleuve, large à cet endroit de 250 m, est enjambé par le **pont de l'Europe** (1960) constitué par deux arcs métalliques, qui relie Strasbourg à Kehl en Allemagne.

SUCCESSION

Le pont de l'Europe remplace le fameux pont métallique dit « de Kehl » (1861) détruit pendant la guerre et qui avait lui-même succédé à l'antique pont de bateaux.

Rebrousser chemin à nouveau et obliquer sur la droite pour prendre la rue Coulaux, puis la rue du Port-du-Rhin (vue sur le bassin du Commerce).

Du **pont d'Anvers** on voit : sur la gauche, l'entrée du grand Vauban et le bassin Dusuzeau (gare fluviale) ; sur la droite, le bassin des Remparts.

Franchir le pont et tourner à droite dans la rue du Gén.-Picquart qui longe le bassin des Remparts, où est amarré le Naviscope.

L'ancien pousseur de Strasbourg, le *Naviscope*, a été transformé en **musée du Rhin et de la Navigation**. Promenade sur le bateau, salle des machines, exposition de maquettes, timonerie, etc. 🖼 *Tlj sf lun. et mar. 14h15-18h, w.-end et j. fériés 9h30-12h30, 14h15-18h. Fermé 1er janv., 1er mai, 1er nov., 25 déc. 30F (enf. : 20F).* ☎ *03 88 60 22 23.*

Prendre ensuite la rue Boussingault pour passer le pont sur le canal de la Marne au Rhin. Suivre à droite le quai Jacoutot longeant le canal.

Du **pont Jean-Millot**, à l'entrée du bassin Albert-Auberger, la vue embrasse le Rhin à gauche et l'entrée Nord du port. Dans l'avant-port Nord débouchent le canal de la Marne au Rhin, les bassins Louis-Armand, du Commerce et de l'Industrie.

visiter

Musée alsacien★★

23 quai St-Nicolas. ☎ *03 88 35 55 36 ou 03 88 52 50 01.* ♿ *Mêmes conditions de visite que le musée des Arts décoratifs.*
Ce musée d'art populaire, installé dans trois maisons des 16e et 17e s., révèle le passé, les coutumes et les traditions de l'Alsace. Empruntant le dédale des escaliers et galeries de bois des cours intérieures, le parcours permet de découvrir une multitude de petites salles pleines de cachet. On y admire des collections de costumes, d'imagerie, de jouets anciens, de masques « cracheurs » de farine provenant des moulins, mais surtout des restitutions d'intérieurs anciens, tels que le laboratoire de l'apothicaire alchimiste et des chambres à boiseries, avec leurs lits clos, leurs meubles en bois peint et des poêles monumentaux.

Vaisselier en bois peint, exemple typique des meubles rustiques d'Alsace.

Musée de l'Œuvre Notre-Dame★★

3 pl. du Château. ☎ *03 88 52 50 00. Tlj sf lun. 10h-12h, 13h30-18h, dim. 10h-17h. Fermé 1er janv., ven. Saint, 1er mai et 11 nov., 25 déc. 30F (enf. : 20F).*
Complément indispensable de la visite de la cathédrale, le musée consacré à l'art alsacien du Moyen Âge et de la Renaissance présente ses collections dans les deux ailes de la maison de l'Œuvre datant de 1347 et de 1578-1585, ainsi que dans l'ancienne hôtellerie du Cerf (14e s.) et dans une maison du 17e s., le tout groupé autour de quatre petites cours (cour du Cerf aménagée en jardinet médiéval).

Du vestibule (sculptures préromanes), on accède aux salles de sculpture romane et à la salle des vitraux (12e et 13e s.) provenant en partie de la cathédrale romane ; on y voit le cloître des bénédictines d'Eschau (12e s.) et la célèbre **Tête de Christ★★** de Wissembourg, le plus ancien vitrail figuratif connu (vers 1070).

De là, on traverse la cour de l'Œuvre, à l'ornementation mi-flamboyante, mi-Renaissance pour pénétrer dans l'ancienne salle de séance de la Loge des maçons et tailleurs de pierre, dont les boiseries et le plafond datent de 1582. À la suite, la grande salle de l'hôtellerie du Cerf montre l'œuvre des ateliers qui se sont succédé au 13e s. sur le chantier de la cathédrale.

Emprunter le bel escalier en chêne du 18e s. qui dessert de petites salles où sont exposées les célèbres dessins d'architecture sur parchemin montrant les intentions primitives des architectes. Au 1er étage, importante collection d'orfèvrerie strasbourgeoise du 15e au 17e s.

> **JARDIN D'ÉDEN**
> Le jardinet médiéval de la cour du Cerf restitue l'environnement du *Paradisgärtlein*, jardin d'Éden représenté dans la peinture et la gravure alsaciennes du Moyen Âge.

> **OBJET SOCIAL**
> L'Œuvre Notre-Dame fut fondée pour recueillir les dons des fidèles en vue de la construction de la cathédrale. Elle contribue aujourd'hui à son entretien et à sa restauration.

À VOIR

Au 2e étage, dans des salles à boiseries et plafonds de l'époque, sculptures et peintures★★ de l'école alsacienne : Conrad Witz et primitifs alsaciens, Nicolas de Leyde.

Le 2e étage est consacré à l'évolution de l'art alsacien au 15e s. On redescend au 1er étage par le bel escalier à vis de 1580.

Dans l'aile **Renaissance** : salle consacrée à Hans Baldung Grien (1484-1545) : élève de Dürer ; ce peintre et dessinateur est le principal représentant de la Renaissance à Strasbourg.

L'aile Est présente du mobilier alsacien et rhénan et la sculpture des 16e et 17e s. ; collection de natures mortes du 17e s., de Sébastien Stoskopff (1597-1657) en particulier ; miniatures, intérieurs et costumes strasbourgeois du 17e s., verreries.

Musée d'Art moderne et contemporain★★

1 pl. Hans-Jean-Arp. Lignes de bus n° 2, 3, 10, 15, 20, 23, arrêt Obernai/Musée d'art moderne et contemporain. ⌖ *Tlj sf lun. 11h-19h, jeu. 12h-22h. Fermé 1er janv., ven. Saint, 1er mai, 1er et 11 nov., 25 déc. 30F (enf. : 20F).* ☎ *03 88 23 31 31.*

Une nef centrale vitrée dessert les salles d'exposition, vaste panorama de l'art moderne et contemporain.

Au rez-de-chaussée, les œuvres exposées illustrent la diversité des langages picturaux qui, des peintures du maître de l'académisme William Bouguereau *(La Vierge consolatrice)*, aux œuvres abstraites de Kandinsky, Poliakoff ou Magnelli ont marqué l'histoire de l'**art moderne des années 1850 aux années 1950**. Des impressionnistes (Renoir, Sisley, Monet), des toiles de Signac, quelques nabis tels Gauguin, Vuillard, Maurice Denis. L'art au tournant du 20e s. est représenté par un groupe d'œuvres symbolistes dominé par *L'Accomplissement* de Gustav Klimt.

CONSTRUCTIVISME

Plusieurs salles sont consacrées à **Arp** et à sa femme Sophie Taeuber-Arp, auteurs avec Théo Van Doesburg d'un ensemble de vitraux, qui font revivre les décors intérieurs « constructivistes » (1926-1928) de l'Aubette, bâtiment du 18e s. situé place Kléber.

Le bureau dessiné par Arp, le tapis de Sophie Taeuber côtoient des pièces liées au Bauhaus, au mouvement De Stijl et à l'esprit moderne. Une salle est entièrement réservée à l'œuvre sculptée de Arp.

Liés au fauvisme ou à l'expressionnisme, des artistes comme Marinot, Dufy, Vlaminck, Campendonk font exploser la couleur pure et violente. À l'opposé la *Nature morte* (1911) de Georges Braque est une œuvre type du cubisme. En réaction à la Première Guerre mondiale, le mouvement Dada élabore des œuvres dérisoires, voire absurdes (Janco, Schwitters). À leur suite, les surréalistes avec Victor Brauner, Max Ernst et Arp cherchent à introduire l'onirisme dans leurs œuvres.

À VOIR

La salle Doré a été spécialement conçue pour présenter l'immense toile peinte par Gustave Doré en 1869 *Le Christ quittant le prétoire.* Un balcon situé à l'entrée du restaurant permet d'avoir une vue plongeante sur cette salle.

Le mobilier et les grandes compositions en marqueterie de Charles Spindler, les sculptures de Carabin, Ringel d'Illzach et Bugatti et des vitraux réalisés au début du 20e s. à Strasbourg témoignent du renouvellement de l'art et des arts décoratifs en Alsace autour de 1900. Un cabinet évoque le sculpteur et surtout l'illustrateur que fut Doré.

Le 1er étage est consacré à l'**art moderne des années 1950 à nos jours**. Dans la première salle, les œuvres de Picasso, Richier, Pinot-Gallizio, Kudo, Baselitz reflètent les incertitudes du temps. La salle suivante évoque le mouvement fluxus avec Filliou, Brecht, et l'Arte Povera avec des œuvres de Kounellis, Penone, Merz qui cherchent à dévoiler l'énergie des objets les plus simples. Puis ce sont les années 1960-70 avec les expérimentations de Buren, Parmentier, Toroni, Rutault, Morellet, Lavier. Toni Grand, Miroslav Balka, Christian Boltanski, Philippe Ramette, Maurice Blaussyld, Javier Pérez représentent les années 1980-90. On découvre également les installations de Collin-Thiébaut *(Un musée clandestin à Strasbourg)* et de Sarkis *(Ma chambre de la Krutenau en satellite)*, artistes ayant vécu ou travaillé à Strasbourg.

PAUSE

L'Art Café, au premier niveau du musée est un café-restaurant dont la terrasse, l'une des plus belles et les plus vastes de Strasbourg, domine la ville.

Musée zoologique de l'Université et de la ville

29 bd de la Victoire. ▣ ⌖ *Tlj sf mar. 10h-12h, 13h30-18h, dim. 10h-17h. Fermé 1er janv., ven. Saint, 1er mai, 1er et 11 nov., 25 déc. 15F (enf. : gratuit).* ☎ *03 88 35 85 18.*

Installé sur deux étages en partie rénovés, sur le campus universitaire, ce musée présente la faune régionale et mondiale, en évoquant certains milieux naturels : les régions froides, les Andes, la savane, l'Alsace... De très riches collections d'oiseaux naturalisés et d'insectes sont exposées.

Le musée d'Art moderne et contemporain, réalisé par Adrien Fainsilber.

Église St-Guillaume
Visite guidée sur demande préalable. ☎ *03 88 35 48 07.*
Sa construction s'échelonna de 1300 à 1307. De beaux vitraux (1465) dus à Pierre d'Andlau éclairent la nef. Mais c'est le tombeau double (14ᵉ s.) à étage, des frères de Werd qui fait la curiosité de l'église : sur la dalle inférieure, Philippe en habit de chanoine ; au-dessus, sur deux lions, comme suspendu, Ulrich en habit de chevalier.

Haras national
9h-11h30, 14h-16h30, w.-end et j. fériés 9h-11h30, 15h-16h30 (de mars à mi-juil. : tlj sf dim. et j. fériés). Fermé ven. Saint, Pâques, Pentecôte, 25-26 déc. Gratuit. ☎ *03 88 36 10 13.*
Il est situé à proximité du quartier de la Petite France, dans un bel ensemble architectural en grès rose des 17ᵉ et 18ᵉ s. Ses écuries abritent une trentaine d'étalons de race : arabe, pur-sang anglais, anglo-arabe, selle français, poney français de selle, poney Connemara, trait ardennais et trait comtois.

> **RECONVERSION**
> Ancien hospice pour voyageurs (1360), transformé et agrandi en hôtel particulier, l'édifice fut converti en haras royal par Louis XV en 1763.

Le Sundgau ★

C'est le Sud de l'Alsace et c'est presque le bout du monde. On appelle cette région « le Jura alsacien », et elle le lui rend bien : avec ses collines, ses falaises, ses gorges encaissées, ses forêts de hêtres et de sapins et surtout ses étangs, réservoirs de vie sauvage, on s'y croirait. Les carpes attirent les grenouilles qui attirent les oiseaux, les fauvettes et les martins-pêcheurs... Les maisons y sont particulières, avec leur toit descendant presque jusqu'au sol et leur colombage caractéristique. Vous verrez, cette région particulière vous restera très attachée.

La situation
Cartes Michelin nᵒˢ 87 plis 9, 10, 19, 20 ou 243 plis 11, 12. Le Sundgau forme une sorte de losange délimité à l'Est par l'autoroute Mulhouse-Bâle, au Sud et à l'Ouest par la frontière suisse et le Territoire de Belfort, et au Nord par « la Comtoise », l'autoroute Mulhouse-Belfort.

carnet d'adresses

OÙ DORMIR

● Valeur sûre

Chambre d'hôte Moulin de Huttingue – *68480 Oltingue - 1,5 km au S d'Oltingue par D 21^B - ☎ 03 89 40 72 91 - fermé 15 janv. au 28 fév. et Noël au 1er janv. - ⌂ - 4 ch. : 260/320F - repas 100/150F.* Au bord de l'Ill, qui n'est pas plus large qu'un ruisseau ici, ce moulin à blé a conservé des éléments de décor anciens, comme ses beaux piliers de bois, dans un cadre moderne. À réserver, le superbe loft aménagé sous la charpente... Joli jardin et terrasse en été.

OÙ SE RESTAURER

● Valeur sûre

À l'Arbre Vert – *17 r. Principale - 68560 Heimersdorf - 9 km au S d'Altkirch, dir. Ferrette - ☎ 03 89 07 11 40 - fermé lun. et mar. -* 130/180F. Saviez-vous que la carpe frite est un plat si répandu dans le Sundgau qu'il a sa route, comme les vins, un peu plus loin ? Pour découvrir cette spécialité, arrêtez-vous dans ce restaurant familial : vous y dégusterez des poissons bien frais dans une ambiance conviviale.

Le Moulin Bas – *1 r. Raedersdorf - 68480 Ligsdorf - 4 km au S de Ferrette par D 41 et D 432 - ☎ 03 89 40 31 25 - fermé 10 au 31 janv., lun. et mar. sf j. fériés le midi -* 150/360F. Quelle jolie étape que ce moulin-là ! Près de la frontière suisse, il est entouré d'un jardin tranquille, où coule l'Ill. On y savoure des plats typiques dans un décor campagnard en bas et une cuisine plus élaborée en haut. Profitez aussi des chambres, elles sont vraiment agréables !

Le nom

Dans Sundgau, il y a *sun*, le soleil anglais. Mais l'origine n'est pas là. C'est un nom issu d'un dialecte germanique et qui signifie, « comté du Sud », *gau* signifiant « comté ».

Le symbole

<table><tr><td>

SPÉCIALITÉ
La spécialité gastronomique régionale est, bien entendu, la carpe frite. Il existe même une route dite de la « carpe frite » !

</td><td>

◄ La carpe ! Ce sont les moines cisterciens de l'abbaye de Lucelle, à la frontière suisse, qui, au 12e s., craignant de mourir de faim en période de carême, ont peuplé les étangs alentours de nombreuses variétés de poissons, truites, brochets et surtout carpes. Sachez simplement que l'expression « muet comme une carpe » ne vient pas des cirsterciens ; ces derniers ne pratiquaient pas ce genre de vœux.

</td></tr></table>

circuit

117 km au départ d'Altkirch (voir ce nom) — compter une demi-journée. Sortir de Altkirch à l'Est par la D 419 qui longe d'abord la rive droite de l'Ill.

On pourra greffer sur cet itinéraire d'agréables promenades pédestres, particulièrement dans le Sud du pays, le « Jura alsacien ».

St-Morand

<table><tr><td>

MIRACLES
La dalle inférieure du sarcophage de saint Morand est percée de deux ouvertures destinées à faciliter l'accès des malades au cercueil. La spécialité du saint était la guérison des maux de tête.

</td><td>

But de pèlerinage. L'église renferme le beau sarcophage (12e s.) du saint patron du lieu, Morand, évangélisateur du Sundgau.

La route remonte ensuite le vallon du Thalbach pour atteindre le plateau. Puis elle descend vers le Rhin.

À l'entrée de Ranspach-le-Bas, quitter la D 419 en tournant à droite. Au sortir de Ranspach-le-Haut, prendre à gauche vers Folgensbourg.

</td></tr></table>

De part et d'autre de la route de Folgensbourg restent des casemates de la Ligne Maginot *(voir ce nom)*.

À Folgensbourg, prendre la D 473 vers le Sud puis à gauche la D 21 bis pour gagner St-Blaise.

L'itinéraire offre une belle vue sur la plaine de Bâle, la ville et la percée du Rhin.

À St-Blaise, emprunter la D 9 bis jusqu'à Leymen.

Château du Landskron

<table><tr><td>

POINT DE VUE
La situation du château sur une butte-frontière permet une vue dominante, au Nord, sur les confins boisés du Sundgau et du pays de Bâle, ainsi que sur la petite cité de Leymen en contrebas.

</td><td>

◄ 🚶 1/2h à pied AR. 9h-20h. Gratuit. ☎ 03 89 68 51 37.
Il ne reste que des ruines de ce château présumé du début du 11e s., renforcé par Vauban, puis assiégé et détruit en 1814.

Revenir vers St-Blaise.

</td></tr></table>

À Oltingue, on atteint la haute vallée de l'Ill, dominée au Sud par la crête frontière du Jura alsacien.

Oltingue

Ce charmant village possède, en son centre, un **Musée** ▶ **paysan**. Témoin des différents styles de construction de la région, il réunit dans des pièces aménagées quantité de meubles, vaisselles, ustensiles de cuisine évoquant le souvenir d'une population rurale. (Un grand four à pain dans le fournil, un vieil escalier dont chaque marche est faite dans un tronc d'arbre, des murs en torchis expriment le décor rural et typique. *De mi-juin à fin sept. : mar., jeu., sam. 15h-18h, dim. et j. fériés 11h-12h, 15h-18h ; de mars à mi-juin : dim. et j. fériés 14h-17h et sur demande. 12F. ☎ 03 89 40 79 24.)*

À Raedersdorf, poursuivre par la D 21^B, route de Kiffis.

À VOIR
Une collection de moules à kougelhopf de formes appropriées à la fête du jour à souhaiter, et aussi une série originale de carreaux de poêle de faïence.

Hippoltskirch

Dans la **chapelle**, au plafond peint par Johann Stauder ▶ et cloisonné, la balustrade de la tribune en bois peint, côtoie, aux murs, des ex-voto, certains traités en peinture naïve (*de mai à fin sept. : dim. 11h-18h*).

Laissant Kiffis à gauche, on emprunte la « route internationale » (D 21^{BIII}), qui longe la frontière suisse (et la franchit même, après Moulin-Neuf, sur quelques dizaines de mètres) au fond d'une combe boisée où coule la Lucelle.

À VOIR
À gauche de la nef, statue miraculeuse de Notre-Dame, objet naguère de pèlerinages, à laquelle s'adressent les ex-voto.

Lucelle

Adossée à son étang, cette localité, jadis siège d'une opulente abbaye cistercienne, se situe à l'extrême pointe Sud de l'Alsace.

Remonter vers le Nord par la D 432.

Ferrette★

Ancienne capitale du Sundgau, Ferrette eut, dès le ▶ 10e s., des comtes indépendants dont l'autorité s'étendait sur une vaste région de la Haute-Alsace. Passée à la maison d'Autriche par mariage au 14e s., elle fut donnée à la France, en 1648, lors de la signature des traités de Westphalie.

Cette petite ville ancienne, bâtie dans un joli **site**★ du Jura alsacien, est surplombée par les ruines de deux châteaux assis sur un impressionnant piton rocheux à 612 m d'altitude. 🏃 On y accède à pied, par des sentiers bien signalés. De la plate-forme, belle **vue**★ sur les Vosges, la vallée du Rhin et de l'Ill, la Forêt-Noire et les premières hauteurs du Jura. Les collines boisées des environs offrent aussi de nombreuses promenades.

Par la D 473, gagner Bouxwiller.

CUMUL
Le prince de Monaco porte actuellement le titre de comte de Ferrette !

Paysage du Sundgau. La terre et le ciel y communient pour offrir à ce pays du Sud un sol généreux.

Bouxwiller

C'est un charmant village aux nombreuses fontaines, bâti sur un versant de la vallée. Dans l'**église** St-Jacques, une belle chaire en bois doré du 18e s. provient de l'ancien monastère de Luppach. Riche retable baroque à colonnes, peint et doré.

La D 9 bis, qui suit la haute vallée de l'Ill, mène à Grentzingen.

Grentzingen★

Les typiques maisons à colombage de ce village fleuri présentent la particularité d'être alignées perpendiculairement à la route. Un petit nombre d'entre elles ont conservé la couleur ocre d'origine et aussi leur auvent. Leurs toitures possèdent des pignons à pan coupé.

Dans Grentzingen, tourner à gauche.

La route passe à **Riespach**, aux maisons caractéristiques.

Feldbach

Son **église** romane (12e s.) se divise en deux parties bien distinctes correspondant à l'église des moniales et à l'église des fidèles. La nef est soutenue par des piliers sous arcades, ronds puis carrés. Belle abside en cul-de-four.

La D 432, par les vallées verdoyantes du Feldbach et de l'Ill, ramène à Altkirch.

Thann ★

Le foie peut être un peu fatigué en arrivant à Thann, ultime étape de la route des Vins, avec, en apothéose, le grand cru de Rangen. Mais il n'y a pas de conformisme en la matière, on peut tout aussi bien décider de remonter du Sud au Nord le vignoble alsacien, dans ce cas Thann se retrouve être au départ de la route des Vins, et le voyageur plus frais. Même chose pour la route des Crêtes qui commence ou se termine, ici. À ce carrefour donc, vous attend une des plus belles églises gothiques d'Alsace, la collégiale St-Thiébaud (un saint homme qui a perdu son pouce droit dans des circonstances très particulières...).

La situation

Cartes Michelin n°s 87 pli 18 ou 242 pli 35 — Schémas p. 147 et 387 — Haut-Rhin (68). Pour les sportifs, parmi de multiples sentiers de découverte, le GR 5, chemin de grande randonnée, traverse la ville.

🛈 *6 pl. Joffre, 68800 Thann,* ☎ *03 89 37 96 20.*

Le nom

Comme beaucoup de villages d'Alsace, Thann doit son nom à un événement légendaire et poétique, la légende des trois sapins, Thann signifiant précisément « sapin ».

La légende

À sa mort, en 1160, Thiébaut, évêque de Gubbio, en Ombrie, lègue son anneau épiscopal à son plus fidèle serviteur. Celui-ci, avec l'anneau, arrache en même temps le pouce du défunt, dissimule la relique dans son bâton de voyage, se met en route et parvient en Alsace l'année suivante. Un matin, après une nuit dans un bois de sapins, le pèlerin essaye d'arracher le bâton du sol pour reprendre sa route, en vain. Trois grandes lumières apparaissent alors, au-dessus de trois sapins. Le châtelain d'Engelbourg, qui les a vues de son château, accourt et décide d'élever une chapelle au lieu même du miracle. Aussitôt, le bâton se détache sans difficulté. Longtemps après, la chapelle édifiée s'entourera d'une cité : Thann.

AGENDA

Chaque année, le 30 juin, la Crémation des trois sapins perpétue la légende de saint Thiébaut : trois sapins sont brûlés devant l'église, et la foule s'en dispute les débris.

carnet pratique

Où dormir

• *Valeur sûre*

Hôtel Le Parc – *23 r. Kléber - ☎ 03 89 37 37 47 - P - 20 ch. : 345/580F - ☕ 58F - restaurant 120/205F.* Cette maison bourgeoise du début du 19e s. est une étape agréable : dans un joli jardin clos de murs, soigné et tranquille, elle vous ouvre sa piscine en été et ses chambres décorées de meubles rétro en toute saison... Préférez celles du premier étage, plus spacieuses. Bon accueil.

Où se restaurer

• *À bon compte*

Hostellerie Alsacienne – *R. du Mar.-Foch - 68290 Masevaux - 15 km au SO de Thann par rte Joffre - ☎ 03 89 82 45 25 - fermé 15 au 31 oct. et lun. de nov. au 15 mai - 60/240F.* Dans une rue piétonne du centre de la ville, cette auberge rustique sert une cuisine typique pas très chère. La carte est certes simple mais plusieurs menus sont proposés et le cadre est amusant avec ses boiseries sculptées aux murs. Quelques chambres.

Route des Vins d'Alsace

Cave, Charles-Hippler – *Dans la tour des Sorcières - de Pâques à fin oct. – gratuit - Office de tourisme.* Du nom de l'ancien propiétaire, elle présente l'histoire de Thann et de son vignoble. Le chais a été partiellement reconstitué pour présenter le travail du vigneron.

Le vignoble – 🚶 Par le chemin Montaigne et la rue du Vignoble : accès piétons uniquement, réglementé pendant les vendanges (fin sept. et oct.). Par la rue du Vignoble : piste cyclable, puis sentier dans les vignes pour rejoindre le chemin Montaigne. Par la rue du Kattenbachy : au fond du vallon à droite, début du chemin Montaigne.

Le cru – Le Rangen est le seul vignoble alsacien a être classé grand cru dans sa totalité. La montagne du Rangen, dont ses flancs à pente raide (45°) s'orientent plein Sud, bénéficie d'un ensoleillement maximal, de précipitations fréquentes et de la présence de la Thur à ses pieds. Le vignoble de 18,5 ha, doit sa réputation à son terroir d'origine volcanique, et aussi, au savoir-faire de ses viticulteurs qui, déjà au 18e s. fournissaient la cour de Vienne.

se promener

Collégiale St-Thiébaut★★

Visite libre de la collégiale, visite guidée du chœur sur demande. Office de tourisme.

Son architecture gothique (14e-début 16e s.) qui témoigne d'une évolution vers le style flamboyant, est remarquable.

La façade Ouest est percée d'un remarquable **portail★★**. Haut de 15 m, son tympan très élancé surmonte deux portes munies chacune d'un petit tympan. Le portail Nord, de style flamboyant, est rehaussé de belles statues du 15e s.

À l'intérieur, dans la chapelle pentagonale est fixée sur le contrefort du milieu une statue en bois polychrome de la Vierge des vignerons, sculptée vers 1510. À l'extré-

Mieux voir

Poursuivre jusqu'à l'hôtel de ville pour avoir une vue d'ensemble sur le chœur aux lignes élancées, à la haute toiture de tuiles vernissées, et sur le clocher haut de 76 m et couronné par une flèche, véritable dentelle de pierre.

THANN

Aspach (R. d') 2
Clemenceau (R.) 4
Gaulle (R. Gén.-de) 6
Jacquot (R. A.) 7
Lattre-de-Tassigny (Pl. de) 8
Lebert (R. H.) 10
Paix (R. de la) 11
Poincaré (Av.) 12
St-Jacques (R.) 13
1re-Armée (R. de la) 14
7-Août (R. du) 15

Musée des Amis de Thann ..... M
Tour des Sorcières ..... R

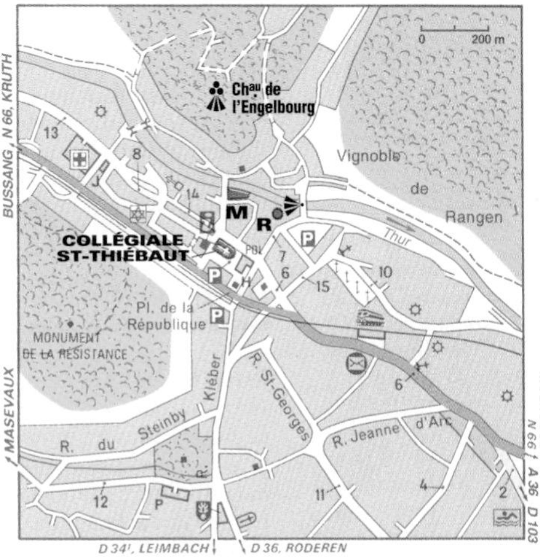

Détail d'accoudoir de l'une des stalles de la collégiale St-Thiébaut.

mité de ce bas-côté, dans la chapelle St-Thiébaut est placée sur l'autel une statue du saint en bois polychrome datant de 1520.

Très profond, le **chœur** est orné des statues (15ᵉ s.) des douze apôtres, en pierre polychrome. À l'entrée est suspendu un grand Christ en croix (1894), en bois polychrome, du Colmarien Klem. La lumière pénètre par huit belles **verrières★** du 15ᵉ s.

Mais la principale richesse de la collégiale reste les 51 **stalles★★** en chêne du 15ᵉ s. Toute la fantaisie du Moyen Âge s'y donne libre cours. Ce ne sont que feuillages, gnomes et personnages comiques d'une verve remarquable et d'une grande finesse d'exécution.

Tour des Sorcières

Cette tour du 15ᵉ s. coiffée d'un toit en bulbe est le dernier vestige des anciennes fortifications. On peut l'admirer depuis le pont sur la Thur.

« L'Œil de la Sorcière »

🚶 *1/2 h à pied AR.* L'Engelbourg (château des Anges), construit par les comtes de Ferrette, devint propriété des Habsbourg puis, en 1648, du roi de France, qui, dix ans plus tard, le donna à Mazarin dont les héritiers le conserveront jusqu'à la Révolution. En 1673, Louis XIV ordonna le démantèlement de la forteresse.

De la ruine, point de vue sur Thann, la plaine d'Alsace et au loin la Forêt-Noire. De l'autre côté de la vallée, au sommet de la montagne du « Staufen », a été érigé le monument de la Résistance alsacienne.

Lors de la destruction du château de L'Engelbourg, le donjon, en s'écroulant, conserva son tronçon inférieur intact, le centre regardant vers la plaine. L'imagination populaire a qualifié cette ruine originale d'« Œil de la Sorcière ».

visiter

Musée des Amis de Thann

De mi-mai à mi-oct. : tlj sf lun. 10h-12h, 14h30-18h30. 15F. ☎ *03 89 37 02 31.*

Installé dans l'ancienne halle aux blés datant de 1519, il évoque sur quatre niveaux le passé de la ville. Les grands thèmes traités sont le vignoble, le château et les fortifications, la collégiale et le culte de saint Thiébaut, le mobilier et les arts populaires, les souvenirs des deux guerres, les débuts de l'industrie textile.

itinéraire

COMPRENDRE

Cette route fut créée dans l'autre sens (Masevaux-Thann) par l'armée pendant la guerre de 1914-1918 afin d'assurer les communications entre les vallées de la Doller et de la Thur. Pendant l'hiver 1944-1945, elle reprit son rôle militaire, réanimée par le trafic des troupes françaises qui ne pouvaient utiliser que cette voie d'accès pour attaquer Thann par le Nord.

ROUTE JOFFRE

18 km de Thann à Masevaux — environ 1h. Suivre la N 66 jusqu'à Bitschwiller et prendre à gauche la D 14 ᴮᴵⱽ.

La montée s'effectue en forêt. À l'entrée du bois, **vue★★** magnifique sur la vallée de la Thur dominée au Nord par le Grand Ballon (1 424 m) où se distingue le monument aux Diables bleus.

Col du Hundsrück

Alt. 748 m. Vues à droite sur le Sundgau *(voir ce nom)*, région la plus méridionale de l'Alsace, la plaine d'Alsace et le Jura.

La route s'élève légèrement, puis decend vers le col du Schirm, dans le bassin très vert de Bourbach-le-Haut. La route s'élève de nouveau pour atteindre le hameau d'**Houppach**, lieu de pèlerinage. La chapelle Notre-Dame d'Houppach est également connue sous le nom de « Klein Einsiedeln ».

Masevaux

Petite ville industrielle et commerçante, Masevaux fut créée autour d'une abbaye fondée par Mason, neveu de sainte Odile, en mémoire de son fils qui s'était noyé dans la Doller. Jolies places ornées de fontaines du 18e s. et entourées de demeures des 16e et 17e s.

Thionville

Ici, au pays des Trois Frontières, la Moselle est large de plus de 100 m. C'est le passé de Thionville et son appartenance successive au duché de Luxembourg, au duché de Bourgogne, à l'Espagne, à la France et même à l'Allemagne, qui lui donne sa modernité dans une dimension tout à fait européenne. Si on ne peut éluder son statut, à priori peu séduisant, de « métropole du fer », c'est aussi un lieu de flânerie le long des remparts, dans la vieille ville, avec ses belles façades anciennes, ses parcs fleuris.

> **À VOIR**
> Les restes des remparts (mur de soutènement) subsistent le long de la Moselle. Au-dessus, des jardins publics et des promenades (parc Napoléon) ont été aménagés.

La situation

Cartes Michelin n°s 57 limite plis 3, 4 ou 242 pli 5 — Moselle (57). Le centre-ville, bien pourvu en parkings, se situe en bordure de la Moselle, entre la place de la Liberté et le quai Crauser. À proximité de Thionville, quatre ouvrages de la Ligne Maginot *(voir ce nom)* : le **fort de Guentrange**, le **Hackenberg**★, le **Zeiterholz** et l'**Immerhof**.
🛈 *16 r. du Vieux-Collège, 57100 Thionville,* ☎ *03 82 53 33 18.*

Les gens

39 712 Thionvillois. Saluons ici le courage et la ténacité au travail des « gueules jaunes » qui ont extrait le fer des gisements lorrains pendant plus d'un siècle. Le record de production de fer a été atteint en 1962 avec 62 millions de tonnes de minerai. Si pour les mines de fer de Lorraine la page paraît définitivement tournée, la rude épopée des gueules jaunes continue d'imprégner l'identité de toute la région. Les musées d'Aumetz et Neufchef veillent à l'entretien de leur mémoire.

> **RECONVERSION**
> Par la diversification des produits et ses investissements, la sidérurgie lorraine est redevenue compétitive. Ainsi, le groupe Usinor-Sacilor se place en 3e position mondiale. Les efforts de reconversion ont été importants, avec des implantations liées à l'automobile sur les zones industrielles d'Ennery, Ste-Agathe à Florange et à Basse-Ham, ainsi qu'à l'énergie nucléaire.

> **LA SIDÉRURGIE LORRAINE**
> Le gisement de fer lorrain, logé dans les assises de la côte de Moselle, s'étire sur 120 km de la forêt de Haye au Luxembourg. En un peu plus d'un siècle, il a livré 3 milliards de tonnes de « minette », minerai à teneur en fer relativement faible (33 %). Ensuite le glissement des usines métallurgiques vers le « bord de l'eau », la concurrence des minerais riches importés et le tassement des débouchés traditionnels de l'acier ont provoqué le déclin de l'exploitation. Une à une, les mines ont fermé ; l'abandon de celle de Roncourt en août 1993 a mis fin à l'activité du bassin ferrifère, si on excepte le site de Bure-Tressange.

carnet pratique

VISITE GUIDÉE DE THIONVILLE

1h1/2 de promenade, en juillet et août les 1er et 3e dimanches à 16h, les 2e et 4e mardis à 20h. 15 F.

OÙ DORMIR ET SE RESTAURER

• Valeur sûre

Le Concorde – 6 pl. du Luxembourg - ☎ 03 82 53 83 18 - fermé sam. midi et dim. soir - 190/400F. Au 14e étage d'un hôtel, ce restaurant domine la ville. Dans la salle à manger ou sur la terrasse en été, vous aurez Thionville et la vallée de la Moselle à vos pieds. Cuisine au goût du jour préparée par le jeune patron. Bar panoramique et chambres plutôt agréables.

ACHATS

Bauer Frères – 36 r. de l'Ancien-Hôpital - ☎ 03 82 53 32 94 - mer.-ven. 9h-12h, 14h-19h, sam. 8h-12h30, 14h-19h, dim. 8h-12h30, 14h-18h - fermé de mi-juil. à mi-août. Carolus (amandes grillées enrobées de chocolat et roulées dans le cacao), piétonnes (carré feuilleté au chocolat), mirabelle fourrée à la pâte d'amande... La vitrine de ce confiseur aux multiples spécialités est une invitation à la gourmandise.

Marché aux puces – R. Walker et bd du 20e-Corps. 2e et 4e sam. du mois.

TOURISME FLUVIAL

Lorraine - Voyages Moritz – Berge de la Moselle - derrière la gare routière, ☎ 03 82 83 70 63. Au départ de Thionville : dim. et certains j. fériés (Noël, St-Valentin...) - fermé nov.-fév. De Thionville à Rémich (Luxembourg) et Nenning (Allemagne), les voyages Moritz vous proposent plusieurs croisières à thème à bord du Lorraine (capacité : 500 personnes). Restauration et animations musicales.

Horizons Bleus – Berge de la Moselle - derrière le parc Napoléon - ☎ 06 82 58 42 38 - tlj de beau temps 13h30-20h - fermé nov.-avr. Location de bateaux électriques sans permis, de scooters des mers, baptême de jet boat 170 CV...

OÙ PRENDRE UN VERRE

Le Jimmy's Bar – 4 cour du Mersch - mar.-dim. 11h30-2h. Repaire des amateurs de blues et de soirées intimes, ce pub niché dans une jolie cour vous proposera bières et cocktails à savourer dans de profonds fauteuils en cuir. Votre bonheur sera total si vous avez la chance d'assister ce soir-là à l'un des deux concerts de jazz organisés chaque mois.

Les Mystères de l'Ouest – 30 pl. du Marché - ☎ 03 82 53 33 62 - dim.-jeu. 7h-2h30, ven.-sam. 7h-3h. Inspiré de la fameuse série télévisée, le décor mi-rétro mi-futuriste de ce grand café a été conçu par des artistes de Metz qui ont travaillé aux États-Unis. En salle ou en terrasse chauffée, l'ambiance y est toujours joyeuse et le service aimable. Large choix de bières, whiskies et thés.

visiter

Musée municipal

Tlj sf lun. 14h-18h. 17F. ☎ *03 82 82 25 52 ou 03 82 82 25 49.*

TOUR AUX PUCES
Encore appelée tour au Puits, ce puissant donjon médiéval des 11e et12e s. est le plus important vestige de l'ancien château féodal des comtes de Luxembourg. Étonnante architecture que la sienne avec ses quatorze côtés !

Entrez sans crainte dans la **tour aux Puces**, vous n'en attraperez pas mais vous y découvrirez l'histoire de Thionville et de ses environs depuis le néolithique danubien jusqu'au siège de 1870. Riche section gallo-romaine et importante collection de lapidaires de la fin du Moyen Âge. Les différents sièges de Thionville (pour mémoire : 1558, 1639, 1643, 1792, 1814-1815, 1870) sont évoqués par des plans, gravures, objets...

Église St-Maximin

Plan grandiose, très beau maître-autel à baldaquin baroque et orgue, le tout du 18e s.

Château de la Grange★

Au Nord par l'avenue Albert-Ier, puis à gauche, à l'angle de la route de Luxembourg et de la chaussée d'Amérique (commune de Manom). De mi-mars à mi-nov. : visite guidée (3/4h) w.-end et j. fériés à 14h30, 15h30, 16h30, 17h30 (juil.-août : tlj). 28F. ☎ *03 82 53 85 03.*

DÉTAIL
Dans la salle à manger, un poêle en faïence blanc et or, haut de près de 5 m.

Construit en 1731 par Robert de Cotte, le château est élevé sur les soubassements d'une forteresse qui servit jusqu'au 17e s. d'avant-poste aux défenses de la citadelle de Thionville.

La grande cuisine au mobilier lorrain présente une cheminée surmontée d'un très bel arc en anse de panier. Face aux fenêtres, deux vitrines présentent des collections de porcelaines de Boch et de Chantilly.

Dans l'entrée, remarquables tapisseries des Flandres du début du 17ᵉ s., ayant pour sujet la guerre de Troie. Au pied de la cage du grand escalier, à la belle rampe de fer forgé du 18ᵉ s., deux énormes vases chinois, en émail cloisonné, et deux bas-reliefs de l'école de Jean Goujon ; face à une chaise à porteurs, un poêle alsacien de Rouffach (1804) est décoré de scènes religieuses.

Beau mobilier Louis XV du grand salon bleu, avec son plancher à marqueterie en étoile, et la bibliothèque, installée dans l'ancienne chapelle du château (entre les fenêtres, remarquable collection de céramiques d'Extrême-Orient du type céladon).

Un parc à l'anglaise a remplacé au 19ᵉ s. le jardin à la française d'autrefois.

> **INTIMES SOUVENIRS**
> Dans la salle de bains Empire, la baignoire, taillée dans un seul bloc de marbre blanc, a appartenu à Pauline Bonaparte.

circuits

LE PAYS DU FER★

environ 90 km — une demi-journée. Quitter Thionville par le Sud et D 953.

Aussitôt après Thionville commence un long défilé d'usines. À la sortie de Terville et aussitôt après le passage à niveau de Daspich, vue sur le site de Sollac-Florange, un des établissements de Sollac (Société lorraine de laminage continu), la branche des produits plats d'Usinor-Sacilor, leader européen dans son domaine d'activité.

Prendre à droite la D 18 jusqu'à Serémange-Erzange, puis prendre à gauche la D 17.

Au cours de la montée vers St-Nicolas-en-Forêt, belle vue dans les clairières et près du bâtiment de la Compagnie générale des eaux, une vue étendue sur la vallée industrielle de la Fensch (Unimetal-Sollac Florange, hauts fourneaux de Lorfonte, cimenterie d'Ébange). Dépasser Hayange où se trouve l'usine Sogérail qui fabrique les rails pour le TGV, pour atteindre Neufchef.

> **PANORAMA**
> À St-Nicolas-en-Forêt, du rond-point du Bout-des-Terres à l'extrémité du boulevard des Vosges, panorama sur la vallée de la Moselle.

Musée des Mines de fer de Neufchef★

Visite guidée (1h1/2) tlj sf lun. 14h-16h30. Fermé 1ᵉʳ janv., 24-25 et 31 déc. 35F (enf. : 16F). ☎ 03 82 85 76 55.

Il occupe le site de Ste-Neige, « mine de coteau » dont les galeries s'ouvraient à flanc de colline. Le long d'un parcours de 1,5 km, des chantiers de diverses époques ont été réinstallés, invitant à un passionnant voyage dans le temps riche d'enseignements sur l'évolution des techniques minières : foration au vilebrequin, apparition du wagonnet, avènement du compresseur et du marteau-piqueur, mise en œuvre de machines d'extraction...

Après Neufchef, la route traverse l'épaisse forêt de Moyeuvre, coupée par la vallée du Conroy.

> **RECONSTITUTION**
> En surface, un vaste bâtiment, devant lequel est reconstitué un carreau de mine, documente les visiteurs sur la genèse du fer et ses conditions de gisement, ainsi que sur le métier de mineur et son environnement social.

L'usine d'Hayange, dans la vallée industrielle de la Fensch, fait partie d'Unimetal, le spécialiste des produits longs du groupe Usinor-Sacilor.

À Avril, possibilité de prendre à droite la D 906 jusqu'à Aumetz, au Nord.

Musée des Mines de fer d'Aumetz
De mai à fin sept. : visite guidée (1h1/2) tlj sf lun. 14h-16h30. 25F. ☎ *03 82 85 76 55.*

L'ancienne mine de Bassompierre, ouverte sur le revers de la côte de Moselle, était accessible par un puits profond de 240 m qui a dû être comblé au moment de l'abandon.

Revenir par la même route jusqu'à Briey au Sud.

Briey *(voir ce nom)*
À partir d'Homécourt, la route, qui emprunte la **vallée de l'Orne**, n'est qu'une longue suite de cités résidentielles et d'usines.

De Rombas rejoindre la D 953 à Hagondange.

Hagondange
C'est l'ancien fief de Thyssen, magnat allemand de l'acier avant 1914. Dans la cité située à droite de la D 47, église moderne dont le plafond est fait de lattes de sapin formant pointes de diamant.

À droite de la D 953, entre Hagondange et Uckange, s'est construite, en 1960, la centrale sidérurgique de Richemont. Avec les installations métallurgiques du centre industriel d'Uckange commencent les faubourgs de Thionville.

> **TECHNIQUE**
> En surface de la mine, le chevalement, tour d'acier assurant la liaison avec le fond, a été conservé, de même que les bâtiments d'exploitation abritant la salle des compresseurs, la forge, la grande machine d'extraction, etc.

Vallée de la **Thur** ★

L'idée que la vallée de la Thur est une vallée industrielle ne doit pas effrayer les amoureux de la nature. D'abord parce que les villages, dominés par quelques-uns des plus hauts sommets des Vosges, sont charmants, ensuite parce que la vallée supérieure et le vallon d'Urbès, aux versants boisés et couverts de pâturages, sont le refuge d'une faune et d'une flore très riches et variées. Quantité d'oiseaux nicheurs et migrateurs l'ont choisi ; les randonneurs y trouveront donc eux aussi le plaisir et l'oxygène qu'ils recherchent.

La situation
Cartes Michelin n°s 87 pli 18 ou 242 pli 35 — Haut-Rhin (68). Sous le Grand Ballon, les premières vallées sont parallèles à la route des Crêtes. Accès par Thann, à 21 km à l'Ouest de Mulhouse, par la N 86-E 512.

Le symbole
Les petites villes des rives de la Thur sont, presque toutes, d'origine très ancienne. Dès le 18e s., l'industrie textile a conquis la vallée. Elle représente toujours aujourd'hui 60 % de son activité.

Les gens
Ici, l'histoire n'a pas retenu des noms de guerriers, de souverains ou de religieux, mais ceux de Jérémie Risler, des Koechlin, des Kestner, des Stehelin, tous « capitaines » d'industrie, fondateurs d'usines métallurgiques, textiles ou de produits chimiques.

> **TRAFIC**
> La vallée est fréquentée dès l'époque romaine. Puis à partir du début du 13e s., après l'ouverture des cols du St-Gothard et du Simplon, elle devient un axe de circulation entre l'Italie et les Pays-Bas.

itinéraires

LA VALLÉE INDUSTRIELLE
12 km au départ de Thann — environ 1/2h — schéma p. 123. Sortir de Thann à l'Ouest, N 66.

La vallée de la Thur se resserre, puis s'élargit. Malgré leurs usines, les villages riverains sont charmants, de même que la campagne environnante avec ses prés, ses vergers, ses vallons, ses ruisseaux et ses torrents.

Willer-sur-Thur

Willer revendique l'honneur d'être le lieu de naissance de Catherine Hubscher, la future maréchale Lefebvre, passée à la postérité sous le surnom de « Madame Sans-Gêne » *(voir Rouffach)*.

Moosch

Souvenirs d'une guerre plutôt moche, dans un grand cimetière militaire adossé au versant Est de la vallée, où reposent près de 1 000 soldats français fauchés en 1914-1918.

St-Amarin

Cette localité a donné son nom à la vallée entre Moosch et Wildenstein. Le **musée Serret et de la vallée de St-Amarin** rassemble des souvenirs locaux : gravures et vues anciennes de la région, coiffes alsaciennes, armes, ferronneries, emblèmes de confréries. *De mai à fin sept. : tlj sf mar. 14h-18h. 20F.* ☎ *03 89 38 24 66 ou* ☎ *03 89 38 24 24.*

Ranspach

Dans le haut du village, au-delà d'une usine, se trouve le départ d'un sentier botanique (🚶 *2,5 km)* signalé par une feuille de houx. Les caractéristiques des arbres et arbustes rencontrés, tous différents, sont données sur des panneaux. C'est une promenade facile et agréable.

Husseren-Wesserling

C'est le siège d'une importante manufacture de tissus imprimés. Un **musée du Textile et des Costumes de ▶ Haute-Alsace** est installé dans un ancien bâtiment industriel, situé au milieu d'un grand parc aux essences rares. Trois thèmes sont évoqués : le passage de la matière première (le coton) au métrage de tissu, l'histoire des grandes familles industrielles depuis le 18ᵉ s. jusqu'à nos jours, les costumes avec l'évolution de la silhouette féminine et l'évocation des petits métiers liés à la mode (fleuriste, brodeur, gantier). ♿ *10h-12h, 14h-17h, lun. et sam. 14h-17h (avr.-sept. : fermeture à 18h). Fermé 1ᵉʳ janv., 1ᵉʳ mai, 1ᵉʳ et 11 nov., 25-26 déc. 30F.* ☎ *03 89 38 28 08.*

LA HAUTE VALLÉE★

46 km au départ d'Husseren-Wesserling (voir ci-dessus) — environ 2h — schéma p. 123.

La haute vallée de la Thur est curieusement bosselée de ▶ buttes granitiques. Ce sont des îlots que l'action destructrice des anciens glaciers a respectés. Trois de ces buttes dominent **Oderen**. À l'entrée du village, en venant de Fellering, belle vue, en avant et à gauche, sur les escarpements pittoresques des bois de Fellering.

La vallée de la Thur, dans laquelle se resserrent de modestes agglomérations laborieuses.

ILLUMINATIONS
St-Amarin s'illumine chaque année, à l'occasion de la veillée de la St-Jean, de nombreux feux de joie.

RÉTRO
Des scènes illustrent les modes vestimentaires au 19ᵉ s. selon les différents moments de la journée.

RUINES
En amont d'Oderen, on peut apercevoir une autre butte, boisée, le Schlossberg qui porte les **ruines du château de Wildenstein**.

À Kruth, prendre à gauche la D 13 B1.

Cascade St-Nicolas★

La cascade, composée de multiples et charmantes cascatelles, tombe au fond d'un joli vallon très encaissé dont les versants sont couverts de sapins.

Revenir à Kruth.

Entre Kruth et Wildenstein, la route passe à droite du Schlossberg dans un défilé que, sans doute, la Thur emprunta autrefois.

Une autre route longe, par l'autre versant, le Schlossberg et le **barrage de Kruth-Wildenstein**, digue en terre et d'argile étanche, un des maîtres ouvrages de l'aménagement hydraulique de la vallée de la Thur.

À Wildenstein commence une superbe montée vers le col de Bramont caractérisée d'abord par une très belle vue en enfilade sur la vallée de la Thur, puis par un magnifique parcours en forêt.

CONSEIL
Cette route n'est utilisable que dans le sens Wildenstein-Kruth. Elle est fermée en hiver.

Col de Bramont

Alt. 956 m. Il est situé sur la crête principale des Vosges.

Grand Ventron★★

La route d'accès s'embranche au col de Bramont. Prendre à gauche la route forestière (8 km) passant par le col de la Vierge et aboutissant à la chaume du Grand Ventron. Du sommet (1 204 m), le **panorama★★** est très étendu sur les Vosges et la vallée de la Thur.

LE VALLON D'URBÈS

11 km au départ d'Husseren-Wesserling (voir p. 363) — environ 1/2h — schéma p. 123.

La route traverse la vallée de la Thur, puis s'engage dans le vallon d'Urbès barré par une moraine.

See d'Urbès

RANDONNÉE
🚶 Un sentier balisé *(durée : 1h1/2)*, complété par des panneaux présentant la flore, la faune et les activités traditionnelles propres à ce milieu particulier, facilite la découverte du lac d'Urbès.

◄ *Parking sur le bord du lac, signalé par un grand panneau.* La dépression dans laquelle est installé le lac (ou see) d'Urbès doit son existence au glacier qui sculpta la vallée de la Thur à l'ère quaternaire. L'eau est retenue par une moraine frontale, dépôt rocheux accumulé par le glacier. Depuis la disparition de celui-ci, une végétation de tourbière (sphaignes, laîches, etc.) a colonisé ce lieu, le comblant progressivement.

Une montée douce, avec de jolies vues sur la vallée de la Thur et les crêtes qui la dominent, amène au col de Bussang.

Col de Bussang *(voir p. 281)*

À partir du col, on peut descendre la haute vallée de la Moselle, tout aussi typique (voir p. 281).

Toul ★

Une ville qui possède une rue Qui-Qu'en-Grogne ne manque forcément pas d'humour. C'est à Toul, qu'au quaternaire, la Moselle, qui à l'origine se jetait dans la Meuse, a brusquement changé d'avis et, d'un coup de coude, modifié son cours pour se rapprocher de la Meurthe. Farceuse ! Autre célébrité du coin, saint Mansuy, qui a, par ailleurs, assez peu marqué l'histoire religieuse, mais a été le premier, au 4e s., à s'attaquer à l'évangélisation de la région, jetant les bases d'un patrimoine religieux très important. Aujourd'hui, ce ne sont plus les cantiques, mais le son du cristal qui vous attirera, par delà les vignobles du Toulois, au milieu de la forêt de Meine.

La situation

Cartes Michelin n°s 62 pli 4, 242 pli 17 ou 4054 D 6 — Meur-the-et-Moselle (54). Parkings en centre-ville autour de la cathédrale St-Étienne.

🔃 *Parvis de la Cathédrale, 54200 Toul,* ☎ *03 83 64 11 69.*

Le nom

« Tullum Leucorum », c'est le nom que les Leucques, une nation celtique appartenant à la Belgique et soumise aux Romains dès 51 avant J.-C., avaient donné à leur sanctuaire. La transformation de Tullum à Toul ne semble pas trop mystérieuse.

Les gens

17 281 Toulois. Un visiteur illustre : selon la tradition, Clovis vint à Toul en 496 pour s'instruire des vérités de la foi catholique auprès de saint Waast.

IMPRENABLE !

En 1905, l'importance stratégique de la ville est soulignée par la présence de 12 000 militaires. À la veille de la Grande Guerre, Toul passait pour être une des places fortes les mieux défendues d'Europe, ce qui l'aida à traverser cette période sans dommages.

se promener

Maisons anciennes

Vous en rencontrerez de belles dans la **rue du Gén.-Gengoult** : n°s 30, 28 et 26 (maisons Renaissance), n° 8 (14e s.), n°s 6 et 6 bis, ancien hôtel de Pimodan (17e s.), n° 4 (17e s.), ainsi que dans la **rue Michâtel** : n° 16, maison Renaissance à gargouilles où habita le père de Bossuet.

Cathédrale St-Étienne★★

Fermé pour travaux.

Commencée au début du 13e s., elle ne fut achevée qu'au 16e s. La magnifique **façade★★** qui s'élève sur la place du Parvis a été édifiée de 1460 à 1496 dans le style flamboyant. L'intérieur montre des traces du gothique champenois : galeries de circulation hautes et basses au-dessus des grandes arcades et des bas-côtés, arcades très aiguës, absence de triforium. La nef, haute de 30 m, est la plus jolie partie de l'édifice. À droite, belle chapelle Renaissance surmontée d'une coupole à caissons. Tribune de style Louis XV, supportant des orgues monumentales (1963).

AVIS DE TEMPÊTE

La tempête qui a balayé la France en décembre 1999 n'a pas épargné la cathédrale de Toul, dont les toitures se sont envolées. Soyez indulgent si des échafaudages la cache encore en partie.

BAISSEZ LES YEUX

De nombreuses pierres tombales, du 14e au 18e s., forment le dallage de l'édifice, notamment dans le transept.

carnet pratique

OÙ SE RESTAURER

● *Valeur sûre*

La Belle Époque – *31 av. V.-Hugo -* ☎ *03 83 43 23 71 - fermé 15 au 30 août, 23 déc. au 4 janv., sam. midi et dim. - 186F.* Tout près de la gare, ce petit restaurant familial est sans histoire : sa salle à manger est un peu rétro, petite, avec son vieux zinc et ses tables serrées. La carte décline saveurs régionales et cuisine traditionnelle... Une formule déjeuner à prix raisonnable.

LOISIRS SPORTIFS

Amycycles – *13 r. de la Halle -* ☎ *03 83 43 01 16 - mar.-ven. 9h-12h, 14h-19h, sam. 9h-12h, 14h-18h.* Location de vélos.

VISITE DE CAVES

Société vinicole du Toulois, M. Laroppe – *253 r. de la République - 54200 Bruley -* ☎ *03 83 43 11 04 - 8h-12h, 14h-18h30.* Visite gratuite, dégustation.

Centre de promotion des produits des Côtes de Toul – *6 r. Victor-Hugo - 54200 Bruley -* ☎ *03 83 64 55 09 - mars-déc. : mar.-dim. 14h-19h.* Musée de la vigne et du vin, dégustation.

Lelièvre – *3 r. de la Gare - 54200 Lucey -* ☎ *03 83 63 81 36.* Visite de la cave, des vignes et des vergers. Dégustation, goûter à la ferme. Produits biologiques. Visites pour groupes.

M. Claude Vosgien – *29 r. St-Vincent - 54113 Bulligny -* ☎ *03 83 62 50 66 - 9h-12h, 14h-19h.* Visite de la cave et du vignoble, dégustation.

M. Michel Vosgien – *24 r. St-Vincent - 54113 Bulligny,* ☎ *03 83 62 50 55 - 9h-19h.* Côtes de Toul, alcools et liqueurs de Lorraine. Visite possible.

Coopérative des vignerons du Toulois – *54113 Mont-le-Vignoble -* ☎ *03 62 59 93.*

OÙ BOIRE UN VERRE

La plupart des bistrots ouverts le soir se concentrent sur la **place des Trois-Évêchés**. Vous pourrez y déguster la spécialité de la région : le vin gris de Toul, nommé ainsi pour sa couleur rosée caractéristique obtenue par l'assemblage d'un cépage gamay et de deux cépages secondaires, un pinot noir et un cépage auxerrois.

Dans la rue de Rigny, le pouvoir a changé de main : l'ancien palais épiscopal est devenu hôtel de ville.

Cloître★

Pour accéder au cloître, entrer par le petit portail, place des Clercs. Très vaste (l'un des plus grands de France), il date des 13e et 14e s. Il ne possède que trois galeries percées de vastes baies en tiers-point au réseau rayonnant (beaux chapiteaux à feuillages). Les murs sont ornés d'arcatures trilobées (disposition champenoise) et d'une belle série de gargouilles. L'ancienne salle du chapitre abrite, chaque été, une exposition sur « La naissance d'une cathédrale ».

Ancien palais épiscopal

Cet édifice construit de 1735 à 1743 a été restauré et sert aujourd'hui d'hôtel de ville. **Façade★** majestueuse.

visiter

Église St-Gengoult

Visite guidée sur demande préalable auprès de l'Office de tourisme.
Ancienne collégiale de chanoines, édifiée du 13e au 15e s., elle est une manifestation de l'école gothique champenoise. La façade Ouest, percée d'une gracieuse porte, date du 15e s.

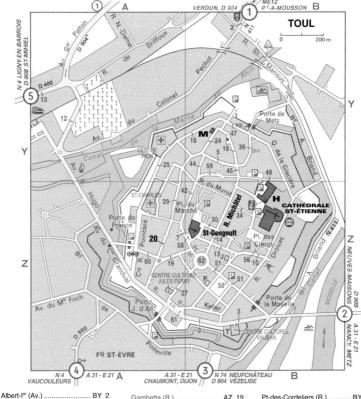

L'intérieur surprend par sa courte nef et son très large transept. Remarquer la différence de style entre les deux dernières travées et les deux premières. Devant supporter le poids des tours, celles-ci ont une section plus forte.

Cloître St-Gengoult★★

Il date du 16ᵉ s. Le long des galeries, dont la décoration extérieure est Renaissance (chapiteaux, médaillons), des gâbles accentuent l'élévation des arcades. Les voûtes en étoile ont des clés en forme de médaillons, décorées avec fantaisie.

STYLE

Les absidioles qui encadrent le chœur donnent à la fois sur celui-ci et sur les bras du transept, disposition fréquente dans l'école champenoise. Elles ont de beaux **vitraux** du 13ᵉ s.

Cloître St-Gengoult.
La sobriété
du jardin intérieur
donne tout leur éclat aux
baies et aux arcatures
ouvragées de la galerie.

Musée municipal★

25 r. Gouvion-St-Cyr. Tlj sf mar. 14h-18h (avr.-oct. : tlj sf mar. 10h-12h, 14h-18h). Fermé 1ᵉʳ janv., Pâques, 1ᵉʳ mai, Toussaint, 25 déc. 17F. ☎ 03 83 64 13 38.

Installé sur trois étages dans l'ancienne Maison-Dieu (18ᵉ s.), ses collections touchent à des domaines très variés : peinture, sculpture, tapisseries des Flandres, céramique (faïencerie de Toul-Bellevue), art religieux, archéologie antique et médiévale (sépultures et bijoux mérovingiens), arts et traditions populaires. Une toile de F. Boucher, *L'Agréable Leçon*, orne la reconstitution d'un petit salon Louis XVI. Les guerres de 1914-1918 et 1939-1945 sont évoquées par des armements, uniformes, reliques et souvenirs de la vie quotidienne des principaux belligérants.

HÔPITAL

La **salle des malades★**, paisible édifice gothique remontant au premier tiers du 13ᵉ s. et maintes fois remanié, servait à la fois de lieu de culte et de salle d'hospitalisation pour des malades de toutes conditions.

alentours

Église N.-D. d'Écrouves

4 km à l'Ouest. Construite sur le flanc méridional d'une colline autrefois couverte de vignes et dominant aujourd'hui la plaine industrielle de Toul, l'ancienne église d'Écrouves, dédiée à N.-D.-de-la-Nativité, a conservé du 12ᵉ s. son massif clocher carré ajouré de baies à trois colonnettes.

Vannes-le-Châtel

18 km au Sud par la D 960 jusqu'à Blénod-lès-Toul, puis la D 113. Dans ce village de la forêt de Meine, héritier d'une tradition verrière (compagnie française de cristal Daum), s'est installée la **Plate-forme verrière**. Ce centre européen de recherches et de formation aux arts verriers propose aux artistes et artisans une formation pour créer leur propre collection. On peut y voir une exposition des créations contemporaines, une démonstration des différentes techniques dont celle du soufflage ♿ *Visite sur demande préalable 8h-12h, 13h-17h, lun. 13h-17h, w.-end et j. fériés 14h-18h. 20F. ☎ 03 83 25 47 44.*

ADRESSE

« Madeleines de Liverdun. » Artisanales, sans colorant ni conservateur, elles sont fabriquées à la main à partir d'une recette familiale centenaire. Dégustation gratuite. *40 av. du Gard. Magasin ouvert tte l'année.*

Liverdun

à 15 km au Nord-Est en suivant la jolie rive droite de la Moselle par la D 90. Liverdun occupe un **site★** agréable dans un méandre de la Moselle qu'il domine. En venant de

Frouard par la D 90, pittoresque, on pénètre dans la petite cité par une porte de ville du 16ᵉ s. La place de la Fontaine, derrière l'église, est bordée d'arcades du 16ᵉ s. **Rue Porte-Haute**, la porte sculptée de la maison dite du Gouverneur date de la fin du 16ᵉ s.

Commencée à la fin du 12ᵉ s., l'**église** fut consacrée en 1261. à l'intérieur, tombeau de saint Euchaire : statue du 13ᵉ s. dans un encadrement du 16ᵉ s.

Villey-le-Sec

7 km à l'Est par la D 909. La localité, disposée sur une crête flanquant la rive droite de la Moselle, constitue le seul exemple, en France, d'un village intégré dans un ensemble fortifié de la fin du 19ᵉ s. Cet ouvrage, élément du système fortifié de Toul, illustre le système défensif Séré de Rivières.

Visite : 2h-2h30. Laisser la voiture à la sortie du village, route de Toul. De mai à fin sept. : visite guidée (2h) dim. et j. fériés 14h-16h (de mi-juil. à mi-août : tlj sf lun. à 15h). 25F. ☎ 03 83 63 67 72.

L'**ensemble fortifié★**, construit en 5 ans, n'eut pas de rôle actif durant la guerre 1914-1918. L'extérieur de la batterie Nord, avec son front cuirassé, son fossé, ses canonnières, ses cloches observatoires, sa tourelle cuirassée à éclipse à canons, dont on visite la chambre de tir (3 étages), préfigurent ce qui fut réalisé plus tard pour les gros ouvrages de la Ligne Maginot.

Le transfert au fort se fait par chemin de fer à voie de 60 sur un circuit de 1,5 km.

◀ Le fort, ou réduit de la défense, abrite, outre les magasins et casernements, un **musée Séré-de-Rivières** (matériels de fortifications français et allemands) et une crypte du souvenir.

> **ÉQUIPEMENT**
> Au fort, on voit aussi un chemin de fer militaire, une tourelle cuirassée à canons de 155, un coffre de contrescarpe avec son canon revolver Hotchkiss modèle 1879 (tir à blanc) et un canon de 12 « culasse ».

Turckheim ★

C'est par Niedermorschwihr qu'il faut arriver à Turckheim. Depuis la jolie petite route au milieu des vignes, vous verrez apparaître à l'intérieur de ses remparts (apparition quasi divine, réellement...) la petite ville aux toitures anciennes et son clocher aux tuiles polychromes. Avec ses nids de cigognes, et son grand cru du Brand, il est assez difficile d'imaginer Turckheim en champ de bataille... C'est pourtant bien ici, aux portes de la ville, que Turenne, en 1675, a écrasé impitoyablement les envahisseurs impériaux.

La situation

Cartes Michelin nᵒˢ 87 pli 17 ou 242 pli 31 — Schéma p. 387 — Haut-Rhin (68). À la sortir Ouest de Colmar, dans la vallée de la Fecht. Parking en face de la porte de France. **🛈** *Pl. Turenne, 68230 Turckheim, ☎ 03 89 27 38 44.*

Les gens

3 567 Turckheimiens. Il s'agit bien du même Turckheim que celui affiché par la comédienne Charlotte. La famille possède d'ailleurs toujours des vignes alentour.

comprendre

> **BLESSURES DE GUERRE**
> Cette ancienne ville impériale a beaucoup souffert pendant la bataille de Colmar, en hiver 1944-1945. Elle a perdu moins d'une centaine de maisons. Mais elle a regagné sa liberté.

Un grand capitaine pour une grande victoire — En 1674, Strasbourg livre imprudemment le passage du pont de Kehl aux Impériaux : 60 000 Allemands envahissent l'Alsace. Turenne n'a que 20 000 hommes. Il ne se dégonfle pas et commence par défaire un corps ennemi à Entzheim, près de Strasbourg. Puis il se retire par le col de Saverne. Se jouant des espions et rompant avec la tradition établie jusqu'alors de ne pas engager les hos-

carnet pratique

OÙ DORMIR

● À bon compte

Hôtel Berceau du Vigneron – *Pl. de Turenne - ☎ 03 89 27 23 55 - fermé 2 nov. au 14 mars - ▣ - 16 ch. : 210/380F - ☲ 30F. Sur la ravissante place de Turenne, cette maison traditionnelle propose des chambres spacieuses, dépouillées mais bien tenues et meublées à l'ancienne. La salle des petits déjeuners est alsacienne à souhait avec ses chaises de bois et ses nappes à carreaux rouges...*

OÙ SE RESTAURER

● Valeur sûre

Caveau Morakopf – *68230 Niedermorschwihr - 2,5 km au N de Turckheim par D 10 - ☎ 03 89 27 05 10 - caveau.morakopf@wanadoo.fr - fermé 15 mai au 3 juin, 1ᵉʳ au 15 janv., le midi de nov. à Pâques, lun. midi et dim. - 130/150F. Dans un ravissant petit village de vignerons, aux rues étroites et aux maisons colorées, ce restaurant niché dans une cave en hiver dresse ses tables dans un jardin en terrasses aux beaux jours. La cuisine, à l'image du décor, est rustique et typique...*

CIRCUITS

Historique – *Promenade (50 mn) à la découverte du patrimoine architectural de cette ancienne ville impériale. Livret-guide disponible à l'Office de tourisme.*

Viticole –  *Environ 1h à pied. Départ peu après la porte du Brand, à hauteur d'un petit oratoire. Circuit de 2 km à travers les vignes, balisé de panneaux explicatifs, pour vous apprend à connaître les vins. Beau panorama sur la ville.*

tilités pendant les mois d'hiver, il réunit, fin décembre, par un froid intense, toutes ses forces près de Belfort. Puis il fonce sur les Impériaux dispersés dans leurs quartiers d'hiver. En dix jours, le capitaine les culbute à Mulhouse et à Colmar, les bat sous Turckheim (5 janvier 1675) et les rejette au-delà du Rhin. Vite fait, bien fait !

se promener

Porte de France

Face au quai de la Fecht, elle s'ouvre dans une tour massive et quadrangulaire du 14ᵉ s. qui porte un nid de cigognes.

Place Turenne

Elle est entourée de maisons anciennes. À droite se trouve le corps de garde, précédé d'une fontaine. Au fond de la place, l'hôtel de ville avec pignon Renaissance ; derrière, l'ancienne église dont on aperçoit la tour aux assises romanes.

Grand'Rue

De nombreuses maisons remontent à la fin du 16ᵉ et au début du 17ᵉ s. Belle maison à colombage dont l'oriel repose sur un pilier en bois.

Porte de Munster

Une autre des trois portes typiques de la ville.
Revenir par la Grand'Rue.

Hôtel des Deux-Clefs

Ancienne hostellerie municipale, il a été rénové par la ville en 1620. Très jolie loggia aux poutrelles sculptées.

La place Turenne où s'élève le corps de garde veillé par une Vierge à l'enfant du 18ᵉ s.

Col d'**Urbeis** ★

Paradis absolu des randonneurs, entre Sélestat et St-Dié, là où les Vosges moyennes s'ouvrent sur le Parc naturel régional des Ballons des Vosges, le col d'Urbeis tient lieu de carrefour entre les vallées de la Fave et du Giessen. Le Club vosgien ne cesse de baliser et d'entretenir des centaines de kilomètres d'itinéraires pédestres le long des crêtes et au plus profond des vallées encaissées, enfilant les cols et les points de vue. C'est l'occasion de se régaler de toutes sortes de baies sauvages, myrtilles et framboises, et, le rouge étant dominant dans la couleur des fruits, il faut goûter les cerises et rendre visite aux bouilleurs de kirsch du val de Villé.

La situation

Cartes Michelin n°s 87 pli 16 ou 242 pli 27 — Vosges (88) et Bas-Rhin (67). Par le col passe la limite départementale.

Le nom

Ne pas confondre ! Il y a Urbeis et Urbés. Le village d'Urbés *(voir p. 364),* au pied du col de Bussang, est à 50 km à vol d'oiseau au Sud, dans la partie méridionale du Parc naturel régional des Ballons d'Alsace.

Les gens

La tour d'observation au sommet du Climont, ou « tour Euting » a été construite en 1897 par le Club vosgien de Strasbourg. En médaillon, au-dessus de l'entrée, le président du club de l'époque, Jules Euting.

itinéraires

VALLÉES DE LA FAVE ET DU GIESSEN ★
22 km — environ 3/4h

Provenchères-sur-Fave
Cité au pied de l'Ormont, de part et d'autre de la rivière.

De Provenchères, la route suit la vallée de la Fave, serpente et bientôt pénètre sous bois pour atteindre le **col d'Urbeis** (602 m) qui s'ouvre dans la section affaissée de la chaîne vosgienne. Peu après, à droite, en contrebas, on peut voir une ancienne mine de cuivre gris argentifère.

> **RUINES**
> À l'entrée d'Urbeis, étalée sur 2 km, en avant et à gauche, se dressent les ruines du château de Bilstein.

◀ *On descend la vallée du Giessen, la rivière d'Urbeis. Dans l'agglomération de Fouchy, on laisse à droite la route du col de Fouchy.*

Villé
Durement éprouvé en 1944, Villé n'a pu conserver que quelques jolies maisons des 16e et 18e s.

Les environs du col de Steige saisis dans la brume matinale enserrant la vallée endormie.

ROUTE DU COL DE STEIGE
19 km — environ 2h. Relie le col d'Urbeis à la région du Hohwald.

Col d'Urbeis *(voir ci-dessus)*

Le Climont★
🚶 *1h1/2 à pied AR*. Bien que relativement peu élevé (966 m), le sommet du Climont offre un beau point de vue.

À la sortie Nord de Climont, 300 m après l'église, une pancarte signale le sentier d'accès, qui s'amorce sur un carrefour, à gauche de la D 214.

Ce sentier, abrupt et étroit, souvent encombré par la végétation *(suivre le balisage : croix jaunes)* aboutit à mi-parcours à un chemin forestier transversal que l'on prend à gauche.

Au carrefour proche du sommet, prendre le chemin en montée à droite.

On atteint le pied de la tour Euting qui se trouve sur le ▶ sommet boisé du Climont.

Col de Steige
Belle vue au Sud-Ouest sur le Climont.

Col de la Charbonnière *(voir p. 185)*

Champ du Feu★★ *(voir p. 185)*

ROUTE DU COL DE FOUCHY★
13 km — environ 1/2h. À Fouchy, prendre à droite la D 155.
La route du col de Fouchy fait communiquer les vallées de la rivière d'Urbeis et de la Liepvrette. Elle remonte le vallon de Noirceux et celui de Froide-Fontaine, jusqu'au col.

Col de Fouchy
Du col, belle vue sur le Champ du Feu, reconnaissable à sa tour, et sur les montagnes du Hohwald. La route suit le ravin de Pierreuse-Goutte et descend vers la vallée de la Liepvrette qu'elle atteint à Liepvre sur la route du col de Ste-Marie.

> **CONSEIL**
> Pour grimper au Climont, armez-vous de courage et de bonnes chaussures de marche !

> **POINT DE VUE**
> Du haut de la tour Euting *(78 marches)*, **point de vue★** sur les Vosges : à gauche, la vallée de la Bruche ; au Nord, le Donon ; à droite, le Champ du Feu avec sa tour.

Vaucouleurs

Le canal de la Marne au Rhin, tout proche, n'est pas une vision, le Parc naturel régional de Lorraine, non plus. Tendez l'oreille, ici les voix vous proposent des croisières au fil du canal, des balades en pleine nature, des dégustations chez les vignerons du Toulois. Jeanne d'Arc est partout et n'est plus un motif de fâcherie avec les Anglais.

La situation
Cartes Michelin nᵒˢ 62 pli 3 ou 242 pli 21 — Meuse (55).
À 21 km au Sud-Ouest de Toul par la D 960. Parkings au Nord de la ville, av. Maginot et pl. Poirel.
🛈 *Pl. Achille-François, 55140 Vaucouleurs*, ☎ *03 29 89 51 82.*

L'emblème
Le 13 mai 1428, Robert, sire de Baudricourt et gouverneur du roi à Vaucouleurs, garnison française aux confins des terres du duc de Bourgogne allié aux Anglais, reçoit la visite d'une bergère de 16 ans venue de Domrémy (16 km au Sud). Elle se dit l'envoyée de Dieu et réclame le commandement des troupes du royaume. Pour toute réponse, Baudricourt la fait souffleter et la renvoie à ses moutons. Elle insiste et quitte Vaucouleurs le 23 février 1429. On connaît la suite, qui la mènera à Rouen, sur un bûcher, le 30 mai 1431.

Les gens
2 401 Valcolorois, dont Madame Du Barry, favorite de Louis XV, née ici en 1743, et qui, elle aussi, termina fort mal, guillotinée.

SUCCÈS FOU
Jeanne d'Arc devint dès la fin du 15ᵉ s. un personnage de légende. Certains partis politiques se disputent encore son aura. C'est un des personnages historiques les plus portés à l'écran (30 films). Un porte-hélicoptères de la marine nationale porte aussi son nom, *La Jeanne.*

se promener

Porte de France
C'est celle par laquelle Jeanne et sa troupe quittèrent Vaucouleurs. Ce n'est plus qu'un reste de la porte primitive.

Site du château
Des fouilles furent entreprises pour mettre au jour les ruines, masquées par la végétation, du château où Jeanne d'Arc fut reçue par Baudricourt. Il reste la partie supérieure de la porte de France, refaite au 17ᵉ s., les soubassements d'origine ayant été enterrés, ainsi qu'une arcade du portail d'entrée.

Église
18ᵉ s. Voûtes ornées de fresques. Le banc d'œuvre et la chaire (1717) sont finement sculptés.

Place de l'Hôtel-de-Ville
Statue de Jeanne, rapportée d'Alger.

visiter

Chapelle castrale
De juil. à fin sept. : visite guidée 9h-18h.
Édifiée sur les fondations de l'ancienne chapelle du château dont elle a gardé la crypte primitive du 13ᵉ s., elle se compose de trois chapelles séparées les unes des autres. La chapelle centrale, faite de quatre ogives qui retombent sur un seul pilier, contient la statue de N.-D.-des-Voûtes, Vierge assise, devant laquelle priait Jeanne pendant son séjour à Vaucouleurs.

Musée Jeanne-d'Arc
Tlj sf mar. et w.-end 8h-12h, 14h-18h, ven. 8h-12h, 14h-17h (mai-sept. : tlj sf mar. 9h-12h, 14h-18h, w.-end 14h-18h). Fermé entre Noël et Jour de l'An, Pâques, 1ᵉʳ et 11 nov. 20F. ☎ 03 29 89 51 63.
Installé dans l'aile droite de l'hôtel de ville, ce musée est consacré à l'histoire et à l'archéologie locales. On remarque surtout, dans la salle Jeanne d'Arc, le Christ de Septfonds en chêne, provenant de la chapelle St-Nicolas, dépendance de la ferme de Septfonds. En 1428, Jeanne d'Arc, voulant partir remplir sa mission sans l'autorisation de Baudricourt, alla à Septfonds prier devant ce Christ, puis revint à Vaucouleurs.

alentours

Domrémy-la-Pucelle★
Qui ne connaît pas le nom de cet humble village des bords de la Meuse, à la limite Nord du département des Vosges, où naquit, le 6 janvier 1412, la fille de Jacques d'Arc et d'Isabelle Romée ? Jeanne y vécut toute sa vie de petite paysanne lorraine. C'est là qu'elle eut ses visions et entendit les voix qui lui ordonnaient de partir délivrer la France et le roi.
Contemporaine de Jeanne d'Arc, l'**église** a été transformée au 15ᵉ s. et agrandie en 1825. Elle garde encore quelques objets que virent les yeux de l'enfant : un bénitier *(à droite en entrant)* et une statue de sainte Marguerite (14ᵉ s.) adossée au 1ᵉʳ pilier de droite. Dans le croisillon gauche, la cuve baptismale, du 12ᵉ s., est celle sur laquelle fut tenue Jeanne. Les vitraux modernes sont de Gaudin.
La **maison natale de Jeanne d'Arc★** est une maison de paysans aisés, aux murs épais, émouvante par sa simplicité. Dans une niche, l'effigie de Jeanne agenouillée est

VIEILLE BRANCHE
Un énorme tilleul, dont une branche maîtresse, vue de la pelouse, apparaît comme le tronc principal, serait contemporain de Jeanne d'Arc.

VIEILLES PIERRES
Les deux chapelles latérales abritent des débris lapidaires provenant de l'ancienne collégiale Ste-Marie.

DÉTAILS
Au-dessus de la porte de la maison natale de Jeanne d'Arc, un écusson, aux armes de la France, est accolé de deux autres plus petits, portant, à droite, les armes de la famille de Jeanne d'Arc, à gauche, trois socs de charrue.

La maison natale de Jeanne d'Arc à Domrémy-la-Pucelle, empreinte de simplicité rurale.

le moulage d'une statue du 16e s. — *original au musée* — ♿ *Avr.-sept. : 9h-12h, 13h30-18h30 ; oct.-mars : tlj sf mar. 9h30-12h, 14h-17h. Fermé 1er janv. et 25 déc. 20F.* ☎ *03 29 06 95 86.*
À gauche de la maison, un petit musée présente des cartes, documents, gravures relatifs à l'histoire de la région, à la jeunesse de Jeanne, à sa mission et à son culte.

Basilique du Bois-Chenu
1,5 km de Domrémy par la D 53, route de Coussey. La basilique date de la fin du 19e s. et marque l'un des endroits où Jeanne entendit les voix de sainte Catherine, de sainte Marguerite, de l'archange saint Michel lui recommandant d'être bonne et pieuse, puis lui dictant sa mission.
Commencer la visite par la crypte dont l'entrée se trouve à gauche. Statue de N.-D.-de-Bermont devant laquelle ▶ Jeanne allait prier tous les samedis. En quittant la crypte, monter le bel escalier à double rampe. Des écussons rappellent les villes qui ont vu Jeanne d'Arc. Les mosaïques du chœur et de la coupole évoquent l'envoi de Jeanne en mission et son entrée dans la gloire céleste.
Sortir par la porte latérale. Un chemin de croix conduit dans le Bois-Chenu.

AGENDA
Un important pèlerinage a lieu chaque année, le 2e dimanche de mai, fête de Jeanne-d'Arc, à la basilique du Bois-Chenu.

FRESQUES
À l'intérieur de la basilique, des fresques de Lionel Royer retracent la vie de la sainte.

Verdun ★★

Si Verdun a toujours su tenir la dragée haute face à l'ennemi, c'est précisément parce que Verdun a inventé la dragée au 13e s. Douceur des confiseries, violence des champs de bataille, vestiges de ferveur religieuse avec la cathédrale et les bâtiments de l'évêché... En filigrane, la colère et la tristesse devant la souffrance et la mort... Mais en réalité, nouvelle joie de vivre autour des bons vins du Toulois, de la mirabelle et de la groseille, du massif boisé de l'Argonne et de la plaine de la Woëvre couverte d'étangs.

La situation
Cartes Michelin n°s 57 pli 11 ou 241 pli 23 — Meuse (55).
Nombreux parkings dans le centre : r. du 8-Mai-45, r. des Tanneries, pl. de la Digue, pl. St-Nicolas, r. des Frères-Boulhaut, pl. Maginot et av. du 5e-RAP.
🛈 *Pl. de la Nation, 55100 Verdun,* ☎ *03 29 86 14 18.*

Le nom
Verodunum est, à l'origine, un oppidum gaulois sur la rive gauche de la Meuse, puis le chef-lieu de la *Civitas Verodunensium*. Même si on ne peut pas en donner la raison, on peut en conclure que le « o » a été perdu en route.

Le symbole

Terre ensanglantée, « reliquaire de la patrie », cette partie du front témoigne, depuis 70 ans, de l'absurdité définitive de la guerre, de la grandeur et de l'héroïsme des « poilus » de 14-18, humbles soldats français et alliés, qui, par millions, sont venus se sacrifier ici. Les milliers de visiteurs qui, chaque année, se recueillent sur le théâtre de cette boucherie, témoignent eux, de la vénération apportée à leur mémoire.

comprendre

Borne du Faubourg-Pavé menant à la nécropole nationale. Tout un symbole.

Des raisons stratégiques — Dès le début de la guerre, en août 1914, les Allemands tentent de contourner Verdun, charnière de toute la ligne de défense française, puis de s'en emparer. La ville demeure cependant un obstacle redoutable avec sa puissante citadelle, sa ceinture de forts et le terrain difficile de ses plateaux ravinés et boisés coupés par la Meuse. C'est là que le général von Falkenhayn, choisit d'attaquer, en février 1916, dans l'espoir de réussir une percée décisive pour compenser l'échec sur le front oriental. L'opération contre Verdun est confiée au fils de l'empereur Guillaume II, le Kronprinz. Méthodiquement élaborée, avec l'avantage logistique considérable, elle surprendra totalement le haut commandement français.

L'offensive contre Verdun — Février-août 1916. L'assaut allemand se déclenche sur la rive droite de la Meuse, à 13 km au Nord de Verdun, le 21 février 1916. Trois corps d'armée allemands sont engagés, appuyés par une concentration d'artillerie sans précédent. Bien que surpris, les défenseurs opposent une résistance imprévue. Faute d'un résultat décisif, les forces allemandes élargissent leur front d'attaque, de part et d'autre de la Meuse. Le 11 juillet marque l'échec de l'ultime offensive allemande. L'ennemi n'a pu avancer que jusqu'au fort de Souville, à 5 km de Verdun.

> **COURAGE, ON LES AURA !**
>
> Nommé en 1916 commandant en chef de l'armée de Verdun, le général Pétain organise la défense, faisant monter nuit et jour renforts et matériel par la seule grande route disponible depuis Bar-le-Duc, la « Voie sacrée ».

La reconquête — Octobre 1916, la guerre de mouvement reprend. Trois coûteuses contre-offensives menées par les généraux Mangin et Guillaumat permettent de reprendre la presque totalité du terrain perdu : ce sont les batailles de Vaux, de Louvemont-Bezonvaux, de la Cote 304 et du Mort-Homme. Les Allemands sont partout rejetés sur leurs positions du 22 février 1916. L'étau allemand autour de Verdun est desserré, mais il faudra attendre l'offensive franco-américaine du 26 septembre 1918 pour recouvrer, puis dépasser la ligne de résistance française du 21 février 1916.

se promener

LA VILLE HAUTE★

Promenade : 1h1/2. Partir de l'Office de tourisme. Traverser le pont.

Porte Chaussée

La porte Chaussée ou tour Chaussée est une construction du 16e s. qui défendait l'accès de la ville face à la « chaussée de l'Est » et servit de prison. Elle est flanquée de deux tours rondes à créneaux et mâchicoulis. On lui a ajouté un avant-corps au 17e s. Elle était prolongée des deux côtés par une épaisse muraille encerclant la ville et bordant la rive gauche de la Meuse. En 1914, les convois pour le front passaient sous sa voûte.

Suivre à droite la rue des Frères-Boulhaut, contourner la place Vauban sur la gauche et rejoindre la rue St-Paul.

L'imposante porte Chaussée, témoin séculaire de la muraille qui défendait la ville.

carnet pratique

« Pass Musées et monuments »

Les richesses historiques et culturelles de Verdun grâce à ce pass : coupe-file dans les musées et monuments de la ville avec des réductions de 10 à 25 %. Visite des champs de bataille : visite guidée en bus du fort de Vaux, du mémorial de Verdun, de l'ossuaire de Douaumont, du fort de Douaumont et de la tranchée des Baïonnettes. *Bus, guide et entrée dans les sites : 145F. Du 1ᵉʳ mai au 15 sept.*

Où dormir

● *Valeur sûre*

Chambre d'hôte Château de Labessière – *15 km au S de Verdun par D 34 (rte de St-Mihiel) - ☎ 03 29 85 70 21 - rene.eichenauer@wanadoo.fr - ▱ - 3 ch. : 300/400F - repas 125F.* Ce château du 18ᵉ s. a miraculeusement survécu aux dernières guerres. À taille humaine, ses chambres ne manquent pas de charme, avec leur meubles de grand-mère, et sa salle à manger a du style. Un joli jardin et une piscine ajoutent au plaisir d'une halte.

Où se restaurer

● *À bon compte*

Le Forum – *35 r. des Gros-Degrés - ☎ 03 29 86 46 88 - fermé dernière sem. de juil. et 1ʳᵉ sem. d'août, mer. soir et dim. - 88/145F.* Ancien comptable, le patron exerce aujourd'hui un tout autre métier : restaurateur… et peintre à ses heures. Sa femme cuisine et lui reçoit dans les deux salles de son restaurant, voûtées et décorées de ses œuvres. Une bonne adresse non loin du centre.

Spécialité

En 1220, un droguiste (et non pas un confiseur) eut l'idée de recouvrir d'une fine couche de sucre et de miel les amandes qu'il utilisait pour ses pâtisseries, inventant ainsi la dragée. Baptême, communion ou mariage furent bientôt associés à cette délicieuse confiserie. Les dragées de Verdun, sous des formes de plus en plus multiples et fantaisistes, ont acquis une réputation universelle.

Dragées Braquier – *3 r. Pasteur - ☎ 03 29 86 05 02 - mar.-sam. 9h-12h, 14h30-19h.* Dans cette boutique à l'ancienne, vous trouverez les fameuses dragées de Verdun – celles mêmes que Goethe avait achetées après la prise de la ville par les Prussiens en 1792 – et d'autres spécialités de la région comme les madeleines de Commercy et les fameuses confitures de groseilles de Bar-le-Duc, épépinées à la plume d'oie.

Les dragées Braquier.

Où boire un verre

Le Havana Club – *42 r. des Rouyers - ☎ 03 29 86 73 44 - tlj 17h-4h.* Élégant bar aux murs ocre, où les volutes de cigare se mêlent aux douces mélopées latino-américaines. Lovés dans de superbes fauteuils en cuir, vous savourerez les charmes de ce club en dégustant vins, whiskies, bières et cigares cubains.

L'Estaminet – *45 r. des Rouyers - ☎ 03 29 86 07 86 - lun.-sam. 14h-3h.* Chaleureux estaminet décoré de fresques, de vieilles affiches et de poupées de sorcières qui veillent au-dessus du comptoir. Vous pourrez y siroter de nombreuses bières originales, l'oreille bercée par de vieux airs de jazz. Billard à l'étage.

Porte St-Paul

Deux ponts-levis toujours visibles. C'était le seul passage pour les voitures avant la disparition des remparts en 1929. Devant la porte, bronze original de Rodin, *La Défense* offert par la Hollande à la ville.

Suivre la rue St-Paul, puis la rue St-Pierre à droite. Place Maginot, prendre à gauche. On passe devant le musée de la Princerie *(voir description dans « visiter »)*.

Cathédrale Notre-Dame★

Bâtie sur le point le plus haut de la ville, elle a été reconstruite par l'évêque Heimon de 990 à 1024 à la suite de nombreux incendies et pillages. Le chœur occidental est de style roman rhénan, le chœur oriental, ou grand chœur (1130-1140), est d'inspiration nettement bourguignonne. Au 14ᵉ s., la nef fut voûtée d'ogives.

Après l'important incendie de 1755, on a décidé de réparer l'édifice dans le goût baroque : ogive gothique de la grande nef remplacée par le plein cintre, piliers moulurés, adjonction d'un majestueux baldaquin à colonnes torses au-dessus du maître-autel. La partie

ÉVOCATION

Dans la crypte, les nouveaux chapiteaux ont été décorés de scènes évoquant la vie des tranchées, les souffrances, la mort...

romane de l'édifice, dégagée à la suite des bombardements de 1916, a été heureusement restaurée. On a retrouvé la **crypte** du 12ᵉ s. (beaux chapiteaux à feuilles d'acanthe, sur les bas-côtés), le **portail du Lion** et son beau tympan représentant le Christ en gloire dans une mandorle. Tous les vitraux détruits en 1916 ont été refaits par la maison Gruber.

Cloître★

Accolé au flanc Sud de la cathédrale, le cloître comprend trois galeries : l'une, à l'Est, du début du 14ᵉ s., a trois baies intérieures qui donnaient sur la salle capitulaire ; les deux autres galeries, de style flamboyant, datent de 1509 à 1517. Elles sont couvertes de voûtes à réseau.

Contourner le flanc Nord de la cathédrale et rejoindre la place Châtel.

Porte Châtel

Très bien conservée avec ses mâchicoulis du 15ᵉ s., cette porte du 13ᵉ s., est un vestige de l'ancienne Fermeté du Moyen Âge. Elle donne accès à la place de la Roche d'où l'on a une belle vue sur la ville.

Palais épiscopal★

Cet évêché, conçu en 1723 par Robert de Cotte, premier architecte du roi, sur une assise de rochers dominant la Meuse, est un véritable palais qui servait de résidence aux évêques, autrefois princes du Saint-Empire.

La cour d'honneur, en hémicycle allongé, précède le bâtiment principal. L'aile Ouest est occupée par la bibliothèque municipale. L'autre partie de l'évêché abrite le Centre mondial de la paix.

Revenir en sens inverse en suivant la rue de Rû jusqu'à la place du Maréchal-Foch.

Hôtel de ville

Cet ancien hôtel particulier de 1623 est une belle construction Louis XIII.

Par l'élégance de sa façade épurée, le palais épiscopal de Verdun rappelle celui de Toul.

visiter

REMARQUER

Peigne en ivoire sculpté du 12ᵉ s. (1ʳᵉ salle), statuaire médiévale, faïences anciennes d'Argonne, tableaux de peintres meusiens comme Jules Bastien Lepage et Louis Hector Leroux.

Musée de la Princerie

D'avr. à fin oct. : tlj sf mar. 9h30-12h, 14h-18h. 10F.
☎ *03 29 86 10 62.*

Il est installé dans l'ancienne résidence du princier ou primicier qui était le premier dignitaire du diocèse après l'évêque. C'est un hôtel particulier avec cour à arcades du 16ᵉ s. Les salles sont consacrées à la préhistoire, à l'époque gallo-romaine et mérovingienne, au Moyen Âge et à la Renaissance.

VERDUN

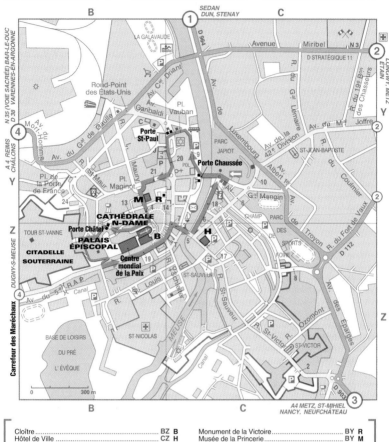

découvrir

LA GUERRE ET LA PAIX

Dans Verdun

Citadelle souterraine★

♿ *Avr.-sept. : parcours reconstitution (1/2h) 9h-12h, 14h-17h30 (mai-juin : 9h-18h ; juil.-août : 9h-19h) ; de mi-fév. à fin mars et d'oct. à mi-déc. : 10h-12h, 14h-17h ; de mi-déc. à mi-fév. : 14h-16h. Fermé certains j. fériés. 35F (enf. : 15F).* ☎ *03 29 86 14 18.*

Elle a été bâtie sur l'emplacement de la célèbre abbaye de St-Vanne, fondée en 952, dont l'une des deux tours, la tour St-Vanne, du 12ᵉ s., est le seul vestige de l'ancien monastère que Vauban respecta en reconstruisant la citadelle.

La citadelle abritait divers services et les soldats au repos. Ses 7 km de galeries étaient équipés pour subvenir aux besoins d'une véritable armée : magasins à poudre et à munitions, central téléphonique, hôpital avec salle d'opération, cuisines, boulangerie, boucherie, coopérative. À bord d'un véhicule autoguidé, un **circuit★★** fait revivre la vie quotidienne des soldats lors de la bataille de 1916, à l'aide d'effets sonores, de scènes animées (mannequins), d'images virtuelles

> **SUPER BOULANGERIE**
> Dans l'écoute n° 4, neuf fours pouvaient cuire 28 000 rations de pain en 24h.

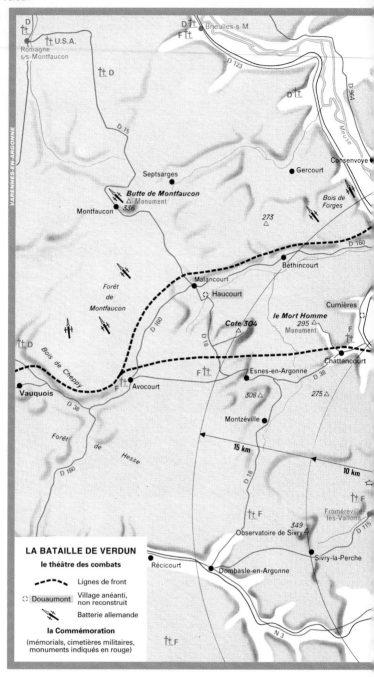

(salle d'état-major, boulangerie), de reconstitutions, notamment celle de la vie dans une tranchée pendant les combats, et celle de la désignation du soldat inconnu.

Carrefour des Maréchaux

À 800 m environ de l'entrée de la citadelle, dans les fossés des fortifications, 16 grandes statues de maréchaux et généraux de l'Empire, des guerres de 1870 et de 1914-1918.

Centre mondial de la paix

Dans le palais épiscopal. &. *De fév. à fin nov. : tlj sf lun. 10h-13h, 14h-18h (de juin à mi-sept. : 9h30-19h). 35F (enf. : gratuit).* ☎ *03 29 86 55 00.*

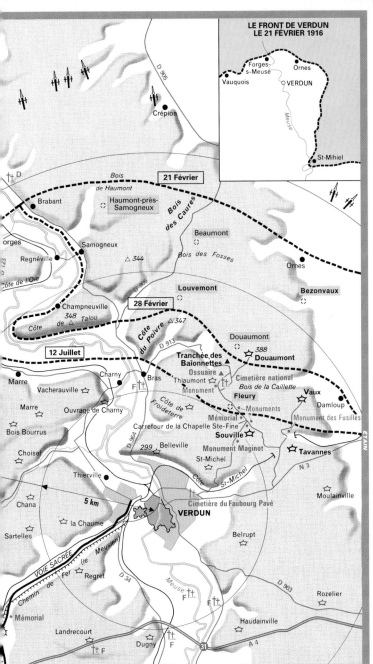

L'exposition permanente conduit le visiteur, muni d'un casque infrarouge, à pénétrer dans sept monolithes, illustrant chacun un thème : la guerre, la terre et les frontières ; de la guerre à la paix ; l'Europe ; les Nations Unies pour la paix ; les droits de l'homme ; perceptions de la paix.

Monument de la Victoire

De Pâques au 11 nov. : 9h-12h, 14h-18h. Gratuit.
Un escalier monumental de 73 marches conduit à une terrasse où s'élève une haute pyramide surmontée de la statue d'un guerrier casqué, appuyé sur son épée, qui symbolise la défense de Verdun. Le monument est flanqué de deux canons russes pris sur le front allemand.

CLASSES DE PAIX

Doté d'un espace de documentation spécialisé, le centre accueille également des groupes scolaires au sein de classes de paix.

Dans la crypte du monument de la Victoire, les livres d'or des médaillés de Verdun.

Les champs de bataille ★★★

Chaque année, des centaines de milliers de visiteurs parcourent le théâtre des opérations de ce qui fut, 18 mois durant, du 21 février 1916 au 20 août 1917, la bataille de Verdun. En moins de deux années, cette bataille a mis aux prises plusieurs millions d'hommes et causé la mort de près de 400 000 soldats français, presque autant de soldats allemands, de milliers de soldats américains. Plusieurs décennies se sont écoulées depuis la Grande Guerre et les traces des combats dont Verdun fut l'enjeu n'ont pas encore totalement disparu. La gigantesque bataille de 1916-1917 eut pour théâtre les deux rives de la Meuse, de part et d'autre de Verdun, sur un front de plus de 200 km².

Rive droite de la Meuse

21 km — environ 3h. Carte Michelin n° 57 plis 1, 11. Quitter Verdun par la N 3, route d'Étain en suivant l'avenue de la 42e-Division, puis l'avenue du Maréchal-Joffre.

Cimetière militaire du Faubourg-Pavé — En traversant le Faubourg-Pavé, on voit sur la gauche le cimetière (5 000 tombes) où ont été inhumés les corps des sept soldats inconnus apportés à Verdun en même temps que celui qui repose sous l'Arc de Triomphe de l'Étoile à Paris.

Prendre, après le cimetière, à gauche, la D 112.

Sur la droite, à 6 km de l'embranchement, on passe devant le **monument Maginot** et le fort de Souville.

◄ *La D 112 rejoint la D 913, que l'on prend à droite (vers Verdun). Prendre ensuite à gauche la D 913ᴬ en direction du fort de Vaux.*

Le terrain est complètement bouleversé. Un peu à l'écart de la route, on peut voir sur la droite le **monument des Fusillés de Tavannes** (relatif à un épisode de 1944).

Fort de Vaux — *Un chemin, praticable en voiture, mène au monument. ♿ Mai-sept. : 9h-18h30 ; avr. : 9h-18h ; fév.-mars : 9h30-12h, 13h-16h30 ; d'oct. à mi-déc. : 9h30-12h, 13h-17h. Fermé de mi-déc. à fin janv. 15F. ☎ 03 29 86 14 18.*

◄ Les Allemands s'en emparèrent le 7 juin 1916 après une héroïque défense de la garnison. Cinq mois plus tard, au cours de leur première offensive, les troupes du général Mangin réoccupaient l'ouvrage.

Revenir à la D 913 (route de Charny) en direction de Fleury et de Douaumont, à droite.

Le terrain porte encore les stigmates des combats et l'on distingue à grand-peine à gauche le fort de Souville, dernier réduit de la défense française devant Verdun. Au carrefour de la chapelle Ste-Fine, le monument du Lion marque le point extrême de l'avance allemande.

Mémorial de Verdun — *♿ De fév. à mi-déc. : 9h-12h, 14h-18h (de mi-mars à mi-sept. : 9h-18h). 30F. ☎ 03 29 84 35 34.*

Dans cet historial de la guerre 14-18, qui évoque d'émouvants souvenirs, des postes vidéo, une carte illustrée et des diaporamas montrent les différentes phases de la

---

DÉGÂTS ÉCOLOGIQUES

Le terrain est toujours bouleversé et, dans certains secteurs, la végétation n'a pas tout à fait repris ses droits. Les terres devenues impropres à la culture ont été reboisées.

POINT DE VUE

Du sommet du fort de Vaux, vue sur l'ossuaire, le cimetière et le fort de Douaumont, sur les côtes de la Meuse et la plaine de la Woëvre.

À l'Est de Verdun s'étendent les croix sobrement alignées du cimetière militaire du Faubourg-Pavé.

bataille, tandis qu'une collection d'uniformes, d'armes, de pièces d'équipement, de documents en illustrent l'acharnement.

Un peu plus loin, une stèle a été élevée sur les ruines du village disparu de **Fleury-devant-Douaumont**, qui fut pris et repris 16 fois. Une petite chapelle, dont la façade est ornée d'une statue de Notre-Dame-de-l'Europe, à 100 m à gauche de la route, occupe l'emplacement présumé de l'ancienne église de Fleury.

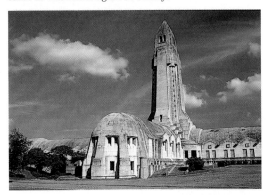

Édifié pour recueillir les restes non identifiés d'environ 130 000 combattants français et allemands tombés au cours de la bataille, l'ossuaire de Douaumont est le plus important des monuments français en souvenir de la guerre 1914-1918.

Prendre à droite la D 913^B qui aboutit à Douaumont.

Fort de Douaumont — *Avr.-sept. : 10h-18h (juil.-août : 10h-19h) ; juin : 10h-18h30 ; oct. : 10h30-13h, 14h-17h30 ; nov.-mars : 10h30-13h, 14h-17h (janv. : 11h-16h). Fermé certains j. fériés. 15F. ☎ 03 29 86 14 18.*

Construit en pierre en 1885, en un point haut (Cote 388) qui en faisait un observatoire stratégique, il vit ses défenses plusieurs fois renforcées jusqu'en 1913. Enlevé par surprise le 25 février 1916, dès le début de la bataille de Verdun, il fut repris le 24 octobre, par les troupes du général Mangin.

On parcourt les galeries, casemates, magasins, montrant l'importance et la puissance de cet ouvrage. Une chapelle marque l'emplacement de la galerie murée où furent inhumés 679 soldats de la garnison allemande, tués par l'explosion accidentelle d'un dépôt de munitions, le 8 mai 1916.

Un peu plus loin sur la droite, une chapelle a été élevée à l'emplacement de l'ancienne église du village de **Douaumont** complètement anéantie lors de la poussée allemande du 25 février au 4 mars 1916.

Revenir à la D 913 que l'on prend à droite.

Ossuaire de Douaumont — ♿ *De mars à fin nov. : 9h-12h, 14h-17h (de mi-avr. à déb. sept. : 9h-18h) ; cloître et chapelle ouv. toute l'année. Montée à la tour : 6F, projections : 16F. ☎ 03 29 84 54 81.*

Cette vaste nécropole comprend une galerie transversale longue de 137 m dont les 18 travées contiennent chacune deux sarcophages en granit. Sous la voûte centrale se trouve la chapelle catholique.

Au centre du monument s'élève la tour des Morts, haute de 46 m, silencieuse et émouvante vigie en forme d'obus dans lequel s'inscrivent quatre croix, symboliques points cardinaux de pierre voulant marquer l'universalité du drame. Le 1er étage de la tour a été aménagé en un petit musée de guerre.

Devant l'ossuaire, les 15 000 croix du **cimetière national**.

À gauche du parking, un petit sentier conduit à l'**ouvrage de Thiaumont** maintes fois pris et repris au cours de la bataille.

Tranchée des Baïonnettes — Une porte massive donne accès au monument recouvrant la tranchée où, le 10 juin 1916, les hommes de deux compagnies du 137e RI furent ensevelis à la suite d'un bombardement d'une violence inouïe. Seul témoignage de la présence de ces hommes : l'extrémité de fusils émergent du sol.

LA REDOUTE

À l'entrée en guerre, le fort de Douaumont se trouvait recouvert par une carapace de béton de un mètre d'épaisseur, elle-même séparée des voûtes de maçonnerie par un mètre de sable. Selon les propres termes du communiqué allemand, cet ouvrage constituait le « pilier angulaire du Nord-Est des fortifications permanentes de Verdun ».

TRÈS HAUT

Du haut de la tour des Morts (*204 marches*), à travers les fenêtres, des tables d'orientation permettent d'identifier les différents secteurs du champ de bataille.

Rive gauche de la Meuse

40 km — environ 2h. Carte Michelin n° 56 plis 10, 20. Quitter Verdun au Nord-Ouest par la D 38 (route de Varennes-en-Argonne) et, à Chattancourt, prendre à droite la route du Mort-Homme.

Le Mort-Homme — Ce sommet boisé fut l'enjeu de furieux combats. Tous les assauts allemands de mars 1916 furent brisés sur cette crête. Près d'un monument élevé aux morts de la 40ᵉ division, un autre monument porte, gravée sur le socle, cette inscription : « Ils n'ont pas passé. »

Revenir à Chattancourt et reprendre à droite la D 38 et peu après Esnes-en-Argonne la D 18 vers Montfaucon. 2 km plus loin, un chemin à droite conduit à la Cote 304.

La Cote 304 — Pendant près de quatorze mois, les Allemands se heurtèrent là à une farouche résistance des troupes françaises. La Cote 304 et le Mort-Homme, véritables pivots de la défense de Verdun sur la rive gauche, revêtaient une importance stratégique considérable.

Butte de Montfaucon — ⑃ *Tlj sf lun. et mar. 9h-12h, 13h-16h30 (de mi-avr. à fin sept. : fermeture à 17h30). Fermé j. fériés. Gratuit.* ☎ 03 29 85 14 18.

◄ Le village de Montfaucon, élevé sur une butte, point culminant de la région, fut fortifié et utilisé comme observatoire par les Allemands pendant la guerre. Un **monument américain** s'y dresse. Un escalier mène à une colonne de 57 m de haut surmontée d'une statue de la Liberté *(accès par un escalier de 235 marches).*

Cimetière américain de Romagne-sous-Montfaucon — Il s'étend sur 52 ha et contient plus de 14 000 tombes, surmontées de croix en marbre blanc, rigoureusement alignées. Allées goudronnées, pelouses ombragées, plan d'eau et parterres de fleurs composent un immense parc de repos. Dans les galeries latérales de la chapelle sont inscrits les noms des soldats disparus (954) ; dans la galerie de droite, une carte gravée dans la pierre calcaire d'Euville indique les secteurs du combat.

alentours

Étain

20 km. Sortir par la N 3. À l'intérieur de sa belle **église** (14ᵉ-15ᵉ s.), un arc sculpté s'ouvre sur le chœur, de style flamboyant, éclairé par de grands vitraux modernes de Gruber consacrés à la vie de saint Martin. Les clefs de voûte sculptées sont remarquables. Dans le bas-côté droit, la chapelle du Sacré-Cœur renferme le groupe de N.-D.-de-Pitié, Marie contemplant Jésus mort, attribué à Ligier Richier. Le chemin de croix, dont l'exécution a été interrompue par la guerre 1939-1945, est demeuré inachevé. *Possibilité de visite guidée sur demande.* ☎ 03 29 87 14 17.

Senon

9,5 km au Nord d'Étain par la N 18, puis la D 14 à gauche qui passe par Amel-sur-l'Étang. Ce village de Woëvre possède une **église** de l'époque de transition du gothique à la Renaissance (1526-1536). Son toit extrêmement élevé et aigu est étayé par une charpente en béton. Elle présente trois nefs d'égale hauteur et conserve de beaux chapiteaux Renaissance. *Visite guidée 14h-18h. M. Caillard.* ☎ 03 29 85 98 07.

Dugny-sur-Meuse

7 km au Sud de Verdun, par la route de Dugny. Belle **église** romane du 12ᵉ s. aujourd'hui désaffectée : c'est un édifice de dimensions modestes, surmonté d'une grosse tour carrée, en guise de clocher, ornée, au premier étage, d'une suite d'arcatures en plein cintre sur colonnettes ; elle est coiffée d'un hourd de bois. À l'intérieur, gros piliers carrés ; la nef est voûtée en charpente, signe des influences rhénanes, la Lorraine étant, vers 1125-1150, soumise au Saint-Empire. *Été : toute la journée ; hiver : ap.-midi.*

AUTRES LIEUX
La lutte fut souvent aussi acharnée sur la rive gauche que sur la rive droite. En septembre 1918, les troupes américaines du général Pershing jouèrent dans ce secteur un rôle très important.

VUE
Du haut de la colonne, **panomara★** sur le champ de bataille au Nord-Ouest de Verdun : butte de Vauquois, Cote 304, collines de la rive droite de la Meuse et, dans le lointain, fort de Douaumont.

ÉTAIN DES ÉTANGS
Étain doit son nom aux nombreux étangs qui couvraient autrefois la région. Il a été entièrement reconstruit après sa destruction au cours de la guerre de 1914-1918.

Vieil-Armand ★★

Silence, recueillement, tristesse et rage contre l'absurdité et la barbarie... Des croix alignées à l'infini. Ils le voulaient tous, en 1915, ce contrefort des Vosges qui contrôlait la plaine d'Alsace. Ils ont donné leurs vies pour lui, par milliers, par dizaines de milliers, allemands et français déchirés et, finalement, mêlés dans la mort. Plus jamais ça...

La situation
Cartes Michelin n°s 87 sud du pli 18 ou 242 pli 35 — Schéma p. 147 — Haut-Rhin (68). Accès, sur la route des Crêtes (D 431), par le col de Silberloch ; depuis le Sud par Cernay ou le Nord en venant du col Amit.

Le nom
Plus d'un devait s'appeler Armand, mais ils n'étaient certainement pas vieux. Le nom de Vieil-Armand a été donné par les « poilus » de 1914-1918 au Hartmannswillerkopf (HWK dans le jargon militaire), contrefort des Vosges qui s'élance à 956 m d'altitude, pour tomber en pentes escarpées sur la plaine d'Alsace.

Les gens
Sur les pentes dévastées pas les obus, les gaz, les lance-flammes, attaques et contre-attaques se succéderont pendant toute la durée de la guerre. Au terme de cette violence inouïe, on ne saura même pas compter les morts d'une telle boucherie, Français et Allemands : 30 000 ? 40 000 ? 60 000 ?

ENJEU
Pendant la seule année 1915, le sommet, enjeu stratégique, va changer 4 fois de camp. Et les combats continueront inexorablement jusqu'en 1918.

découvrir

SOUVENIRS DE LA GUERRE
Monument national du Vieil-Armand
D'avr. au 11 nov. : 8h-12h, 14h-18h. 12F. ☎ *03 89 23 12 03.*
Le monument est formé, au-dessus d'une crypte renfermant les ossements de 12 000 soldats inconnus, par une vaste terrasse surmontée d'un autel en bronze, l'autel de la Patrie dont les faces représentent les armoiries des grandes villes de France. Trois chapelles autour de l'ossuaire, une catholique, une protestante, une juive.

VESTIGES
Le site est encore parsemé çà et là de casemates, de tronçons de tranchées et d'abris principalement allemands, vestiges oubliés dans la montagne silencieuse.

Montée au sommet
🚶 *1h à pied AR.* Traverser le cimetière du Silberloch qui se trouve derrière le monument national et renferme 1 260 tombes et plusieurs ossuaires. Suivre son allée centrale, puis le sentier qui la prolonge. Se diriger vers le sommet du Vieil-Armand (956 m) surmonté d'une croix de 22 m de haut, borne-limite du front français. Tourner à droite en direction de la croix en fer dédiée aux engagés volontaires Alsaciens-Lorrains érigée sur un promontoire rocheux. De là, **panorama★★** sur la plaine d'Alsace, la chaîne des Vosges, la Forêt-Noire et les Alpes par temps clair.

Parmi les monuments commémoratifs de Vieil-Armand, celui des Diables rouges du 152ᵉ RI.

Route des **Vins** ★★★

C'est peut-être la route gastronomique la plus fameuse de France. Vous allez pouvoir zigzaguer pendant 180 km, de Marlenheim jusqu'à Thann, et varier les plaisirs, entre l'Histoire et le présent, les vignes, les jolis villages, les vieux châteaux, les caves de dégustation, les bonnes tables, les petites chapelles, les fêtes vigneronnes et les abbayes. Depuis que les Romains ont planté quelques ceps de vigne sur sa terre, on peut dire que l'Alsace a su les faire fructifier. Au Moyen Âge, ce sont les communautés religieuses qui ont tout particulièrement œuvré à l'essor de cette noble et rentable activité. Tous les terrains sont occupés, les plaines, les coteaux, même les plus escarpés, sous le soleil, exactement.

La situation

Cartes Michelin n°s 87 plis 14 à 19 ou 242 plis 19, 23, 27, 31, 35 — Bas-Rhin (67) et Haut-Rhin (68). La route des Vins va de Marlenheim à Thann, mais peut se faire en sens inverse !

🗎 *Maison des Vins d'Alsace, 12 av. de la Foire-aux-Vins, 68012 Colmar Cedex, ☎ 03 89 20 16 20. Site internet : www.vinsalsace.com*

Le nom

Les noms plutôt ! Ceux des sept cépages autorisés : riesling, gewurztraminer, sylvaner, pinot blanc, tokay pinot gris, muscat d'Alsace et pinot noir. En Alsace, et nulle part ailleurs, ce sont les cépages qui donnent leur nom au vin, obligatoirement embouteillé dans sa région d'origine.

Les gens

Les viticulteurs alsaciens sont les modernes descendants des vignerons romains qui n'étaient pas venus dans la région les mains vides, mais avec leurs vignes et leur savoir-faire.

Un panneau à suivre, sur 180 km...

itinéraires

1 DE MARLENHEIM à CHÂTENOIS

68 km— environ 4h

Jusqu'à Rosheim, la route n'aborde pas franchement les contreforts des Vosges et les villages ont encore les caractères des villages de plaine.

Marlenheim

Ce centre viticole réputé ouvre sur la route des Vins (point d'accueil et de découverte des cépages d'Alsace et des blasons des villages viticoles).

Wangen

Avec ses rues sinueuses, ses vieilles maisons, les arcs de ses portes de cour, Wangen est le type même du village viticole. Jusqu'en 1830, ses habitants devaient chaque année verser à l'abbaye St-Étienne de Strasbourg, propriétaire du village, un impôt de 300 hl de vin. Ne pas oublier ses fortifications médiévales avec les 2 tours, dont la « Niedertorturm ».

Westhoffen

Ce village de vignerons, ancienne dépendance d'un domaine royal franc hérité des Romains, a gardé des maisons anciennes des 16e et 17e s. et une fontaine Renaissance. Dans l'église St-Martin, un chœur et des vitraux du 14e s.

AGENDA
À la Fête de la fontaine de Wangen, le dimanche qui suit le 3 juillet, le vin coule librement à la fontaine du village.

carnet pratique

Où dormir et se restaurer

• À bon compte

Chambre d'hôte Maison Thomas – *41 Grand'Rue - 68770 Ammerschwihr -* ☎ *03 89 78 23 90 -* 🛏 *- 5 ch. : 245/275F.* Dans cette maison de village, les chambres sont grandes et fonctionnelles, elles ont toutes un coin cuisine et parfois une mezzanine... Côté jardin, vous goûterez au repos et côté cour, vous serez à deux pas d'une porte fortifiée du bourg, surmontée d'une tour.

• Valeur sûre

Chambre d'hôte Domaine Bouxhof – *R. du Bouxhof - 68630 Mittelwhir -* ☎ *03 89 47 93 67 - fermé 15 j. en janv. -* 🛏 *- 3 ch. : 270F.* Au milieu des vignes, cette maison du 17ᵉ s. avec ses tours carrées est un beau lieu de séjour. N'hésitez pas à rester quelques jours : ses chambres d'hôte modernes sont impeccables et ses gîtes spacieux... Un must : le petit déjeuner dans la chapelle du 15ᵉ s.

Où se restaurer

• À bon compte

À la Truite – *68970 Illhaeusern -* ☎ *03 89 71 83 51 - fermé vacances de fév., 1 sem. fin juin, mar. soir hors sais. et mer. - 89/210F.* Cette maisonnette des années 1950, au bord de l'eau, déploie sa terrasse le long de la rivière en été. Vous y serez bien accueilli et vous vous installerez dehors ou dans une salle colorée pour savourer une cuisine simple et sans chichis. Formule intéressante à déjeuner.

• Valeur sûre

Ferme-auberge du Cabri – *67520 Nordheim - 3 km au N de Marlenheim par D 220 -* ☎ *03 88 87 56 87 - fermé Noël à fin janv., mer. soir et*

jeu. soir hors sais. - 🛏 - 140/170F. Comme son nom l'indique, cette ferme élève des chèvres. À sa table, vous profiterez donc de fromages fabriqués ici, mais aussi des charcuteries et de la viande de cabri... entre autres plats régionaux. Installez-vous sous la véranda, vous aurez la vue sur la campagne.

Conseil

Les vendanges ont généralement lieu entre la fin septembre et la mi-octobre, selon le degré de maturité auquel sont arrivés les raisins. À cette époque, l'accès aux sentiers viticoles peut être réglementé. Il vaut mieux se renseigner sur place.

Sentiers viticoles

19 sentiers viticoles à parcourir en toute tranquillité dans les villages de Barr, Bennwihr-Mittelwihr-Beblenheim-Zellenberg-Riquewihr-Hunawihr (sentier communal), Bergheim, Dahlenheim, Dambach-la-Ville, Dorlisheim, Eguisheim, Epfig, Kientzheim, Marlenheim, Mittelbergheim, Molsheim, Obernai, Pfaffenheim, Scherwiller, Soultzmatt, Traenheim, Turckheim et Westhalten. Ces sentiers sont jalonnés de panneaux explicatifs permettant de faire la distinction entre les différents cépages.

Visite de caves

Le nombre de caves viticoles est si nombreux qu'on ne peut les citer toutes. On peut normalement y rendre visite, y déguster la production locale et y faire ses emplettes. L'accueil est toujours chaleureux, souvent agrémenté d'explications intéressantes sur l'histoire et le travail de la vigne et la fabrication du vin. Se renseigner dans chaque village.

Avolsheim *(voir p. 225)*

Molsheim★ *(voir ce nom)*

Rosheim★ *(voir ce nom)*

Désormais, la route devient accidentée : dès qu'on s'élève, la vue s'étend sur la plaine d'Alsace, tandis qu'apparaissent, perchés sur des promontoires, les ruines de nombreux châteaux : Ottrott, Ortenbourg, Ramstein, Landsberg.

Boersch

Trois anciennes portes à Boersch. Franchissant la porte du Bas, on atteint la **place★** encadrée de vieilles maisons : la plus remarquable est la mairie (16ᵉ s.). Pour sortir de Boersch, passer sous la porte du Haut. Une **marqueterie d'art** a aménagé une galerie d'exposition de tableaux marquetés et une présentation audiovisuelle sur son activité. *Ven. et sam. 9h-12h, 14h-18h et sur RDV.* ☎ *03 88 95 80 17.*

Sur la place de Boersch, le « Sechseimerbrunne », puits aux six seaux à trois colonnes ornées de chapiteaux sculptés.

Ottrott *(voir p. 183)*

Obernai★★ *(voir ce nom)*

Barr

C'est une cité industrielle (tanneries réputées) doublée d'un important centre viticole, produisant des vins de choix : sylvaner, riesling et surtout gewurztraminer. L'hôtel de ville, du 17ᵉ s., est décoré d'une loggia et d'un balcon sculpté : pénétrer dans la cour pour voir la façade postérieure.

Agenda

L'annuelle foire aux vins de Barr se tient autour du 14 juillet à l'hôtel de ville. La fête des vendanges a lieu le 1ᵉʳ dimanche d'octobre.

Dambach-la-Ville réserve au visiteur de belles maisons à pans de bois et à colombages richement sculptés.

La **Folie Marco**, maison mi-seigneuriale, mi-bourgeoise du 18ᵉ s., abrite un musée où sont exposés meubles anciens du 17ᵉ au 19ᵉ s., faïences, porcelaines, étains et souvenirs locaux. *De mai à fin déc. : visite guidée (3/4h) w.-end 10h-12h, 14h-18h (juil.-sept. : tlj sf mar.). 20F.* ☎ *03 88 08 66 65.*

Mittelbergheim *(voir p. 183)*

Andlau★ *(voir ce nom)*

Itterswiller
Situé à flanc de coteau, c'est un charmant village viticole aux maisons fleuries le long de la rue principale, traversé par une ancienne voie romaine. Son église à clocher partiellement gothique conserve une peinture murale du 13ᵉ ou 14ᵉ s.

Dambach-la-Ville
Au creux des coteaux, centre d'un vignoble renommé (grands crus classés du Frankstein), cette belle cité est dominée de plus de 500 m par un massif boisé. À l'intérieur des remparts dont subsistent trois vieilles portes, un centre ancien et fleuri, avec, bien sûr, des maisons à colombage. C'est ici que siège la confrérie des Bienheureux du Frankstein.

400 m après la porte Haute, tourner à gauche.

À la fin de la montée, prendre à droite un chemin qui s'élève jusqu'à la **chapelle St-Sébastien**. Vue étendue sur la plaine d'Alsace et le vignoble. À l'intérieur de la chapelle, le maître-autel très orné (baroque fin 17ᵉ s.), est en bois sculpté.

🚶 En continuant le chemin *(2h à pied AR)* on arrive aux ruines du **château fort de Bernstein**. Construit aux 12ᵉ et 13ᵉ s. sur une arête granitique, dont il reste un corps de logis et un donjon pentagonal. Très belle vue sur la plaine d'Alsace.

Scherwiller
Au pied des châteaux forts de l'Ortenbourg et du Ramstein, Scherwiller conserve un ancien corps de garde avec oriel et de belles maisons à colombage du 18ᵉ s. D'anciens lavoirs longent des berges de l'Aubach.

Châtenois
On y remarque un curieux clocher roman que terminent une flèche et quatre échauguettes en charpente. Une porte du 15ᵉ s. appelée « tour des Sorcières » porte un nid de cigognes. Il reste une double enceinte du château disparu. La mairie remonte au 15ᵉ s.

② DE CHÂTENOIS À COLMAR
54 km — environ 5h

Jusqu'à Ribeauvillé, la route est dominée par de nombreux châteaux : masse imposante du Haut-Kœnigsbourg, ruines des châteaux de Kientzheim, Frankenbourg, St-Ulrich, Girsberg et Haut-Ribeaupierre.

CIRCUIT
À Itterswiller, circuit « Vins et gastronomie » avec joli panorama (🚶 *1h à pied environ).*

AGENDA
Foire aux vins de Dambach-la-Ville les 14 et 15 août.

AGENDA
À Scherwiller, fête « Art, artisanat et riesling » le 3ᵉ week-end d'août.

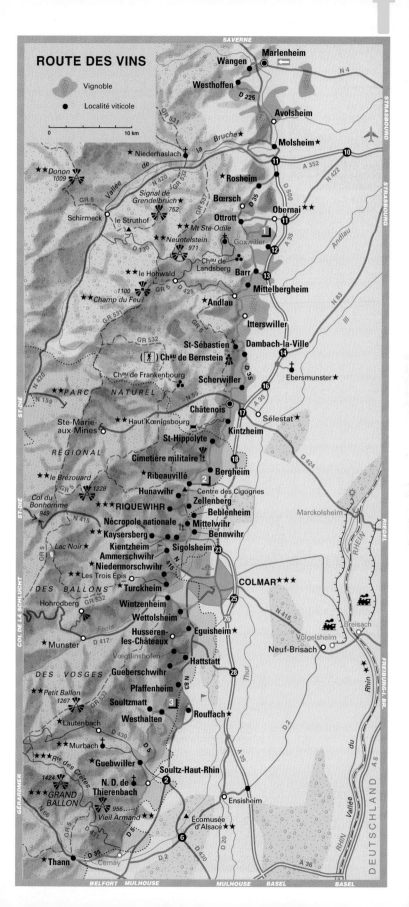

On peut encore admirer à Bergheim la porte Haute, ancienne entrée de l'enceinte médiévale.

Kintzheim *(voir ce nom)*

St-Hippolyte *(voir p. 292)*

Bergheim

À deux pas de la porte Haute, entrée fortifiée du 14e s., un tilleul daté de 1300 donne l'idée de l'ancienneté de ce bourg viticole. Le mur d'enceinte médiéval subsiste encore au Nord, flanqué de trois tours rondes. Il abrite de nombreuses maisons anciennes. Jolie fontaine sur la place du Marché.

L'**église** de grès rouge conserve des éléments du 14e s. (abside, chœur et base du clocher, peinture murale) dans une construction contemporaine de l'hôtel de ville, bâti au 18e s. *Juil.-août : visite libre ; sept.-juin : s'adresser au presbytère, 1, r. de l'Église.*

Cimetière militaire allemand

1 200 m avant Bergheim. À l'entrée Nord de la localité, prendre à droite une route en montée se détachant de la D 1ᴮ. Cette nécropole aligne sur les pentes de la colline les sépultures de soldats allemands tombés durant la dernière guerre.

POINT DE VUE

Depuis la croix érigée au sommet du cimetière, **panorama★** sur les crêtes vosgiennes avoisinantes à l'Ouest, le château du Haut-Kœnigsbourg au Nord, Sélestat et la plaine d'Alsace au Nord-Est et à l'Est.

Ribeauvillé★ *(voir ce nom)*

Au-delà de Ribeauvillé, la route s'élève à mi-pente des coteaux et la vue se dégage sur la plaine d'Alsace. C'est entre Ribeauvillé et Colmar que se trouve le cœur du vignoble alsacien. Villages et bourgs viticoles aux crus réputés se succèdent alors sur les riches coteaux qui bordent les Vosges.

Hunawihr *(voir ce nom)*

Zellenberg

Petit village sur une colline : belle vue sur Riquewihr et le vignoble. Un circuit historique *(durée : 40 mn, livret-guide à la mairie ou à l'Office du tourisme de Ribeauvillé ou de Riquewihr)* permet de découvrir la vie publique, administrative et juridique de cette cité à travers ses édifices.

Riquewihr★★★ *(voir ce nom)*

Beblenheim *(voir p. 291)*

Mittelwihr

À la sortie Sud du village, le « mur des Fleurs martyres » fut fleuri, durant toute l'occupation, d'impomées bleues, de pétunias blancs et de géraniums rouges. Cette floraison symbolisa le gage de la fidélité alsacienne.

Bennwihr

Le village, détruit en 1944, a été reconstruit dans le style local. Tant mieux ! Une fontaine monumentale trône dans le village. Le vitrail de l'église moderne, étiré sur toute la longueur de la façade Sud, laisse pénétrer à l'intérieur de l'édifice une lumière colorée très intense.

DANS LE MIDI

Les coteaux de Mittelwihr - appelé le « Midi de l'Alsace » - bénéficient d'une exposition si favorable que les amandiers y fleurissent et même y mûrissent. Le gewurztraminer et le riesling qui en proviennent jouissent d'une renommée sans cesse grandissante.

Harmonie d'ocres et de verts là où se dresse la vénérable église Ste-Hune à Hunawihr.

Sigolsheim

Encore un village durement touché durant les combats de la poche de Colmar (1944-45). L'église St-Pierre-et-St-Paul date du 12e s. Son portail roman s'orne d'un tympan dont les sculptures rappellent celles de Kaysersberg et d'Andlau.

Emprunter la rue de la 1re-Armée pour gagner, à 2 km au Nord-Est, après le couvent des Capucins, la nécropole nationale.

Nécropole nationale de Sigolsheim

Du parc de stationnement, 5 mn à pied AR. 124 marches pour y accéder. Une enceinte de grès rouge, entourée de vignes, au sommet d'une colline. Y sont inhumés 1 684 soldats de la 1re armée française tombés en 1944. Du terre-plein central, **panorama**★ sur les sommets et châteaux avoisinants, ainsi que sur Colmar et la plaine d'Alsace à l'Est.

Kientzheim *(voir ce nom)*

Ammerschwihr, au pied de coteaux couverts de vignobles, et son église St-Martin.

Kaysersberg★★ *(voir ce nom)*

Ammerschwihr

Reconstruit dans le style propre à l'Alsace, mais adapté ▶ aux exigences de la vie moderne, le village est au pied de coteaux couverts de vignobles. Ammerschwihr a été incendié par les bombardements de décembre 1944 et janvier 1945. Seules, l'église St-Martin dont le chœur est éclairé par des vitraux modernes, la façade Renaissancce de l'ancien hôtel de ville, la porte Haute et deux tours des fortifications (la tour des Voleurs et la tour des Bourgeois) témoignent encore de l'intérêt touristique qu'offrait cette petite ville.

> **REPÉREZ**
> À la sortie Ouest d'Ammerschwihr, vers Labaroche, la tour quadrangulaire de la porte Haute est surmontée d'un nid de cigognes. Y sont peints un curieux cadran solaire et les armes de la ville.

Niedermorschwihr★

Joli village au milieu des vignes, dont l'église moderne a gardé son clocher vrillé du 13e s., unique en Alsace. Le long de sa rue principale, maisons anciennes à oriels et balcons de bois.

Turckheim★ *(voir ce nom)*

Wintzenheim

Au centre d'un vignoble réputé (grand cru Hengst), des ▶ restes de fortifications (1275), quelques maisons anciennes (rue des Laboureurs), une belle fontaine de la Vierge (18e s.) et l'ancien manoir des chevaliers de St-Jean ou Thurnburg devenu hôtel de ville.

> **VESTIGES**
> Ruines de villa gallo-romaine (1er-4e s.) dans le coteau de Wintzenheim.

Colmar★★★ *(voir ce nom)*

3 DE COLMAR À THANN

59 km — environ 3h. Sortir de Colmar par la D 417.

Wettolsheim

Ce petit bourg revendique l'honneur d'avoir été la patrie du vignoble alsacien : introduite dès le temps de la domination romaine, la culture de la vigne se serait, de là, étendue à tout le pays. Curieusement, on y découvre une réplique de la grotte de Lourdes (1912). Le château du Hagueneck (13ᵉ s.) se dresse à 2 km à l'Ouest.

Eguisheim★ *(voir ce nom)*

Husseren-les-Châteaux

Le village de Husseren, d'où l'on a un beau panorama sur la plaine d'Alsace, est dominé par les ruines des trois châteaux d'Eguisheim. C'est d'ailleurs de Husseren que part la « route des Cinq Châteaux » *(voir p. 155)*. Les fonts baptismaux, provenant de l'abbaye de Marbach, remontent au 12ᵉ s.

Hattstatt

Très ancien bourg, autrefois fortifié. L'église, de la première moitié du 11ᵉ s., possède un chœur du 15ᵉ s. avec un autel en pierre de la même époque. À gauche, dans la nef, beau calvaire Renaissance. Un bel hôtel de ville du 16ᵉ s. côtoie les maisons anciennes.

Gueberschwihr

Sur un coteau couvert de vignes, ce village est fier de son magnifique clocher roman à 3 étages, dernier vestige de son église du début du 12ᵉ s. À côté de l'église, sarcophages mérovingiens.

Pfaffenheim *(voir p. 298)*

Rouffach★ *(voir ce nom)*

Peu après Rouffach se profile, au loin, le Grand Ballon.

Westhalten

À l'entrée de la « Vallée noble », le village entouré de vignes et de vergers possède deux fontaines et plusieurs maisons anciennes. Son vignoble s'étend sur les flancs du Zinnkoepflé, du Strangenberg et du Bollenberg.

Soultzmatt

Au bord de l'Ohmbach, au pied du grand cru Zinnkoepflé, le plus élevé d'Alsace (420 m). Ses vins, sylvaner, riesling, gewurztraminer, sont particulièrement appréciés et ses eaux minérales connues, notamment la source Nessel. À l'entrée du pays se dresse le **château de Wagenbourg**.

Guebwiller★ *(voir ce nom)*

Soultz-Haut-Rhin *(voir ce nom)*

Prendre à droite la D 51.

Basilique N.-D. de Thierenbach

◀ Reconnaissable à son clocher à bulbe, la basilique a été construite en 1723, dans le style baroque autrichien, par l'architecte Peter Thumb. Elle est le but d'un important pèlerinage remontant au 8ᵉ s. et dédiée à N.-D.-de-l'Espérance.

Revenir à Soultz-Haut-Rhin et prendre la D 5 vers Cernay.

Cave vinicole du Vieil-Armand

À la sortie de Soultz. Elle regroupe 130 vignerons qui cultivent 150 ha de vignes. Deux grands crus sont élevés : le rangen, le plus méridional de l'Alsace avec son terroir à roche volcanique, et l'ollwiller au pied du Vieil-Armand. La cave propose une dégustation de vins régionaux. Au sous-sol, le musée du Vigneron réunit du matériel utilisé autrefois par le vigneron ou le caviste (botiches à vendange en bois).

Poursuivre sur la D5, puis tourner à droite la D 35.

Thann★ *(voir ce nom)*

AGENDA

À Wettolsheim, Fête du vin le dernier week-end de juillet.

Détail de foudre dans une cave viticole.

AGENDA

À Soultzmatt, Fête des grands crus du Zinnkoepflé le 1ᵉʳ samedi d'août.

À VOIR

À l'intérieur de la basilique, deux pietà : la Vierge miraculeuse de 1350 et la Vierge douloureuse de 1510 située dans la chapelle de la Réconciliation, ainsi que de nombreux ex-voto témoignant de la ferveur populaire.

Vittel ♨♨

« Buvez, é-li-mi-nez ! Avec Vittel, retrouvez la vitalité qui est en vous ! » Ces slogans font maintenant partie de la mémoire collective... Le fond de commerce de Vittel, aujourd'hui, c'est la forme. Les cures, le plaisir des bains, la verdure, le golf, les sentiers de randonnée, l'air pur, les promenades en forêt... Mais il y a aussi le « packaging », comme on dit maintenant, l'emballage. Les promoteurs de la station ont su, depuis plus d'un siècle, faire appel aux meilleurs architectes et artistes, dont Charles Garnier, alors qu'il venait juste d'achever l'Opéra de Paris, puis Bluysen et César. L'établissement thermal, le casino, les grands hôtels, les villas, les parcs fleuris sont autant d'atouts insolubles dans l'eau de Vittel.

La situation
Cartes Michelin n°s 62 pli 14 ou 242 pli 29 — Vosges (88).
La ville thermale a été créée en dehors de l'agglomération urbaine. Parkings au centre-ville : pl. de la Marne, face à la gare et r. St-Nicolas.
🛈 *136 av. Bouloumié, 88800 Vittel, ☎ 03 29 08 08 88.*

BOUCHON
On est accueilli à l'entrée de Vittel par un panneau indiquant « embouteillage » : pas de panique, il ne s'agit que de la direction à suivre pour atteindre l'usine d'embouteillage !

Le symbole
Vittel, station hydrominérale découverte par les Romains, qui étaient décidément très doués pour trouver de l'eau, a ensuite été détruite par les Barbares, qui, eux, visiblement n'aimaient pas tellement l'eau. Il a fallu attendre le 19e s. pour que Vittel retourne à sa vocation première et s'assure une réputation internationale.

Les gens
6 296 Vittellois. Et parmi eux, Louis Bouloumié, qui bien que n'étant pas originaire de Vittel, a décidé d'acheter, en 1854, la source qui lui avait permis de soulager ses coliques néphrétiques. Bien lui en a pris... Les Bouloumié se rendirent bientôt maîtres de la station, au grand bénéfice des Vitellois qui en firent leurs maires sur plusieurs générations, pendant près de 75 ans.

Le « V » de Vittel sur un parterre fleuri.

séjourner

Parc★
Très fleuri, avec un kiosque à musique où ont lieu de nombreux concerts en saison, des jardins promenoirs et des clairières aménagées. De vastes terrains de sport (champ de courses, polo, golf, tennis, etc.) le prolongent. Son nouveau palais des congrès a été inauguré en 1970.

HEURES SOMBRES
Pendant la guerre de 39-45, les palaces de Vittel avaient été réquisitionnés pour servir d'hôpitaux, puis de camps d'internement.

Les frondaisons du parc paysager : 25 ha propices à la détente.

carnet pratique

OÙ DORMIR

● À bon compte

Hôtel Le Castel Fleuri – 218 r. de Metz - ☎ 03 29 08 05 20 - fermé 26 sept. au 19 mai - 🅿 - 33 ch. : 120/299F - 🛏 31F - restaurant 99/130F. Une villa ancienne au centre de la station thermale. Son décor est certes un peu vieillot, mais la maison est scrupuleusement entretenue. Comme les pensions de famille d'autrefois, elle a ses habitués qui viennent y séjourner régulièrement le temps d'une cure.

OÙ SE RESTAURER

● À bon compte

Le Rétro – 158 r. Jeanne-d'Arc - ☎ 03 29 08 05 28 - fermé 19 juin au 2 juil., 22 déc. au 11 janv., sam. midi et lun. - 85/170F. Une bonne petite adresse toute simple en plein centre de Vittel. Tenu par un jeune couple motivé, ce restaurant décline spécialités régionales et grillades dans une ambiance sympathique. Préférez la première salle avec sa cheminée et son décor rustique.

THERMALISME

La station thermale de Vittel date de 1856. Le bassin hydrominéral d'où émerge la source doit sa naissance à une faille tectonique au sud de la ville. L'eau sulfatée calcique ou magnésienne est employée dans les affections métaboliques (arthritisme, goutte, migraine, allergies) et celles des reins et du foie.

Thermes de Vittel – Parc thermal - ☎ 03 29 08 76 54 - site internet : www.ville-vittel.fr/thermal.

DISTRACTIONS

Casino – Parc Thermal - ☎ 03 29 08 12 35 - tlj à partir de 11h - salle de jeux traditionnels à partir de 21h sf mar. Pôle d'attraction de la station, le casino attire de nombreux touristes et curistes… Comme quoi on peut ne boire que de l'eau et céder à l'ivresse du jeu. Les amateurs pourront taquiner dame Chance aux machines à sous ou à la boule, à la roulette et au black jack. Pour les autres, le Cotton-Club propose des soirées animées et un thé dansant le dimanche après-midi.

GASTRONOMIE

Au Péché Mignon – 36 pl. du Gén.-de-Gaulle - ☎ 03 29 08 01 07 - mar.-sam. 7h30-12h30, 14h-19h30, dim. 4h30-12h30, 15h-19h. Outre quelques grands classiques (pâté lorrain ou vittellois), cet artisan propose des spécialités au chocolat qui ne laissent pas indifférent : la « route thermale du chocolat » (quatre chocolats différents comme les quatre stations thermales des Vosges) et la creuchotte (petite grenouille en chocolat fourré).

Délices Lorraines – 184 r. de Verdun - ☎ 03 29 08 03 30 - lun.-sam. 9h-12h30, 14h15-19h15, dim. 9h-12h30. Ce magasin vous propose une large sélection de spécialités régionales : miel, vins de Lorraine (côte de Toul), apéritifs et liqueurs des Vosges (à la mirabelle, à la myrtille…), confiseries (capsules de Vittel, gris-rose des Vosges…).

La Brasserie Vosgienne – 48 r. de Mirecourt - 88270 Ville-sur-Illon - 5 km au SE de Dompaire en dir. d'Épinal par D166 - ☎ 03 29 36 58 05 - de mi-juin à sept. : mar.-dim. 14h-18h ; le reste de l'année sur rendez-vous. Réputé pour la pureté de ses eaux, Ville-sur-Illon produisait de la bière depuis 1627. En 1887, Jacques Lobstein, brasseur alsacien, vint y installer une brasserie industrielle de type bavarois qui ne cessa son activité qu'en 1975. Cette installation unique en France a été transformée en écomusée, mais quelques passionnés y élaborent encore des bières artisanales à déguster sur place ou à emporter.

Institut de l'eau Perrier Vittel

Dans les anciens thermes. & *D'avr. à fin sept. : tlj sf mar. 10h-12h30, 13h30-18h30. 20F (enf. : gratuit).* ☎ 03 29 08 75 85.

L'exposition « L'eau et la vie » évoque l'eau sous différents aspects : scientifique, technique et industriel.

Usine d'embouteillage de Vittel SA

& *D'avr. à fin oct. : visite guidée (1h1/2) tlj sf w.-end à 9h30, 10h30, 14h, 15h30. Gratuit.* ☎ 03 29 08 72 51.

C'est la plus importante d'Europe. Sa visite, à l'entrée Ouest de la ville, propose de suivre la fabrication des bouteilles plastiques, puis, l'embouteillage et le conditionnement dans les bouteilles en verre et en plastique. L'usine d'embouteillage peut assurer le conditionnement journalier de 5,4 millions de bouteilles de contenances différentes.

randonnée

🔾 *3h à pied AR. Quitter Vittel au Nord par l'avenue A.-Bouloumié. Après avoir laissé le centre équestre à droite, prendre à gauche un chemin goudronné qui traverse une prairie, puis s'élève dans le bois de la Vauviard. L'itinéraire franchit la D 18 pour atteindre, après un raidillon, la croix de mission de Norroy.*

Croix de mission de Norroy

Vue étendue sur les bassins du Vair et du Mouzon vers le Nord-Ouest, sur la crête des Faucilles au Sud, et au Sud-Est sur les sommets des Vosges.

Tourner à gauche et traverser un petit bois. À un calvaire, croisement d'un chemin allant de Vittel à Norroy.

Chapelle Ste-Anne

Elle se trouve à l'orée de la forêt de Châtillon, au pied d'un très beau chêne. De là, jolie vue, vers le Nord-Ouest, sur la vallée du Vair.

Continuer tout droit. Traverser le bois de Châtillon à la sortie duquel on découvre un nouveau point de vue sur Vittel, que l'on rejoint bientôt.

> **À VOIR**
> La chapelle Ste-Anne cache un retable aux douze apôtres, du 16ᵉ s., dont les têtes ont été brisées.

alentours

Domjulien

8 km par la D 68, au Nord-Est. L'église des 15ᵉ et 16ᵉ s., très remaniée, abrite un remarquable ensemble de sculptures, groupées surtout dans le bas-côté gauche : retable (1541) représentant la Crucifixion et les douze apôtres ; Mise au tombeau du début du 16ᵉ s. avec les anges portant les instruments de la Passion ; statues de saint Georges (16ᵉ s.) et de saint Julien.

> **DÉTAIL**
> Sur l'autel latéral droit, une belle statue de Vierge à l'Enfant jouant avec un ange, de la fin du 15ᵉ s.

circuits

1 FORÊT DOMANIALE DE DARNEY *(voir p. 116).*

2 PAYSAGES DE LA VÔGE

62 km — environ 1h1/2. Quitter Vittel par la D 429 qui traverse le bois du Grand Ban.

Contrexéville ✚✚ *(voir ce nom)*

La D 164, au Sud de Contrexéville, remonte le vallon de Vair à travers le plateau dénudé des Faucilles.

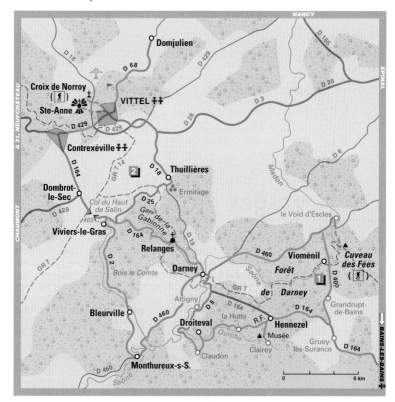

Dombrot-le-Sec

L'intérieur de l'**église**, aux piliers trapus — ceux des deux premières travées sont ornés de chapiteaux —, renferme une belle tribune, des ferronneries du 18e s. (poutre de gloire et balustrade du chœur), une Vierge à l'Enfant du 14e s. et une Sainte Anne du 16e s. *De mai à fin sept. : dim. sur demande préalable auprès de M. Hermann.* ☎ *03 29 07 40 31.*

Passer au col du Haut de Salin (cote 403).

À **Viviers-le-Gras**, on s'arrêtera pour les belles fontaines du 18e s.

Prendre à droite la D 2.

La route suit la vallée du Gras, à travers la forêt.

Bleurville

Les Romains y avaient installé un établissement de bains.

Dans Bleurville, prendre la rue St-Pierre qui monte vers l'église ; laisser l'église sur la droite et suivre la rue Bezout, à gauche, sortant du village en direction de Monthureux-sur-Saône.

Monthureux-sur-Saône

L'**église** paroissiale, reconstruite au 16e s., abrite une **Mise au tombeau★** (école rhénane) dont les personnages grandeur nature, en bois polychrome, entourent un émouvant Christ allongé.

Rejoindre Darney par la D 460 d'où l'on a une vue étendue sur la forêt de Darney.

Darney *(voir p. 116)*

Relanges

Son église est intéressante. Les colonnes du porche et le pignon de la façade remontent au 11e s. ; le transept, les absides et la tour, au 12e s. ; la nef et les bas-côtés ont été reconstruits au 16e s. Le chevet et le clocher carré, qui s'élèvent à la croisée du transept, sont très beaux.

La route remonte, à travers le massif forestier de Bois le Comte, un vallon étroit appelé **gorges de la Gabionne**.

À Provenchères-lès-Darney, prendre la D 25.

Thuillières

Le **château** fut construit par Germain Boffrand pour lui servir de résidence en Lorraine où il séjournait souvent pour ses nombreux chantiers (*De juil. à fin août : visite guidée 14h30-17h30. 15F.*)

Peu après, sur la gauche, dans le joli vallon de Chèvre-Roche, on aperçoit la chapelle de l'ancien ermitage de N.-D.-de-Consolation. La route domine le ruisseau de Thuillières.

La D 18 ramène à Vittel.

LES GENS

C'est à Thuillières que, après s'être retirée de la scène, Ève Lavallière, célèbre artiste de la Belle Époque, termina sa vie dans une austère retraite.

Parc naturel régional des
Vosges du Nord★★

Dans « Parc naturel », il y a nature. Alors, marchez, respirez, sentez, goûtez, observez, écoutez... tous les sens, ici, sont en éveil. Les sentiers de randonnée traversent les vallées boisées, les prairies, les étangs et les forêts qui recouvrent plus de la moitié du Parc. Les hêtres, les sapins, les épicéas, les érables, l'air pur et la tranquillité vous feront vous sentir aussi libre et léger que la population sauvage que vous rencontrerez à chaque coin d'arbre : des cerfs, des chevreuils, des sangliers, des gelinottes des bois et, si vous avez de la chance, des lynx, des grands tétras, des mésanges noires... Les villages du Parc vous réservent leurs trésors : belles maisons, verreries et cristalleries, et les vieux châteaux, leur mystère.

La situation

Cartes Michelin n°s 87 plis 2, 3, 13, 14 ou 242 plis 11, 12, 15, 16, 19 — Moselle (57) et Bas-Rhin (67).

C'est un triangle Wissembourg-Saverne-Volmunster délimité au Nord par la frontière franco-allemande, au-delà de laquelle se situe le Parc naturel allemand du Palatinat, et au Sud par la A4-E25 Paris-Metz-Strasbourg. Sorties d'autoroute à Sarreguemines, Sarre-Union, Phalsbourg, Saverne et Hochfelden. Le GR 53 traverse le parc.
🛈 *Maison du Parc, 67290 La Petite-Pierre,* ☎ *03 88 01 49 59. Minitel 3615 Vosges du Nord.*

Le nom

Le Parc national des Vosges a été créé le 30 décembre ▶ 1975, à l'initiative des régions Alsace et Lorraine. En 1989, l'UNESCO lui a décerné le titre prestigieux et rare (320 dans le monde) de « Réserve mondiale de la biosphère ».

Le symbole

René Char, dans un de ses poèmes, l'évoque ainsi : « Le navire fait route vers la haute mer végétale. Tous feux éteints, il nous prend à son bord. »

Le Parc naturel régional des Vosges du Nord *(logo ci-dessus)* s'est donné quatre grands objectifs. Aménager son territoire et maîtriser l'évolution du paysage. Protéger et mettre en valeur les patrimoines naturel et culturel. Assurer un développement respectueux de l'environnement. Informer et éduquer le public.

circuits

1 TRAVERSÉE DU PAYS DE HANAU

125 km au départ de Saverne (voir ce nom) — environ 4h1/2

Peu après la sortie de Saverne par Ottersthal, la D 115, dans un virage à droite, traverse le vallon très frais de Muhlbach, puis passe sous l'autoroute.

St-Jean-Saverne *(voir p. 320)*

Peu après St-Jean-Saverne, on distingue à droite, sur une hauteur boisée dominant Saverne, les **ruines du Haut-Barr★** *(voir ce nom)* ; plus à droite, au sommet du versant opposé de la vallée de la Zorn, les ruines du château du Griffon.

Prendre à gauche en direction de Dossenheim-sur-Zinsel.

Neuwiller-lès-Saverne★ *(voir ce nom)*

Bouxwiller *(voir ce nom)*
On peut couper par Niedersoultzbach pour atteindre Ingwiller.

Ingwiller
🏃 Dans ce village, visite guidée gratuite du sentier botanique et poétique du Seelberg *(durée : 2h. Sur rendez-vous. Mme Ehrardt ou Mme Dreher.* ☎ *03 88 89 23 45).*

En prenant la D 28 à la sortie d'Ingwiller, on traverse Rothbach, Offwiller et Zinswiller.

COUPES SOMBRES

La « haute mer végétale » évoquée par René Char a malheureusement essuyé une grave tempête en décembre 1999, qui a en plusieurs endroits saccagé la forêt vosgienne.

carnet pratique

ANIMATIONS

Spectacles, expositions – Le parc s'anime toute l'année d'expositions et de spectacles variés : musique, pièces de théâtre ou festival littéraire. En décembre, des marchés de Noël entretiennent la tradition de cette fête religieuse. Un carnet gratuit sur le parc informe, de mai à octobre, des événements ponctuant la vie des Vosges du Nord.

Stages – La Maison du Parc propose des stages nature d'avril à octobre délivrés par des professionnels et des bénévoles sous forme de journées d'initiation et de perfectionnement.

Circuits de découverte – Des livrets-guides sur les circuits de découverte, le patrimoine, l'histoire et les villages de la région sont disponibles à la maison du parc.

VISITES TECHNIQUES

Carrières de grès des Vosges du Nord-Rothbach – *Mme Schneider -* ☎ *03 88 89 34 00 - lun.-ven. 10h-12h, 14h-16h.* Visite des activités d'extraction et transformation.

Céramiques Vincent Pirard – *Puits VI - rte de Lobsann à Merkwiller-Pechelbronn -* ☎ *03 88 80 79 91 - sur rendez-vous.* On peut assister à la construction de poêles en faïence, voir l'atelier de potier et acheter des articles sur place.

Offwiller

S'arrêter au **musée d'Arts et Traditions populaires** pour découvrir le charme rural et culturel de la région. *De juin à fin sept. : dim. 14h-18h.* ☎ *03 88 89 30 98 ou 03 88 89 36 56.*

Prendre la D 141 qui longe la Zinsel du Nord entre la forêt d'Offwiller et celle de Niederbronn.

À droite en forêt, près du GR 53, ruines du château d'Arnsbourg.

Baerenthal

◄ Charmant village, sur la rive gauche de la **Zinsel**. Sur la rive Nord, un mirador permet d'observer l'avifaune, plutôt au printemps ou en automne pour les oiseaux migrateurs.

La route de Baerenthal à Mouterhouse est jalonnée de nombreuses usines métallurgiques, aujourd'hui presque entièrement disparues, installées au début du 19ᵉ s. par la famille de Dietrich. La Zinsel s'élargit souvent en nappes d'eau, fleuries de nénuphars. Belle vue sur des monts séparés par de jolies trouées.

Continuer sur la D 36 jusqu'à Lemberg.

La route ombragée est étroite et sinueuse. À droite, vue sur les hauteurs de la forêt de Mouterhouse. On côtoie le ruisseau Breitenbach qui s'élargit fréquemment en étangs bordés de scieries.

> **DÉTENTE**
> On peut faire le tour (route circulaire) de l'étang de Baerenthal, réserve naturelle dont la flore est très riche.

St-Louis-lès-Bitche

Au fond d'une vallée boisée, c'est le siège des **cristalleries** de St-Louis fondées en 1767, anciennes verreries royales, dont la production comporte une grande variété d'articles de table et d'ornementation. *Fermé jusqu'en 2001 pour travaux. Boutique ouv. tlj sf dim. 9h-12h, 13h-17h, sam. 9h-12h, 13h30-17h.* ☎ *03 87 06 40 04.*

Revenir sur la D 37.

Goetzenbruck

On trouve à Goetzenbruck, spécialiste de l'industrie du verre, une importante fabrique de verres de lunettes.

Meisenthal

Au centre de la localité, l'ancienne verrerie, fermée depuis 1970, abrite la **maison du Verre et du Cristal** avec reconstitution de la fabrication (fours, film explicatif) et présentation des produits de la verrerie depuis le 18ᵉ s. Au Centre international d'art verrier, on pourra voir travailler le verre à chaud *Pâques-Toussaint : tlj sf mar. 14h-18h. 30F (enf. : 20F).* ☎ *03 87 96 91 51.*

Soucht

À 2 km au-delà de Meisenthal a été installé dans un ancien atelier qui fonctionnait encore en 1978 le **musée du Sabot**. Il abrite une importante collection de sabots de divers pays et permet d'assister à la fabrication des

Verrier de Meisenthal au travail.

pièces. &. *De Pâques à fin oct. : visite guidée (3/4h) w.-end
et j. fériés 14h-18h (juil.-août : tlj). 10F.* ☎ *03 87 96 86 97.*

Revenir sur la D 57.

Colonne de Wingen

De cette ancienne borne routière, vue dégagée à gauche
sur la vallée de Meisenthal et, au loin, Rohrbach.

Pierre des 12 apôtres

Appelée également Breitenstein, cette « pierre levée » est
fort ancienne. Elle ne fut sculptée qu'à la fin du 18e s.,
en exécution d'un vœu : sous la croix, on reconnaît
les 12 apôtres, répartis, trois par trois, sur les faces du
menhir.

À **Wingen-sur-Moder**, on quitte la région des cristalleries
et verreries Lalique.

À Wimmenau tourner à gauche et prendre la D 157.

Reiperstwiller

Clocher carré du 12e s. pour l'**église St-Jacques**. Le
chœur de style gothique de 1480 est dû au dernier des
Lichtenberg, Jacques le Barbu.

Château de Lichtenberg

*Suivre le prolongement de la rue principale de Lichtenberg
(D 257) jusqu'au sentier d'accès au château où laisser la voiture. D'avr. à fin oct. : 10h-12h, 13h30-18h, lun. 13h30-18h,
dim. et j. fériés 10h-19h (juin-août : tlj sf dim. 10h-18h, lun.
13h30-18h). 15F.*

Le château, dont le donjon date du 13e s., était occupé,
le 9 août 1870, par une garnison qui dut capituler
après un bombardement meurtrier. Il a été restauré
depuis.

Emprunter la D 113 passant par Sparsbach.

La Petite-Pierre★ *(voir ce nom)*

Étang d'Imsthal

*Le chemin qui y mène s'embranche sur la D 178 à 2,5 km de
La Petite-Pierre (parking réservé aux clients de l'hôtel). But de
promenade reposant, au fond d'un bassin de prairies
entourées de forêts.*

*La visite des demeures
troglodytiques de
Graufthal révèle les
coutumes anciennes de la
vallée.*

Graufthal

Dans ce hameau de la vallée de la Zinsel, des maisons
troglodytiques creusées dans les belles falaises de grès
rouge d'une hauteur de 70 m étaient habitées jusqu'en
1958. Leur visite est possible.

Retour à Saverne.

② LES CHÂTEAUX

*54 km au départ de Niederbronn-les-Bains (voir ce nom) —
environ 2h1/2. Quitter la ville par la gracieuse et verdoyante
vallée du Falkensteinbach. En face des ruines du château de
Wasenbourg, sur la N 62, prendre à droite comme pour retourner à Niederbronn, puis la route forestière à gauche.*

AMBIANCE

Il règne aujourd'hui, autour de ces lieux encore nimbés d'un halo de légendes, une atmosphère romantique dans ces ruines d'une époque révolue.

Aux confins des zones d'influence du Palatinat, de l'Alsace et de la Lorraine, les vallées boisées du « pays des Trois Frontières », presque chaque piton rocheux porte la ruine d'un vieux château médiéval. Construits au 12ᵉ s. et dans la première moitié du 13ᵉ s. par les très puissants Hohenstaufen, ducs d'Alsace, ou par les familles nobles et seigneurs qui contestaient leur pouvoir (ducs de Lorraine, comtes des Deux-Ponts, évêques de Spire ou de Strasbourg...), ces châteaux ont été détruits et abandonnés avant le 18ᵉ s.

Le Wintersberg

C'est le point culminant des Vosges du Nord (580 m). Du haut de la tour-signal, beau panorama sur les basses Vosges et la plaine.

La boucle forestière de 6,5 km revient sur la N 62. À la sortie de Philippsbourg, prendre la D 87 à droite, puis, à 1 km, à gauche, jusqu'au château de Falkenstein. Un chemin y conduit.

Château de Falkenstein★

🚶 *3/4h à pied AR. Accès à partir de Philippsbourg par les D 87 puis D 87ᴬ qui mènent, en 3 km, à un carrefour de chemins où on laisse la voiture. Prendre le 2ᵉ chemin à gauche, signalé par des triangles bleus. Au bout d'1/4h, monter quelques marches, tourner à gauche, puis à droite. Franchir une porte et tourner à gauche pour contourner le rocher où se trouve le château.*

Il est situé sur un rocher de grès qui domine la forêt. Fondé en 1128, il a été foudroyé en 1564. On aperçoit à gauche une caverne creusée dans la roche, appelée « Salle des gardes ». *Entre la porte d'arrivée et la caverne, prendre, sous une autre petite porte, l'escalier.* Cavités naturelles alternent avec des cavernes superposées, creusées par l'homme. *Plus loin, après une passerelle et des escaliers, on atteint le sommet du château.* De là, beau **panorama★**.

De retour sur la N 62, atteindre l'étang de Hanau par l'embranchement à droite à 3 km.

BON AUGURE

La légende veut que, dans la cave, un tonnelier fantôme vienne quelquefois frapper, à minuit, autant de coups de maillet qu'il y aura de barriques de vin dans l'année.

Étang de Hanau★

Au cœur d'une région de tourbières, cet agréable site boisé est sillonné de sentiers de randonnées pédestres fléchés. De l'autre côté de l'étang, **château de Waldeck**. 🚶 Deux parcours pédestres fléchés partent à la hauteur de l'étang de Hanau : le **sentier botanique de la tourbière** *(accès à 300 m à gauche du parking du restaurant sur la D 162, départ depuis l'aire de pique-nique située au-delà des terrains de tennis, durée 45 mn)* et la **promenade de l'arche naturelle de Erbsenfelsen** *(accès à partir du parking du restaurant, suivre le balisage n° 3 bleu, en passant derrière les courts de tennis, durée 1h1/2).*

Suivre la route forestière entre l'étang et le château jusqu'à la D 35 qui mène à Obersteinbach.

Au passage, ruines du **Lutzelhardt** sur la gauche.

Obersteinbach

Joli village aux maisons à colombage sur base de grès rouge

À son entrée, la D 53 reprend la trajectoire sinueuse de ce qui fut l'une des principales routes de la région durant le Haut Moyen Âge. Plusieurs des ruines qui la surplombent ont appartenu vraisemblablement à la couronne de forteresses mise en place pour protéger le palais impérial de Haguenau à la fin du 12ᵉ s.

AH! MON BEAU CHÂTEAU

À la maison des Châteaux forts d'Obersteinbach, explications sur l'histoire des châteaux, leur site, leurs accès, leurs maîtres.

Château de Schoeneck

Érigé sur une barre rocheuse, le château fut donné en fief à un Lichtenberg en 1301, par son récent acquéreur, l'évêque de Strasbourg ; la même famille tenait également Wineck, qui lui fait face au fond de la vallée.

À Wineckerthal, prendre à gauche.

Châteaux de Windstein

Les deux châteaux de Windstein, distants de 500 m l'un de l'autre, auraient été bâtis le premier à la fin du 12ᵉ s., le second en 1340. Tous deux ont été détruits en 1676 par les troupes françaises du baron de Montclar.

PRATIQUE

Parc de stationnement au terminus de la branche gauche de la route, devant l'hôtel-restaurant « Aux châteaux ».

Les ruines du **Vieux Windstein**★ (*3/4 h à pied AR*), incorporées à deux hautes piles gréseuses, se réduisent à quelques vestiges. Les parties du château creusées à même la roche sont les mieux conservées : escaliers, chambres, cachots, puits (profond de 41 m). **Panorama**★ sur les sommets environnants.

Sur sa propre butte, le **Nouveau Windstein** (*1/2 h à pied AR*), de style gothique, a gardé une partie de ses fortifications et de belles fenêtres ogivales.

Retour à Niederbronn par la D 653.

③ UNE FRONTIÈRE BIEN GARDÉE

42 km au départ de Wissembourg (voir ce nom) — compter une demi-journée

Col du Pigeonnier★

1/2h à pied AR. Accès à droite de la route. Emprunter le sentier de la Scherhol (balisage « rond rouge ») à travers la forêt, au-dessus du refuge du Club vosgien. Après 15 mn, un belvédère permet de découvrir une **vue**★ superbe sur la plaine d'Alsace et la Forêt-Noire.

Retour par le même chemin ou possibilité de faire le tour de la Schérol par la forêt pour revenir au col (compter 15 mn de plus).

Au cours de la descente, au sortir de la forêt, à gauche, jolie vue sur le village de Weiler et la vallée verdoyante de la Lauter.

Après avoir passé un carrefour, vue en avant sur Wissembourg et, derrière, sur le vignoble ; dans le lointain, on distingue le Palatinat.

Reprendre la D 3 jusqu'à Climbach, tourner à droite dans le village. On franchit le col de Litschhof.

Château de Fleckenstein★★

De mi-avr. à fin sept. : 9h30-18h ; d'oct. à mi-nov. : 10h-18h ; de mi-mars à mi-avr. : 10h-17h. Fermé de mi-nov. à mi-mars. 17F, 12F hors sais. ☎ 03 88 94 43 16.

Au moment de sa fondation au 12ᵉ s., ce château s'inscrivait dans le dispositif défensif des frontières Nord du duché d'Alsace, contrôlant la vallée de la Sauer. Des murs d'enceinte cernent la basse cour où l'on pénètre par une porte fortifiée. En approchant du rocher principal, on aperçoit l'impressionnante tour carrée qui lui fut accolée à la fin de l'époque gothique. Des escaliers intérieurs *(attention aux marches)* conduisent à plusieurs chambres taillées dans le roc, dont l'étonnante salle des Chevaliers et son pilier central monolithe, puis à la plate-forme, large de 8 m, où se trouvait le logis seigneurial ; jolie **vue** sur la haute vallée de la Sauer et son confluent avec le Steinbach.

Les ruines du Fleckentein occupent une position remarquable, tout près de la frontière allemande, sur une barre rocheuse haute de plus de 20 mètres enchâssée dans la forêt.

Tour des Quatre Châteaux forts (*voir p. 402*)

Aller à Gimbelhof et prendre la route forestière. Au cours de la descente, étroite et encaissée, on voit une ancienne carrière de grès rouge, puis, sur la gauche, des sapinières aux fûts très denses. On aperçoit, en face, le château de Hohenbourg.

Tannenbrück

Là, on franchit la Sauer. Le pont fut illustré par les combats livrés, en 1793, par l'armée de la Moselle que commandait Hoche.

Lembach

Petite ville ornée de bâtisses anciennes : maisons bourgeoises, lavoirs, auberges. Un circuit panoramique *(départ de la mairie ; duré 1h)* permet de découvrir les alentours et de s'initier au paysage, à la géologie et aux milieux vivants comme les vergers et les haies. À 1 km

> **SE RAFRAÎCHIR**
> À proximité de Tannenbrück, le plan d'eau du Fleckenstein offre détente et possibilité de baignade.

de Lembach, sur la route de Wœrth, à gauche, se trouve l'accès à l'ouvrage du **Four à Chaux** (*voir p. 197*).

À Lembach, s'engager à droite sur la petite route longeant la Sauer, direction Reichshoffen.

On traverse des villages que la guerre de 1870 a rendus célèbres : Reichshoffen, Froeschwiller et Woerth. Au bord de la route, de nombreux monuments commémorent le sacrifice des combattants.

Reichshoffen

Son **musée du Fer** retrace l'histoire des mines et forges du Jaegerthal depuis le 14ᵉ s. *Dim. et j. fériés 14h-18h (juin-sept. : tlj sf mar.). Fermé Ven. saint et 25-26 déc. 15F.* ☎ 03 88 80 34 49.

BAPTÊME

Reichshoffen a eu le triste et glorieux privilège de donner son nom à l'héroïque charge de cuirassiers venue se briser dans le village de Morsbronn le 6 août 1870. Preuve que des défaites aussi peuvent rester célèbres dans l'histoire.

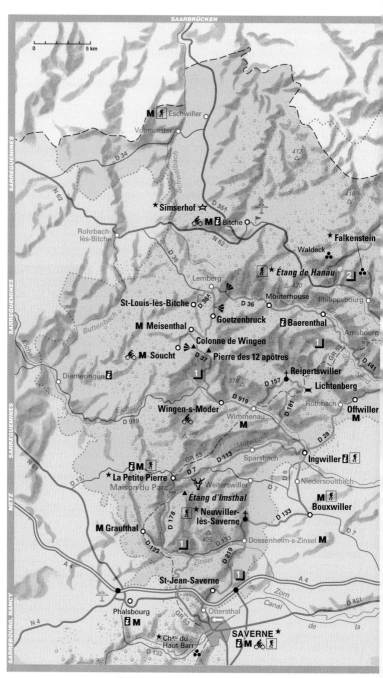

Froeschwiller

Charmant village alsacien, où eut lieu l'assaut définitif de la bataille.

Woerth

Au château est installé le **musée de la Bataille du 6 août 1870** : uniformes, armes, équipements, documents et tableaux relatifs aux deux armées en présence lors de la bataille de Woerth-Froeschwiller. Un grand diorama évoque la bataille à l'aide de 4 000 figurines d'étain. *De mi-juin à mi-sept. : tlj sf mar. 10h-12h, 14h-18h ; de déb. juin à mi-juin : tlj sf mar. 14h-18h ; avr.-mai et de mi-sept. à fin oct. : tlj sf mar. 14h-17h ; nov.-mars : w.-end 14h-17h. Fermé en janv. 20F.* ☎ 03 88 09 30 21.

▶

ÉVOCATION SPORTIVE
Le **sentier des Turcos**
(départ quelques mètres après l'usine Alko France, sur la gauche, à la sortie de Woerth vers Lembach) évoque les faits marquants de la bataille du 6 août 1870 par un circuit pédestre de 2 km jalonné de panneaux explicatifs.

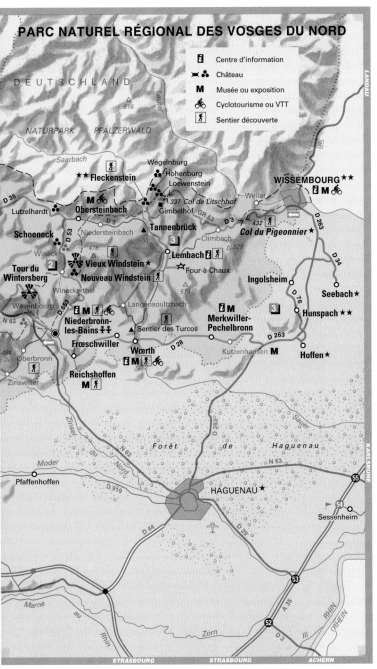

PARC NATUREL RÉGIONAL DES VOSGES DU NORD

- 🛈 Centre d'information
- 🏰 Château
- M Musée ou exposition
- 🚴 Cyclotourisme ou VTT
- 🚶 Sentier découverte

Merkwiller-Pechelbronn

C'était le centre du bassin pétrolifère du Nord de l'Alsace dont l'exploitation fut arrêtée en 1970. L'activité de Merkwiller-Pechelbronn s'est alors orientée vers le thermalisme. Le **musée du Pétrole** raconte l'histoire de l'or noir en Alsace depuis 1498 &. *D'avr. à fin oct. : dim. et j. fériés 14h30-18h (juil.-août : jeu., dim., j. fériés). 20F.* ☎ *03 88 80 91 08.*

Hoffen★

Maisons fleuries, certaines à triple auvent, autour de l'église et de la curieuse petite mairie soutenue par trois piliers de bois. Auprès du vieux puits communal, un tilleul planté sous la Révolution.

Hunspach★★

DISTINCTION

Hunspach est classé parmi « les plus beaux villages de France ». Le style alsacien et le caractère exclusivement rural du village se voit dans ses cours fermières, ses vergers, ses fontaines à balanciers.

Maisons blanches au poutrage apparent et aux auvents débordant sur la façade dont quelques-unes ont conservé leurs vitres bombées — mode remontant à l'époque baroque.

Ingolsheim

Gros hameau agricole, sa rue principale est perpendiculaire à la grande route. Il est environné de vergers et entrecoupé de jardins et de cours de fermes.

Seebach★

Ce bourg fleuri est resté le village alsacien type avec ses maisons à poutres apparentes et à auvents qu'encadrent souvent des jardins, même si quelques constructions sans style rompent l'harmonie de l'ensemble.

Seebach, l'un des plus beaux villages d'Alsace, dont le style propre de ses demeures émerveille encore.

5 **VALLÉE DE MUNSTER★★** *(voir Munster)*

6 **VALLÉE DE LA FECHT** *(voir p. 239)*

7 **MASSIF DU PETIT BALLON★** *(voir ce nom)*

randonnée

Tour des quatre châteaux forts

🚶 *Départ du parking au pied du Fleckenstein (visite décrite ci-dessus). 4 km. Compter environ 2h.*
S'engager sur le chemin balisé d'un rectangle rouge, puis après quelques mètres à droite dans le sentier des Rochers (triangle rouge) qui conduit à la fontaine de la Jeune Fille.
Tourner à gauche (rectangle bleu).
Après avoir franchi la frontière avec l'Allemagne, on atteint le **Wegelnburg**, forteresse impériale qui, devenue repaire de brigands, fut en grande partie détruite vers la fin du 13ᵉ s. Vue remarquable sur le Palatinat. Revenir vers la fontaine de la Jeune Fille, continuer tout droit (rectangle rouge) vers le **Hohenburg**, fief des Fleckenstein détruit en 1680, dont la partie basse Renaissance a conservé un puissant bastion d'artillerie et le logis seigneurial. Par le même chemin poursuivi vers le Sud, on

LÉGENDE

La fontaine de la Jeune Fille fut le théâtre, selon la légende, d'un amour malheureux entre un chevalier du Wegelnburg et une demoiselle du Hohenburg.

accède au **Loewenstein**, détruit en 1386 après avoir lui aussi servi de repaire à des chevaliers-brigands. Le même sentier balisé d'un rectangle rouge passe devant un curieux chicot de grès rouge (le Krappenfels) et mène à la ferme de Gimbel *(ferme-auberge, restauration en saison)*. Superbe **point de vue** sur le château du Fleckenstein.

Retour au parking du Fleckenstein par le chemin à droite (rectangle rouge-blanc-rouge).

Wangenbourg

Station estivale, centre de villégiature, de loisirs, de détente... Tous ces termes pour décrire celle que l'on surnomme la « Suisse d'Alsace ». Elle le doit à ses paysages de montagne, aux immenses forêts qui l'entourent, aux prairies, à ses chalets presque suisses et, peut-être aussi, à son concours de bûcherons.

La situation
*Cartes Michelin n°s 62 pli 8 ; 87 pli 14 ou 242 plis 19, 23 —
Bas-Rhin (67).* À 20 km au Sud de Saverne par la D 218,
41 km à l'Est de Strasbourg par la N 4, puis la D 224.
🛈 *4 r. du Gén.-de-Gaulle, 67710 Wangenbourg, ☎ 03 88 87
32 44.*

Le nom
Ce sont les seigneurs de Wangen qui, au 12ᵉ s., ont donné leur nom au château fort *(burg)* et de là, au village qui l'entourait.

Les gens
1 176 Wangenbourgeois. L'ancienne et puissante maison de Dabo, ou Dagsbourg, descend du duc d'Alsace Étichon, père de sainte Odile. C'est dans le château de Dagsbourg que certains historiens situent, en 1002, la naissance de Bruno de Dabo, qui deviendra le pape Léon IX, puis saint Léon. D'autres affirment tout aussi catégoriquement que cette illustre naissance a eu lieu à Eguisheim. Le débat reste donc ouvert et toute information sera la bienvenue, sur un sujet aussi crucial.

se promener

Ruines du château
Pour y accéder *(1/4h à pied AR)*, laisser la voiture sur le parking, 200 m après l'église, passer près d'un énorme tilleul et suivre un chemin dans le prolongement de la rue principale. Le château, des 13ᵉ et 14ᵉ s., appartenait à l'abbaye d'Andlau. Il en reste un donjon pentagonal et d'importants vestiges de murs. Par le donjon (24 m de haut), on accède à une plate-forme. Très belle vue sur la région. Un sentier, en partie tracé dans les fossés du château, permet de faire le tour de l'énorme rocher de grès qui porte les ruines. Par un pont, on accède à l'ancienne cour.

circuits

La **région de Dabo-Wangenbourg**★★ appartient aux Petites Vosges. Ses massifs gréseux, d'apparence farouche et tourmentée, sont séparés par des vallées fraîches et calmes dont les eaux coulent sur des lits de sable fin.

OÙ SE RESTAURER
Auberge des Randonneurs - *3 pl. de l'Église - 57850 Dabo - 15 km au NO de Wangenbourg par D 218, D 143 puis D 45 - ☎ 03 87 07 47 48 - fermé le soir sf été - 70/115F.* Dans une ruelle du village, cette auberge est une adresse simple où vous mangerez une cuisine régionale sans prétention. Des tableaux de bois sculptés et des personnages, œuvres du patron, décorent la petite salle... Ne ratez pas le pâté maison !

GROS BRAS
Un concours de bûcherons se déroule le dimanche suivant le 14 juillet. Avis aux amateurs !

FORÊT DE SAVERNE
Au Nord de Wangenbourg — 78 km — environ 3h1/2

Obersteigen

L'église est bâtie en grès. Son architecture, d'un style homogène, marque la transition du roman au gothique : arcs en plein cintre, chapiteaux à crochets. Des colonnettes annelées ornent le portail.

Prendre la D 45 vers Dabo.

La route sinueuse pénètre dans une superbe forêt. Belles échappées sur le rocher et le pays de Dabo, le plateau fertile du Kochersberg et la plaine d'Alsace.

Rocher de Dabo★

Signalisation « Rocher St-Léon ». De juin à mi-sept. : 9h-19h ; de mi-mars à fin mai : 9h-18h, sam. 9h-18h30, dim. et j. fériés 9h-19h ; de mi-sept. à fin oct. : 9h-18h. Fermé d'oct. à mi-mars. 10F. ☎ 03 87 07 40 12 ou ☎ 03 87 07 47 51.

Le rocher de grès de Dabo porte deux tables d'orientation. Dans la tour de la chapelle est encastrée la statue du pape Léon IX. À gauche du portail percé sous la tour et permettant d'entrer dans la chapelle, une petite porte s'ouvre sur l'escalier *(92 marches)*. De là, le village de Dabo a la forme d'un X.

Dabo

Le **site★** de Dabo est très agréable et les belles forêts environnantes en font une station estivale fréquentée.

Un peu plus loin, la route descend dans la pittoresque **vallée du Kleinthal.**

Après Schaeferhof, suivre la D 45 à gauche. À 5 km, prendre à gauche la D 96.

Aux approches de Schaeferhof, on aperçoit, en avant, le village de Haselbourg perché au sommet d'une colline.

Cristallerie de Vallerysthal

C'est le baron de Klinglin (nom prédestiné !) qui transporta en 1838 la très ancienne verrerie de Plaine-de-Walsch au val de Valléry. Entreprise prospère dont les produits sont très demandés durant la deuxième moitié du 19e s., notamment en Allemagne, la verrerie comptera 1 300 salariés en 1914. Du temps de sa splendeur, l'antique maison a conservé sa « salle des trésors » qui recèle près de 40 000 modèles du 18e s. à nos jours. *10h-12h, 13h-18h ; w.-end et j. fériés 10h-12h, 14h-18h. Gratuit. ☎ 03 87 25 62 04.*

Revenir sur la D 98ᶜ.

Rocher du Nutzkopf★

🚶 *3/4 h à pied AR. Accès par la D 98ᴰ à partir de Sparsbrod, puis une route forestière à gauche, enfin un sentier signalé à gauche. Au sommet (515 m) de ce curieux rocher tabulaire,* **vue★** *sur le rocher du Dabo, le village de La Hoube, la verdoyante vallée du Grossthal.*

Revenir sur la D 98ᶜ, puis prendre la D 98 à droite, le long de la Zorn.

Plan incliné de St-Louis-Arzviller★

On peut l'observer dans d'excellentes conditions depuis la D 98ᶜ. De mi-mars à mi-nov. : visite guidée avec descente de l'ouvrage en vedette (1h1/2) h. variables selon la sais. (juil.-août : à 10h15, 11h30, 13h35, 14h50, 16h05, 17h20). 38F. ☎ 03 87 25 30 69.

Un chariot-bac, d'une longueur de 43 m, se déplaçant transversalement sur les rails d'une rampe de béton par un système de contrepoids reliés au chariot-bac par des câbles, permet de faire passer d'un bief à l'autre, en 20 mn, une péniche automotrice de 350 t.

Vallée de la Zorn★

Cette vallée, aux versants couverts de hêtres et de sapins, a toujours été le passage le plus fréquenté des Vosges du Nord. Le canal de la Marne au Rhin et le che-

PETITE HISTOIRE

La petite église d'Obersteigen a été construite au 13e s. par les chanoines de St-Augustin qui, trouvant le climat de la montagne un peu rude, déménagèrent vers Saverne au 16e s.

POINT DE VUE

Beau **panorama★** du haut de la tour du Dabo d'où il est possible de repérer les principaux sommets des Vosges gréseuses (Schneeberg, Grossmann, Donon, etc.).

PROUESSE TECHNIQUE

Long de 108,65 m dans sa partie inclinée, pour une dénivellation de 44,55 m, cet ouvrage a remplacé en 1969 l'ancien escalier de 17 écluses, étagées sur moins de 4 km, le long de la voie ferrée, dont le franchissement nécessitait une journée entière.

À St-Louis-Arzviller, le canal de la Marne au Rhin est équipé d'un élévateur à bateaux transversal sur plan incliné, première réalisation mondiale de ce type.

min de fer de Paris à Strasbourg ont aussi choisi de l'emprunter. La Zorn y coule, abondante et claire, sur un lit de sable et de cailloux.

À **Lutzelbourg**, sur la D 38-D 132, sur un promontoire, ruines féodales du château du même nom.

Château du Haut-Barr★ *(voir ce nom)*

Saverne *(voir ce nom)*

Marmoutier★★ *(voir ce nom)*

FORÊT DE HASLACH
44 km au Sud de Wangenbourg — environ 2h1/2

Forêt de Haslach
Après Wolfsthal, la D 218 monte dans la belle forêt de Haslach. Un parcours agréable conduit à la maison forestière. À 500 m commence une descente parfois sinueuse qui se poursuivra jusqu'à Oberhaslach. On aperçoit en avant et à gauche, toute proche, la tour ruinée du château du Nideck.

Château et cascade du Nideck★★
🚶 *1h1/4 à pied AR. Laisser la voiture sur le parking situé en contrebas de la maison forestière du Nideck et prendre le sentier signalé par des panneaux.* Une tour du 13ᵉ s. et un donjon du 14ᵉ s., dans un site★★ romantique, sont les restes de deux châteaux incendiés en 1636.

Passant ensuite à droite du donjon, suivre à gauche le sentier de la cascade. Après un abri en bois, puis un petit pont, prendre à droite jusqu'au belvédère (très dangereux, bien que muni d'un garde-fou).

Du belvédère, la **vue**★★ est superbe sur la vallée glaciaire et le gouffre boisé, dans lequel la cascade du Nideck se jette du haut d'une muraille de porphyre. Pour voir la cascade, continuer, au-delà du belvédère, par un sentier aménagé *(1/2h AR)*.

> **POINT DE VUE**
> Du haut de la tour et du haut du donjon du Nideck, belle vue sur la forêt, la vallée de la Bruche, le château de Guirbaden et les hauteurs du Champ du Feu.

L'escarpement porphyrique d'où descend la cascade du Nideck est impressionnant.

Revenir à la D 218 et faire 1,2 km.

Belvédère

À 20 m de la route, à hauteur d'une borne commémorant sa construction.

Belle **vue**★ sur le château du Nideck et la vallée. Ensuite, la vue se dégage à gauche sur les ravins boisés de la Hasel et de ses affluents et, au loin, sur la vallée de la Bruche et les hauteurs qui la dominent au Sud.

Oberhaslach

C'est un lieu de pèlerinage assez fréquenté. La chapelle, construite en 1750, de style baroque, restaurée en 1987, rappelle l'endroit où le saint vivait en ermite avant de devenir le 7e évêque de Strasbourg.

SAINT FLORENT

Saint Florent, objet du pèlerinage d'Oberhaslach, passait, au 7e s., pour être capable d'adoucir les animaux les plus sauvages. Il est resté le protecteur des animaux domestiques.

Église de Niederhaslach★

Visite environ 1/2 h. Possibilité de visite guidée sur demande.
☎ *03 88 50 90 29.*

Elle se dresse à l'emplacement d'une ancienne abbaye fondée par saint Florent. Style gothique avec un portail encadré de statuettes et orné d'un tympan qui illustre l'histoire de saint Florent, guérissant la fille du roi Dagobert. Dans les bas-côtés et l'abside se trouvent de **beaux vitraux**★ des 14e et 15e s. Une chapelle, à droite du chœur, abrite sous ses voûtes aux clefs sculptées le tombeau de Gerlac et un St-Sépulcre du 14e s.

Suivre la D 75.

Wasselonne

C'est une ancienne place forte dominée par un château fort réduit à une vieille tour. Ses maisons s'étagent sur les pentes d'une colline, les contreforts du Kochersberg. Elle garde de ses fortifications une porte de ville, ancien donjon. L'**église protestante** date du 18e s. (orgues de Silbermann). *Visite guidée en sem. 8h-12h, 14h-18h. Mairie.*
☎ *03 88 59 12 12.*

Faire demi-tour pour retrouver la D 218 que l'on prend au Sud. Prendre la D 224.

AGENDA

La foire de Wasselonne (derniers dimanche et lundi d'août) est un événement régional, avec grand corso fleuri.

Vallée de la Mossig

Les blocs de grès en saillie donnent aux hauteurs qui encadrent la Mossig une physionomie très particulière. C'est le grès des environs de Wasselonne qui servit à la construction de la cathédrale de Strasbourg.

Wissembourg ★★

Malgré son histoire extrêmement chargée, en sièges, en désastres et en guerres (une bataille de 1870 porte son nom), Wissembourg s'en sort plutôt bien, miraculeusement intacte et magnifique. Balades sur les remparts, dans la « Petite Venise », la visite des quartiers anciens est incontournable. Plus de 70 maisons datent d'avant 1700, la maison du Sel date même de 1448. L'église St-Pierre-et-St-Paul, du 13e s. arrive en deuxième position, pour sa taille, au hit-parade des églises gothiques d'Alsace (après la cathédrale de Strasbourg).

La situation

Cartes Michelin n°s 57 pli 19 ; 87 pli 2 ou 242 pli 12 — Bas-Rhin (67). Ville frontalière que dominent à l'Ouest le Hochwald et au Nord le Mundatwald qui réservent d'excellents points de vue. Parkings : r. Bannacker, pl. de la Foire et r. de la République. ◘ *9 pl. de la République, 67160 Wissembourg,* ☎ *03 88 94 10 11.*

FÊTE

Depuis 1864, Wissembourg célèbre la Pentecôte avec gaieté et bonne humeur : somptueux cortège de costumes traditionnels, folklore, gastronomie, courses hippiques, feu d'artifice.

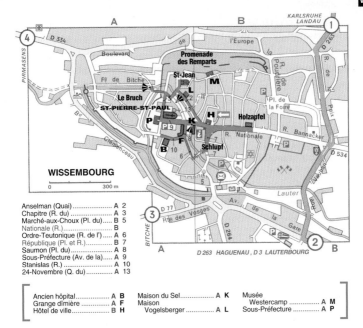

KARLSRUHE
LANDAU

PIRMASENS

WISSEMBOURG

0 — 300 m

Promenade
des Remparts

St-Jean

Le Bruch
ST-PIERRE-ST-PAUL

Holzapfel

Schlupf

WISSEMBOURG

Lauter

BITCHE

Rte des Vosges

D 263 HAGUENAU, D 3 LAUTERBOURG

Les gens

7 443 Wissembourgeois. Et un immigré célèbre. C'est
dans son refuge de Wissembourg, en 1725, que Stanislas
Leszczynski, roi détrôné de Pologne, reçut de Paris cette
nouvelle incroyable : le roi de France, Louis XV, lui
demandait la main de sa fille Marie.

Le symbole

Le légendaire Hans Trapp, le père Fouettard alsacien,
est né ici. À la fin du Moyen Âge, Hans von Drodt, ter-
rorisait les Wissembourgeois depuis son nid d'aigle du
Berwartstein voisin. Les parents se mirent donc à terro-
riser les enfants pas très sages en les menaçant, à leur
tour, des foudres du terrible Hans.

se promener

LA VIEILLE VILLE★
Promenade : 1h1/2. Départ Place de la République.

Hôtel de ville
Il a été construit de 1741 à 1752, en grès rose, avec fronton, petite tour et horloge, selon les plans de Massol. Il
remplace l'ancien Rathaus disparu dans l'incendie de la
ville du 25 janvier 1677.

Prendre la rue du Marché-aux-Poissons qui mène à la
Lauter et offre, à son extrémité, une **vue** agréable sur
de beaux massifs fleuris, au premier plan, et sur le
chevet de l'église St-Pierre-et-St-Paul, à l'arrière.

La maison du Sel
Reconnaissable à sa toiture divisée en auvents sous
lesquels les lucarnes ouvrent en balcons, c'était
d'abord un hôpital (1448) avant de devenir un dépôt
de sel et un abattoir.

Suivre le quai Anselman.

À l'Ancienne Couronne
Cette très ancienne maison de patriciens (1491) servit
d'auberge jusqu'en 1603, puis appartint aux Bartholdi
à la fin du 18e s.

Maison Vogelsberger
Avec son riche portail Renaissance et son blason
peint, elle date de 1540.

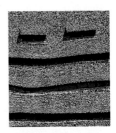

*L'imposante toiture de la
maison du Sel, au centre de
la ville.*

carnet pratique

DÉCOUVRIR WISSEMBOURG AUTREMENT

Visites guidées – L'Office du tourisme de Wissembourg organise tout au long de l'année de multiples excursions en ville et dans ses environs. Des « sorties toniques au cours de l'histoire » (randonnées pédestres d'une journée dans la région avec guide) aux visites à thème de la ville, en passant par la découverte du pays de Wissembourg (« route des Villages pittoresques », « route des Châteaux forts », « Parc naturel du Palatinat ») ou des promenades équestres ou à pied dans le Parc naturel régional des Vosges du Nord.

Mini-train touristique – *Avr.-oct. - 30F (enf. de 6 à 14 ans : 15F).* Circuit commenté de 45 mn en français, anglais ou allemand. Départ pl. de la République. Voir l'Office de tourisme.

Découverte de l'Alsace – Circuits dans la région avec guide-interprète (français, anglais, allemand) : le pays de Bade avec la « route de la Forêt-Noire » ; le Rhin romantique ; séjours de découverte gastronomique et culturelle en Alsace et Outre-Forêt. Voir l'Office de tourisme.

Week-end escapade aérienne à Wissembourg – *Compter 900F par personne.* Survol de la région, visite de châteaux, dégustation de vins et plats régionaux. Aérodrome de Schweighofen (3 km de Wissembourg). Voir l'Office de tourisme.

OÙ DORMIR

● *À bon compte*

Chambre d'hôte Klein – *59 r. Principale - 67160 Cleebourg - 7 km au SO de Wissembourg par D 7 - ☎ 03 88 94 50 95 - ⊟ - 3 ch. : 170/230F - repas 70F.* Au cœur du village de Cleebourg, dont le vin est renommé, cette maison alsacienne des 18e et 19e s. est une étape agréable : avec son décor authentique meublé à l'ancienne, l'ambiance y est paisible et chaleureuse. Cuisine régionale et bon rapport qualité/prix.

OÙ SE RESTAURER

● *Valeur sûre*

Auberge du Pfaffenschlick – *Au col de Pfaffenschlick - 67510 Climbach - 12 km au SO de Wissembourg par D 3, dir. Lembach, et rte du col par D 51 - ☎ 03 88 54 28 84 - fermé janv., lun. et mar. - 120/160F.* En pleine forêt, juste en face d'une cabane qui servit de cantine pendant la construction de la Ligne Maginot, ce restaurant qui accueillait autrefois les marcheurs continue de servir une cuisine ménagère du cru, solide et abondante. Belle terrasse et cadre campagnard.

PETITE COLLATION

Chez Éric – *9 r. de la République - ☎ 03 88 94 01 58 - ven.-mar. 8h-19h, mer. 8h-18h.* Située dans une charmante ruelle très fleurie passant au-dessus du canal, la terrasse de cette pâtisserie-salon de thé est le lieu idéal pour déguster les spécialités de la ville et de la région : gâteaux aux châtaignes, kougelhopf et bien sûr vins d'Alsace.

Rebert – *7 pl. du Marché-aux-Choux - ☎ 03 88 94 01 66 - mar.-ven. 7h-18h, sam.-dim. 7h-17h30 - salon de thé d'oct. à avr.* La spécialité de ce chocolatier sont les pavés de Wissembourg, petits chocolats fourrés. Derrière la boutique, une ravissante cour fleurie fait office de salon de thé durant tout l'été.

Le Charles V – *31 r. Nationale - ☎ 03 88 94 09 39 - dim.-mer., ven. 14h-1h, sam. 10h-1h.* Le seul pub de la ville. C'est donc autour de son bar en forme de tonneau que se retrouvent les noctambules de Wissembourg pour y déguster des bières originales et quelques crus d'Alsace sélectionnés.

LOISIRS SPORTIFS

Espace Cycles – *8 r. de l'Ordre-Teutonique - ☎ 03 88 54 33 77 - mar.-mer., ven. 8h-12h, 13h30-18h30, jeu. 13h30-19h30, sam. 8h-12h, 13h30-16h30.* Location de vélos.

STAR

Martin Bucer (ou Butzer), de son vrai nom Kuhhorn (1491-1582), réformateur alsacien né à Sélestat, a prêché la Réforme, dans l'église St-Jean, en 1522, avant de partir en Angleterre.

Tourner à droite dans la rue du Presbytère.

Église St-Jean

Cette église protestante restaurée remonte au 15e s., sauf le clocher, roman (13e s.). Dans la cour, sur le côté gauche de l'église, anciennes pierres tombales, en grès rouge des Vosges.

Le passage dans la rue St-Jean, rue du Musée, permet de voir une maison médiévale des 13e et 14e s.

Revenir sur ses pas et traverser la Lauter.

Quartier du Bruch

Du pont sur la Lauter, on a une belle vue sur ce vieux quartier. La première maison à droite, dont le pan coupé est orné d'une petite loggia ou oriel (1550), servit de décor au tournage du film *L'Ami Fritz*, en 1933. En face, sur l'autre rive : maison patricienne des 16e et 17e s.

Revenir sur l'autre rive et prendre à droite la rue du Chapitre.

CLOÎTRE

Contre le flanc Nord de l'église subsistent une galerie entière et deux travées d'un somptueux cloître gothique resté inachevé, longtemps considéré comme « le plus beau de toute la vallée du Rhin ».

Église St-Pierre-et-St-Paul★

Bâtie en grès, c'est l'ancienne église gothique, élevée au 13e s., d'un monastère bénédictin fondé au 7e s. Un clocher carré, vestige de l'église romane antérieure, reste accolé au flanc droit de l'édifice. La Révolution décapita ses statues et anéantit ses tableaux, puis le transforma en magasin à fourrage. L'intérieur présente un gothique homogène. Entre la chapelle de droite et le chœur, le grand Saint Christophe tenant l'Enfant Jésus dans ses bras, fresque du 15e s., est le plus grand personnage peint connu en France (11 m de haut). Le chœur est éclairé par des vitraux du 13e s., restaurés au siècle dernier. Le vitrail le plus ancien est la petite rose placée au pignon du croisillon gauche ; il représente une Vierge à l'Enfant (2e moitié du 12e s.).

Sous-préfecture

À l'extrémité de l'avenue de la Sous-Préfecture, l'élégant pavillon de la fin du 18e s. occupe l'ancien hôtel du doyenné de la collégiale.

Prendre à gauche l'avenue de la Sous-Préfecture. Place du Saumon, prendre à droite la rue Stanislas.

Grange dîmière

La grange dîmière de l'ancienne abbaye jouxte la maison des chevaliers teutoniques, de 1606. L'ordre Teutonique, fondé en Terre sainte au 12e s., a disparu à la Révolution.

Ancien hôpital

C'était la résidence du roi Stanislas Leszczynski de 1719 à 1725, dont la fille Marie épousa Louis XV en 1725.

Faire demi-tour et tourner à droite dans la rue de l'Ordre-Teutonique.

Emprunter la petite passerelle passant au-dessus de la Lauter, dans le quartier appelé le **Schlupf**, « Petite Venise » de Wissembourg.

Rejoindre par la gauche la rue de la République, puis tourner à droite dans la rue Nationale.

Holzapfel

La maison gothique avec tourelles d'angle fut un relais de poste de 1793 à 1854 ; Napoléon s'y arrêta en 1806.

Faire demi-tour pour revenir place de la République.

LES REMPARTS

La balade le long du talus des anciens remparts, planté d'ormes et de frênes, permet de découvrir les toits patinés du quartier ancien, les tours majestueuses de l'église St-Pierre-et-St-Paul et, dans le lointain, le moutonnement des Vosges. Un premier mur longe en pleine ville un bras de la Lauter. Non loin de la maison Stanislas s'élève le Schartenturm, vestige de

> ▶ **À VOIR**
> Au Nord, la promenade des Remparts permet d'admirer les fortifications du 13e s.

Fidèles à leur ancienne mission, d'épais remparts continuent de veiller sur les bords de la Lauter.

l'enceinte du monastère construite sous l'abbé Samuel au 11e s. Une deuxième enceinte part de l'extrémité du faubourg de Bitche, où l'on découvre une belle maison patricienne des 16e et 17e s. et la tour des Husgenossen (de 1420), jusqu'au Sud de la ville.

visiter

ÉNORME

Le musée conserve une réplique du lustre-couronne de l'abbatiale, détruit sous la Révolution. L'original, du 11e s., célèbre dans tout l'Occident, faisait 6 m de diamètre ! On ne connaît pas le nombre de bougies qu'il portait.

Musée Westercamp

D'avr. à fin déc. : lun., mer., jeu. 14h-18h, ven. et sam. 9h-12h, 14h-18h, dim. et j. fériés 10h-12h, 14h-18h. Fermé 25 déc. 15F. ☎ 03 88 54 28 14.
Installé dans une maison du 16e s., il renferme des meubles anciens (superbes armoires), des costumes paysans et des souvenirs du champ de bataille de 1870. Antiquités préhistoriques et romaines, salle d'armes.

alentours

ADRESSE

Visite de la cave vinicole de Cleebourg. Dégustation gratuite et vente aux particuliers. *Sur réservation 8h-12h, 14h-18h, dim. et fêtes à partir de 10h. Route des Vins - 67160 Cleebourg - ☎ 03 88 94 50 33.*

Vignoble de Cleebourg

Sur les contreforts des Vosges du Nord, cette section septentrionale de la route des Vins parcourt des vignobles d'ancienne tradition qui se sont fait notamment une spécialité du tokay pinot gris et du pinot blanc auxerrois. On peut traverser les terroirs de Steinseltz et Oberhoffen pour gagner Cleebourg.

Altenstadt

2 km à l'Est. Intéressante église romane des 11e et 12e s. Nef et bas-côtés sont plafonnés. En pénétrant dans l'église, on passe sous un curieux porche de près de 7 m de profondeur. Le clocher du 11e s., décoré de bandes lombardes, a été surélevé d'un 3e étage au 12e s.

Ouvrage d'artillerie de Schœnenbourg

12 km au Sud, par la D 264, puis la D 65, fléchage. Voir Ligne Maginot.

Index

Source iconographique

p. 1 : R. Mattès/ MICHELIN
p. 4 : D. Fouss/ DIAF
p. 4 : R. Mattès/ MICHELIN
p. 5 : Ch. Boisvieux/ HOA QUI
p. 5 : C. Valentin/ HOA QUI
p. 16-17 : R. Mattès/ MICHELIN
p. 18 : J. Guillard/ SCOPE
p. 19 : J.-P. Lescouret/ EXPLORER
p. 21 : D. Bringard/ EXPLORER
p. 22 : R. Mattès/ MICHELIN
p. 23 : X. Richer/ HOA QUI
p. 23 : R. Mattès/ MICHELIN
p. 24 : R. Mattès/ MICHELIN
p. 26 : M. Dusart/ PIX
p. 27 : R. Mattès/ MICHELIN
p. 28 : D. Faure/ DIAF
p. 29 : F. Jalain/ EXPLORER
p. 31 : R. Mattès/ MICHELIN
p. 32 : Ch. Hinsinger
p. 33 : AÉROVISION
p. 34 : R. Mattès/ MICHELIN
p. 36 : Breig Bildagentur Schuster, Oberursel
p. 37 : Eka/ EUREKA SLIDE, Bruxelles
p. 39 : R. Mattès/ MICHELIN
p. 40 : R. Mattès/ MICHELIN
p. 40 : Blaise/ PLURIEL
p. 41 : R. Mattès/ MICHELIN
p. 43 : E. Valentin/ HOA QUI
p. 43 : R. Mattès/ MICHELIN
p. 44 : E. Baret
p. 46 : Sam Levin/ AFDPP
p. 47 : R. Mattès/ MICHELIN
p. 48 : R. Mazin/ DIAF
p. 50-51 : C. Dumoulin/ PLURIEL
p. 52 : R. Mattès/ MICHELIN
p. 52 : A. Kaufmann
p. 53 : B. Machet/ HOA QUI
p. 54 : R. Corbel
p. 54 : R. Corbel
p. 54 : R. Corbel
p. 55 : R. Corbel
p. 55 : R. Corbel
p. 56 : B. Kaufmann
p. 58 : RUE DES ARCHIVES
p. 58 : P. & C. Weisbecker/ HOA QUI
p. 58 : J.-C. Gérard/ DIAF
p. 59 : R. Mattès/ MICHELIN
p. 60 : G. Gsell/ DIAF
p. 60 : Pratt-Pries/ DIAF
p. 61 : G. Gsell/ DIAF
p. 62 : Manaud-Icone/ HOA QUI
p. 62 : J. Borredon/ HOA QUI
p. 62 : S. Villerot/ DIAF
p. 63 : P. Stritt/ HOA QUI
p. 64 : D. Faure/ DIAF
p. 64 : F. Perri/ HOA QUI
p. 64 : R. Decker/ PLURIEL
p. 65 : R. Mattès/ MICHELIN
p. 65 : A. Bouchet/ PLURIEL
p. 66 : A. Moya/ PLURIEL
p. 66 : J.-C. Kanni/ PIX
p. 66 : Alphavision/ PLURIEL
p. 67 : Pratt-Pries/ DIAF
p. 68 : Cambazaro/ EXPLORER
p. 68 : T. Borredon/ HOA QUI
p. 69 : E. Valentin/ HOA QUI
p. 72 : R. Mattès/ MICHELIN
p. 72 : F. Zvardon/ PLURIEL
p. 74 : M. Tomalty/ PIX
p. 74 : J.-B. Parent/ PLURIEL
p. 75 : D. Thierry/ DIAF
p. 75 : C. Dumoulin/ PLURIEL
p. 76 : G. Mangin/ Musée historique lorrain, Nancy
p. 76 : BRIDGEMAN-GIRAUDON
p. 77 : RUE DES ARCHIVES
p. 77 : GIRAUDON

p. 78 : Bibliothèque humaniste, Sélestat
p. 78 : G. Mangin/ Musée historique lorrain, Nancy
p. 79 : J.-L. CHARMET
p. 79 : GIRAUDON
p. 80 : RUE DES ARCHIVES/ TAL
p. 80 : Coll. Schrotter/ EXPLORER
p. 81 : B. Kaufmann
p. 81 : RUE DES ARCHIVES/ TAL
p. 82 : RUE DES ARCHIVES/ TAL
p. 82 : RUE DES ARCHIVES
p. 83 : RUE DES ARCHIVES/ TAL
p. 84 : R. Mattès/ MICHELIN
p. 84 : R. Mattès/ MICHELIN
p. 85 : ARTE
p. 85 : B. Régent/ DIAF
p. 86 : R. Corbel
p. 87 : R. Corbel
p. 88 : R. Corbel
p. 89 : R. Corbel
p. 90 : R. Corbel
p. 91 : R. Corbel
p. 92 : B. Kaufmann
p. 92 : B. Kaufmann
p. 93 : R. Mattès/ MICHELIN
p. 93 : B. Kaufmann
p. 94 : R. Mattès/ MICHELIN
p. 94 : J. Sierpinski/ DIAF
p. 95 : R. Mattès/ MICHELIN
p. 96 : R. Mattès/ MICHELIN
p. 96 : R. Mattès/ MICHELIN
p. 97 : R. Mattès/ MICHELIN
p. 97 : R. Corbel
p. 98 : FLAMMARION-GIRAUDON
p. 98 : R. Mattès/ MICHELIN
p. 98 : GIRAUDON
p. 99 : GIRAUDON
p. 99 : R. Mattès/ MICHELIN
p. 100 : Coll. Musée de l'École de Nancy/ STUDIO IMAGE MEN
p. 100 : J.-C. Gérard/ DIAF
p. 101 : Coll. Musée de l'École de Nancy/ STUDIO IMAGE MEN
p. 101 : Coll. Musée de l'École de Nancy/ STUDIO IMAGE MEN
p. 101 : D. Thierry/ DIAF
p. 102 : R. Mattès/ MICHELIN
p. 103 : R. Mattès/ MICHELIN
p. 106 : B. Conseil/ Parc zoologique de Coulange
p. 107 : R. Mattès/ MICHELIN
p. 108 : R. Mattès/ MICHELIN
p. 108 : B. Kaufmann
p. 111 : J. Guillard/ SCOPE
p. 112 : R. Mattès/ MICHELIN
p. 113 : J.-P. Clapham/ MICHELIN
p. 114 : Musée du Cristal, Baccarat
p. 116 : J.-P. Clapham/ MICHELIN
p. 118 : J.-C. Gérard/ DIAF
p. 118 : R. Mattès/ MICHELIN
p. 121 : M. Paygnard
p. 124 : R. Mattès/ MICHELIN
p. 125 : R. Mattès/ MICHELIN
p. 126 : R. Mattès/ MICHELIN
p. 128 : R. Mattès/ MICHELIN
p. 129 : Ph. Gajic/ MICHELIN
p. 129 : PROTET S.A.
p. 130 : PROTET S.A.
p. 132 : R. Mattès/ MICHELIN
p. 133 : R. Mattès/ MICHELIN

p. 134 : A. de Valroger/ MICHELIN
p. 135 : R. Mattès/ MICHELIN
p. 136 : R. Mattès/ MICHELIN
p. 137 : R. Mattès/ MICHELIN
p. 138 : GIRAUDON
p. 140 : R. Mattès/ MICHELIN
p. 141 : R. Mattès/ MICHELIN
p. 141 : R. Mattès/ MICHELIN
p. 143 : R. Mattès/ MICHELIN
p. 143 : R. Mattès/ MICHELIN
p. 144 : C. Boisvieux/ HOA QUI
p. 144 : R. Mattès/ MICHELIN
p. 146 : R. Mattès/ MICHELIN
p. 148 : W. Buss/ HOA QUI
p. 149 : R. Mattès/ MICHELIN
p. 149 : R. Mattès/ MICHELIN
p. 152 : J.-P. Kayser/ CDT Meurthe-et-Moselle
p. 153 : R. Mattès/ MICHELIN
p. 153 : R. Mattès/ MICHELIN
p. 154 : R. Mattès/ MICHELIN
p. 155 : R. Mattès/ MICHELIN
p. 157 : J.-P. Garcin/ DIAF
p. 158 : R. Mattès/ MICHELIN
p. 160 : R. Mattès/ MICHELIN
p. 160 : Imagerie d'Épinal
p. 161 : Imagerie d'Épinal
p. 164 : R. Mattès/ MICHELIN
p. 167 : R. Mattès/ MICHELIN
p. 167 : R. Mattès/ MICHELIN
p. 169 : R. Mattès/ MICHELIN
p. 170 : R. Mattès/ MICHELIN
p. 171 : Musée du Florival, Guebwiller
p. 172 : B. Kaufmann
p. 173 : B. Kaufmann
p. 176 : R. Mattès/ MICHELIN
p. 177 : R. Mattès/ MICHELIN
p. 178 : R. Mattès/ MICHELIN
p. 179 : R. Mattès/ MICHELIN
p. 179 : R. Mattès/ MICHELIN
p. 180 : R. Mattès/ MICHELIN
p. 181 : B. Kaufmann
p. 182 : Martel/ HOA QUI
p. 183 : R. Mattès/ MICHELIN
p. 184 : R. Mattès/ MICHELIN
p. 186 : R. Mattès/ MICHELIN
p. 187 : R. Mattès/ MICHELIN
p. 187 : R. Mattès/ MICHELIN
p. 189 : R. Mattès/ MICHELIN
p. 190 : R. Mattès/ MICHELIN
p. 191 : R. Mattès/ MICHELIN
p. 194 : G. Klopp/ Ed. Rohmer
p. 197 : R. Mattès/ MICHELIN
p. 199 : Faïencerie St-Jean-l'Aigle, Longwy
p. 201 : R. Mattès/ MICHELIN
p. 202 : R. Mattès/ MICHELIN
p. 203 : R. Mattès/ MICHELIN
p. 204 : B. Kaufmann
p. 205 : R. Mattès/ MICHELIN
p. 207 : A. Thuillier/ MICHELIN
p. 207 : G. Magnin/ MICHELIN
p. 208 : R. Mattès/ MICHELIN
p. 209 : R. Mattès/ MICHELIN
p. 210 : R. Mattès/ MICHELIN
p. 211 : R. Mattès/ MICHELIN
p. 214 : R. Mattès/ MICHELIN
p. 215 : G. Gyssels/ DIAF
p. 216 : R. Mattès/ MICHELIN
p. 218 : R. Mattès/ MICHELIN
p. 219 : R. Mattès/ MICHELIN
p. 219 : G. Gyssels/ DIAF
p. 221 : R. Mattès/ MICHELIN
p. 223 : R. Mattès/ MICHELIN
p. 226 : R. Mattès/ MICHELIN
p. 228 : A. de Valroger/ MICHELIN
p. 228 : G. Boutin/ HOA QUI
p. 229 : R. Mattès/ MICHELIN
p. 232 : R. Mattès/ MICHELIN
p. 232 : R. Mattès/ MICHELIN
p. 233 : R. Mattès/ MICHELIN

p. 235 : Ville de Mulhouse
p. 236 : J.-M. Lernould/ Zoo de Mulhouse
p. 237 : J. Bravo/ HOA QUI
p. 238 : R. Mattès/ MICHELIN
p. 239 : R. Mattès/ MICHELIN
p. 241 : B. Kaufmann
p. 242-243 : J. Sierpinski/ DIAF
p. 244 : R. Mattès/ MICHELIN
p. 245 : R. Mattès/ MICHELIN
p. 247 : Musée des Beaux-Arts, Nancy
p. 250 : R. Mattès/ MICHELIN
p. 251 : R. Mattès/ MICHELIN
p. 252 : Musée des Beaux-Arts, Nancy
p. 252 : J.-P. Langeland/ Musée historique lorrain, Nancy
p. 254 : G. Biollay/ DIAF
p. 256 : Musée de l'Instrumentation optique/ STUDIO A
p. 257 : R. Mattès/ MICHELIN
p. 257 : R. Mattès/ MICHELIN
p. 258 : R. Mattès/ MICHELIN
p. 260 : Y. Noto-Campanella/ PLURIEL
p. 263 : R. Mattès/ MICHELIN
p. 265 : R. Mattès/ MICHELIN
p. 266 : B. Kaufmann
p. 269 : R. Mattès/ MICHELIN
p. 270 : Musée de l'Image populaire, Pfaffenhoffen
p. 271 : R. Mattès/ MICHELIN
p. 273 : R. Mattès/ MICHELIN
p. 276 : J. Sierpinski/ DIAF
p. 279 : R. Mattès/ MICHELIN
p. 282 : R. Mattès/ MICHELIN
p. 286 : R. Mattès/ MICHELIN
p. 288 : R. Mattès/ MICHELIN
p. 290 : B. Kaufmann
p. 291 : R. Mattès/ MICHELIN

p. 294 : R. Mattès/ MICHELIN
p. 295 : R. Mattès/ MICHELIN
p. 295 : H. Boll/ Musée Hansi, Riquewihr
p. 296 : B. Kaufmann
p. 298 : R. Mattès/ MICHELIN
p. 300 : G. Boutin/ HOA QUI
p. 302 : B. Kaufmann
p. 303 : R. Mattès/ MICHELIN
p. 305 : Office du tourisme du canton de Senones
p. 306 : G. Guittot/ DIAF
p. 308 : R. Mattès/ MICHELIN
p. 309 : R. Mattès/ MICHELIN
p. 311 : D. Millot/ OTSI Val d'Argent
p. 313 : R. Mattès/ MICHELIN
p. 316 : H. Parent
p. 318 : R. Mattès/ MICHELIN
p. 319 : R. Mattès/ MICHELIN
p. 321 : R. Mattès/ MICHELIN
p. 324 : R. Mattès/ MICHELIN
p. 326 : R. Mattès/ MICHELIN
p. 327 : R. Mattès/ MICHELIN
p. 328 : J.-C. Kanny/ CDT Moselle
p. 329 : R. Mattès/ MICHELIN
p. 331 : R. Mattès/ MICHELIN
p. 334 : Nef des Jouets, Soultz-Haut-Rhin
p. 335 : G. Guittot/ DIAF
p. 336 : B. Machet/ HOA QUI
p. 337 : R. Mattès/ MICHELIN
p. 338 : R. Mattès/ MICHELIN
p. 339 : R. Mattès/ MICHELIN
p. 341 : B. Kaufmann
p. 341 : B. Kaufmann
p. 343 : Musée des Beaux-Arts, Strasbourg
p. 344 : R. Mattès/ MICHELIN
p. 344 : R. Mattès/ MICHELIN
p. 348 : R. Mattès/ MICHELIN
p. 348 : R. Mattès/ MICHELIN
p. 349 : R. Mattès/ MICHELIN

p. 351 : Musée alsacien, Strasbourg
p. 353 : R. Mattès/ MICHELIN/ © ADAGP 2000, Paris
p. 355 : C. Valentin/ HOA QUI
p. 358 : B. Kaufmann
p. 358 : R. Mattès/ MICHELIN
p. 361 : R. Mattès/ MICHELIN
p. 363 : R. Mattès/ MICHELIN
p. 366 : R. Mattès/ MICHELIN
p. 367 : B. Kaufmann
p. 369 : R. Mattès/ MICHELIN
p. 370 : P. & C. Weisbecker/ HOA QUI
p. 371 : R. Mattès/ MICHELIN
p. 373 : R. Mattès/ MICHELIN
p. 374 : R. Mattès/ MICHELIN
p. 374 : R. Mattès/ MICHELIN
p. 375 : E. Tl. Valentin/ HOA QUI
p. 376 : R. Mattès/ MICHELIN
p. 380 : R. Mattès/ MICHELIN
p. 380 : R. Mattès/ MICHELIN
p. 381 : R. Mattès/ MICHELIN
p. 383 : R. Mattès/ MICHELIN
p. 384 : R. Mattès/ MICHELIN
p. 385 : R. Mattès/ MICHELIN
p. 386 : R. Mattès/ MICHELIN
p. 388 : R. Mattès/ MICHELIN
p. 388 : J. Sierpinski/ DIAF
p. 389 : R. Mattès/ MICHELIN
p. 390 : J. Sierpinski/ DIAF
p. 391 : R. Mattès/ MICHELIN
p. 391 : R. Mattès/ MICHELIN
p. 396 : R. Mattès/ MICHELIN
p. 397 : R. Mattès/ MICHELIN
p. 399 : R. Mattès/ MICHELIN
p. 402 : R. Mattès/ MICHELIN
p. 405 : P. Stritt/ HOA QUI
p. 405 : R. Mattès/ MICHELIN
p. 408 : R. Mattès/ MICHELIN
p. 409 : R. Mattès/ MICHELIN

La Fondation du Patrimoine

Par dizaines de millions, vous partez chaque année à la découverte de l'immense richesse du patrimoine bâti et naturel de la France. Vous visitez ces palais nationaux et ces sites classés que l'État protège et entretient. Mais vous admirez également ce patrimoine de proximité, ce trésor constitué de centaines de milliers de chapelles, fontaines, pigeonniers, moulins, granges, lavoirs ou ateliers anciens..., indissociables de nos paysages et qui font le charme de nos villages.

Ce patrimoine n'est pas protégé par l'État. Souvent abandonné, il se dégrade inexorablement. Chaque année, des milliers de témoignages de la vie économique, sociale et culturelle du monde rural, disparaissent à jamais.

La Fondation du Patrimoine, organisme privé à but non lucratif, reconnu d'utilité publique, a été créé en 1996. Sa mission est de recenser les édifices et les sites menacés, de participer à leur sauvegarde et de rassembler toutes les énergies en vue de leur restauration, leur mise en valeur et leur réintégration dans la vie quotidienne.

Les délégations régionales et départementales sont la clef de voûte de l'action de la Fondation sur le terrain. À partir des grands axes définis au niveau national, elles déterminent leur propre politique d'action, retiennent les projets et mobilisent les associations, les entreprises, les communes et tous les partenaires potentiels soucieux de patrimoine et d'environnement.

Rejoignez la Fondation du Patrimoine !

L'enthousiasme et la volonté d'entreprendre en commun sont à la base de l'action de la Fondation.

En devenant membre ou sympathisant de la Fondation, vous défendez l'avenir de votre patrimoine.

✂ ....

Bulletin d'adhésion

Nom et prénom :
....

....

Adresse :
....

Date :   Téléphone (facultatif) :
....

Membre actif (don supérieur ou égal à 300F)
Membre bienfaiteur (don supérieur ou égal à 3 000F)
Sympathisant (don inférieur à 300F)
Je souhaite que mon don soit affecté au département suivant :

....

Bulletin à renvoyer à :
Fondation du Patrimoine, Palais de Chaillot, 1 place du Trocadéro, 75116 Paris.
Merci de libeller votre chèque à l'ordre de la Fondation du Patrimoine.

Fondation du Patrimoine, Palais de Chaillot, 1 place du Trocadéro, 75116 Paris.
Téléphone : 01 53 70 05 70 – Télécopie : 01 53 70 69 79.

420

LE GUIDE VERT a changé, aidez-nous à toujours mieux répondre à vos attentes en complétant ce questionnaire.

Merci de renvoyer ce questionnaire à l'adresse suivante :
**Michelin Éditions du Voyage / Questionnaire Marketing G. V.
46, avenue de Breteuil – 75324 Paris Cedex 07**

---

1. Est-ce la première fois que vous achetez LE GUIDE VERT ? oui ☐ non ☐
Si oui, passez à la question n° 3. Si non, répondez à la question n° 2.

**2. Si vous connaissiez déjà LE GUIDE VERT, quelle est votre appréciation
sur les changements apportés ?**

	Nettement moins bien	Moins bien	Égal	Mieux	Beaucoup mieux
La couverture	☐	☐	☐	☐	☐
Les cartes du début du guide	☐	☐	☐	☐	☐
Les plus beaux sites					
Circuits de découverte					
Lieux de séjour					
La lisibilité des plans	☐	☐	☐	☐	☐
Villes, sites, monuments.					
Les adresses	☐	☐	☐	☐	☐
La clarté de la mise en pages	☐	☐	☐	☐	☐
Le style rédactionnel	☐	☐	☐	☐	☐
Les photos	☐	☐	☐	☐	☐
La rubrique Informations pratiques en début de guide	☐	☐	☐	☐	☐

---

3. Pensez-vous que LE GUIDE VERT propose un nombre suffisant d'adresses ?

HÔTELS :	Pas assez	Suffisamment	Trop
Toutes gammes confondues	☐	☐	☐
À bon compte	☐	☐	☐
Valeur sûre	☐	☐	☐
Une petite folie	☐	☐	☐

RESTAURANTS :	Pas assez	Suffisamment	Trop
Toutes gammes confondues	☐	☐	☐
À bon compte	☐	☐	☐
Valeur sûre	☐	☐	☐
Une petite folie	☐	☐	☐

**4. Dans LE GUIDE VERT, le classement des villes et des sites par ordre
alphabétique est d'après vous une solution :**

Très mauvaise	Mauvaise	Moyenne	Bonne	Très bonne
☐	☐	☐	☐	☐

5. Que recherchez-vous prioritairement dans un guide de voyage ?
Classez les critères suivants par ordre d'importance (de 1 à 12).

6. Sur ces mêmes critères, pouvez-vous attribuer une note entre 1 et 10 à votre guide.

	5. Par ordre d'importance	6. Note entre 1 et 10
Les plans de ville		
Les cartes de régions ou de pays		
Les conseils d'itinéraire		
La description des villes et des sites		
La notation par étoile des sites		
Les informations historiques et culturelles		
Les anecdotes sur les sites		
Le format du guide		
Les adresses d'hôtels et de restaurants		
Les adresses de magasins, de bars, de discothèques...		
Les photos, les illustrations		
Autre (spécifier)		

7. La date de parution du guide est-elle importante pour vous ?   oui   non

8. Notez sur 20 votre guide :

9. Vos souhaits, vos suggestions d'amélioration :

Vous êtes :   Homme   Femme   Âge

Agriculteur exploitant	Employé
Artisan, commerçant, chef d'entreprise	Ouvrier
Cadre et profession libérale	Préretraité
Enseignant	Autre personne sans activité professionnelle
Profession intermédiaire	

Nom et prénom :

Adresse :

Titre acheté :

Leeds Grammar School
Lawson Library

Ces informations sont exclusivement destinées aux services internes de Michelin.
Elles peuvent être utilisées à toute fin d'étude, selon la loi informatique et liberté du 06/01/78.
Droits d'accès et de rectification garantis.